2026 특수교사임용시험 대비 KORea Special Education Teacher

김남진 KORSET 특수교육
기출분석 ❹

Ⅰ 영역별 마인드맵 수록
Ⅰ 2009~2025년 기출문제 수록

김남진 편저

Part 11
의사소통장애아교육

Part 12
시각장애아교육

Part 13
청각장애아교육

Part 14
전환교육

모범답안 및 해설

박문각 임용   동영상강의 www.pmg.co.kr   박문각

의사소통장애아교육

4

시각장애아교육

84

청각장애아교육

141

전환교육

193

김남진
KORSET 특수교육
기출분석 ④

PART 11

의사소통장애아교육

01

2009 유아1-12

정답) ④

해설

① 구개파열: 인면기형 중 하나로 태아의 발달시기에 구개의 융합이 되지 않음으로써 목젖, 연구개, 경구개 등에 선천적으로 파열이 생긴 경우이다(고은, 2021: 201).
② 운동말장애: 말실행증과 마비말장애를 총칭(김향희, 2015: 264)하여 부르는 용어로 말운동장애라고도 한다.
③ 마비말장애: 말 메커니즘의 근육에 대한 통제가 상실되거나 약화됨으로써 조음점을 찾거나 연속적으로 조음기관을 움직이는 기능이 떨어지는 것이다. 구어를 산출하기 위한 근육운동의 결함이라고 볼 수 있다(고은, 2021: 203).
④ 단순언어장애: 감각적·신경학적·정서적·언어적 장애를 전혀 가지고 있지 않고 언어발달에만 문제를 보이는 경우를 말한다(고은, 2021: 163). 소희의 경우가 여기에 해당한다.
⑤ 신경언어장애: 선천적 혹은 후천적인 원인으로 신경계가 손상되어 생기는 언어장애 현상이다. 언어장애인 실어증뿐만 아니라 마비말장애, 말실행증, 신경학적 말더듬증, 신경학적 음성장애 등을 아우른다(김향희, 2015: 2).

Check Point

◪ 단순언어장애의 판별기준(Leonard)

① 지능이 정상 범주에 속하여야 한다.: 비언어성 지능검사로 측정한 지능지수가 85 이상이어야 한다고 제시하였다.
  • 비언어성 지능검사에서 85 이상이라고 명시한 것은 일반적인 진단적 범주이며, 지적장애를 가진 아동을 배제하기 위해 설정한 기준선이다.
② 언어 능력이 정상보다 지체되어야 한다.: 표준화된 언어검사를 실시하였을 때 그 결과가 최소한 -1.25 표준편차(SD) 이하에 속하여야 한다고 제시하였다.
③ 청력에 이상이 없어야 하며, 진단 시 중이염을 앓고 있지 않아야 한다.
④ 뇌전증이나 뇌성마비와 같은 뇌손상 및 신경학적 이상을 보이지 않아야 하며, 뇌전증이나 신경학적인 문제로 인해 약물을 복용한 경험도 없어야 한다.
⑤ 말 산출과 관련된 구강 구조나 기능에 이상이 없어야 한다.
⑥ 사회적 상호작용 능력에 심각한 이상이나 장애가 없어야 한다.

02

2009 유아1-30

정답) ③

해설

환경 중심 언어중재법의 기법 중 '모델링'을 '아동 중심 시범'이라고도 한다.

ㄷ. 아동 중심의 시범에서는 흔히 모델을 제시하기 전에 아동의 언어 사용에 대한 강화가 될 수 있도록 교재나 활동을 통제한다. 아동이 바르게 반응하면 언어적 확장과 강화를 제공하고 아동이 바르게 반응하지 못하였을 때는 다시 모델을 제시하고 그에 따른 강화를 제공한다(송준만 외, 2016: 450). 따라서 윤희가 "더, 더!" 하면, 교사는 지시("윤희야, '더, 더' 하지 말고 '더 주세요.' 해 봐.")가 아닌 윤희와 함께 비눗물 용기를 쳐다보며 "더 주세요."라고 말한 후 윤희가 반응할 수 있게 잠시 기다리는 것이 적절하다(2012 유아-28 기출).
  • 환경 중심 언어중재의 기본적 기정 중 하나는 '간단하고 긍정적인 절차여야 한다'(고은, 2021: 428)는 것이다. 따라서 "윤희야, '더, 더' 하지 말고 '더 주세요.' 해 봐."와 같이 부정적인 절차를 적용하는 것은 부적절하다.

지문 돋보기

ㄱ. 물리적 환경 조절 전략 중 불충분한 자료 제공
ㄴ. 비눗물을 다 쓴 윤희는 교사가 들고 있는 비눗물 용기를 쳐다보았다.: 윤희의 공동관심 형성하기
ㄹ. 윤희의 무반응에 대한 교사의 반응
ㅁ. 윤희의 정반응에 대한 교사의 반응
  • "비눗물 더 주세요.": 교사의 언어적 확장

Check Point

(1) 환경 중심 언어중재법

일반적인 환경 중심 언어중재법의 구성 절차 또는 기법들은 다음과 같다(특수교육학 용어사전, 2018: 542).

기법	내용
아동 중심의 시범 기법	중재자는 우선 아동의 관심이 어디에 가 있는지를 살피다가 그 물건이나 행동에 같이 참여하면서 그에 적절한 언어를 시범하여 보이는 것이다.
시간 지연 기법	언어치료사가 아동과 함께 쳐다보거나 활동하다가 아동의 언어적 반응을 가만히 기다려 주는 것이다. 아동이 말해야 하는 상황임을 눈치채고 말을 하게 되면 그에 적절하게 교정 또는 시범을 보인다.

선반응 요구 후 시범 기법	아동과 언어치료사가 함께 활동을 하다가 아동에게 언어적인 반응을 구두로 요구해 본 후에 시범을 보이는 것이다. 아동 중심의 시범 기법과 다른 점은 아동에게 반응할 기회를 먼저 주고 나서 언어적인 시범을 보이는 것이다.
우발학습	환경 중심 언어중재의 핵심적인 부분으로 아동의 의사소통 기능 및 기술을 증진시키는 데 매우 효과적인 방법이다. 우발학습이란 아동의 생활환경에서 우연히 일어나는 의사소통의 기회 또는 언어학습의 기회를 이용하여 언어훈련을 하는 것이다.

※ 송준만 등(2016 : 450)의 문헌에도 환경 중심의 언어중재(환경 교수법)의 구성 절차 또는 기법으로 아동 중심의 모델 방법, 시간 지연 기법, 선 반응-요구-후 시범 기법, 우발교수가 제시되어 있다.

(2) 환경 중심 언어중재법의 구성
환경 중심 언어중재는 우발교수, 시간 지연, 요구-모델, 모델링 등의 기법이 독립적으로 사용될 수도 있고 전부를 모두 포함하여 구성될 수도 있다(고은, 2021 : 429).

03   2009 유아-33

정답 ③

해설

ㄱ. 총 발화 수를 총 낱말 수로 나누어 산출하는 평균발화길이는 존재하지 않는다. 평균발화길이의 종류에는 평균형태소길이, 평균낱말길이, 평균어절길이가 있으며, 각각은 총 형태소 수, 총 낱말 수, 총 어절 수를 총 발화 수로 나누어 구한다.

ㄴ. • 개별 의미 유형 분석, 구나 절 간의 의미 관계 분석, 어휘다양도 분석을 통해 의미 발달을 분석한다.
  • 평균발화길이, 문법 형태소 및 구문 유형 분석을 통해 구문 발달을 분석한다.
  • 문장의 자율성 분석, 문장의 적절성 분석, 언어기능의 다양성 분석을 통해 화용론에서의 발달을 분석한다.

ㄹ. 대화 상대자의 말이나 행동 등은 의미 분석이나 활용 분석을 할 때 아동 발화의 언어적 또는 상황적 맥락을 이해하는 것이 중요하기 때문에 자료로써 수집은 된다. 그러나 문장 번호는 아동의 발화에만 붙인다.

Check Point

(1) 어휘다양도(TTR)
① 어휘다양도란 아동의 발화를 단어 단위로 구분한 뒤 전체 단어 수(number of total words ; NTW)에 대한 서로 다른 단어 수(NDW)의 비율을 측정하는 수치이다.
② 2~8세 아동들은 대략 .42~.50 사이의 어휘다양도를 보이므로, 어휘다양도가 .50보다 클 경우 대상 아동은 어휘를 다양하게 사용하고 있다고 해석할 수 있다.
③ 어휘다양도가 .42보다 낮을 경우 동일한 단어를 반복적으로 사용하는 경향을 보인다고 해석할 수 있다.

(2) 평균발화길이(MLU)
① 평균발화길이는 아동의 자발화 길이를 측정하는 척도로서, 아동의 표현언어 발달과 문법 능력을 평가하고 언어장애 아동을 진단·평가하거나 연구집단을 선정하는 기준 등으로 폭넓게 사용된다.
② 평균발화길이는 분석기준으로 삼는 문법단위에 따라 평균형태소길이, 평균단어길이, 평균어절길이가 있으며, 이외 하나의 형태소로 된 발화를 제외하고 두 개 이상의 형태소로 된 발화만을 분석하는 평균구문길이가 있다.
  ㉠ 평균형태소길이 : 전체 형태소의 수를 총 발화 수로 나눈 값으로 평균형태소길이가 증가한다는 것은 문장의 길이가 길어지고 구조적으로 복잡해진다는 것을 의미한다.
  ㉡ 평균단어길이 : 총 단어의 수를 총 발화 수로 나눈 값이다.
  ㉢ 평균어절길이 : 전체 어절의 수를 총 발화 수로 나눈 값으로, 어절의 구분 단위는 현행 맞춤법의 띄어쓰기와 동일하다.
  ㉣ 평균구문길이 : 총 형태소의 수를 총 발화의 수로 나누어 평균을 구한 값으로, 한 개의 형태소로 이루어진 발화가 평균발화길이에 주는 영향을 가능한 한 줄이기 위한 방법이다.

(3) 대화 기능 분석
① 의사소통 행동은 상호작용에서 나타나는 행동으로 비상호작용적 행동은 포함하지 않는다. 여기서 상호작용 행동이란 ㉠ 신체적으로 근접한 상황에서 나타나는 행동 ㉡ 몸짓이나 발성 또는 말로 접근이 일어난 경우 ㉢ 엄마의 의사소통 의도가 있은 후 아동이 3초 이내에 응시 또는 반응한 경우를 포함한다.
② 의사소통 의도는 크게 7개의 상위범주로 분류하고 각 범주 안에 하위범주를 두어 분류한다.

③ 의사소통 의도의 산출형태는 '몸짓이나 발성'이 동반된 형태, 또는 '말' 형태로 구분하여 분석한다. 단, 말에 동반되는 몸짓이나 발성은 '말' 형태로 분석한다. 그러나 알아들을 수 없는 자곤(jargon)은 말로 분석하지 않는다.
④ 의미 없는 상투적인 부르기는 전체 자료의 10%만 분석에 포함한다.
⑤ 동일한 대상 또는 행위를 연속하여 반복적으로 지칭하는 행동들은 한 번만 기록한다.

출처 ▶ 김영태(2019 : 380-381)

(4) 언어표본 수집 후 낱개의 발화로 정리 시 유의사항
① 표본을 수집할 때는 아동의 발화 자체만을 기록하기보다는 그 말을 할 때의 상황과 아동의 말을 유도한 대화상대자의 말도 같이 기록한다. : 발화를 통하여 의미 분석이나 화용 분석을 할 때 아동발화의 언어적 또는 상황적 맥락을 이해하는 것이 중요하기 때문이다. 그러나 문장번호는 아동의 발화에만 붙인다.
② 아동과 상대방의 모든 발화는 한글의 철자법에 맞춰 기록하되, 불분명한 발음이나 아동 특유의 발음 등은 국제음성기호(IPA)를 써서 기록하여 그 옆에 추측되는 낱말을 써 넣는다.
   예 엄마, 나 ki(김) 줘.

04 2009 유아2A-3

모범답안 개요

원리(다음 중 택 5)	적용 방안
학습에 관한 학생의 책임감	언어교육은 선호 중심적으로 이루어져야 한다.
실수의 수용	선호의 실수를 수용한다.
의미의 강조	표준화된 형태의 언어보다 선호가 전하려고 했던 의미에 관심을 갖는다.
어문의 통합	듣기, 말하기, 읽기, 쓰기를 통합하여 지도한다.
내용 영역의 통합	모든 교과와 통합하여 언어교육을 실시한다.
학부모의 개입	총체적 언어교육을 통한 선호의 언어 교육에 대해 할머니와 아버지가 이해할 수 있도록 돕는다.
교실 환경	선호의 언어학습을 촉진하는 환경을 구성한다.
평가	평가는 연속적이며 다양한 형태로 이루어져야 한다.

Check Point

(1) 총체적 언어접근법의 개념
① 굿맨(Goodman)은 총체적 언어를 유아가 쉽게 이해할 수 있는 언어의 관점에서 보고, 언어학습은 작은 단위에서 시작하여 전체를 알아가는 것이 아니라, 의미를 이루는 전체를 이해하려고 하는 요구에서 출발하여 그것을 예측하고 수정하면서 지속적인 학습 동기를 유발시켜 점차 작은 단위까지 학습하는 것이라고 하였다. 이와 같은 관점에서 총체적 언어교육 접근법을 'top-down approach'라고도 한다.
② 총체적 언어접근법의 기본 가정은 유아들이 말하기를 배우는 것과 같은 방법으로 읽기와 쓰기를 배운다는 것이다. 음성언어는 '오늘은 형용사, 내일은 명사, 모레는 동사'처럼 계속 단편적으로 제시되는 인위적인 반복 연습이 아니라, 실제적인 목적으로 사용되어 학습되는 것이다.
③ 결론적으로 총체적 언어교육은 아동에게 구체적이고 실제적이며 의미 있는 학습활동이 되게 함으로써 언어 활동을 통해 아동의 사고력을 신장하는 언어교육의 한 방법이라 할 수 있다.

(2) 총체적 언어접근법의 원리
① 굿맨은 총체적 언어교육의 8가지 원리를 다음과 같이 제시하였다.
   ㉠ '학습에 관한 학생의 책임감'으로, 교사는 읽을 책과 쓸 주제를 선정해 주지 않으며, 유아가 창안한 것에 대해 어떤 기준을 갖고 유아를 교정하거나 철자법 등을 수정하지 않는다.

ⓛ '실수의 수용'으로, 교사는 유아의 서투른 기술(실수, 오류, 잘못된 해석이나 개념들)뿐만 아니라 개인적인 논의도 존중한다.
ⓒ '의미에의 강조'로, 교사는 표준화된 형태의 언어보다 그 순간 아동이 가지려고 하는 의미에 더 초점을 둔다.
ⓔ '어문의 통합'으로, 교사는 유아의 필요와 요구에 따라 통합적인 언어 접근(듣기·말하기·읽기·쓰기의 통합)을 한다.
ⓜ '내용 영역의 통합'으로, 교사는 과학·미술·음악·수학·사회·체육·게임·요리·바느질 등 교실의 모든 교과와 통합하여 언어교육을 한다.
ⓗ '학부모의 개입'으로, 교사는 부모들이 총체적 언어교육의 철학과 신념을 이해하도록 돕는다.
ⓢ '교실 환경'으로, 교사는 유아의 언어학습을 촉진하는 환경을 구성한다.
ⓞ '평가'로, 교사는 표준 지향적 평가가 아닌 학습 지향적인 평가를 지지하며, 평가의 목적이 학습자의 능력을 규정하는 것이 아니라 학습자 자신에게 정보를 제공함으로써 보다 나은 학습을 할 수 있도록 돕는다.

② 이와 같은 견해를 바탕으로 총체적 언어접근법의 원리를 정리하면 다음과 같다.
ⓞ 총체적 언어접근에 기초한 언어교육은 아동 중심적으로 이루어진다. 그것은 가정에서 또는 학교에서 경험하는 유아의 삶에서 의미와 기능이 생성되기 때문이다.
ⓛ 읽기는 실생활 속에서 가장 잘 학습된다. 풍부한 자료들을 접하면서 유아들은 그들의 언어감각과 읽기에서 발달하는 세 가지 신호 시스템, 즉 의미론·구문론·글자–소리의 관계를 사용하게 된다.
ⓒ 문해 활동은 미술·음악·사회·과학·수·문학·놀이와 같은 교과 내용영역의 학습에 유목적으로 통합된다. 여기에서 유아문학의 장르는 다양한 내용 영역의 문해 자료의 주요 원천이 된다.
ⓔ 총체적 언어접근에서, 평가는 연속적이며 다양한 형태들을 갖는다. 교사들은 일상의 작업 샘플들을 수집하고, 유아들의 행동을 관찰 및 기록하며, 다양한 상황에서 유아들을 녹음·녹화하고, 개별 유아에 대한 정보를 포트폴리오로 만든다. 평가의 과정은 교사와 유아 모두를 위한 것이며, 발달 상태의 진단뿐만 아니라 앞으로의 교육과정 구성에 중요한 자료가 된다.
ⓜ 총체적 언어접근법은 유아들의 요구와 흥미 및 환경에 따라 다양한 방법으로 실행될 수 있는 가능성을 가진 열린 교육이다.

출처 ▶ 박선희 외(2006 : 263-265)

05   2009 초등1-15

정답 ⑤

해설

①~④ 발음 중심 접근법에 대한 설명이다.
⑤ 총체적 언어접근법에 해당한다.

Check Point

✎ 발음 중심 접근법과 총체적 언어접근법의 비교

발음 중심 접근법	총체적 언어접근법
단어 중심으로 지도한다.	문장 중심으로 지도한다.
발음과 음가를 중시한다.	의미 파악을 중시한다.
인위적인 방법으로 지도한다.	자연주의적 원칙을 따른다.
단어카드, 철자카드를 사용한다.	그림 이야기책을 사용한다.
그림, 삽화는 발음지도에 장애가 된다.	의미 파악을 위해 그림과 삽화 활용을 적극 권장한다.
내용 파악을 위한 질문은 가능한 한 하지 않는다.	내용 파악을 위한 예측을 적극 권장한다.

06　　　2009 중등1-32

정답　③

해설

자연적 언어중재는 우발교수, 환경 중심 언어중재가 발달하면서 정상 아동의 언어발달이 자연스러운 맥락과 자연환경 속의 여러 사람, 사건에 의해 발달하는 데 초점을 맞추어 중재하듯이 언어일반화가 어려운 발달장애 아동의 언어를 중재하려는 방법이다. 자연적 언어중재는 자연적인 환경, 상호작용, 일반화를 위해 일상생활에서 느슨한 방법으로 훈련시킬 것을 강조한다. 느슨하게 훈련하기란 지나친 구조화를 피하고 좀 더 느슨하게 훈련하는 것을 의미한다. 훈련 상황을 지나치게 구조화하면 구조화된 상황에 의존하게 되므로 오히려 일반화에 방해가 된다는 것이다. 반면에 느슨하게 훈련하면, 즉 덜 구조화된 곳에서, 최소한의 중재를 적용하여, 자연스러운 상황에서 가르치면 일반화에 더 효과적이라는 것이다.

ㄹ. 행동주의 이론에 기반한 중재방법에 대한 설명이다.
- 자연적 언어중재란 학생 중심의 언어중재로서 학생이 좋아하는 주제나 활동을 중심으로 하여 이루어지는 것을 말한다. 일상생활에서 만나는 사람들이 중재자가 되며, 중재환경은 일상적인 자연스러운 환경 그리고 중재목표는 일상생활 속에서의 사회적 의사소통능력 증진이다(고은, 2021 : 430).

Check Point

📝 **자연적 언어중재**

① 과거에는 장애유아의 의사소통 증진을 위해 아동의 언어 교육목표를 고립된 치료실 상황에서 반복적으로 가르치는 성인 주도의 집중적 훈련이 주로 이루어졌다. 이러한 성인 주도의 일대일 교수법을 통해서 언어를 습득한 장애유아는 습득된 언어를 실제 생활 속에서 사용하는 데 어려움을 보인다. 이러한 행동주의를 토대로 한 언어중재 접근법의 단점을 보완하기 위해서 등장한 것 중 하나가 자연적 언어중재인 환경 중심 중재이다.

출처 ▶ 서안우, 노진아(2015 : 147-165)

② 선행연구를 개관해 볼 때 자연적인 언어중재는 여러 가지 명칭으로 불려 왔고, 또한 계속 변화되고 있음을 볼 수 있다. 하트(Hart) 등은 우발교수라고 하였으며, 할레(Halle) 등은 자연적 환경 언어훈련이라고 하였다. 워렌(Warren) 등은 환경 중심 언어중재라고 하였으며, 타녹(Tannock) 등은 자연적인 언어중재라고 하였다. 이러한 중재 명칭에 따라 각 연구들은 그 특성을 약간 달리하고 있으나, 최근에 와서는 자연적인 언어중재로 명칭이 확산되어 가고 있음을 볼 수 있다.

출처 ▶ 이영철(2003 : 17-34)

07　　　2010 유아1-11

정답　②

해설

ㄱ. 구강음과 비강음의 형성과정 : 조음 및 공명기관과 관련된다.

ㄴ. 성문 아래 공기 압력의 형성과정 : 발성기관과 관련된다.
- 발성의 원리 : 폐에서 올라오는 공기는 닫혀 있는 성문 아래에서 압력을 형성한다. 폐쇄된 성대점막을 뚫고 나오는 하기도의 압력을 성문하압이라고 한다. 성문하압은 음의 강도와 정비례하는데 목소리가 커지면 성문하압도 증가한다(고은, 2021 : 52).

ㄷ. 성대를 지나면서 조절된 소리의 공명과정 : 조음 및 공명기관과 관련된다.
- 공명은 진동계가 그 고유 진동수와 같은 진동수를 가진 외부의 힘을 주기적으로 받아 진폭이 뚜렷하게 증가하는 현상을 가리킨다. 즉, 말소리 산출 시 음원이 되는 구강, 비강, 인두강 내에 있는 공기분사의 음향적 공명을 말한다. 이러한 현상을 이용하면 세기가 약한 파동을 큰 세기로 증폭시킬 수 있다. … (중략) … 후두로부터 나오는 소리나 구강에서 생성되는 소리는 공기의 진동에 의해 산출된다. 우리가 조음하기 위해서는 이러한 움직임을 토대로 성대 안에서 소리를 산출하고, 성도의 음향적인 공명 특성을 사용한다(최성규 외, 2015 : 65). 즉, 공명이란 공기가 목, 입, 비강을 통과하면서 소리의 성질을 만들어 내는 것이라고 할 수 있다.

ㄹ. 횡격막의 하강으로 인한 에너지원의 공급과정 : 호흡기관과 관련된다.
- 폐의 일차적 기능이 생명 유지를 위한 호흡이라면, 이차적 기능은 발성을 위한 호흡이다. 발성을 하기 위해서는 공기라는 에너지가 필요하고 폐는 바로 그러한 공기를 제공해 준다. … (중략) … 공기를 허파 안으로 빨아들이는 호흡작용을 흡기, 허파 밖으로 빠져나가는 것을 호기라고 한다. 흡기는 호흡의 능동적인 작용으로, 숨을 들이마시면 횡격막은 하강하고 흉곽은 위로 그리고 바깥쪽으로 이동하여 폐의 공간을 확장시켜준다. 반면 호기는 수동적인 작용으로, 횡격막은 제 위치로 돌아오게 되고 흉곽은 아래로 그리고 안쪽으로 이동한다. 이때 폐의 부피와 압력은 반비례한다. 즉, 폐가 확장되면 압력은 낮아지면서 외부 공기가 유입된다. 반대로 횡격막이 원상태로 되돌아가고 흉곽이 안쪽으로 움직이면 폐의 탄성으로 인해 공기를 밖으로 밀어낸다(고은, 2021 : 46-47).

Check Point

📝 **공명기관**

① 주기적 에너지원의 진동 횟수가 같거나 비슷해지면 자연적으로 강도의 증가 현상이 나타나는데, 이를 공명이라고 한다.
② 성대에서 산출된 소리는 성도 내의 공명강을 통과하면서 변화한다. 공명강에는 구강, 비강, 인두강이 있으며, 이들은 소리 생성이 아닌 소리의 특성에 영향을 준다.
③ 조음이 조음기관의 움직임에 따라 결정되었다면, 공명은 공명강의 용적과 형태에 의해 서로 다른 울림으로 생성된다. 원래 성대의 진동으로 만들어진 소리는 크기도 작고 음색도 우리가 귀로 듣는 것과는 다르다. 이것이 공명강을 지나면서 소리가 커지고 배음이 발생하면서 아름다워지는 것이다.
④ 공명이 발생하기 위해서는 진동할 수 있는 빈 공간이 필요하다. 따라서 하품을 할 때처럼 입천장이 둥글게 되고 후두가 내려가고 연구개가 들리면 입안의 공간이 넓어지는데, 이때는 공간으로 인해 공명강이 형성된다.

08   2010 유아1-29

정답 ③

해설

총체적 언어교수법(또는 총체적 언어접근법)은 주로 언어의 4기능의 통합을 말한다. 즉, 듣기, 말하기, 읽기, 쓰기를 개별로 가르치기보다는 통합해서 가르치는 접근법이다. 또한 총체적 언어접근법은 발음 중심 접근법과 상반된 접근법으로, 언어의 구성 요소들을 음소나 자모체계로 분리하지 않고 하나의 전제로 가르치는 언어교육법이다. 총체적 언어교수법에서는 의미 이해에 중점을 두고 실제 생활에 활용되는 문자언어 자료를 활용하고 학습자 중심 과정으로 지도한다. 말하기, 듣기, 읽기, 쓰기는 순서에 따라 제시하지 않고 통합적으로 지도하며, 전체 이야기에서 문장과 단어 순으로 지도하는 하향식 접근방법을 사용한다. 자발성과 능동적인 언어경험 그리고 아동의 흥미를 강조한다(고은, 2021 : 439).

ㄱ. 아동의 흥미를 고려했다는 점에서 총체적 언어교수법에 해당한다.
ㄴ. 발음 중심 접근법에 해당한다. 낱말카드를 사용하는 것, 해독을 강조하는 것('다'로 시작하는 단어를 찾도록 하는 것)은 발음 중심 접근법과 관련되는 요소이다.
ㄷ. 팜플릿, 광고지 등 실제 생활에 활용되는 자료를 활용하였다는 점에서 총체적 언어교수법에 해당한다.
ㄹ. 균형적 접근법에 해당한다. 녹음 동화를 듣는 것은 총체적 언어접근법의 요소이며, 단어의 음운을 결합하도록 하는 활동은 발음 중심 접근법의 요소이다.
ㅁ. 의미 이해를 강조하였다는 점에서 총체적 언어교수법에 해당한다.

09   2010 유아1-31

정답 ①

해설

ㄱ. 일정시간 기다린다. : 시간 지연
ㄴ. "모자"를 "모자 주세요."로 반복하여 말해준다. : 발화 후 언어자극 전략 측면에서 보면 문장의 구조를 완성해 주고 있기 때문에 확장이라고 할 수 있다. 그리고 반응적 상호작용 전략의 측면에서도 아동의 발화에 적절한 정보를 추가하여 보다 완성된 형태로 다시 들려주기 때문에 확장 전략이라고 할 수 있다. 반응적 상호작용 전략으로서의 확장은 발화 후 언어자극 전략의 확장과 확대 기법을 모두 포함한다.
ㄷ. "뭘 마시고 싶니?"라고 한 후: 답을 요구하는 '요구' 민희가 오반응이나 무반응을 보이면 시범을 보인다. : 모델
ㄹ. "물고기"라고 시범을 보인 후: 시범(또는 모델링)

Check Point

📝 **환경 중심 언어중재의 전략**

환경 중심 언어중재는 우발교수, 시간 지연, 요구-모델, 모델링(또는 시범) 등의 기법이 독립적으로 사용될 수도 있고 전부를 모두 포함하여 구성될 수도 있다(고은, 2021 : 429).

기법	기능
우발교수	아동이 주위의 사물에 관심을 나타냄으로써 기회가 만들어진다.
시간 지연	공동관심이 형성된 후 아동이 관심을 보이거나 의사소통의 의도를 비구어적으로 표현하더라도 아동이 말할 때까지 약 3~5초 정도의 시간을 준다.
요구-모델	공동관심이 형성된 후 "무엇이 필요하지", "이게 뭐지" 등의 형태로 답을 요구한다. 적절하게 반응하면 원하는 것을 주고, 반응하지 않으면 다음 단계인 모델링을 시도한다.
모델링	아동이 흥미와 관심을 갖는 상황에서 적절한 모델링을 해 주고 아동이 부분적 수행을 하면 강화를 주고 실패를 하면 다시 한번 모방을 해보도록 한다.

10
2010 초등1-35

정답 ①

해설

(가) • 영어로 뭐라고 하지?: 반응요구
　　 • pencil이라고 말해봐.: 모델링
(나) 교수가 교수환경을 구조화하기 위해 놓아둔 지우개: 우발교수를 위한 환경 조성
　　 • 은희가 먼저 요구하는 행동을 보였고 이를 토대로 언어를 확장하고 있으므로 환경중심 언어중재 방법은 우발교수에 해당한다.

11
2010 중등1-24

정답 ⑤

해설

㉠ 어휘다양도는 의미론과 관련된다.
㉡ 평균발화길이는 구문론과 관련된다. 화용론 발달 수준은 문장의 자율성, 문장의 적절성, 언어기능의 다양성 분석 결과를 통해 알 수 있다.
㉢ 문장에서 문법적 기능을 하는 문법 형태소 즉, 조사나 연결어미는 아동의 구문론 발달 척도로 유용하다. 구문론의 발달은 평균발화길이 분석을 통해서도 이루어지며 평균발화길이는 형태소, 낱말, 어절 단위로 측정한다.
㉣ 의미론적 능력을 평가하기 위해 자발화 분석을 통한 서로 다른 낱말 유형의 수(NDW)나 어휘다양도(TTR) 등이 흔히 사용된다.

12
2010 중등1-35

정답 ④

해설

언어의 수용 및 표현능력이 인지능력에 비하여 현저하게 부족하다는 것은 미국 언어청각협회(ASHA)의 구분에 의하면 언어장애에 해당하는 것으로 말, 문자, 기타 상징체계의 이해 및 활용에 있어서의 손상을 의미한다. 언어장애는 언어의 형식(음운론, 형태론, 구문론), 언어의 내용(의미론), 언어의 의사소통 기능(화용론)에 있어서의 손상을 포함한다.

① 음운론에 있어서의 손상을 의미한다.
　 • 음운론이란 한 언어 내에서 사용되는 말소리의 기능과 체계를 과학적으로 연구하는 학문이다(고은, 2021: 76).
② 형태론과 구문론에 있어서의 손상을 의미한다.
　 • 형태소의 습득(형태론)과 문장 내에서 문법 체계에 맞춰 형태소를 적절하게 사용하는 것(구문론)을 동시에 언급하고 있다.
　 • 아동의 초기 형태소 발달과정을 보면, 기능어를 생략하고 일반적으로 내용어만을 가지고 연결하는 전보식 문장 형태를 보이다가, 점차적으로 형식형태소(문법형태소)가 출현하게 되는데, 이때부터 문법성을 갖춘 문장을 형성하게 된다(고은, 2021: 88).
　 • 구문론에 결함이 있으면 낱말이나 문장에서 그 뜻이나 문법적 유형을 바꾸어 주는 문법형태소들을 이해하거나 표현하는 데 어려움을 나타낸다(김영태, 2019: 97).
③ 의미론에 있어서의 손상을 의미한다.
④ 반복, 회피, 막힘과 같은 발화 특성은 유창성장애의 핵심행동으로, 유창성장애는 조음장애, 음성장애와 함께 말장애로 분류할 수 있다.
⑤ 형태론과 구문론에 있어서의 손상을 의미한다.
　 • 형태론적 발달에 문제를 보이는 아동은 동사시제를 정확하게 사용하지 못한다(고은, 2021: 88).
　 • 언어의 구문론적 측면이란 말의 언어학적 구조와 가장 관련이 깊은 영역으로 형태소 및 낱말의 나열과 그들이 통합하여 구, 절, 문장 등을 이루는 방법을 의미한다. 낱말을 순서대로 나열하는 것이 가장 먼저 나타나는 문장의 형태이다. 아동은 낱말을 적합한 나열 방법을 습득하는 것 외에도 문법형태소들을 습득하여야 한다. 구문론적인 결함이 있는 경우 낱말이나 문장에서 그 뜻이나 문법적 유형을 바꾸어 주는 문법형태소들을 이해하거나 표현하는 데 어려움을 나타낸다. 이러한 문법형태소들에는 격조사, 어말 어미(존칭), 선어말 어미(시제, 부정 등)들이 있다(김영태, 2019: 97).

Check Point

(1) 의사소통장애를 지닌 특수교육대상자(「장애인 등에 대한 특수교육법」)

> 의사소통장애를 가진 사람은 다음 각 목의 어느 하나에 해당하여 특별한 교육적 조치가 필요한 사람을 말한다.
> 가. 언어의 수용 및 표현 능력이 인지능력에 비하여 현저하게 부족한 사람
> 나. 조음능력이 현저히 부족하여 의사소통이 어려운 사람
> 다. 말 유창성이 현저히 부족하여 의사소통이 어려운 사람
> 라. 기능적 음성장애가 있어 의사소통이 어려운 사람

(2) 의사소통장애의 유형(미국 언어청각협회)
① 말장애는 말소리의 발성, 흐름, 음성에 있어서의 손상을 의미한다.
  ㉠ 조음장애는 말의 이해를 방해하는 대치, 탈락, 첨가, 왜곡으로 특징지어지는 말소리의 비전형적인 산출을 의미한다.
  ㉡ 유창성장애는 비전형적인 속도, 리듬 또는 음절, 어절 단어, 구절의 반복으로 특징지어지는 말하기 흐름의 방해를 의미한다. 유창성장애는 과도한 긴장, 힘들여 애쓰는 행동, 2차적인 매너리즘과 함께 나타날 수 있다.
  ㉢ 음성장애는 자신의 나이나 성별에 부적절한 음성의 질, 높이, 크기, 공명 지속시간에 있어서의 비정상적인 산출이나 결여를 의미한다.
② 언어장애는 말, 문자, 기타 상징체계의 이해 및 활용에 있어서의 손상을 의미한다. 언어장애는 언어의 형식(음운론, 형태론, 구문론), 언어의 내용(의미론), 언어의 의사소통기능(화용론)에 있어서의 손상을 포함한다.
  ㉠ 언어의 형식
    • 음운론은 언어의 소리 체계와 소리의 합성을 규정하는 규칙을 의미한다.
    • 형태론은 단어의 구조와 단어 형태의 구성을 규정하는 체계를 의미한다.
    • 구문론은 문장을 만들기 위한 단어의 순서와 조합 및 문장 내에서의 요소들 간의 관계를 의미한다.
  ㉡ 언어의 내용
    의미론은 단어와 문장의 의미를 규정하는 체계를 말한다.
  ㉢ 언어의 기능
    화용론은 기능적이고 사회적으로 적절한 의사소통을 위해서 이상의 언어 요소들을 조합하는 체계를 말한다.

13 2010 중등1-37

정답 ⑤

해설

지문 돋보기
• 서, 서, 서, 서---선생님 지, 지, 지--집에 : 핵심행동 중 반복, 연장
• 안간힘을 쓰다가 갑자기 고개가 뒤로 젖혀지기도 해요. : 부수행동 중 탈출행동
• A가 자신의 비유창성을 수용하고 부정적인 감정과 태도를 갖지 않도록 격려해주세요. : 말더듬 중재방법 중 말더듬 수정법

① 둔감화 : 두려움과 부정적인 감정을 감소시키는 것으로 자신이 말을 더듬는다는 사실을 인정하고 청자의 반응에 무감각해지도록 하는 것이다.
② 이완치료 접근법 : 이완 기법은 음성 문제를 유발하는 후두 안팎의 근육긴장을 감소시키기 위해 종종 사용된다. 점진적 근육이완(PMR)은 많은 경우에 효과적으로 사용되어 온 기법이다(Ferrand, 2016 : 213).
③ 이끌어내기(pull-out) : 말더듬이 나타나면 말을 멈추고 천천히 부드럽게 이끌어 내는 기법이다.
④ 취소 기법(cancellations) : 말을 더듬기 시작하더라도 일단 그 말을 더듬어 끝낸 후, 잠시 말을 쉬었다가 다시 그 말을 편하게 시도하는 기법이다.

Check Point

반 리퍼(Van Riper)의 말더듬 수정법 단계

단계	내용
동기(M)	• 치료사에 대한 신뢰를 갖는다. • 자신의 말더듬을 직시하고 수용한다.
확인(I)	• 자신의 말더듬 증상을 스스로 확인한다. • 1차적 증상, 2차적 증상, 느낌, 태도를 스스로 확인한다.
둔감(D)	• 두려움과 부정적인 감정을 감소시킨다. • 자신이 말을 더듬는다는 사실을 인정하고 청자의 반응에 무감각해지도록 한다.
변형(V)	고착된 말더듬의 형태를 변형시킨다.
접근(A)	말더듬의 증상을 취소, 이끌어내기, 준비하기 기법을 사용하여 쉽게 더듬는 말더듬 형태로 접근해 나간다. • 취소 기법 • 이끌어내기 • 준비하기
안정(S)	치료실 밖에서 효과를 검증해 본다.

14

2011 유아1-13

정답 ④

해설

환경 중심 언어중재는 자연스러운 환경에서 기능적 언어를 훈련하기 위한 전략이다.

ㄴ. 아이가 짜증을 낼 때는 그 상황을 고려하여 반응합니다.: 환경 중심 언어중재와 관련이 없는 내용이다.
ㄹ. 동화책은 아이의 눈에 쉽게 띄도록 여기저기에 흩어 놓습니다.: 의사소통 발달을 위한 환경과 관련이 없다.

15

2011 유아1-16

정답 ⑤

해설

ㄱ. ㉠은 '혼잣말하기'로, 김 교사는 자신이 무엇을 하고 있는지 말해 주어 준호가 교사의 행동을 나타낸 말을 들을 수 있게 하였다. 혼잣말하기는 단순히 성인의 입장에서 자신이 하고 있거나 보고 있거나 느끼고 있는 것을 혼자서 말하는 전략으로 아동에게 따라하기를 시키는 것은 포함되지 않는다.
ㄹ. ㉠의 혼잣말하기와 ㉢의 상황 설명하기(평행말)는 반응적 상호작용의 시범 보이기 전략에, ㉡의 확장하기는 확장하기 전략에 해당한다.

Check Point

반응적 상호작용 전략

① 반응적 상호작용 전략은 아동의 행동에 상호작용 대상자가 어떻게 반응해야 하는지에 대한 전략으로 성인과 아동의 균형 있는 차례 주고받기와 의사소통을 촉진하는 상호작용 유형을 발달시키는 것에 강조점을 둔다.
② 환경 조성 전략이 물리적 상황을 조성하는 것이라면 반응적 상호작용 전략은 의사소통을 위한 사회적 상황을 조성하는 것이다.

전략	방법	예시
아동 주도 따르기	아동의 말이나 행동과 유사한 언어적·비언어적 행동을 하며 아동 주도에 따른다. 아동이 말하도록 기다려 주고, 아동이 하는 말이나 행동을 모방한다. 아동의 관심에 기초하여 활동을 시작하고 다른 활동으로 전이할 때에도 아동의 흥미를 관찰한다.	구어를 산출하지 못하는 지수는 지도를 좋아해서 교실에 늘어오면 지노에 늘 관심을 보인다. "선생님이랑 지도 볼까? 경상도는 어디 있을까?" 하며 지명 이름 찾기 놀이를 한다.
공동관심 형성하기	아동이 하는 활동에 교사가 관심을 보이며 참여한다. 아동이 활동을 바꾸면 성인도 아동이 선택한 활동으로 바꾼다.	아이가 혼자 그림을 그리고 있으면, "우리 깐보, 무슨 그림 그린거야? 어, 깐보가 좋아하는 둘리를 그렸네." 하면서 대화를 이끌어 간다.
정서 일치시키기	아동의 정서에 맞추어 반응한다. 그러나 아동의 정서가 부적절하면 맞추지 않는다.	아동이 슬프게 이야기하면 함께 슬기쁨을 표현하고, 흥분되어 말하면 흥분돼을, 아동이 얼굴을 찡그리면 함께 속상한 표정을 짓고 이야기한다.
상호적 주고받기	상호작용을 할 때에는 아동과 성인이 교대로 대화나 사물을 주고받는다.	퍼즐을 하나씩 번갈아 가며 맞추거나, 대화를 교대로 주고받는다.
시범 보이기	먼저 모델링이 되어 준다. 혼잣말 기법이나 평행적 발화 기법을 사용한다.	"밥 먹으러 가야지."라고 말하거나 과제를 하다가 어렵다고 발을 동동거리는 아동을 향해 "선생님, 도와주세요."라고 말한다.
확장하기	아동의 발화에 적절한 정보를 추가하여 보다 완성된 형태로 다시 들려 준다.	아동이 길가의 차를 보고 "차 가"라고 말하면 "차가 가네."라고 말한다.
아동을 모방하기	아동의 행동 또는 말을 모방하여 아동과 공동관심을 형성하거나 아동에게 자신의 말이 전달되었음을 알려 준다.	아동이 손가락을 만지며 아프다는 표현을 하면, 교사도 손가락을 만지면서 "아파?"라고 말해 준다.
아동 발화에 반응하기	아동이 한 말에 대해 고개를 끄덕이거나 '응', '옳지', '그래' 등과 같은 말을 해 주면서 아동의 말을 이해했다는 것을 알려 주고 인정해 준다.	아동이 "이거 (먹어)."라고 말하면, 고개를 끄덕이면서 "그래, 우리 이거 먹자."라고 말해 준다.
아동 반응 기다리기	아동이 언어적 자극에 반응할 수 있도록 적어도 5초 정도의 반응시간을 기다려 준다.	"물감 줄까?"라고 묻고 반응하지 않더라도 5초 정도 기다렸다가 다시 질문한다.

출처 ▶ 고은(2021 : 432-433)

16
2011 초등1-12

정답 ③

해설

ㄱ. 지우의 언어적 특성으로 제시된 반향어 형태의 구어는 자폐성장애 아동들이 보이는 특성이기도 하다.
ㄴ. 언어발달에만 문제를 보이는 유형인지에 대한 판단은 지능검사, 표준화된 언어검사, 청력검사, 사회적 상호작용 등과 같은 추가적인 확인을 통해 이루어진다.
- 지우의 장애는 언어발달상의 지체는 물론 다양한 영역에서의 언어구조(음운론, 형태론, 구문론, 의미론, 화용론)에서 결함을 보이고 있다. 즉, 지우의 어휘 발달이 느린 것, 첫 낱말 출현시기가 일반아동들에 비해 늦은 것은 언어발달지체의 문제라고 할 수 있다. 그리고 적절하거나 다양한 낱말을 이해 또는 표현하는 데 제한이 있는 점, 일반아동보다 정교함이 떨어지는 문장을 사용하는 점, 대화에서 주제나 맥락과 관련이 적은 문장을 사용하는 점 등은 언어발달장애와도 관련된다.

ㄷ. 발음 특성과 관련된 내용은 제시된 것이 없다.
ㄹ. 지우는 다양한 낱말을 이해하는 데 제한적이기 때문에 위치나 동작을 나타내는 낱말의 의미를 가르칠 때에는 직접 시범을 보이며 지도하는 것이 효과적이다.

17
2011 초등1-18

정답 ④

해설

지문 돋보기

(나)를 통해 알 수 있는 경호의 특징
- /ㅅ/ 발음에 대하여 비일관적인 오류(정조음, 생략, 대치)를 보임
- /ㄹ/를 생략하여 발음하는 경우가 있음
- 설소대 수술을 함
※ 이상의 내용을 종합해 볼 때 경호는 조음·음운장애의 특징을 보이고 있음

ㄱ. 친구들과 거의 말하려고 하지 않는 경호의 특성을 고려한 것이다.
ㄴ. 조음의 문제로 글짓기와는 관련이 없다.
ㄷ. 직접 개입은 아동을 직접 치료하는 과업을 의미하고, 간접 개입은 교사나 다른 전문가들이 아동을 지도하는 데 필요한 언어적 목표를 함께 수립하고 지도하는 방법을 자문하는 경우이다(김수진 외, 2020: 237). 진단 및 처치에 직접 개입하는 것은 해당 분야의 전문가인 언어치료사의 역할이라고 할 수 있다. 언어치료에서 진행되고 있는 목표단어를 학교에서 연습할 수 있는 기회를 제공해 주는 것이 바람직하다.
ㄹ. 일반화는 치료실에서 이루어진 목표행동이 치료가 행해지지 않는 다른 상황조건에서 재현되는 것을 말한다. 치료사는 치료의 계획단계인 초기부터 이러한 일반화를 고려해야 한다. 치료와 교육의 궁극적인 효과는 결국 일반화를 얼마나 이루었는가에 달려 있다고 해도 과언이 아니기 때문이다(김수진 외, 2020: 241).
ㅁ. 첫음절에 가장 집중이 되기 때문에 가르치고 싶은 음소는 초성에 놓인 것부터 하는 것이 좋다(고은, 2021: 229).

Check Point

교실에서의 조음·음운장애 중재 방법

교사가 사용하는 말은 아동들에게 단순히 '말' 이상의 의미를 갖는다. 아동들에게 '말의 모델'이 되기 때문에 교사는 분명한 발음, 적절한 속도, 적절한 강도 그리고 표준어를 사용하여야 한다. 음운인식 능력은 조음 산출을 위한 기초다. 소리에 대해 집중하고 변별하는 능력을 조기에 길러주는 것은 조음·음운장애의 예방적 측면에서 매우 효과적이다. 조음장애를 가지고 있는 아동을 지도할 때 교사는 다음과 같은 점을 고려하여 접근하여야 한다(고은, 2014: 238-241).

① 조음장애 아동을 지도할 때 고려사항
  ㉠ 아동의 발달 단계에서 습득 시기가 빠른 음소부터 지도한다.

ⓛ 일상생활에서 사용 빈도수가 높은 음소부터 지도한다.
ⓒ 자극반응도(특정 음소에 대해서 청각적·시각적·촉각적인 단서가 주어졌을 때 목표음소와 유사하게 조음하는 능력)가 높은 음소부터 지도한다.
ⓔ 오류의 일관성이 없는, 즉 가끔 올바르게 발음하기도 하는 음소부터 지도한다.
ⓜ 첫음절에 가장 집중이 되기 때문에 가르치고 싶은 음소는 초성에 놓인 것부터 하는 것이 좋다. 예를 들면, 유음 /ㄹ/의 경우 /라면/이 /신라/보다 더 효과적이다.
ⓗ 단음절이 다음절 단어보다 조음하기 쉬우므로 /자동차/보다는 /차/라는 단어를 먼저 사용한다.
ⓢ 명사, 단단어, 의미적으로 쉬운 개념을 갖는 단어를 먼저 가르친다.
ⓞ 음운인식에 대한 지식이 형성되지 않은 혹은 결함을 가지고 있는 아동에게는 행위와 함께 전달하는 것도 효과적이다. 손바닥에 철자를 쓴다거나, 전체 몸을 이용하여 /i/, /a/, /o/ 등의 모음을 모방한다거나, /h/음 같은 경우에는 숨을 뱉을 때 가슴에 손을 얹고 기류를 느끼게 하는 것도 좋다. 무성음과 유성음에서 문제를 보이는 아동은 자신의 손을 후두에 대고 떨림을 인지하도록 하는 것이 도움이 된다.
ⓩ 교사는 좀 더 적극적으로 언어치료적 수업을 설계할 수 있다. 우선 교사가 목표로 하는 음소나 단어 앞에서는 잠깐 휴지를 두어야 한다. 아동이 집중할 수 있는 시간을 준 다음 천천히 그러나 약간 강세를 두고 반복해서 조음을 해 주어야 한다. 그래야만 아동이 교사가 주는 수정 모델에 청각적으로 주의를 기울일 수 있다.
ⓒ 선택 질문을 줌으로써 아동이 특정 발음을 하되, 교사의 발음을 한 번 듣고 발음할 수 있는 기회를 준다. "이것은 어떤 나무일까요?"라고 질문을 하기보다는 "이것은 사과나무일까요, 이과나무일까요?"라고 물어봄으로써 아동이 음의 차이를 스스로 지각하고 목표음을 산출할 수 있도록 한다.
ⓚ 아동이 잘못된 조음을 하였을 때 교사는 즉시 피드백을 해 주어야 한다. "아니야, 틀렸어. 다시 말해 봐." 식의 피드백은 아동이 자신의 오류에 대해 정확하게 인식하지 못하게 하며, 오히려 회피행동을 유도할 수 있으므로 피해야 한다. 물론 아동이 발음을 잘했을 때는 칭찬해야 하지만, 너무 의도적으로 과장하여 그때그때 칭찬을 하는 것보다는 "오늘은 /ㅅ/ 발음이 참 좋았어." 등의 자연스러운 강화가 바람직하다.

② 교과교육에서의 언어치료적 수업
이런 언어치료적 수업은 교과교육에서도 통합적으로 이루어질 수 있다. 예를 들면, '식품'에 대한 내용을 학습한다고 가정해 보자. 아동 A는 슈퍼마켓 사장님, 반 아이들은 고객이 된다. 사장에게 "○○○ 주세요."라고 말할 때, 발음이 틀린 경우에는 물건을 주지 않고 올바르게 발음했을 때만 물건을 준다. 이는 목표음과 오류음의 차이를 아는 데 도움이 되며, 선별검사에서 사용된 방법들을 중재에서도 다양하게 사용할 수 있다. 조음장애나 음운인식에 문제를 가지고 있는 아동들의 경우 철자를 함께 제시하는 것이 매우 효과적이다. 아동이 이미 철자를 읽을 줄 안다면 메모리(memory) 게임을 활용할 수 있다.

> 아동 : "이 카드는 아면이에요."
> 교사 : "카드를 뒤집어 볼까요? 그리고 읽어 보세요."
> 아동 : (자세히 보지 않고) "아면, 아면."
> 교사 : "이 뒤기기 이예요?"
> 아동 : "아! 라네요. 라면."

[언어치료적 수업의 예]

교사가 수업 시간에 하는 활동 속에는 많은 중재 요소들이 숨겨져 있으며 교사의 적절한 피드백과 활동은 그 어떠한 처방보다도 더 큰 시너지 효과를 기대할 수 있다.

18 2011 중등1-34

정답 ⑤

해설

학생 A의 음성 산출 행동은 성대 남용 및 오용으로 인한 기능적 음성장애라고 할 수 있다.

① 책상을 손바닥으로 강하게 밀면서 음을 시작하게 한다. : 밀기 접근법은 신경손상(편측성 성대내전마비)으로 인한 음성장애의 치료 방법이다.
- 밀기 접근법의 목적은 환자가 손으로 벽이나 책상을 밀면서 발성하게 함으로써, 마비되지 않은 성대를 마비된 쪽의 성대 대신 평상시보다 더 움직이게 하여 성대의 접촉을 돕는 것이다(심현섭 외, 2024 : 309).

② 숨을 들이마시면서 목에 긴장을 주며 음을 시작하게 한다. : 목에 긴장을 주며 음을 시작하는 것보다는 부드러운 시작, 하품-한숨 기법과 같이 발성을 시작하기 전에 약간의 숨을 내쉬어 줌으로써 성대가 지나치게 강하게 닫히는 것을 막는 방법이 적절하다.
- 부드러운 시작과 하품-한숨 기법은 성대가 더 긴장해 있을 때와 덜 긴장해 있을 때의 차이를 느끼는 데 초점을 맞춘다(Ferrand, 2016 : 221-222).

③ 목청을 가다듬으며 내는 소리를 길게 늘여 음을 시작하게 한다. : 심리적 이상으로 인한 음성장애의 치료 방법인 목 가다듬기에 대한 설명이다.

④ 말을 적게 하고, 빠르게 숨을 쉬며 힘주어 음을 시작하게 한다. : 신경손상(편측성 성대내전마비)로 인한 음성장애의 치료방법이다.
- 성대마비로 생긴 공기 사용의 비효율성을 막기 위한 목적으로, 매번 숨을 내쉴 때마다 산출하는 낱말 수를 평상시보다 대폭 줄여, 말하면서 자주 숨을 들이마시게 하는 방법이다(심현섭 외, 2024 : 309).
- 적은 공기량으로 말을 하려면 더 큰 호기근육의 힘이 필요하며, 후두를 더 좁혀야 하고 성대내전을 더 강하게 해야 하며 그로 인해 억눌리고 힘이 들어간 음질이 산출된다. 호흡-발성 협응을 개선시키기 위한 전략 중 하나는 호흡 단락마다 산출하는 음절 수를 줄이는 것이다. 호흡 단락당 발화길이를 줄이고 공기 공급을 더 빈번하게 해 주면 말을 할 때 폐기량의 중간 정도 수준을 지속할 수 있다(Ferrand, 2016 : 219).

⑤ 하품이나 한숨을 쉬는 것처럼 부드럽게 속삭이듯이 음을 시작하게 한다. : 하품-한숨 기법에 대한 설명이다. 하품-한숨 기법은 환자로 하여금 들숨은 하품을 하듯이 들이쉬고 날숨은 한숨을 쉬듯이 내쉬게 한다(Ferrand, 2016 : 221).

Check Point

📝 **음성장애 치료 방법**

각종 문헌에 소개된 음성장애 치료 방법을 정리하면 다음과 같다.

성대 남용 및 오용으로 인한 음성장애			• 자기점검 • 음성위생 프로그램 • 하품-한숨 기법 • 부드럽게 시작하기 • 저작하기
심리적 이상으로 인한 음성장애	기능적 발성장애		• 기침하기 • 목 가다듬기 • 하품하기 • '아' 발성하기
	근긴장성 발성장애		• 하품-한숨 기법 • 손가락 조작법
신경 손상으로 인한 음성장애	연축성 발성장애		• 음성치료 • BOTOX 치료법
	성대 마비	편측성	• 밀기 접근법 • 손가락 조작법 • 반삼킴 • 머리 가누기
		양측성	수술과 음성치료

19 2011 중등1-35

정답) ③

해설

ㄴ. 아동의 몸짓이나 발성도 화용론적 능력을 분석하는 데 포함된다. 즉, 대화기능 분석 시 의사소통 의도의 산출 형태는 '몸짓이나 발성'이 동반된 형태, 또는 '말' 형태로 구분하여 분석한다. 단, 말에 동반되는 몸짓이나 발성은 '말' 형태로 분석한다. 그러나 알아들을 수 없는 자곤(jargon)은 말로 분석하지 않는다(김영태, 2019 : 380).

ㄷ. 학생 A의 질문에 대하여 반응을 보인 것이지만(상위 기능 : 반응하기) 질문의 내용에 부합되지 않는 단순한 의례적 반응이다(하위 기능 : 의례적 반응).

ㄹ. 학생 A의 발화를 형태소 단위로 분석하면 다음과 같다.

학생 A의 발화	형태소의 수
나-는-책-이-이렇-게(부사형 전성어미)-많-아(평서형 종결어미)	8
나-랑(접속조사)-같이-보-ㄹ래(의문형 종결어미)	5
나-하고(접속조사)-책-같이-보-자(청유형 종결어미)	6
여기-서(부사격 조사)-무슨-책-보-ㄹ(미래시제, 관형사형 전성어미)-거(의존명사)-이(어간)-야(의문형 종결어미)	9
네-가-그러-면(종속적 연결어미)-너-랑(접속조사)-안(부정부사)-보-ㄴ(현재시제, 선어말어미)-다(평서형 종결어미)	10

※ '함께'라는 뜻의 "같이"는 "같다"의 파생어가 아니므로 '같'과 '이'로 나눌 수 없다. 그러므로 1개의 형태소로 분석한다(김영태, 2019 : 348).

※ '것이야'는 '이-'가 드러난 것이고, '거야'는 '이-'가 드러나지 않은 것으로, 형태소 분석에서는 '것이다', '거야', '것이야'를 모두 동일한 형태[것(거)+이+다]로 분석한다(국립국어원 홈페이지).

※ 안 본다 : 우리말의 현재시제를 나타내는 '-는'이나 '-ㄴ'은 과거시제나 미래시제 형태소들보다 그 역할이 약하여 하나의 형태소로 보지 않는 견해도 있으나, 본 분석체계에서는 의미를 내포하고 있는 것으로 보아 1개의 형태소로 분석한다(김영태, 2019 : 350). 국립국어원의 경우 '안 본다'를 '안-보-ㄴ-다'로 분석한다(국립국어원 홈페이지).

따라서 학생 A의 발화 중 최장형태소길이는 10이다.

ㅁ. 학생 A의 모든 발화에서 어휘다양도(TTR)는 0.64 (18 ÷ 28 = 0.642)이다. 학생 A의 어휘다양도를 분석하면 다음과 같다.

구분	명사	대명사	관형사	형용사	부사	조사	동사
발화1	책	나		이러하다/많다		는/이	
발화2		나			같이	랑	보다
발화3	책	나			같이	하고	보다
발화4	책/거	여기	무슨			서	보다
발화5		네/너			안	가/랑	그러하다/보다
전체 단어 수	4	6	1	2	3	7	5 / 28
다른 단어 수	2	3	1	2	2	6	2 / 18

※ 발화 4 : 의존명사는 자립성은 결여되어 있지만 준자립어로 분류되므로 한 낱말로 분석한다. 의존명사에는 '것', '거', '수', '바', '지'와 같이 대명사의 역할을 하는 것과 '마리', '켤레', '채' 등과 같이 단위를 나타내는 것이 있다(김영태, 2019 : 357).

※ 발화 5 : '너/네'의 경우 '네'는 '너'의 변형이므로 다른 단어 수에서는 하나의 단어로 보는 것이 적절하다.

20 2011 중등1-37

정답 ③

해설

(가) "이건 문구의 종류인데요."라고 학생 A에게 말하기 : 상위범주어('문구')를 이용한 의미적 단서
(나) 학생 A 앞에서 '가위'의 음절 수만큼 손으로 책상 두드리기 : 음향-음소적 단서
(다) (손동작으로 '가위 바위 보'를 하며) "○○, 바위, 보"라고 말하기 : 구문적 단서

Check Point

낱말찾기 훈련

의미적 단서	• 동의어 예 '선생님'에 대해 '교사' • 반의어 예 '선생님'에 대해 '학생' • 연상어 예 '팥'에 대해 '빙수' • 동음이의어 　예 '사과'에 대해 손바닥으로 싹싹 비는 흉내 • 상위범주어 예 '바지'에 대해 '옷' • 하위범주어 예 '옷'에 대해 '바지, 치마' • 목표 낱말의 기능 예 '자동차'에 대해 '타는 거' • 물리적 특성 예 '자동차'에 대해 '바퀴로 굴러가는 거' • 몸짓으로 그 낱말을 흉내 냄
구문적 단서	• 그 목표 낱말이 자주 사용되는 문맥이나 상용구를 활용하는 것 • 예를 들어 '고추'는 '○○ 먹고 맴맴…'과 같은 구문적 단서를 사용할 수 있음
음향-음소적 단서	• 첫음절(예 '자동차'의 경우 '자')을 말해 줌 • 음절수를 손으로 두드리거나, 손가락으로 알려 주는 방법 • 첫 글자를 써 주는 방법

21 2012 유아1-28

정답 ⑤

해설

반응적 상호작용 전략이라는 점과 두 낱말로 말하기를 지도하고자 한다는 점을 고려한다.
① 현아가 말없이 손으로 가리키면 아동 주도 따르기 또는 아동을 모방하면서 두 낱말을 이용한 시범 보이기 등을 통해 지도하는 것이 적절하다.
② 현아가 창가에 앉아 있는 새를 가리키면서 '새'라고 말하면 아동 모방하기 또는 아동 발화에 반응하면서 두 낱말로 확장하는 방법이 적절하다.
③ 현아가 인형을 만지며 '아기'라고 말하면 "아기? 아기가 뭐하니?"라고 말하고, 현아가 반응할 시간을 기다려 준다.
④ 퍼즐 맞추기에 집중하고 있는 현아 옆에 앉아서 퍼즐 조각을 가리키며 "무슨 색이니?"라고 묻고, 현아의 반응을 기다려 준다.
⑤ 아동을 모방하기(현아의 행동을 따라하며), 확장하기 ("머리 빗어"), 아동반응 기다리기(현아가 반응할 수 있게 잠시 기다린다)가 이루어지고 있다.

Check Point

반응적 상호작용 전략

① 아동의 행동에 상호작용 대상자가 어떻게 반응해야 하는지에 대한 전략으로, 아동의 언어적·비언어적 행동에 반응하는 방법이다.
② 아동의 눈높이에서 공동관심, 공동 활동 그리고 주고받기 등을 통해 아동이 더 많은 의사소통 기회를 가질 수 있도록 하는 것이 주목적이다.
③ 지시나 질문은 가급적 피하고 성인이 아동의 행동을 모방하거나 상호작용을 하여 반응을 기다려 주는 것이 중요하다.

전략	설명	예시
유아 주도에 따르기	• 유아의 행동이나 말과 비슷한 언어 및 비언어적인 행동을 보이며 유아가 주도하는 주제에 따른다. • 유아를 관찰하면서 유아가 말을 하도록 기다려주고, 유아의 행동이나 말을 모방하며, 유아의 말을 경청하고, 지시나 질문은 피한다.	유아가 쌓기 영역에서 블록을 꺼내어 기차를 만들려고 할 때 교사가 블록을 꺼내며 "기차를 만들어야지."라고 이야기한다.

공동 관심 형성 하기	• 유아가 교사와 같은 놀잇감으로 놀이에 참여하거나 같은 활동에 참여한다. • 유아가 활동이나 놀잇감을 바꾸면 교사도 따라서 유아가 선택한 활동이나 놀잇감으로 이동한다.	유아가 얼굴 그림을 그리고 있을 때 교사가 "나도 얼굴 그림을 그리아지."라고 이야기하며 유아의 활동에 개입한다.	유아 발화에 반응하기	유아가 한 말에 대해 고개를 끄덕이거나 "응", "그래", "그렇지", "그랬어?"와 같은 말을 해줌으로써 유아의 발을 이해했다는 것을 알려주고 유아의 발화를 인정해 준다.	유아: "빠방, 붕" 교사: (고개를 끄덕이며) "그래, 빠방이 부릉부릉 달리네."
정서 일치 시키기	유아의 정서에 맞춰서 반응한다. 단, 유아의 정서가 부적절하다면 유아의 정서에 따르지 않는다.	유아가 바라보면 교사도 함께 바라보고, 유아가 흥분하여 소리 내면, 교사도 흥분됨을 표현한다.	유아 반응 기다리기	언어적 자극을 제공하고 이에 반응할 수 있도록 최소한 5초 이상의 반응 시간을 두어 유아의 반응을 기다려 준다.	(유아가 모양 스티커를 종이 위에 붙인다.) 교사: 또 붙여 볼까? 유아: (반응 없음) (5초 이상 기다렸다가) 교사: "어떤 모양을 붙여 볼까?"
상호적 주고 받기	교사와 유아의 상호작용에서 유아와 교사가 교대로 대화를 나누거나 사물을 주고받는다.	• 사물 주고받기 교사와 유아가 공을 굴리며 주고받는다. • 대화 주고받기 유아: (공을 굴리며) "공" 교사: (공을 굴리며) "공을 굴려요." 유아: (공을 던지며) "공" 교사: (공을 던지며) "공을 던져요."			
시범 보이기	• 혼잣말 기법: 성인이 자신의 입장에서 보고 느끼는 것을 말하며 유아에게 들려준다. • 평행적 발화 기법: 성인이 유아의 입장에서 생각하고, 느끼는 것을 유아가 말할 만한 문장으로 말해 주는 것이다.	• 혼잣말 기법 교사: (자동차를 밀면서) "자동차가 가네" • 평행적 발화 기법 유아: (퍼즐을 맞추고 있다.) 교사: "퍼즐을 맞춰요"			
확장 하기	유아의 발화에 적절한 의미론적·구문론적 정보를 추가하여 보다 완성된 형태로 발화를 다시 돌려준다.	유아: "공" 교사: "공이 굴러가네."			
유아 모방 하기	유아의 행동이나 말을 모방하여 유아의 말이 전달되었다는 것을 알려주거나 유아의 공동 관심을 형성한다.	• 유아가 춤을 추고 있으면 교사도 함께 춤을 추고 유아가 춤추는 것을 멈추면 교사도 따라서 멈춘다. • 유아: "모" 교사: "맞아, 세모야."			

22
2012 중등1-25

정답) ①

Check Point

📝 **스크립트 일과법**

① 스크립트 일과법은 구어능력을 증진시키는 전략으로서, 사회가 요구하는 방식의 의사소통과 행동양식을 습득하여 적절한 의사소통을 하는 것을 목표로 한다.
   - 보완대체의사소통이 구어적 결함을 비구어적 방법을 통해 의사소통하는 것을 목표로 한다면, 스크립트 활용은 구어 사용에 초점을 두고 있다(고은, 2014 : 345).

② 스크립트란 사전적인 의미로는 '손으로 쓴 글', 연극 용어인 스크립트에서 유래되었으며, 쉽게 말하면 무대에서 상연하기 위해 만들어진 대본을 말한다. 예를 들면, '지역사회 관련 스크립트'란 지역사회에서 생활하면서 필요한 다양한 활동을 각본으로 구성한 다음 실제 생활과 유사한 장면에서 활동을 통하여 학습하도록 하는 것을 말한다.
   ⑤ 일상적으로 사용되는 상황에 적합한 언어를 사용하기 위해서 그 상황이 그려진 대본의 도움을 받아 지도하는 전략이다.
   ⓒ 가장 큰 장점은 상황에 맞는 언어를 가장 일반화된 형태로 지도할 수 있다는 것이다.
   ⓒ 단점은 최소한의 구어적 능력을 가지고 있어야 실시할 수 있다는 것이다.

③ 스크립트 일과법을 언어치료에 활용하기 위한 절차는 일반적으로 7단계로 구분된다.

절차	주요 내용
1. 단기적인 목표언어의 구조를 계획한다.	스크립트 문맥을 통해 계획할 수 있는 언어구조는 수용언어/표현언어, 의미론/구문론, 화용론 등 다양하다.
2. 아동에게 익숙하며 주제가 있는 일상적인 활동(스크립트)을 선정한다.	• 아동의 머릿속에서 그 순서가 익숙한 활동을 선택한다. 예를 들어, 생일잔치라는 주제의 활동은 생일 축하 노래를 부르고 나서 케이크에 꽂혀 있는 촛불을 불고, 케이크를 자르는 일련의 행동들로 이어진다는 것을 아동이 알고 있어야 한다. • 아동에게 익숙한 활동을 선택하는 것은 아동이 상황이나 문맥을 이해하는 데 신경을 쓰느라 막상 말에는 주의를 집중하지 않는 문제를 없애기 위해서다.
3. 선택한 스크립트 속에 포함될 하위행동들을 나열한다.	• 아동에게 익숙한 스크립트라도 아동의 경험에 따라서 그 하위행동들은 조금씩 다를 수 있으며, 주제에 핵심적인 하위행동이 있는가 하면 부수적인 하위행동들도 있을 수 있다. 이때 하위행동의 범위를 정하는 것은 해당 하위행동이 목표언어를 유도하는 데 필요한가 그렇지 않은가에 따라 결정하는 것이 바람직하다. • 신체적 결함이나 낮은 인지 및 언어능력들 때문에 다양한 하위행동들보다 짧은 스크립트를 여러 번 반복하는 것이 더 나은 경우에는 하위행동을 최소로 줄이는 것이 도움이 된다. • 자폐성장애 아동들처럼 일상의 변화를 싫어하는 경우에는 너무 똑같은 하위행동들만 반복해서 고착되지 않도록 매 회기마다 약간씩의 변화를 주는 것이 도움이 된다.
4. 선택한 하위행동마다 구체적인 목표언어를 계획한다.	• 선택된 하위행동 옆에 각각의 행동을 통해 이끌어 내고자 하는 목표언어를 기록한다. • 목표언어는 아동이 실제 배우게 될 말로서, 지시에 따르게 하거나(수용언어 증진이 목표인 경우) 말하게(표현언어 증진이 목표인 경우) 할 내용들이다.
5. 불필요한 하위행동을 삭제한다.	목표언어를 끼워넣기에 적절하지 않은 하위행동들은 스크립트에서 제외시킨다. 이때는 설정한 스크립트의 핵심행동이나 아동이 특히 좋아하는 하위행동은 가능한 한 유지하도록 하고, 그 외 목표언어를 유도할 수 없는 하위행동들은 시간을 절약하기 위해 제외하는 것이 좋다.
6. 목표언어를 유도할 수 있는 상황이나 발화를 계획한다.	• 목표언어의 구조에 따라 유도할 상황이나 말은 미리 계획하되, 치료회기 동안에는 아동의 반응에 따라 그 표현이나 상황을 융통성 있게 활용하는 것이 좋다. • 예를 들어, '부정/거부' 기능을 유도하기 위해서는 아동이 선호하는 컵 대신 다른 컵을 우선 제시하는 것이 적절하고, '주장하기' 기능을 유도하기 위해서는 두 가지 이상의 컵을 제시해서 '이거/그거 (주세요)'라고 주장할 수 있는 상황을 만들어 주는 것이 중요하다.
7. 계획한 활동들을 체계적으로 변화시키면서 여러 회기 동안 반복하여 실시한다.	계획한 목표언어의 사용 수준(종료 준거)을 미리 정하여 아동이 그 준거에 도달할 때까지 매 회기 같은 활동을 반복하거나 아동이 싫증내지 않도록 세 가지 정도의 유사한 스크립트 활동을 매번 바꿔가면서 실시한다.

23

2012 중등1-33

정답 ①

해설

지문 돋보기

교사: 뭐 먹을래? (요구/정보요구/의문사 질문)
학생: 햄버거요. (요구에 대한 반응)
교사: 무슨 햄버거 먹을래? (요구/정보요구/명료화 질문)
학생: 햄버거 먹고 싶어요. (교사의 명료화 요구 후에 반응하고 있으나 부적절하게 대답)
교사: 뭐라고? 무슨 햄버거? (요구/정보요구/명료화 질문)
학생: 햄버거 먹고 싶어요. (교사의 명료화 요구 후에 반응하고 있으나 부적절하게 대답)
햄버거 맛있어요. (주관적 진술)
교사: 주스 먹을래? (요구/정보요구/예·아니오 질문)
학생: 네. (질문에 대한 반응)
주스 좋아요. (주관적 진술)
집에 엄마 있어요. 엄마 집에서 살아요. (상황에 부적절한 대답)
교사: 나도 알아.
학생: 가방 주세요. (요구/행위 요구)
집에 갈래요. (주관적 진술)
교사: 갑자기 어딜 간다고 그래?
햄버거 먹고 학교에 가야지.

ㄱ. 행위 요구란 상대에게 어떤 행위를 하도록 요구하는 행동을 의미한다. 대화 내용 중 '가방 주세요.'에서 '주다'라는 행위에 초점을 맞출 경우 행위 요구로 분석될 수 있다.

ㄴ. 교사의 명료화 요구 질문에 대하여 반응은 나타나지만 상황에 부적절하게 대답하고 있다.

ㄷ. 학생의 대화 내용 중 명료화 요구하기의 기능에 해당하는 발화는 나타나 있지 않다.
  - 명료화 요구하기는 교사의 발화에는 나타나고 있다. 그러나 학생의 명료화 요구하기는 나타나 있지 않으며, 주관적 진술만 나타나 있다.
  - 명료화 요구란 듣는 사람의 입장에서는 자신이 이해할 수 없었던 부분에 대하여 수정해서 다시 말해줄 것을 요구하는 것(김영태, 2019 : 56)을 의미한다.
  - 주관적 진술이란 직접적으로 관찰이 가능하지 않은 사실, 규칙, 태도, 느낌 또는 믿음에 대한 행동이나 진술을 하는 기능을 의미한다. 학생의 대화 내용 중 "햄버거 맛있어요.", "주스 좋아요.", "집에 갈래요."가 여기에 해당한다.

ㄹ. 무엇을 먹을지 묻는 질문(정보 요구)에 대해서는 "햄버거요" 또는 "네" 등과 같이 반응하고 있으나, 교사의 명료화 요구("무슨 햄버거?")에 대해서는 적절하게 응답하지 못하고 있다.

ㅁ. 학생의 대화 주제는 음식 → 집 → 엄마 등과 같이 지속적으로 변하고 있다. 따라서 상황에 적절한 '주제 유지'가 나타나지 않는다고 할 수 있다. 전제 능력이란 대화 상대자와의 의사소통 시 현재 상황에서 불필요하거나 이미 알고 있는 정보가 무엇이며, 변화되거나 새로운 정보가 무엇인지를 깨닫고 정확하게 정보를 사용할 수 있는 능력을 말한다(김영태, 2019 : 142). 대화 내용 중 전제 기술이 나타나고 있음을 알 수 있는 근거는 없다.

24   2013 유아A-6

모범답안

1)	㉠ 자발화 평가 ㉡ 형태소
2)	2
3)	• 기호: ②, ③ • 이유: 아동의 발달연령보다 더 높은 수준의 목표이므로 적절하지 않다.

해설

2) 미나의 발화 내용 중 낱말을 분석하면 다음과 같다.

미나의 발화	낱말 수	발화 구분의 원칙
이거 (이거) 보고 이떠.	3	2회 이상 동일한 발화가 단순 반복되었을 때는 최초 발화만 분석한다.
나비 와떠.	2	
(어) 노난 나비.	2	'아', '오' 등의 감탄하는 소리나 문장을 이어가기 위한 무의미한 소리들(예 '음', '어…' 등의 말이음)은 분석에서 제외한다.
애뻐.	1	
나비 (음) 조아.	2	'아', '오' 등의 감탄하는 소리나 문장을 이어가기 위한 무의미한 소리들(예 '음', '어…' 등의 말이음)은 분석에서 제외한다.

따라서 평균낱말길이[각 발화 낱말의 수의 합(10) ÷ 총 발화의 수(5)]는 2가 된다.

3) ① 문장의 길이가 짧기 때문에 문장 길이를 늘일 수 있도록 지도하는 것은 적절하다.
② /노란/을 /노난/으로 발음하여 /ㄹ/을 정확하게 발음하고 있지 못하지만, 유음 /ㄹ/은 만 5세 이후에 발달한다.
③ 제시된 자료를 통해서는 연결어미 사용에 문제가 있음을 볼 수 없을 뿐만 아니라 다양한 연결어미의 사용은 만 5세 이후에 가능하다.
④ 제한된 어휘만 반복적으로 사용하고 있으므로 어휘 습득을 위해 새로운 낱말에 관심을 갖도록 하는 것은 바람직한 지도 방향에 해당된다.

Check Point

(1) 자음 발달

우리말 자음은 '비음·파열음 → 파찰음 → 유음·마찰음' 순으로 발달한다.

구분	음소발달단계			
연령	완전습득 연령 (95~100%)	숙달 연령 (75~94%)	관습적 연령 (50~74%)	출현 연령 (25~49%)
2:0~2:11	ㅍ, ㅁ, ㅇ	ㅂ, ㅃ, ㄴ, ㄷ, ㄸ, ㅌ, ㄱ, ㄲ, ㅋ, ㅎ	ㅈ, ㅉ, ㅊ, ㄹ	ㅅ, ㅆ
3:0~3:11	ㅂ, ㅃ, ㄸ, ㅌ	ㅈ, ㅉ, ㅊ, ㅆ	ㅅ	
4:0~4:11	ㄴ, ㄲ, ㄷ	ㅅ		
5:0~5:11	ㄱ, ㅋ, ㅈ, ㅉ	ㄹ		
6:0~6:11	ㅅ			

출처 ▶ 김영태(1996), 심현섭 외(2017: 209에서 재인용)

(2) 문법 형태소 발달 순서

연령	문법 형태소
1	종결어미(-야, -자)
2	의존명사(거), 주격조사(가), 주제보조사(는), 보조용언(줘)
3	연결어미(-고), 종결어미(다양)
4	높임(-요), 의존명사(수), 목적격(를), 인용(-고), 관형사형+과거(-는)
5	연결어미(다양)

25 | 2013 유아A-8

모범답안

1)	공동관심
2)	다음 중 택 2 • 영지의 말을 모방하여 영지와 공동관심이 형성되었음을 알려주었기 때문이다. • 영지의 현재 수준보다 조금 더 확장된 언어로 말해 주었기 때문이다. • 영지와 상호적 주고받기를 하였기 때문이다.
3)	시간 지연 기법
4)	물리적 환경조절 전략(또는 환경 조성 전략)

해설

1) 아동은 장난감 자동차를 가지고 놀고 있으나, 어머니는 그림책을 가지고 와 아동의 흥미파악을 제대로 하지 못하고 있다.
2) 반응성 상호작용 전략 측면에서 답하는 것이 적절하다.

Check Point

(1) 공동관심 능력의 결함

① 공동관심은 다른 사람과 함께 사물이나 활동을 공유하기 위해서 관심 있는 사물이나 사건에 다른 사람의 관심을 유도하려는 신호를 사용하는 것이다. 예를 들어, 관심 있는 물건을 다른 사람에게 보여 주거나, 다른 사람의 관심을 끌기 위하여 사물을 가리키는 등의 행동으로 나타난다.

② 공동관심의 결함은 다른 사람과의 공유된 즐거움, 관심, 또는 성취를 자발적으로 찾지 않는 특징을 보인다.

출처 ▶ 김영태(2014 : 118-120)

(2) 물리적 환경조절 전략

전략	설명
흥미로운 자료 제공	학생들은 환경 내의 활동이나 물건이 흥미로울 때 의사소통할 가능성이 높다.
손이 닿지 않는 곳에 물건 두기	학생들은 자신이 원하는 것에 접근할 수 없을 때 의사소통할 가능성이 높다.
자료의 불충분한 제공	학생들은 과제를 수행하기 위해 필요한 자료를 가지지 못하였을 때 의사소통할 가능성이 높다.
선택하기	학생들은 선택권이 주어졌을 때 의사소통할 가능성이 높다.
도움	학생들은 자료를 움직이거나 조작하는 데 도움이 필요할 때 의사소통할 가능성이 높다.
예상치 못한 상황	학생들은 자신이 예상하지 않은 일들이 일어날 때 의사소통할 가능성이 높다.

26 | 2013 초등A-5

모범답안

1)	• 교수·학습 방법: 언어경험접근법 • 특징 1: 활동에 대한 학생의 자발적인 참여를 증진시킨다. • 특징 2: 통합적인 언어교육이 자연스럽게 이루어지도록 한다.
3)	대치
4)	과잉확대

해설

1) 언어경험접근법의 다양한 특징 중 (가) 교수·학습 활동에 제시된 내용과 관련되는 특징 2가지를 선택하여 제시할 수 있도록 한다.

3) 자음의 발음오류 형태를 분석하면 다음과 같다.

호랑이 → 호앙이	생략
원숭이 → 원충이	대치
꼬기 → 끄기	대치
동물원 → 동물런	대치

따라서 가장 많이 나타난 자음의 발음오류 형태는 대치이다.

4) 문법적으로 사용 규칙을 일반화하는 것이 아닌 의미론적 측면에서 원래의 의미보다 더 큰 범주를 획일적으로 이야기하고 있기 때문에 과잉확대라고 할 수 있다.

지적장애 영역에서 일반화 유형으로서의 과잉일반화와 어휘 발달 과정에서의 과잉일반화를 구분할 필요가 있다. 과잉확대는 초기 어휘발달과정에서 모든 단어들의 1/4을 실제보다 더 큰 의미범주의 단어로 사용하는 현상이며, 과잉일반화는 문법습득과정에서 나타나는 시스템적 오류를 말한다(고은, 2021 : 136).

Check Point

어휘 발달 과정에서의 특성(의미론적 측면)

① 과잉확대: 유아가 말한 단어가 원래의 의미보다 더 큰 범주를 지칭하는 경우
② 과잉축소: 유아가 말한 단어가 원래의 의미보다 더 좁은 범주를 지칭하는 경우
③ 과잉일반화: 문법 습득 과정에서 사용규칙을 일반화시키는 것

과잉일반화
어떤 결과를 그와 유사한 상황에 적용함에 있어 먼저 습득한 일반화의 원리나 법칙을 지나치게 고집스럽게 적용하려는 현상이다. 예를 들어, 언어 발달의 경우 아동이 문법규칙을 지나치게 적용하여 생겨나는 실수를 말한다. 주격조사를 과잉 일반화하여 "선생님이가", "말이가"로 사용하는 것이 그 예이다. 영어의 경우 went라고 말해야 하는데 goed, 혹은 wented로 말하여 과거시제를 나타내는 문법 형태소 ed를 과잉 적용하는 것이 그 대표적 예이다(특수교육학 용어사전, 2018 : 53).

27 2013 중등1-22

정답 ①

해설

② 수정 기법을 적용한 것이다.
③ 확대 기법을 적용한 것이다.
④ 확장 기법을 적용한 것이다.
⑤ (마)에서 이 교사가 "당근을 안 좋아해요."라고 바꾸어 말하는 것은 E의 발화에서 나타난 오류를 맥락 안에서 다른 형태로 바꾸어 말하는 것으로, 이는 '재구성' 기법을 적용한 것이다.

- (마)에 제시된 예 그리고 다음의 예시와 같이 아동의 표현에서 나타난 오류를 빼고 맥락 안에서 다른 형태로 바꾸어서 말해주는 경우(고은, 2012)는 재구성에 해당한다.

학생 : "양파는 못 좋아."
교사 : "양파를 안 좋아하는구나."
출처 ▶ 고은(1판, 2012)

Check Point

(1) 교사의 발화유도 전략

기법	기능
혼잣말 기법	아동에게 요구하지 않으면서 교사가 자기 행위에 대해 혼자 대화를 하듯이 말을 한다.
평행적 발화 기법	아동의 행위에 대해 아동의 입장에서 말한다.
FA 질문법	아동에게 대답할 수 있는 2개의 모델을 제시한다.
대치요청	목표언어가 나올 때까지 아동이 말을 고쳐 나가도록 유도한다.

(2) 교사의 발화 후 언어자극 전략

기법	기능	
확장	문법적으로 오류가 있는 아동의 표현을 문법적으로 완전한 형태로 바꾸어 말해 준다.	
확대	아동의 발화를 의미적으로 보완해 준다.	
교정적 피드백	아동의 잘못된 혹은 완전하지 않은 표현을 긍정적인 방법으로 고쳐 준다.	
재구성	아동의 표현을 다른 문장구조로 바꾸어 말해 준다. ※ '완성된 문장으로 만들어 준다는 점에서는 확장과 비슷하지만, 문법 요소보다는 새로운 구조로 바꾸어 주는 데에 초점이 있다.	
수정	아동의 잘못된 발화를 직접적으로 고쳐서 말해 준다.	
수정 후 재시도 요청	아동의 잘못된 발화를 교정해 준 후 다시 한번 해 보도록 한다.	
자기 수정	아동이 잘못 말한 부분을 교사가 그대로 따라함으로써 발화가 적절하지 않음을 알려주고 수정하도록 한다.	자기수정요청
		자기수정모델

28 | 2013 중등1-37

정답 ④

해설

지문 돋보기

〈학생 A의 말더듬 사례〉
- 서서서서언-생님, 수수수수수요일, 사사사사회, 수수수우숙제: 핵심행동 중 반복과 연장
- 갑자기 머리를 뒤로 젖히고 발을 구르며: 부수행동 중 탈출행동

ㄴ. 말더듬 수정법은 심리 및 태도를 치료의 주요 대상으로 한다. 말을 더듬지 않으려는 회피와 노력은 결국 말더듬을 악화시키므로 말에 대한 공포감을 줄이고 긍정적인 태도를 갖게 되면 말의 유창성이 만들어진다는 것이다. 그러나 말을 더듬을 때의 이차행동(부수행동)에 대한 중재가 주어지지 않는 것은 아니다.

ㄷ. Van Riper의 말더듬 수정법(MIDVAS) 6단계 중 확인 단계의 내용이다.

ㄹ. 유창성 완성법에 관한 내용이다.

Check Point

(1) 유창성 완성법

유창성 완성법에서 사용하는 주요 기법에는 호흡훈련, 말을 천천히 하기, 휴지와 분절화 기법 등이 있다.

호흡 훈련	• 호흡과 발성을 별도로 훈련하는 것보다는 호흡과 발성을 함께 하는 것이 좋다.
	  - 올바른 호흡훈련은 새로운 언어 패턴을 학습하기 전에 필수적으로 선행되어야 하지만, 호흡법만을 가지고 훈련하는 것은 말의 유창성을 증진시키는 데 큰 도움이 되지 않는다.
	• 호흡이 중요한 이유는 말더듬이 고착되면 흡기 과정에서 발성을 하는 비정상적인 발성이 나타나기 때문이다.
	  - 호흡과 발성의 협응이 깨어져 버린 발화는 우선 지속시간이 짧고 억압된 음성으로 산출된다. 따라서 이완된 발성은 말의 유창성에 영향을 주기 때문에 적절한 호흡훈련이 필요하다.

말을 천천히 하기 (DAF 기기의 활용)	• 말을 천천히 하기 기법은 말더듬 증상을 어느 정도 완화시키는 효과를 갖는다.
	  - 방법으로는 메트로놈이나 DAF(delayed auditory feedback: 지연 청각 피드백)가 사용되기도 한다.
	• DAF는 말을 하고 나서 몇 초 후에 다시 이어폰으로 스스로 자기 말을 듣는 기기로써, 지연되는 시간은 1/5~1/4초 정도로 스스로 조절할 수 있다.
	  - 지연된 말을 듣기 위해서 화자는 말의 속도를 늦추게 되고 탈출행동을 감소시키는 효과를 기대할 수 있다.
	  - 지연시간을 1/20~1/10초로 단축시키게 되면 말의 속도가 좀 더 빨라지면서 유창성이 높아질 수 있는데, 지연시간은 개인의 말더듬 정도와 선호도에 따라 달리해야 한다.

휴지와 분절화 기법	• 말더듬 현상을 주의 깊게 관찰해 보면 문장 내에 휴지가 불필요한 음절이나 소리로 대치되어 있는 것을 발견할 수 있다.
	  - 일반적으로 말의 휴지는 특정한 학습을 통해서 이루어지는 것이 아니라 자동화된 말의 시스템 내에서 자연스럽게 이루어진다.
	  - 그러나 말더듬의 경우에는 증상의 경중에 상관없이 모두 단어와 단어 사이 혹은 발화 첫 음절 앞에 비의도적인 음이 삽입되어 있다.
	• 휴지와 분절화 기법은 이러한 비의도적인 음을 제거하는 것이 기본 목적이다.
	  - 휴지와 분절화 기법은 말막힘상태에서 말을 산출하려고 하면 할수록 더욱 탈출행동이 가중되고 말더듬 증상을 악화시키므로 완전히 말에서 빠져 나오는 것을 기초로 한다.
	  - 문장 내에 휴지가 소음으로 채워지고 호흡이 들숨상태로 머무르게 되면, 후두의 압박감을 가중시키면서 다음에 오는 단어에서 다시 막힘증상이 오기 때문에 발성기관의 근긴장도의 완화가 이루어져야 한다.

(2) 말더듬 수정법과 유창성 완성법의 비교

비교 항목	말더듬 수정법	유창성 완성법
치료목표 행동	더듬는 순간	유창성 유도 방법
유창성 목표	자발유창성 또는 조절유창성 또는 수용 말더듬	자발유창성 또는 조절유창성
심리 및 태도	• 심리 및 태도를 치료의 주요 대상으로 한다. • 느낌 등을 치료하지 않고 핵심행동만을 치료할 경우 말더듬이 재발할 가능성이 많다고 생각한다.	• 심리 및 태도에는 거의 관심을 두지 않는다. • 핵심행동이 치료되면 심리 등은 저절로 정상으로 돌아온다고 생각한다.
유지 방법	취소, 빠져나오기, 예비책의 유지와 느낌 등의 변화에 관심을 가지고 살핀다.	유창성 유도 방법의 유지를 점검한다.
치료 방법	• 언어치료사와 대상자의 상담식 상호작용 • 객관적인 자료 수집을 중요시하지 않는다.	• 엄격하게 구조화된 언어치료사와 대상자의 상호작용 • 프로그램화된 치료과정 • 객관적인 자료 수집을 매우 중요시한다.

29　2013 중등1-38

정답) ④

해설

가. 자발화 표본을 수집하는 데 있어서 가장 중요한 것은 그 표본이 얼마나 아동의 평상시 언어를 대표할 수 있느냐는 점이다. 예를 들어, 아동이 수줍어하거나 화가 나서 잘 반응하지 않고 간단하게 대답한 말을 표본으로 잡거나, 아동이 외우고 있는 이야기나 선전문구를 표본으로 잡는다면 그 표본을 분석한 결과는 아동의 표현언어 능력을 과소 또는 과대평가하는 결과를 초래할 것이다. 아동의 '대표적'이고 '자연스러운' 언어표본을 수집하기 위해서는 검사자와 아동 사이의 의사소통 방식이나 상황적 문맥, 언어 수집을 위해 사용되는 자료들, 그리고 표본의 크기 등이 고려되어야 한다(김영태, 2014 : 277).

나. 복문의 경우 우선적으로 문장 간 의미 관계를 분석한 후, 각 단문의 문장 내 의미 관계를 분석한다. 이는 구문론이 아닌 의미론적 평가에 해당한다.

다. 자발화 분석은 학령기 이전 수준의 언어발달장애 아동을 위한 비공식적 검사 방법(강은희 외, 2019 : 179)이며, 학령기 아동을 대상으로 하는 국내 연구들은 아동의 이야기에서 나타나는 문법적인 복잡성을 최소종결단위(T-unit)나 의사소통단위(C-unit)로 분석하는 경우가 많다(김영태, 2019 : 63).

마. 어휘다양도는 의미론적 분석과 관련된다. 자발화의 화용론적 분석에서는 발화의 자율성, 발화의 적절성, 의사소통 기능을 분석한다.

Check Point

(1) 언어표본의 수집 방법에 대한 권고사항

① 가능하면 아동의 표현에 대해 질문을 하거나 모방을 강요하기보다는 아동의 말을 유도하는 간접적인 말이나 아동의 행동을 표현하는 말 또는 독백으로 시작한다.
② 아동의 수준에 맞는 질문이나 놀이를 통해서 아동을 대화 속으로 끌어들인다.
③ 검사자가 대화의 주제를 선택하기보다는 아동이 주도하는 대로 따라가 주는 것이 좋다.
④ 검사자는 가능한 한 질문을 자제한다.
⑤ 검사자는 아동의 발화 수준에 맞춰 자신의 말을 조절해야 한다.
⑥ 발화 사이의 쉼에 대해 너무 민감하게 반응하지 않는 것이 좋다.
⑦ 언어표본을 수집하기 위해서 검사자는 다양한 놀잇감을 준비하는 것이 좋다.
⑧ 아동의 자발적인 발화를 유도하기 위해서는 검사자가 다소 어리석은 행동이나 말을 하는 것이 도움이 된다.

출처 ▶ 김영태(2014 : 280-282)

(2) 자발화 평가의 장단점

장점	• 구체적인 교수목표를 파악하는 데 유용하다. • 아동의 성취 수준 또는 일간 혹은 주간 진보 정도를 점검할 때도 사용될 수 있다. • 일상생활에서 아동이 사용하는 말을 평가한다는 점에서 매우 적합하다.
단점	• 말 표본을 얻는 것이 항상 쉽지만은 않으며, 시간과 노력이 많이 소요된다. • 아동이 의도적으로 특정 단어 혹은 발화 자체를 회피할 수 있는 문제점이 나타날 수 있다.

30 2013 중등1-39

정답 ⑤

해설

ㄱ. 브로카 실어증은 유창성에 어려움을 보이나, 청각적 이해력에는 어려움이 없다.
- 유창하지만 청각적 이해력에서 어려움을 보이고: 베르니케 실어증
- 느린 발화 속도와 단조로운 운율 특성: 브로카 실어증

ㄴ. • 청각적 이해력, 유창성, 따라 말하기는 좋은 편이나 이름대기 수행력이 낮고: 명칭실어증
- 착어가 자주 관찰된다.: 베르니케 실어증

ㄷ. 노래 형식으로 발화 길이를 늘려가는 방식을 통해 표현력을 향상: 브로카 실어증의 치료 방법인 멜로디 억양 치료법 내용이다. 브로카 실어증 환자처럼 비교적 청각적 이해력은 어느 정도 유지되지만 비유창한 환자들에게 사용되어 온 대표적인 치료법으로는 멜로디 억양 치료법(melodic intonation therapy)이 있다. 이 치료법은 우반구에서 관장하는, 손상되지 않은 비언어적 기능(예 소리의 길이, 소리의 높낮이 등)을 사용하여 언어재활을 꾀하고자 하는 재조직 치료법에 속한다. 멜로디를 함께 조합하여 노래 형식으로 발화를 유도하면서 점차로 목표 발화의 길이를 늘려가게 된다(김향희, 2015: 163-164).

- 말실행증의 치료의 원리 중 하나는 반복수행을 원칙으로 한다. 이는 명료한 말산출을 반복하면 말산출을 위한 운동프로그램의 개선이 이루어지기 때문이다(곽미영 외, 2020: 281).
- 말운동장애로서의 말실행증을 치료하기 위해서는 기본적으로 행동적 접근 방식을 취한다. 이를 위하여 운동학습의 원리가 적용되어야 한다. 운동학습을 통하여 체계적이고도 강도 높은 반복훈련을 실시함으로써 말산출에 필요한 말 프로그래밍이 자동적으로 될 수 있는 경지까지 도달해야 한다(김향희, 2015: 277).

Check Point

(1) 베르니케 실어증과 브로카 실어증의 특징 비교

유형	특징
베르니케 실어증	유창성 실어증의 하나인 베르니케 실어증은 대답하거나 말 주고받기에 멈춤이 거의 없이 문장들이 폭발적으로 빠르게 연결된다는 특징을 보인다. 개인들은 종종 자신들의 결함을 인식하지 못한다. 비록 유창하며 조음도 괜찮으나 내용은 뒤죽박죽 섞여 있는 것처럼 보이며, 비정합적이고 이해하기 힘들 수도 있다. • 유창하거나 또는 과잉유창한 말 • 청각 및 시각적 이해가 저조함 • 구어착어 또는 의도치 않았던 낱말이나 신조어 • 자곤이라고 하는 관련성 없는 낱말들의 연결로 구성된 문장 • 경도~중도 수준의 이름대기 및 따라 말하기 결함
브로카 실어증	브로카 실어증은 좌측 내뇌반구의 전방, 즉 앞쪽 부분인 브로카 병역의 심층적인 손상과 연립되어 있다. 이 브로카 영역은 운동계획 및 작업기억을 관장한다. • 조동사, to be 동사, 전치사, 관사, 그리고 형태론적 접미사들이 생략된 실문법증을 동반한 짧은 문장 • 명칭 실어증 • 전반적인 말의 어려움으로 인한 따라 말하기 결함 • 느리고 힘든 말과 쓰기 • 조음 및 음운오류

출처 ▶ Owen et al.(2018 : 159, 162 내용 요약정리)

(2) 실어증 유형과 4가지 과제 수행력

구분	베르니케 실어증	연결피질 감각 실어증	전도 실어증	명칭 실어증	브로카 실어증	연결피질 운동 실어증	혼합 연결피질 실어증	전반 실어증
유창성	+	+	+	+	−	−	−	−
청각적 이해력	−	−	+	+	+	+	−	−
따라 말하기 능력	−	+	−	+	−	+	+	−
이름 대기 능력	−	−	−	−	−	−	−	−

31 2013추시 유아1-1

모범답안

1) ① 생략, ② 첨가, ③ 왜곡, ④ 대치

2) ① 마찰음 /ㅅ/ → 파열음 /ㄷ/
   ② 연구개음 /ㄱ/ → 치조음 /ㄷ/

3) • 번호와 수정 내용: ②, 현재 지속성(−)를 보이는 조음을 지속성(+)로 수정해 주어야 한다.
   • 번호와 수정 내용: ④, 최소대립쌍은 분절적 요소부터 시작하는 것이 효과적이다.

해설

3) ② /다자/의 /ㄷ/는 파열음으로 현재 지속성(−)를 보이고 있다. 이를 마찰음에 해당하는 /ㅅ/으로, 즉, 지속성(+)로 수정해 주어야 한다.

④ 철수에게 적용하는 최소대립쌍은 분절적 요소부터 시작하는 것이 효과적이다. 최소대립쌍 훈련은 아동의 음운체계에서 아직 자리 잡지 못한 음소의 대조를 치료목표로 삼는다(음운론적 측면에서 보면). 음운도 최소대립을 가져오는 요소이기는 하지만 음의 장단은 주위에 오는 음들과의 상대적 비교를 통해서만 값어치가 결정되기 때문에 구분이 쉽지 않다. 따라서 분절적 요소부터 시작하는 것이 효과적이다.

• 최소대립쌍에서 최소대립은 음소대조를 의미한다. 한 쌍의 의미 있는 낱말에서 단 한 개의 음소만 대조되어 다른 뜻을 갖게 되는 경우를 최소대립쌍이라고 한다. 이 접근법(최소대립쌍 접근법)에서는 아동의 음운체계에서 아직 자리 잡지 못한 음소의 대조를 치료목표로 삼는다(김수진 외, 2020: 260).

• '최소 단어짝'이란 개념은 단지 하나의 음의 속성만 달리하고 다른 음소적 속성은 같이 하는 두 낱말의 짝을 말한다 … (중략) … 단어짝을 개발하기 위해 치료사는 동등한 수의 분절(음소)을 가진 두 낱말을 선택해야 한다(석동일, 2004: 187).

• [음운론적 접근] 운소는 초분절음이라고 부르기도 한다. 분절음인 음소와 달리 운소는 거기에 해당하는 소리를 계기적으로 분석할 수가 없다. 즉, 운소는 음소와 함께 동시에 실현될 뿐, 그 자체만 따로 발음하기라 불가능한 것이다. 또한 음소는 그 음성적 가치가 절대적으로 정해지지만 운소는 상대적으로 정해진다는 차이도 있다. 가령 'ㄱ'이라는 음소가 지닌 음성적 특징은 독자적으로 규정되어 있지만 장단, 고저, 강약은 주위에 오는 음들과의 상대적 비교를 통해서만 값어치가 결정된다(이진호, 2020: 34).

Check Point

(1) 조음 위치와 방법에 따른 자음의 종류

구분		양순음	치조음	경구개음	연구개음	성문음
파열음	예사소리(평음)	ㅂ	ㄷ		ㄱ	
	된소리(경음)	ㅃ	ㄸ		ㄲ	
	거친소리(격음)	ㅍ	ㅌ		ㅋ	
마찰음	예사소리(평음)		ㅅ			ㅎ
	된소리(경음)		ㅆ			
파찰음	예사소리(평음)			ㅈ		
	된소리(경음)			ㅉ		
	거친소리(격음)			ㅊ		
비음		ㅁ	ㄴ		ㅇ	
유음			ㄹ			

(2) 자음 분류 자질

① 조음 위치 자질

구분	양순음	치조음	경구개음	연구개음
전방성	+	+	−	−
설정성	−	+	+	−

② 조음 방법 자질

㉠ 파열음, 마찰음, 파찰음, 비음, 유음

구분	파열음	마찰음	파찰음	비음	유음
지속성	−	+	−	−	+
비음성	−	−	−	+	−
소음성	−	±	+	−	−

㉡ 평음, 유기음, 경음

구분	평음(예사소리)	유기음(거센소리)	경음(된소리)
긴장성	−	+	+
유기성	−	+	−

㉢ 공명음과 장애음의 구분
• 공명음(비음, 유음): [+공명성]
• 장애음(파열음, 마찰음, 파찰음): [−공명성]

32 | 2013추시 유아B-5

모범답안

3)
① 외적 언어
② 내적 언어

해설

3) 비고츠키는 언어의 형식을 외적 언어와 내적 언어로 분류하였다. 외적 언어는 남에게 소리 내어 하는 말이며, 내적 언어는 자기 자신에게 소리 없이 하는 말이다. 외적 언어가 사회화된 언어로서 다른 사람과 의사소통하려는 의도를 가지고 있다면, 내적 언어는 자신의 행동과 사고를 조절하는 기능을 가지고 있다. 아동은 문제를 해결하거나 중요한 목표를 달성하고자 할 때 혼잣말을 하는 경향이 있다. 초기 단계에서는 밖으로 소리 내어 말을 하지만, 시간이 지나면서 큰 소리로 하던 혼잣말은 점차 속삭임으로 변하고 다시 내적 언어로 변하게 된다(고은, 2021: 125-126).

33 | 2014 유아A-7

모범답안

2)
• 요소: 형식(형태)
• 언어학적 영역: 음운론

Check Point

📝 **언어의 구성 요소**

구성 요소	언어학의 하위 영역	정의	특성
형식	음운론	말소리 및 말소리의 조합을 규정하는 규칙	• 자음보다 모음을 먼저 습득 • 양순음이 가장 먼저 습득되고, 마찰음과 파찰음은 나중에 습득 • 분절음보다 초분절음을 먼저 습득
	형태론	단어의 구성을 규정하는 규칙	전보식 문장 형태에서 형식형태소가 등장하는 형태로 발달
	구문론	단어의 배열, 문장의 구조, 서로 다른 종류의 문장 구성을 규정하는 규칙	• 단문: 문장 내 주어와 동사가 하나 • 중문: 두 개 이상의 문장으로 이루어져 접속사로 연결된 형태 • 복문: 하나 이상의 문장이 또 하나의 문장 속으로 들어간 형태로, 접속사에 의한 복문과 내포문 형식의 복문으로 나눌 수 있음
내용	의미론	의미(단어 및 단어의 조합)를 규정하는 규칙	• 과잉확대: 유아가 말한 단어가 원래의 의미보다 더 큰 범주를 지칭하는 경우 • 과잉축소: 유아가 말한 단어가 원래의 의미보다 더 좁은 범주를 지칭하는 경우 • 과잉일반화: 문법 습득 과정에서 사용규칙을 일반화시키는 것
사용	화용론	사회적 상황에서 언어의 사용과 관련된 규칙	화용론적 능력: 상대방에게 자신의 의사소통 의도를 효과적으로 전달하고 이것을 파트너 지향적인 형태로 바꿀 수 있는 능력

34
2014 유아B-4

모범답안

1)
- 어휘 폭발을 보인 달: 10월
- 판단 근거: 누적된 총 어휘 수가 10월에 급격히 증가하였기 때문이다.

2)
- 지도방법 ㉠: 의사소통의 기회 제공(또는 물리적 환경 조절 하기, 환경 조성하기)

3)
- 지도방법 ㉡: 확대
- 지도방법 ㉢: 확장

해설

1) 어휘의 습득 속도는 대략 18~24개월이 되면 갑자기 빨라진다. 이러한 갑작스러운 어휘 습득기를 어휘 폭발기 또는 어휘 도약기라고 부른다. 이러한 어휘 폭발기는 탈맥락적이고 전형적인 낱말이 양적으로 늘어나는 시기라고 볼 수 있다(김영태, 2014: 42). 문제 해결 시 어휘 폭발기의 개념에 초점을 둘 수 있도록 한다.
2) 유아특수 영역의 의사소통 중재 전략임을 고려한다.

Check Point

(1) 의사소통 중재 전략

지도방법	내용
아동의 주도 따르기	의사소통을 시도하는 유아의 행동에 반응하고 유아가 보이는 관심에 대해서 이야기하면서 상호작용하는 것이다.
점진적인 일치	확장이라고 불리는 간단한 전략으로 유아는 자신의 현행 수준보다 약간 어려운 성인의 언어 모델을 통해서 가장 잘 학습한다는 기본적인 가정을 전제로 한다.
단어와 설명 사용하기	언어를 경험 속으로 삽입시킴으로써 주요 단어와 개념을 학습하게 하고 동시에 정확한 방법으로 주변의 환경을 표현하도록 촉진하는 방법이다.
주요 단어 및 어절의 반복	교사들은 장애유아들을 교수함에 있어서 이야기한 내용의 주요 단어와 어절을 계속적으로 반복함으로써 이들의 정보처리와 기억을 도와주어야 한다.
적절한 속도	• 말하는 속도는 문장을 이야기할 때 말하는 속도와 문장 사이의 쉬는 속도를 모두 포함한다. • 장애유아는 대부분의 경우 너무 빠른 속도로 제공되는 정보를 수용하기 어려워한다. 특히 새로운 정보나 복잡한 정보를 제공할 때 말하는 속도를 낮춤으로써 이해력과 관심을 증진시킬 수 있다.
반응 기다리기	장애유아가 상대방의 언어 자극을 잘 이해하고 자신의 생각을 정리해서 말할 내용을 결정하고 행동에 옮길 수 있도록 충분한 반응 시간을 허용해야 한다.
의사소통의 기회 제공	제한된 의사소통 능력을 보이거나 의사소통 기술을 전혀 보이지 않는 유아들에게 의사소통을 하고자 하는 동기를 제공해야 한다.

(2) 확장과 확대(발화 후 언어자극 전략 중)

기법	기능	예시
확장	• 문법적으로 오류가 있는 아동의 표현을 문법적으로 완전한 형태로 바꾸어 말해 준다. • 문장의 틀을 유지한 상태에서 교사가 고쳐서 들려주는 방법이다.	(그림책을 보며) 학생: "호랑이 토끼 먹어." 교사: "호랑이가 토끼를 먹어요."
확대	아동의 발화에 대한 내용적 보완에 초점이 맞춰져 있다.	(그림책을 보며) 학생: "아저씨, 아저씨!" 교사: "소방관 아저씨구나."

35
2014 유아B-7

모범답안

3) 내적 언어

36
2014 중등A-11

모범답안

㉠	연장
㉡	탈출행동

해설

지문 돋보기

- "ㅂㅂㅂㅂ보여요.": 반복
- "보--------여요.": 연장
- "--------보여요.": 막힘
- 갑자기 고개를 뒤로 젖히기: 탈출행동

37   2014 중등B-서1

모범답안 개요

목적	• 구어능력을 증진시키기 위해서이다. • 사회가 요구하는 방식의 의사소통과 행동양식을 습득하여 적절한 의사소통을 할 수 있도록 하기 위해서이다.
이유	의도적으로 스크립트를 위반하는 사건을 만들어 학생 A의 자발적인 구어 산출을 유도하기 위한 것이다.

해설

목적) 스크립트 활용은 구어능력을 증진시키는 전략으로서, 사회가 요구하는 방식의 의사소통과 행동양식을 습득하여 적절한 의사소통을 하는 것을 목표로 한다(고은, 2021 : 326).

- 익숙하고 일상화된 상황적인 문맥 속에서 아동은 쉽게 성인의 말을 예견할 수 있으며, 그러한 성인의 언어와 그 상황 간의 관계를 인지적으로 연결시킴으로써 상황적인 언어를 학습하게 된다(김영태, 2019 : 445).

이유) 스크립트를 사용할 때 Kim과 Lombardino는 스크립트 안에서 주고받는 대화의 기회를 많이 가질 것, 상황적 언어를 활동 속에서 많이 사용할 것 그리고 아동이 일단 스크립트에 익숙해지면 의도적으로 스크립트를 위반하는 사건을 만들어 아동의 자발적인 언어를 유도하기를 권유하고 있다(송준만 외, 2022 : 554).

Check Point

(1) 상황지식과 상황언어

스크립트 연구자들에 의하면 일상적인 상황문맥은 그 즉각적인 상황에 대하여 화자 간에 공유하는 상황지식을 제공해 주며, 그 결과 아동에게 그 상황에서 늘 쓰이는 상황언어를 배우는 학습의 기회를 제공해 준다. 즉 익숙하고 일상화된 상황적인 문맥 속에서 아동은 쉽게 성인의 말을 예견할 수 있으며, 그러한 성인의 언어와 그 상황 간의 관계를 인지적으로 연결시킴으로써 상황적인 언어를 학습하게 된다(김영태, 2019 : 445).

(2) 스크립트 일과법의 장단점

스크립트 일과법(또는 스크립트 활용 언어중재)의 장·단점은 다음과 같다.

장점	상황에 맞는 언어를 가장 일반화된 형태로 지도할 수 있다.
단점	최소한의 구어적 능력을 가지고 있어야 실시할 수 있다.

출처 ▶ 고은(2021 : 327)

38   2015 유아A-7

모범답안

2)	ⓒ 말더듬 ⓓ 조음·음운장애
3)	화용론

Check Point

(1) 언어의 요소

언어적 요소	의사소통을 위한 말과 언어를 포함한다.
준언어적 요소	억양, 강세, 속도, 일시적인 침묵 등과 같이 말에 첨가하여 메시지를 전달하는 것을 의미한다.
비언어적 요소	몸짓, 자세, 표정 등과 같이 말이나 언어에 의존하지 않고 메시지를 전달하는 것을 의미한다.
초언어적 요소	언어 자체를 사고의 대상으로 하여 언어의 구조나 특질을 인식하는 능력을 의미한다.

(2) 언어의 구성 요소 및 언어의 하위 체계

구성 요소	언어 하위 체계	정의
형식	음운론	말소리 및 말소리의 조합을 규정하는 규칙
	형태론	단어의 구성을 규정하는 규칙
	구문론	단어의 배열, 문장의 구조, 서로 다른 종류의 문장 구성을 규정하는 규칙
내용	의미론	의미(단어 및 단어의 조합)를 규정하는 규칙
사용	화용론	사회적 상황에서 언어의 사용과 관련된 규칙

39
2015 초등A-3

모범답안

3)	교사가 /자/와 /차/를 발음하면, 정우는 해당 그림을 가리킨다.
4)	다음 중 택 1 • 치조음화 • 전설음화

해설

3) 최소대립쌍으로 제시할 수 있는 낱말은 반드시 단음절일 필요는 없으며, 다음 중 1가지를 선택하여 활동 예시를 작성하도록 한다. 단, 문제의 '첫음절이 모두 파찰음인 단어 활용' 조건에 유의해야 한다.
   • 조-초(또는 조상-초상, 조식-초식)
   • 자-차(또는 자비-차비)

4) 각 단어별 대치 오류 유형은 다음과 같다.

ㅈ → ㄷ	치조음화, 전설음화, 파열음화
ㄱ → ㄷ	치조음화, 전설음화

Check Point

최소대립쌍

① 정의

최소대립쌍이란 오로지 같은 자리에 오는 하나의 음운만 차이남으로써 그 뜻이 구별되는 단어의 묶음을 말한다(예 '물', '불'). 최소대립쌍을 만들어주는 두 소리는 모두 별개의 음운에 속한다. 최소대립쌍의 개념 자체가 단어의 의미 변별과 관련되므로 음운의 정의와 밀접한 관련이 있다(이진호, 2014: 31-32).

② 최소대립쌍 설정에서 주의할 점

최소대립쌍이라는 개념 자체는 매우 자명하지만 최소대립쌍을 설정할 때 주의해야 할 점도 없지 않다. 이 중 양적 대등성과 질적 대등성을 중요하게 생각할 수 있다.

㉠ 양적 대등성

최소대립쌍을 이루는 두 단어의 음운 개수가 동일해야 한다는 조건이다. 두 단어의 음운 개수가 다르다면 그 두 단어의 차이는 소리의 유무에 있게 된다. 이것은 물리적으로 다른 두 소리가 음운의 자격이 있는지를 살피기 위해 최소대립쌍을 찾아본다는 원래 취지에 부합하지 않는다.

㉡ 질적 대등성

최소대립쌍을 만드는 두 소리의 성질이 동질적이어야 한다는 조건이다. 음운은 음소와 운소로 나뉘며 음소는 다시 자음, 모음, 반모음으로 나뉜다. 이때 음소는 음소끼리, 운소는 운소끼리 최소대립쌍을 이루어야 하며 자음, 모음, 반모음도 각각 해당 부류의 소리끼리 최소대립쌍을 이루어야 한다. 만약 그렇지 않다면 '아이'와 '비', '사이'와 '살'도 최소대립쌍이 되고, '열(十)'과 '철(季)'도 최소대립쌍이 되어 매우 혼란스러운 일이 벌어진다.

③ 최소대립쌍의 문제 예

문제) 다음에 묶인 단어들은 최소대립쌍이 될 수 있는지 생각해 보고, 최소대립쌍이 되지 못하는 경우는 그 이유를 찾아보자.

(1) 가루-나라, 머리-마루, 돈[돈:]-손(手)
(2) 살-칼, 머리-허리, 고을-노을
(3) 나이-납, 아욱-북, 오이-옷
(4) 소리-오리, 나무-남, 겨울-거울
(5) 낟-낫, 낮-낯, 낱-낟

풀이) 최소대립쌍이 될 수 없는 것은 (1), (3), (4)이다. (1)은 묶여 있는 단어쌍이 둘 이상의 음운에서 차이를 보인다는 점, (3)은 모음과 자음의 차이로 구별된다는 점, (4)는 음운의 유무로 구별된다는 점 때문에 최소대립쌍이 될 수 없다. 한편 (5)는 진정한 최소대립쌍이 되려면 뒤에 모음으로 시작하는 조사가 와야 한다. 그렇지 않으면 제시된 단어들이 모두 '/낟/'으로 발음되어서 형태가 동일해진다.

40
2015 초등B-3

모범답안

2)	교사는 민호에게 '강아지 장난감?', 아니면 고양이 장난감?'이라고 물어본 후, 민호가 선택한 것을 스위치에 연결해 준다.
3)	민호가 볼 수 있으나 손이 닿지 않는 책상 위에 장난감 자동차가 움직이도록 태엽을 감아 놓아두었다.
4)	ⓐ 저항(또는 거부) ⓑ 정보 요구(또는 요구하기)

해설

4) ⓐ 고개를 숙이고 가만히 있는 행동은 (가)의 대화 내용을 통해 보면 교사가 제안한 내용에 대해 부정하기 위한 것임을 알 수 있다.

ⓑ 민호는 장난감 자동차와 교사를 번갈아 바라보면서 교사의 적절한 반응을 기다리고 있는 것이다. 특히 이와 같은 민호의 행동에 대해 반응해 주는 방법으로 '물건의 상태나 정보에 대해 얘기해 준다'는 것을 참고할 때 민호가 행동이 갖는 화용론적 기능은 정보 요구라고 할 수 있다.

Check Point

(1) 의사소통 사전

의사소통 사전(때때로 의사소통 신호 목록 또는 제스처 사전이라고 함)은 하나의 관찰 평가이며 이것은 의사소통 상대가 의사소통 행동에 대해 인식하고 반응하는 것을 돕는 문서를 만들어 낸다. 문서를 만들기 위해서 팀은 장애가 있는 개인을 관찰하고, 의사소통 행동의 리스트를 만들고(어떤 행동이 전의도적인지 또는 의도적인지), 각 의사소통 행동의 목적을 구체화하고, 어떻게 의사소통 상대가 각 의사소통 행동에 반응해야 하는지를 나타낸다(Brown et al., 2017 : 398-399).

(2) 대화기능 분석

상위 기능	하위 기능		내용
요구	요구: 상대에게 정보, 행위, 사물 또는 허락을 요구하는 기능이다.		
	정보 요구	예/아니오 질문	상대로부터 '예/아니오'의 반응을 요구하는 질문 예 아동: 사탕이야? / 엄마: 응.
		의문사 질문	의문사를 이용한 질문 예 아동: 이거 뭐야?
		명료화 질문	상대의 이전 발화에 대해 명료화를 요구하는 질문 예 엄마: 가자. / 아동: 뭐라고?
		확인 질문	아동 자신이 알고 있는 사실을 확인하는 질문 예 아동: (질문의 억양으로 공을 보며) 공이지?
	행위 요구		상대에게 어떤 행위를 하도록 요구하는 행동 예 아동: (자동차를 밀어달라는 의미로) 가.
	사물 요구		상대에게 사물을 달라고 요구하는 행동 예 아동: (달라는 시늉을 하며, 풍선 가리키기)
	허락 요구		상대에게 허락을 요구하는 행동 예 아동: (엄마가 물을 틀지 말라고 한 후, 수도꼭지를 돌리려고 하면서 엄마를 쳐다보고) 물?
반응	반응: 상대의 요구에 답하고 대응하는 기능이다.		
	질문에 대한 반응	예/수용	상대의 질문에 긍정적인 대답을 하는 경우로, 단 의미 없는 대답은 제외한다. 예 엄마: 먹을래? / 아동: 응.
		아니요/저항/부정	상대의 질문에 부정적인 대답을 하는 경우로, 단 의미 없는 대답은 제외한다. 예 엄마: 먹을래? / 아동: 몰라.
		의문사 대답	상대의 의문사 질문(뭐, 어디, 누가, 언제, 왜, 어떻게)에 적합한 대답을 하는 경우 예 엄마: 뭐 먹을래? / 아동: 과자
	요구 반응	명료화	상대의 명료화 요구 후에 이전 발화를 반복하거나 명료하게 하려는 시도 예 아동: 딸기 / 엄마: 딸기? / 아동: 딸기
		순응	상대의 요구에 긍정적으로 응하는 행동 예 엄마: 뽀뽀해 줄래? / 아동: 해 줄게.
		거부/저항	상대의 요구를 거부하거나 저항하는 행동 예 엄마: 뽀뽀 / 아동: 안 해.
	반복		상대의 선행 의사소통 행동을 전체 또는 부분적으로 새로운 추가 없이 모방하는 행동 예 엄마: 뭐 줄까? / 아동: 뭐 줄까?
	의례적 반응		선행 발화에 부합되지 않는 단순한 의례적 반응 예 엄마: 그게 뭐야? / 아동: 응.
객관적 언급	객관적 언급: 객관적 사실에 대한 언급이나 현재 관찰 가능한 사물 또는 사건에 대한 인지/묘사, 또는 아동이 의도적으로 사물이나 행위에 상대의 주의를 끄는 행동이다.		
	사물에 주의 끌기		단순히 사물에 주의를 집중토록 하는 수준의 행동 예 아동: (장난감 전화기를 보고 엄마를 쳐다보며 전화기 가리키기)
	이름 대기		아동이 타인과 상호작용하는 장소에서 눈으로 볼 수 있는 사물 또는 사건을 명명하는 기능. 단 질문에 대한 대답이 아닌 경우만을 포함한다. 예 아동: (강아지 인형을 보며) 멍멍.
	사건·상태		행위/사물의 움직임이나 상태에 상대의 주의를 끄는 행동 예 아동: (블록을 다 담은 후) 됐어.
	고유 특성		아동이 타인과 상호작용하는 장소에 있는 대상에 대해 그 대상이 본질적으로 가지고 있는 외형적 특성을 기술하는 기능 예 아동: (공을 보며) 동그라네.
	기능		사물의 기능을 나타내는 행동이나 언급 예 (축구공을 보며) 뻥 차는 거야.
	위치		공간적 관계에 대한 행동이나 언급 예 아동: (장난감을 가리키며) 저기 있다.

	시간	시간적 관계에 대한 행동이나 언급 예 아동: 이따 봐.
주관적 진술	주관적 진술: 직접적으로 관찰이 가능하지 않은 사실, 규칙, 태도, 느낌 또는 믿음에 대한 행동이나 진술을 하는 기능이다.	
	규칙	규칙에 대한 행동이나 진술 예 아동: (~하면) 안 돼.
	평가	상대 또는 자신의 행위에 대한 주관적인 평가 예 아동: 잘했어.
	내적 상태	자신의 생각 또는 느낌을 표현 예 아동: 그거 좋아.
	속성	객관적 판단의 기준이 없는 상대적 특성에 대해 자신이 주관적으로 느끼는 사물의 특성을 기술하는 기능 예 아동: 와, 크다.
	주장	자신의 의견 또는 주장을 표현하거나 청유하는 기능 예 아동: 내 거야.
	설명	현재의 장소에 없거나, 현재에 존재하지 않는 사물 또는 상황/사건에 대한 설명이나 의견 또는 이유를 설명하는 기능 예 아동: (뭔가를 그리고 나서) 이건 공이야.
대화내용 수신표현	대화내용 수신표현: 상대의 말을 들었다는 것을 나타내는 반응이다. 단순히 메시지 수신의 표현을 의미하므로 질문이나 요구하는 반응은 해당되지 않는다.	
	수용	상대의 앞선 의사소통 행동에 대해 단순히 메시지를 받았다는 것을 표현하는 행동 예 상대의 말을 들으며 경청의 의미로 고개를 끄덕이거나 "어"
	승인/동의	상대의 앞선 의사소통 행동에 대해 새로운 정보의 추가 없이 단순히 승인/동의를 표현하는 행동 예 엄마: 고맙습니다. / 아동: 네.
	부인/반대	상대의 앞선 의사소통 행동에 대해 새로운 정보의 추가 없이 단순히 부정/반대를 표현하는 행동 예 엄마: 물 없어. / 아동: 물 있어.
대화내용 구성요소	대화내용 구성요소: 개별적 접촉과 대화 흐름을 조절하는 기능이다.	
	의례적 인사	상대방의 반응을 기대하지 않는 의례적인 인사 예 아동: 안녕.
	부르기	다른 의사소통 의도와 연결되지 않은 단순한 부르기 예 아동: 엄마.
	화자 선택	반응할 상대를 선택하는 행동 예 아동: 엄마가 말해.

	동반	행동의 한 부분으로 수반되는 말 예 아동: (물건을 주며) 여기.
	감탄	자신 또는 상대의 행동이나 사물에 대한 감탄 또는 놀람을 표현하는 행동 예 아동: (엄마가 만든 블록모형을 보고) 우와
발전된 표현	발전된 표현: 말 산출만으로도 성취되는 기능이다.	
	농담	남을 웃기려고 우스갯소리로 하는 말 예 아동: 나 아들 아니고 딸이지? (아들인지 알면서 장난치려고)
	경고	문제를 지적, 위험을 알리거나 또는 조심토록 주의를 주는 말 예 아동: 조심해.
	놀림	남의 흉을 보거나 놀리는 말 예 아동: (상대를 쳐다보며) 메롱

출처 ▶ 김영태(2019). 내용 요약정리

41   2015 중등A-서2

모범답안 개요

기질적 원인	다음 중 택 3 • 구개파열 • 혀의 구조적 이상 • 청력의 이상 • 중추 혹은 말초신경계의 이상
전통적 치료 방법	짝자극 기법, 조음점 자극법(지시법)
언어인지 접근법	변별자질 접근법, 음운변동 접근법
차이점	전통적 접근법은 단일 음소에 나타난 오류에 독립적으로 접근하여 독립된 특정 음소의 정확도를 높이는 데 초점을 두지만 언어인지 접근법은 언어의 공통적 요인에 주목하여 오류 패턴을 찾아서 교정하는 것이다(또는 전통적인 접근법은 단일 음소에 나타난 오류에 독립적으로 접근하지만 언어 인지 접근법은 언어의 공통적 요인에 주목한다).

해설

전통적인 치료 방법이 오류음의 음소를 음성적 측면에서 교정하는 것이라면 언어인지적 접근법은 언어적·인지적 요소에 관심을 갖고 오류 패턴을 찾아서 교정하는 것이다. 따라서 변별자질 접근법과 음운변동 접근법으로 구분되는 언어인지적 접근법은 언어학적인 공통적 성분요소를 다루기 때문에 유사한 음운과정의 영향을 받는 다른 분절음으로의 전이가 매우 용이하다는 장점을 갖는다.

Check Point

📝 **조음·음운장애의 원인**

기질적 원인	• 구개파열 • 혀의 구조적 이상 • 청력의 이상 • 중추 혹은 말초신경계의 이상
기능적 원인	• 지능 • 청각적 변별 능력 • 입 근육의 운동 능력 • 잘못된 습관 • 문화적 영향

42 2016 유아A-5

모범답안

1)	㉠ 한 장소에서만 표본을 수집하면 아동의 언어표본이 편협해지기 때문이다(또는 아동의 언어는 장소나 상황에 따라 달라질 수 있기 때문이다). ㉡ 동화책을 외워서 하는 자동구어는 발화로 구분하지 않고 분석에서 제외하기 때문이다.
2)	어휘다양도

해설

1) ㉠ 아동은 상황에 따라서 자발성이 크게 달라진다. 아동의 언어표본이 편협해지지 않도록 하기 위해서는 될 수 있으면 두 곳 이상의 장소에서 표본을 수집하는 게 바람직하다. Miller는 아동의 언어는 장소나 상황에 따라서 달라질 수 있으므로 다양한 장소에서 수집된 표본이 더욱 대표적이라고 주장한다(김영태, 2019: 280).

43 2016 유아B-5

모범답안

2)	① 자기중심적 언어 단계 ② 스스로에게 조용하게 말하는 혼잣말 형태를 보이고 있기 때문이다.
3)	아동지향적 말투(또는 모성어, 엄마말투)

해설

3) 아동지향적 말이란 모성어 또는 엄마말투라고도 불리며, 유아와 대화를 할 때 나타나는 성인 말의 특성이다. 즉, 사회적 상호작용주의 이론에서는 부모나 성인이 아기에게 말할 때 무의식적으로 천천히 큰 소리로 또박또박 말하며, 말할 때 중간에 쉬는 간격을 많이 주고 과장된 억양을 사용하는데, 이러한 아동지향적인 말이 아동의 언어습득에 결정적인 영향을 미친다고 본다(고은, 2021: 126-127).

Check Point

📝 **비고츠키의 언어발달 단계**

[1단계] 전언어 단계	• 0~2세 영아기 • 울음과 같은 정서 방출 • 타인의 목소리에 대한 사회적 반응 • 부모가 어떤 대상을 특정 단어와 빈번히 짝지어 줌으로써 단어들의 조건반사적 학습
[2단계] 상징적 언어 단계	• 2세 이후 • 의사소통을 위한 외적 언어(사회적 언어) 단계 • 사고가 단어로 변형 • 문법의 내면적 기능은 인식하지 못함
[3단계] 자기중심적 언어 단계	• 3~6세 • 외적 기호를 내적 문제해결의 보조수단으로 사용(손가락으로 수를 세거나, 자신이 활동하는 동안 독백을 하는 형태) • 스스로에게 조용하게 말하는 혼잣말 형태
[4단계] 내적 언어 단계	• 말이 사고로 내면화된 단계 • 자기중심적 언어의 성숙으로 나타남(머릿속으로 수를 세며 논리적 기억을 사용)

44   2016 초등A-1

모범답안

3) ① 성공적인 의사소통을 하기 위해서이다.
② ⓑ, ⓓ

해설

3) ① 문제는 단순히 반언어적, 비언어적 요소를 함께 지도하는 이유에 관한 것이 아니라 언어적 표현을 지도하는 것 외에 반언어적, 비언어적 요소를 함께 지도하는 이유에 대해 묻고 있다.
- 성공적인 의사소통이 이루어지기 위해서는 말과 언어와 같은 언어적 요소와 준언어적·비언어적 그리고 초언어적 요소를 이해하고 사용하는 능력을 갖추어야 한다(고은, 2021 : 35).

② 반언어적 요소(통 준언어적)란 억양, 강세, 속도, 일시적 침묵 등과 같이 말에 첨가하여 메시지를 전달하는 것을 말하며, 비언어적 요소는 몸짓, 자세, 표정 등과 같이 말이나 언어에 의존하지 않고 메시지를 전달하는 것을 말한다. 그리고 초언어적 요소란 언어 자체를 사고의 대상으로 하여 언어의 구조나 특질을 인식하는 능력이다(고은, 2021 : 35-36).

지문 돋보기

- ⓐ 눈으로 웃으며 : 비언어적
- ⓑ 힘없는 음성으로 : 반언어적
- ⓒ 눈을 크게 뜨며 : 비언어적
- ⓓ 낮은 어조 : 반언어적
- ⓔ 걱정스럽게 어깨를 토닥이며 : 비언어적

45   2016 초등A-3

모범답안

2) 여러 사람과의 대화와 다양한 장소에서 수집하는 것이 필요하다.

Check Point

✎ 자발화 표본 수집

① 수집 장소 및 방법
  ㉠ 자발성은 대화상황과 상대자에 따라 다를 수 있으므로 여러 사람과의 대화와 다양한 장소에서 수집하는 것이 필요하다. 따라서 검사자와 아동 간의 친밀감 형성은 무엇보다 중요하다.
  ㉡ 자발화 수집 방법은 자유놀이, 대화, 이야기 등이 있으며, 가장 이상적인 것은 아동과의 대화를 통해 연속적인 자발화를 수집하는 것이다. 그러나 그것이 여의치 않을 때에는 그림을 보고 대화를 유도할 수도 있다.

② 언어표본의 수집 방법에 대한 권고사항
  ㉠ 가능하면 아동의 표현에 대해 질문을 하거나 모방을 강요하기보다는 아동의 말을 유도하는 간접적인 말이나 아동의 행동을 표현하는 말 또는 독백으로 시작한다.
  ㉡ 아동의 수준에 맞는 질문이나 놀이를 통해서 아동을 대화 속으로 끌어들인다.
  ㉢ 검사자가 대화의 주제를 선택하기보다는 아동이 주도하는 대로 따라 주는 것이 좋다.
  ㉣ 검사자는 가능한 한 질문을 자제한다.
  ㉤ 검사자는 아동의 발화 수준에 맞춰 자신의 말을 조절해야 한다.
  ㉥ 발화 사이의 쉼에 대해 너무 민감하게 반응하지 않는 것이 좋다.
  ㉦ 언어표본을 수집하기 위해서 검사자는 다양한 놀잇감을 준비하는 것이 좋다.
  ㉧ 아동의 자발적인 발화를 유도하기 위해서는 검사자가 다소 어리석은 행동이나 말을 하는 것이 도움이 된다.

46
2016 초등B-6

모범답안

3)	다음 중 택 1 • 커튼이나 카펫을 설치하여 소음을 줄인다. • 생수를 자주 마실 수 있도록 생수를 교실에 비치해 둔다.
4)	풀 주세요.

Check Point

음성장애의 예방

① 가정
   ㉠ 아동의 음성 남용을 피하기 위해 가족 구성원은 상황에 적절한 크기로 대화를 하고 있는가를 돌아보고, 조용히 말하는 습관을 갖도록 하여야 한다.
   ㉡ 아동이 극도로 시끄러운 환경에서 말을 하고 있는지를 살펴보고, 가급적 불필요한 소음원을 제거하는 것이 좋다.
   ㉢ 주변 소음이 클 경우에는 자신도 모르는 사이에 목소리의 크기가 커지게 되므로, 가급적 소음 속에서 말하는 것은 피하도록 한다.

② 학교
   ㉠ 학급 안의 소음을 줄인다.
   ㉡ 학급 밖의 소음이 클 경우에는 음성 사용을 자제하도록 한다.
   ㉢ 교사 스스로 좋은 음성을 모델링해 준다.
   ㉣ 학급 내에서 귓속말을 하지 않도록 한다.
   ㉤ 생수를 자주 마실 수 있도록 생수를 교실에 비치해 둔다.
   ㉥ 체육시간에 응원을 할 때는 음성 대신 손뼉이나 도구를 사용하도록 한다.
   ㉦ 음악시간에는 과도하게 음도를 높이거나 힘을 주지 않도록 한다.
   ㉧ 친구를 부를 때에는 다가가서 말하거나 손을 흔들어서 신호하도록 한다.
   ㉨ 운동하는 동안 음성 남용이 쉽게 발생할 수 있다는 것을 염두에 두고, 음성보다는 수신호를 사용하도록 한다.
   ㉩ 교실 내에서 음성 오용과 남용을 줄일 수 있는 방법을 개발한다.

47
2016 중등A-2

모범답안

(가)	확대
(나)	(가)의 확대는 학생의 발화를 의미적으로 보완하고, (나)의 확장은 학생의 발화를 문법적으로 완전한 문장으로 바꾸어 말해주는 것이다.

Check Point

발화 후 언어자극 전략

기법	기능	
확장	문법적으로 오류가 있는 아동의 표현을 문법적으로 완전한 형태로 바꾸어 말해 준다.	
확대	아동의 발화를 의미적으로 보완해 준다.	
교정적 피드백	아동의 잘못된 혹은 완전하지 않은 표현을 긍정적인 방법으로 고쳐 준다.	
재구성	아동의 표현을 새로운 문장구조로 바꾸어 말해 준다	
수정	아동의 잘못된 발화를 직접적으로 고쳐서 말해 준다.	
수정 후 재시도 요청	아동이 잘못된 발화를 교정해 준 후 다시 한번 해 보도록 한다.	
자기 수정	아동이 잘못 말한 부분을 교사가 그대로 따라함으로써 발화가 적절하지 않음을 알려주고 수정하도록 한다.	자기수정요청
		자기수정모델

48
2016 중등A-10

모범답안
- 강화된 환경 중심 언어중재는 물리적 환경조절 전략을 더 강화하였다.
- 강화된 환경 중심 언어중재는 반응적 상호작용 전략을 추가하였다.

Check Point

✎ 강화된 환경 중심 언어중재

① 보다 효율적으로 조절된 환경에서 환경 중심 언어중재 전략을 아동의 의사소통 행동이나 시도에 반응적으로 상호작용하여 기능적인 의사소통을 자연스럽게 유도하는 중재법을 말한다. 즉, 중재자와 대상 아동이 대화할 기회를 많이 가지도록 상호작용을 위한 맥락을 만들어 아동과 중재자의 공동관심 상황에서 아동의 의사소통 행동에 대해 중재자가 적극적으로 반응하며 상호작용을 하게 하는 것이다.
② 초기에 부모가 자녀에게 언어중재를 실시할 수 있도록 부모를 훈련하고자 하는 목적으로 제시된 모델이다. 자폐성장애와 발달장애 자녀를 둔 부모를 대상으로 강화된 환경 중심 언어중재 훈련을 실시하여 가정에서 자녀에게 의사소통 목표를 교수하도록 하였으며, 그 이후에 부모 이외의 훈련된 중재자를 통해서 자폐성장애 아동에게 강화된 환경 중심 언어중재를 실시하여 의사소통 기술을 가르치기도 하였다.
③ 아동이 활동에 참여하는 상대자와 의사소통을 할 수 있도록 환경을 조절하는 전략과 대화 상대자와 새로운 언어 형태를 만들 수 있는 반응적 상호작용 전략을 하며, 일상생활 맥락 안에서 환경 중심 언어중재를 사용한다.
④ 환경 조성 전략과 반응적 상호작용 전략, 환경 중심 언어중재로 구성된다.

49
2016 중등B-6

모범답안
- 화용적 능력이란 상대방에게 자신의 의사소통 의도를 효과적으로 전달하고 이것을 파트너 지향적인 형태로 바꿀 수 있는 능력을 의미한다.
  대화맥락에 맞는 주제 유지가 어렵다.
- ②와 ③의 경우, 숫자세기 등과 같이 자동구어는 발화로 구분하지 않고 분석에서 제외한다.
  ⑧과 ⑨의 경우, 2회 이상 동일한 발화가 단순 반복되었을 때는 최초 발화만 분석한다.

해설

화용적 능력) 화용론적 능력이란 상대방에게 자신의 의사소통 의도를 효과적으로 전달하고 이것을 파트너 지향적인 형태로 바꿀 수 있는 능력을 말한다(고은, 2014 : 109).
- 화용론적 결함을 가지고 있는 사람은 문장에 표면적으로 나타나는 낱말의 의미만 이해하고, 그 속에 숨겨져 있는 상대방의 의도를 파악하지 못한다. 또는 의사소통의 순서를 지키지 못하거나, 대화를 시작하고 유지하는 데에 어려움을 보이게 된다(고은, 2014 : 109-110).

화용적 기술의 문제점) "무슨 아이스크림 먹을까?", "김밥 먹을래?"와 같이 질문과 관련 없는 답변을 하고 있다.

Check Point

✎ 발화의 구분

발화의 구분 원칙	예
발화는 문장이나 그보다 작은 언어적 단위로 이루어진다. 발화는 대화의 차례와는 구별되기 때문에 아동이 한숨에 말한 것을 모두 하나의 발화로 분석하지 않는다.	"뺏었어. 그래서 울었어." 발화 1: 뺏었어. 발화 2: 그래서 울었어.
2회 이상 동일한 발화가 단순 반복되었을 때는 최초 발화만 분석한다.	"공을 차! 차!" 발화 1: 공을 차.
자기수정을 하였을 때는 최종 수정된 발화만 분석한다.	"우리 아빠가/ 우리 애들 아빠가." 발화 1: 우리 애들 아빠가.
시간의 경과(3~5초 이상)나 두드러진 운율의 변화, 주제의 변화가 있을 때는 발화 수를 나눈다.	"내거 줘 (5초 경과) 빨리." 발화 1: 내거 줘. 발화 2: 빨리. "엄마 내거 줘 빨리." 발화 1: 엄마 내거 줘 빨리.
같은 말이라도 다른 상황이나 문맥에서 표현되거나 새로운 의미로 표현되었을 때는 발화 수를 나눈다.	(엄마 사진을 보면서) "엄마" (엄마가 오니까) "엄마!" 발화 1: 엄마. 발화 2: 엄마.

습관적으로 사용하는 간투사는 분석에서 제외한다. 간투사를 많이 쓴 아동에 대해서는 표본 자료의 10%에 해당하는 발화까지만 간투사를 포함시켜 분석하고, 나머지는 괄호처리하여 분석에서 제외한다.	"(뭐) 집에 가면 (뭐) 그래요." 발화 1: 집에 가면 그래요.
'아', '오' 등의 감탄하는 소리나 문장을 이어가기 위한 무의미 소리들은 분석에서 제외한다.	"(아~) 신발 신겨 줘." 발화 1: 신발 신겨 줘.
노래하기, 숫자세기 등과 같이 자동구어는 발화로 구분하지 않고 분석에서 제외한다.	(장난감 블록을 쌓으면서) "(하나, 둘, 셋, 넷…) 엄마 밥 다 되었어?" 발화 1: 엄마 밥 다 되었어?
불명료한 발화나 의미 파악이 어려운 중얼거림 또는 '음', '예', '아니요'와 같은 단순 반응은 제외한다	"우짜쨔 샹샹샹(중얼거림). 이제 끝났다." 발화 1: 이제 끝났다.

50 · 2017 유아A-1

모범답안

4) 공동관심(또는 공동관심 형성하기)

Check Point

📝 공동관심

어떤 사물이나 사건에 대한 주의를 타인과 공유하는 상호작용이다. 공동관심에는 사물이나 사건에 대해 다른 사람의 주의를 탐지하고 따라가려는 시도, 즉 시선주사, 가리키기, 주기, 보이기 등이 포함된다. 이러한 행동, 즉 상대방이 바라보거나 손가락으로 가리키는 곳을 함께 보는 행동을 통해 상호 개인 간에 정서적인 교류가 일어난다. 공동관심은 생의 초기 전형적인 발달에 있어서 중요한 요소로 작용하는데, 일반적으로 아동의 수용 및 표현 언어와 동시적으로 관련되며, 그 이후에 출현하는 더욱 복합적인 표현 언어, 상징 놀이 및 마음 이론의 발달에도 중요한 역할을 한다. 전형적으로 발달하는 영아는 6개월경에 다른 사람의 눈과 머리가 향하는 곳을 정확하게 따를 수 있다. 예컨대, 타인의 눈길을 따를 수 있는 공동관심 능력은 사회적 의사소통 기술의 발달에 중요한 역할을 하며, 타인의 마음 상태를 추측하는 데 있어서 결정적인 역할을 한다(특수교육학 용어사전, 2018: 48).

51 · 2017 유아A-5

모범답안

1)	대치
2)	말빠름증(또는 속화)
3)	말을 더듬는 도중에 말더듬에서 벗어나기 위해서이다.

해설

1) 각 단어별 조문 오류 형태는 다음과 같다.

사탕 → /타탕/	ㅅ → ㅌ 음소로 대치
참새 → /참때/	ㅅ → ㄸ 음소로 대치
풍선 → /풍턴/	ㅅ → ㅌ 음소로 대치

Check Point

📝 말더듬의 특성

① 핵심행동(일차행동)

구분	특성
반복	• 말소리나 음절 또는 낱말을 1회 이상 되풀이하는 것이다. • 말더듬 초기에 가장 빈번이 관찰되는 행동이다. • 다음 말소리가 나올 때까지 한 소리나 낱말에 고착되어 계속적으로 되풀이한다. 📌 머머머머리가 아파요.
연장	• 소리나 공기의 흐름은 계속되나 한 소리에 머물러 있는 상태이다. • 일반적으로 반복보다 늦게 나타나는 행동으로 연장을 보이는 경우는 반복을 보이는 경우보다 좀 더 심화된 말더듬 단계에 도달한 것으로 본다. • 일반적으로 화자의 말소리가 0.5초 이상 연장되면 들었을 때 유창성이 깨어졌다고 인식하게 된다. 📌 수~~(우)박 주세요.
막힘	• 혀, 입술 또는 성대 등이 고착되어 목소리가 전혀 나오지 않는 긴장상태이다. • 가장 늦게 나타나는 핵심행동에 해당된다. • 말의 흐름이 부적절하게 중단되고 조음기관의 움직임이 고착된다.

② 부수행동(이차행동)

구분	내용
탈출 행동	• 말을 더듬는 도중에 말더듬에서 벗어나려고 취하는 행동이다. • 말을 더듬기 시작하면 자기 의도하지 않았는데도 말더듬이 멈추지 않고 계속된다. 이러한 말더듬에서 탈출하려고 발을 구른다든가 갑자기 고개를 뒤로 젖히면서 말더듬에서 빠져나온다.
회피 행동	• 말을 더듬을 가능성이 있는 '상황'을 피하는 행동이다. • 사람과 마주치지 않도록 주의하는 노력, 자주 더듬는 낱말을 피하면서 말하거나, 그 낱말 앞에 다른 표현을 붙여 말하거나 에두르기를 하는 일 등이 있다. • 회피행동의 유형

	동의어로 바꿔 말하기	똑같은 의미를 가지고 있는 단어로 바꿔 말한다. 예 /진짜?/ → /리얼리?/, /식사/ → /밥/
	돌려 말하기 (에둘러 말하기)	말을 더듬을 확률이 높은 단어 대신 다른 단어를 사용한다. 예 '고향이 어디세요?' → '이쪽 사람이세요?' '박○○ 선생님...' → '영어 선생님이...'
	순서 바꾸어 말하기	문장의 첫 단어가 어려운 경우에는 문장 안에서 순서를 바꾸어 말한다. 예 '소풍 가니까 좋다' → '좋아 소풍 가니까'
	대용어 사용하기	명사 대신 대명사 등을 사용한다.
	간투사 사용하기	어려운 단어 앞에 '어', '그', '음' 등의 무의미한 말소리를 넣어서 불안감을 감추려고 한다.
	상황회피	전화벨이 울리면 얼른 화장실 가는 척하거나 끊어 버린다.
	사람회피	전혀 대화에 끼고 싶지 않다는 듯 눈을 마주치지 않거나 딴전을 부린다.

52 2017 유아A-7

모범답안

1)	① 언어습득장치 ② 다음 중 택 2 • 모든 언어의 심층구조는 같으며, 언어습득장치에 의해서 심층구조를 표층구조로 변화시킬 수 있다. • 모든 유아는 언어입력이 충분하지 않아도 언어와 문법규칙을 습득하고 무한대의 문장을 생성해 낼 수 있다. • 최소한의 언어 환경에 노출된다면, 계획적인 언어훈련 없이도 언어를 습득한다. • 지능이 뛰어난 유아와 그렇지 않은 유아 모두 언어를 습득할 수 있다.
2)	결정적 시기
3)	① 상징적 언어 단계 ② 말이 사고로 내면화된 단계이다
4)	2.5

해설

1) ① 언어습득장치란 한 아이가 언어를 습득할 수 있도록 태어날 때부터 가지고 있는 지적 구조물로, 보편문법학자들은 이 장치를 통해 아이가 선천적으로 언어를 습득할 수 있다고 본다(심현섭, 2024: 60).
   • 촘스키는 인간은 언어를 학습할 수 있도록 준비된 장치, 즉 언어습득장치를 가지고 태어난다고 주장하였다. 인간은 누구나 언어습득장치를 가지고 있기 때문에 특별히 배우지 않고도 최소한의 언어 환경에 노출만 된다면 누구나 습득할 수 있다는 것이다. 인간은 언어습득장치에 의해 문법규칙을 습득하는 것이 가능하며, 무한대의 문장을 생성할 수 있고, 지능과 상관없이 모국어를 습득할 수 있다(고은, 2021: 117).

2) 결정적 시기란 특정 뇌 능력의 발달에 최적인 기간을 의미한다(고은, 2021: 119).
   • 결정적 시기란 어떤 특별한 심리적 특성이나 행동의 획득이 이루어지는 특정한 시기이다. 이 시기가 지나면 지속적인 자극을 제시하여도 특정한 심리적 특성이나 행동의 출현이 매우 어렵기 때문에 이 시기를 결정적 시기라고 한다(특수교육학 용어사전, 2018: 33).

4) '이거'는 대명사로 취급하여 1개의 단어로 취급한다. 따라서 평균낱말길이(MLU-w)는 2.5[각 발화 낱말 수의 합(10) ÷ 총 발화의 수(4)]가 된다.

	발화	낱말 수
1	돌 / 쌓아	2
2	큰 / 돌 / 많이 / 쌓아	4
3	많이	1
4	이거 / 같이 / 세	3

53 · 2017 유아B-7

모범답안

1)	① 평행적 발화 기법 ② 비구니에 공을 넣어요.
2)	ⓒ 발음 중심 접근법 ⓔ 총체적 언어접근법
3)	① 이야기 나누기 활동 시간에 민호가 하고 싶어 하는 말을 대신 해 준 것 ② 민호가 발음을 잘못했을 때 틀린 발음을 반복적으로 지적하여 계속 연습하게 한 것

해설

1) ② 교사가 유아의 입장에서 이야기하고 있음이 분명히 드러나도록 해야 한다. 자칫 혼잣말하기에 해당하는 발화의 예와 구분되지 않을 수도 있기 때문이다.
2) 언어교육 프로그램을 구성하는 대표적인 이론적 관점에는 발음 중심 접근법, 총체적 언어접근법, 문학적 접근법, 언어경험 접근법, 균형적 접근법 등이 있다. 이 가운데 총체적 언어접근법, 문학적 접근법, 언어경험 접근법은 모두 유아 생활 주변의 문해 자료나 문학작품, 유아에게 경험 등을 제공하여 유아 스스로 자신의 경험과 의미를 구성할 수 있도록 한다. 이처럼 의미를 중요하게 다루기 때문에 이들을 '의미 중심 접근법'이라고 통칭하기도 한다(고은, 2021 : 438).
3) ① "이야기 나누기 활동 시간에는 민호가 하고 싶어 하는 말을 내가 대신 해 주었다.": 환경 중심 언어중재 측면에서 민호가 하고 싶은 말을 할 때까지 기다려 주거나 시범 후 따라 하게 한다.
② "민호가 발음을 잘못했을 경우에는 틀린 발음을 반복적으로 지적하여 계속 연습하게 하였다.": 민호가 부정적 반응을 느끼지 않도록 교정적 피드백을 제공한다.

Check Point

(1) 총체적 언어접근법
① 주로 언어의 4기능의 통합을 말한다.
  • 듣기, 말하기, 읽기, 쓰기를 개별로 가르치기보다는 통합해서 가르치는 방법이다.
② 발음 중심 접근법과 상반된 접근법으로 언어의 구성 요소들을 음소나 자모체계로 분리하지 않고 하나의 전체로 가르치는 언어교육법이다.
  • 언어를 부분으로 나누어 습득하게 되면 전체적인 맥락을 이해하지 못하고, 글을 읽을 때에도 이러한 부분적인 요소에 집중하여 전체적인 의미를 파악하는 데 방해가 된다고 본다.
③ 의미 이해에 중점을 두고 실제 생활에서 활용되는 문자 언어 자료를 활용하고 학습자 중심 과정으로 지도한다.
④ 말하기, 듣기, 읽기, 쓰기의 순서에 따라 제시하지 않고 통합적으로 지도하며, 전체 이야기에서 문장과 단어 순으로 지도하는 하향식 접근방법을 사용한다.
⑤ 자발성과 능동적인 언어경험 그리고 아동의 흥미를 강조한다.

출처 ▶ 고은(2021 : 439)

(2) 발음 중심 접근법과 총체적 언어접근법 비교

발음 중심 접근법	총체적 언어접근법
단어 중심으로 지도한다.	문장 중심으로 지도한다.
발음과 음가를 중시한다.	의미 파악을 중시한다.
인위적인 방법으로 지도한다.	자연주의적 원칙을 따른다.
단어카드, 철자카드를 사용한다.	그림 이야기책을 사용한다.
그림, 삽화는 발음지도에 장애가 된다.	의미 파악을 위해 그림과 삽화 활용을 적극 권장한다.
내용 파악을 위한 질문은 가능한 한 하지 않는다.	내용 파악을 위한 예측을 적극 권장한다.

출처 ▶ 고은(2021)

(3) 의사소통 발달 지체 유아를 위한 교수전략

영역	전략
환경 구성	언어가 풍부한 환경을 구성한다.
	구어/비구어 시도에 항상 반응한다.
	차례 주고받기 게임을 사용한다.
	환경 내 모든 사물을 명명하고 행동을 설명한다.
교재 교구	유아의 관심을 고려한다.
	볼 수 있지만 만질 수 없는 곳에 둔다.
	교재/교구의 수를 제한한다.
	선택의 기회를 제공한다.
교수 활동	유아의 행동과 발성을 모방한다.
	유아가 사용하는 언어를 확장한다.
	필요한 경우 음성과 함께 몸짓을 사용한다.
	말을 멈추고 기다린다.
	언어치료사 등 관련 전문가와 협력한다.

출처 ▶ 이소현(2020 : 467)

54 2017 초등A-1

모범답안

| 1) | ① 치조음화, 전설음화
② 자음이나 모음의 정확도만으로 찾아내기 어려운 학생의 조음오류 양상을 찾을 수 있고, 그 오류 양상을 제거하면 여러 개의 오류음을 동시에 수정할 수 있다. |

해설

1) ① 조음 위치 측면에서 자음 오류 형태를 살펴보면 다음과 같다.

가방 → /다방/	치조음화, 전설음화
토끼 → /토띠/	치조음화, 전설음화, 치조음동화
꼬리 → /토리/	치조음화, 전설음화, 치조음동화

② '개별조음오류 현상에 접근하는 것보다 일반화 가능성이 높다.' 역시 장점에 해당한다.

55 2017 중등A-8

모범답안

| ㉠ | 자극반응도 |
| ㉡ | 변별자질 접근법 |

해설

지문 돋보기

- 오류를 보이는 음소가 가지고 있는 음운론적 규칙이나 양식을 알게 하는 방법: 언어 인지적 접근법
- /ㅅ/가 포함된 어휘를 선정하여 낱말짝을 구성: 최소대립쌍
- 낱말짝을 이루는 두 어휘의 뜻을 H가 이해하는지 확인하는 단계부터 시작: 프로그램의 구성

㉠ 자극반응도는 아동이 오류를 보인 특정 음소에 대하여 청각적·시각적 또는 촉각적인 단서나 자극을 주었을 때, 어느 정도로 목표음소와 유사하게 산출할 수 있는가를 의미한다. 흔히 자극반응도를 검사할 때는 우선 말소리목록 검사를 하고 나서 그때 보인 오류음소들에 대해서만 검사하게 된다. 예를 들어, 아동이 어두에 나오는 /ㄱ/에서 오류를 보였다면, 먼저 /ㄱ/나 '가방'을 발음해 주면서 모방하게 한다. 그래도 못한 경우 설압자로 조음점인 연구개나 혓몸을 짚어 주고 발음하게 해 볼 수 있다(심현섭, 2017: 223).

Check Point

(1) 교실에서의 조음·음운장애 중재방법

교사가 사용하는 말은 아동들에게 단순히 '말' 이상의 의미를 갖는다. 아동들에게 '말의 모델'이 되기 때문에 교사는 분명한 발음, 적절한 속도, 적절한 강도 그리고 표준어를 사용하여야 한다. 음운인식 능력은 조음 산출을 위한 기초다. 소리에 대해 집중하고 변별하는 능력을 조기에 길러주는 것은 조음·음운장애의 예방적 측면에서 매우 효과적이다. 조음장애를 가지고 있는 아동을 지도할 때 교사는 다음과 같은 점을 고려하여 접근하여야 한다(고은, 2014: 238-241).

① 아동의 발달 단계에서 습득 시기가 빠른 음소부터 지도한다.
② 일상생활에서 사용 빈도수가 높은 음소부터 지도한다.
③ 자극반응도(특정 음소에 대해서 청각적·시각적·촉각적인 단서가 주어졌을 때 목표음소와 유사하게 조음하는 능력)가 높은 음소부터 지도한다.
④ 오류의 일관성이 없는, 즉 가끔 올바르게 발음하기도 하는 음소부터 지도한다.
⑤ 첫음절에 가장 집중이 되기 때문에 가르치고 싶은 음소는 초성에 놓인 것부터 하는 것이 좋다. 예를 들면, 유음 /ㄹ/의 경우 /라면/이 /신라/보다 더 효과적이다.
⑥ 단음절이 다음절 단어보다 조음하기 쉬우므로 /자동차/보다는 /차/라는 단어를 먼저 사용한다.
⑦ 명사, 단단어, 의미적으로 쉬운 개념을 갖는 단어를 먼저 가르친다.
⑧ 음운인식에 대한 지식이 형성되지 않은 혹은 결함을 가지고 있는 아동에게는 행위와 함께 전달하는 것도 효과적이다. 손바닥에 철자를 쓴다거나, 전체 몸을 이용하여 /i/, /a/, /o/ 등의 모음을 모방한다거나, /h/음 같은 경우에는 숨을 뱉을 때 가슴에 손을 얹고 기류를 느끼게 하는 것도 좋다. 무성음과 유성음에서 문제를 보이는 아동은 자신의 손을 후두에 대고 떨림을 인지하도록 하는 것이 도움이 된다.
⑨ 교사는 좀 더 적극적으로 언어치료적 수업을 설계할 수 있다. 우선 교사가 목표로 하는 음소나 단어 앞에서는 잠깐 휴지를 두어야 한다. 아동이 집중할 수 있는 시간을 준 다음 천천히 그러나 약간 강세를 두고 반복해서 조음을 해 주어야 한다. 그래야만 아동이 교사가 주는 수정 모델에 청각적으로 주의를 기울일 수 있다.
⑩ 선택 질문을 줌으로써 아동이 특정 발음을 하되, 교사의 발음을 한 번 듣고 발음할 수 있는 기회를 준다. "이것은 어떤 나무일까요?"라고 질문을 하기보다는 "이것은 사과나무일까요, 이과나무일까요?"라고 물어봄으로써 아동이 음의 차이를 스스로 지각하고 목표음을 산출할 수 있도록 한다.

⑪ 아동이 잘못된 조음을 하였을 때 교사는 즉시 피드백을 해 주어야 한다. "아니야, 틀렸어. 다시 말해 봐." 식의 피드백은 아동이 자신의 오류에 대해 정확하게 인식하지 못하게 하며, 오히려 회피행동을 유도할 수 있으므로 피해야 한다. 물론 아동이 발음을 잘했을 때는 칭찬해야 하지만, 너무 의도적으로 과장하여 그때그때 칭찬을 하는 것보다는 "오늘은 /ㅅ/ 발음이 참 좋았어." 등의 자연스러운 강화가 바람직하다.

(2) 변별자질 접근법

① 개요

개념	아동이 보이는 오류 패턴에 어떤 자질적 특성이 있는가를 분석하는 방법이다.
특징	변별자질 접근법은 언어 인지적 접근법에 기초한 방법으로써 치료의 초점을 개별 음성의 교정에 두지 않고 여러 음성에 포함된 체계적인 오류양식을 찾아 그것을 하나하나 줄여 나가는 데 두고 있다.
장점	• 말산출과 직접적으로 관련된 조음에 기초한 자질들의 체계를 이용할 수 있다. • 여러 가지 음소들이 공통적으로 포함하고 있는 특정 자질을 훈련하면 그 효과가 공통자질을 갖고 있는 음소로 일반화될 것이라는 기대를 갖게 한다.
단점	• 변별자질은 원래 임상치료를 목적으로 사용하기 위해 설계된 것이 아니다. - 변별자질은 세계 언어체계 속에서 음소의 분절요소를 찾아내고 분류하기 위해 사용된 일련의 분석과정에서 도출된 것이어서 임상치료에 사용하기에는 부족하거나, 반대로 번거로울 수 있다.

② 프로그램의 구성

단계	내용
확인 단계	학생이 치료에 사용될 어휘의 개념을 아는지를 알아본다. 예 '공'과 '곰'을 선택하였다면, 그림이나 사진을 보여 주고 학생에게 "이게 뭐지?"라고 질문한다.
변별 단계	• 학생이 변별자질을 지각할 수 있는지를 알아본다. • 교사(또는 치료사)가 단어를 발음하면 학생이 해당 그림을 가리킨다. - 변별자질의 지각 여부를 파악하기 위해 최소대립쌍을 사용한다. 예 /마늘/과 /바늘/, /불/과 /붓/과 같은 최소대립쌍에 해당하는 단어를 발음하면 학생은 해당 그림 또는 단어를 선택한다.
최소대립쌍	• 최소대립쌍이란 말소리 하나를 교체함으로써 의미의 변별이 생기는 단어의 쌍을 의미한다. 예 '공'과 '곰'은 연구개음-양순음의 최소대립쌍, '달'과 '살'은 폐쇄음-마찰음의 최소대립쌍에 해당한다. • 어떤 두 단어가 최소대립쌍을 이루려면 교체되지 않는 음소와 교체되는 음소의 위치가 동일해야 하며, 그 외의 위치에 있는 음소들은 모두 일치해야 한다. • 최소대립쌍 훈련의 목적은 학생의 말소리 오류 패턴을 찾아 음운론적 규칙을 확립시키는 것이다.
훈련 단계	• 최소대조를 인식하고 단어를 발음한다. • 학생에게 그 단어를 말하도록 하고 교사(또는 치료사)는 학생이 발음한 단어와 일치하는 그림을 가리킨다. 예 학생이 /공/과 /곰/을 발음하면 교사는 해당 그림을 가리킨다.
전이-훈련 단계	학생이 표적단어를 발음할 수 있게 되면 길고 복잡한 문장에서 훈련한다.

56 2017 중등B-3

모범답안

- ⓒ 우발교수
- ⓔ 자연스러운 환경에서 언어중재가 이루어지므로 일반화가 용이하다.

해설

지문 돋보기

- Y가 좋아하는 '만화책'을 손이 닿지 않는 책장 위에 두고: 물리적 환경조절 전략 중 (손이) 닿지 않는 위치
- 관심을 보일 때까지 기다려 주세요.: 관심을 보일 때까지 기다리기
- Y가 좋아하는 '만화책'에 관심을 보일 때 같이 쳐다보면서: 공동관심 형성
- "만화책 주세요."라고 말하도록 유도하세요.: 적절한 반응을 보이도록 촉구
- 만약 Y가 말을 하지 않고 계속해서 손가락으로 '만화책'을 가리키기만 하면: Y의 요구하기 행동
- 이때 선생님께서 "만화책 주세요."라고 먼저 말하세요.: 교사의 모델링
- Y가 "만화책 주세요."라고 따라 말하면, 그때 '만화책'을 주면 됩니다.: 적절한 반응에 대한 긍정적 피드백

ⓒ 우발교수의 절차를 살펴보면, 첫째, 지적장애 아동이 놀이활동 중에 있는 다른 아동들 근처에 있게 함으로써 또래 상호작용에 참여할 수 있는 기회를 구성한다. 둘째, 다른 아동의 놀이나 학습에 관심을 보일 때까지 기다린 후, 사회-의사소통 행동을 보이도록 촉진한다. 셋째, 필요하다면 아동의 반응을 정교화하거나 시범을 보인다. 넷째, 긍정적인 피드백이나 칭찬을 제공한다(송준만 외, 2022: 559).

ⓔ 비연속 시행 훈련과 비교했을 때의 장점을 제시하도록 하고 있는 만큼 일반화 측면에서 접근하는 것이 타당하다.
- 우발교수의 장점으로는 적용이 용이하고, 전략의 특성이 아동 주도적이면서 자연적인 후속결과가 적절한 행동을 강화하고 유지시켜 준다는 것이다(송준만 외, 2022: 559).

Check Point

☑ 우발교수 실행 절차

1단계	아동이 물건 또는 활동을 원하거나 필요로 하는 상황을 찾거나 만들어 준다.
2단계	공동관심을 형성한다.
3단계	관심을 보일 때까지 기다린 후 적절한 반응을 보이도록 촉구하고 필요한 경우 아동의 반응을 정교화하거나 시범을 보인다.
4단계	적절한 반응에 대한 긍정적인 피드백(원하는 물건 또는 활동)이나 칭찬을 제공한다.

출처 ▶ 이승희(2015: 234)

57 2017 중등B-4

모범답안

하위영역	화용론
㉠	사용한 총 낱말 중에서 서로 다른 낱말의 비율을 산출한다[또는 아동의 발화를 단어 단위로 구분한 뒤 다른 단어 수(NDW)를 전체 단어 수(NTW)로 나눠 계산한다].
㉡	• 유형: 상위범주어 • 예: 목표 낱말인 가위에 대하여 "이건 문구의 종류인데요"라고 학생 K에게 말한다.

해설

지문 돋보기

- 친구들과 대화할 때 상대방의 말이 끝나기 전에 끼어들거나 대답을 듣지도 않고 질문만 합니다.: 말차례 주고받기 능력 결여
- 대화 내용을 잘 따라 가지 못해서 주제를 놓치는 경우가 많습니다.: 대화 주제 관리능력 결여
- 반 친구들이 하는 간접적이고 완곡한 표현을 이해하지 못하기도 합니다.: 문장에 표면적으로 나타나는 낱말의 의미만 이해하고, 그 속에 숨겨져 있는 상대방의 의도를 파악하지 못하는 화용론 결함
- '명료화 요구하기' 전략을 활용할 수 있겠어요.: 의사소통 실패 해결 능력의 적용

㉡ 의미 단서의 유형과 예는 Check Point의 의미적 단서의 내용 중 한 가지를 선택하여 제시한다.

Check Point

☑ 낱말찾기

낱말찾기 훈련은 의미적, 구문적 그리고 음향-음소적 단서를 제공함으로써 기억을 확장하기 위한 활동과 기억을 인출하는 활동으로 이루어진다.

	목표 낱말의
의미적 단서	• 동의어 예 '선생님'에 대해 '교사' • 반의어 예 '선생님'에 대해 '학생' • 연상어 예 '팥'에 대해 '빙수' • 동음이의어 예 '사과'에 대해 손바닥으로 싹싹 비는 흉내 • 상위범주어 예 '바지'에 대해 '옷' • 하위범주어 예 '옷'에 대해 '바지, 치마' • 목표 낱말의 기능 예 '자동차'에 대해 '타는 거' • 물리적 특성 예 '자동차'에 대해 '바퀴로 굴러가는 거' • 몸짓으로 그 낱말을 흉내 냄
구문적 단서	• 그 목표 낱말이 자주 사용되는 문맥이나 상용구를 활용하는 것 • 예를 들어 '고추'는 '○○ 먹고 맴맴…'과 같은 구문적 단서를 사용할 수 있음
음향-음소적 단서	• 첫음절(예 '자동차'의 경우 '자')을 말해 줌 • 음절수를 손으로 두드리거나, 손가락으로 알려주는 방법 • 첫 글자를 써주는 방법

58 | 2018 유아A-4

모범답안

3) ① 짝자극 기법
② ⓒ, 핵심단어는 어두나 어말 위치에 단 한번 표적음을 내포하고 있어야 한다.

해설

3) ② 핵심단어는 표적음을 사회적으로 수용되는 방법으로 10번 가운데 적어도 9번은 아동이 발음할 수 있는 낱말로 규정한다. 핵심단어는 어두나 어말위치에 단 한번 표적음을 내포하고 있어야 한다. 만약 핵심단어가 어린이의 어휘 가운데서 발견되지 않으면 가르쳐서 핵심단어를 만든다(석동일, 2004 : 104).

Check Point

✎ 짝자극 기법

① 짝자극 기법은 핵심단어와 훈련단어의 짝에 의해 조음치료를 하는 방법
  - 이를 위해 결함이 있는 어음을 바른 발음으로 정확하게 안정시키기 위해서 어떤 단어를 선택하여 교정의 기준 또는 표적으로써 제공
② 핵심단어는 아동이 나타내는 오류음(표적음)을 포함한 단어에서 아동이 10번 가운데 9번을 정조음하는 단어로, 훈련단어는 3번 가운데 2번 이상 오조음하는 단어로 구성
  ㉠ 핵심단어와 훈련단어는 반드시 동일한 음소로 구성하지 않아도 되며, 올바르게 발음할 때마다 토큰을 강화물로 사용
  ㉡ 핵심단어는 어두나 어말 위치에 단 한 번 표적음을 내포하고 있어야 함
    - 만약 핵심단어가 아동의 어휘 가운데서 발견되지 않으면 가르쳐서 핵심단어를 만들 것
  ㉢ 핵심단어와 훈련단어는 모두 그림으로 그릴 수 있어야 함

59 | 2018 유아A-6

모범답안

1) ① 우발교수
② 활동 중심 삽입교수

2) ① ㉠ 평행적 발화 기법, ㉡ 혼잣말 기법
② 평행적 발화 기법은 교사가 유아의 입장에서 유아의 행동을 말로 표현해 주는 것이고, 혼잣말 기법은 교사가 자기 행위에 대해 혼자 대화를 하듯이 말하는 것이다.

해설

지문 돋보기

[A]의 내용은 다음과 같음

내용	단계
준혁이의 자발적 의사소통 지도를 위해 교사는 준혁이가 볼 수 있지만 손이 닿지 않는 선반에 준혁이가 좋아하는 모형 자동차를 올려놓는다.	상황 만들기
준혁이가 선반 아래에 와서 교사와 자동차를 번갈아 쳐다보며	공동관심
교사의 팔을 잡아당긴다.	요구하기
교사는 준혁이가 말하기를 기대에 찬 눈으로 바라본다.	기다리기
잠시 후 준혁이는 모형 자동차를 가리키며 "자동차"라고 말한다. 교사가 준혁이에게 모형 자동차를 꺼내 주니 자동차를 바닥에 굴리며 논다.	피드백 제공 (강화)

1) ① 우발교수가 다른 기법들과 다른 점은 학생이 먼저 요구하기를 한다는 것이다.
② 다음과 같은 이유에서 활동 중심 삽입교수라고 할 수 있다. 첫째, 자발적 의사소통을 목표로 하고 있다. 둘째, 준혁이가 좋아하는 모형 자동차를 이용하여 자연스러운 환경에서 교수 활동이 이루어지고 있다. 활동 중심 삽입교수는 일반 유아교육과정을 운영하는 중에 장애유아에 대한 교수활동을 삽입하여 실시함으로써 장애유아의 일반 교육과정 접근과 함께 개별 교수목표를 동시에 성취할 수 있게 해주는 교수 접근이다(이소현, 2017 : 270). 셋째, [B]의 내용 중 "교사는 일과 활동 중에 시간 간격을 두고 이와 같은 교수 전략을 사용한다."는 것은 분산연습(또는 분산시행) 방식을 사용하고 있음을 의미한다. 분산연습이란 습득된 표적행동을 하루 일과 속에 분산시켜 여러 차례 연습시키는 것(양명희, 2018 : 459)으로 하루 종일 자연스러운 시기에 활동들 전반에 걸쳐 발생한다.
따라서 유아교육기관의 하루 일과나 활동 중에 장애유아가 개별화교육계획의 교수목표를 연습할 수 있도록 특정 시간을 선정하고 짧지만 체계적인 교수를

실행함으로써 유아로 하여금 필요한 기술을 자연적인 환경에서 성공적으로 사용할 수 있게 도와주는 방법(이소현, 2020:437)이라는 활동 중심 삽입교수의 개념과 일치한다.

Check Point

☑ 활동 중심 삽입교수

① 활동 중심 삽입교수는 '활동 중심 중재'와 '삽입 학습 기회'의 두 가지 유사한 교수전략의 개념을 혼합한 용어로, 유치원의 하루 일과에 따라서 진행되는 활동에 교수활동을 삽입하여 장애유아의 교수목표가 성취되게 하는 교수전략이다.

② 실제로 활동 중심 삽입교수는 교사의 단일 교수행동을 의미하는 교수전략이기보다는 그러한 교수행동을 어떤 방식으로 어떻게 적용할 것인지에 대한 교수적 접근이라고 할 수 있다.

③ 활동 중심 삽입교수는 유아교육기관의 하루 일과나 활동 중에 장애유아가 개별화교육계획의 교수목표를 연습할 수 있도록 특정 시간을 선정하고, 짧지만 체계적인 교수를 실행함으로써 유아로 하여금 필요한 기술을 자연적인 환경에서 성공적으로 사용할 수 있게 도와주는 방법이다.

⑥ 이와 같은 교수가 효율적으로 이루어지기 위해서는 구체적인 방법론에 의한 체계적인 계획과 실행이 필요한데, 일반적으로 다음과 같은 세 단계로 이루어진다

1단계	유치원 교육과정에 따라 장애유아의 교수목표를 수정한다.
2단계	교수목표를 학습할 수 있는 학습 기회를 구성한다.
3단계	삽입교수를 계획하고 실시하고 평가한다.

출처 ▶ 이소현(2020:436-438)

60   2018 초등B-6

모범답안

1)	• 기호: ⓒ • 이유: /아빠/와 비슷하게 발음한 것은 형식적인 측면에서 음운론적 발달이 이루어지고 있음을 나타내며, 질문을 듣고 아빠를 바라보는 것은 내용적 측면에서 '아빠'의 의미도 이해하고 있음을 나타내기 때문이다.
2)	① 다음 중 택 1 • 탈긴장음화 • 탈기식음화 ② 다음 중 택 1 • 생략 • 기식음화
3)	자음 정확도 분석은 목표 음소의 정확도를 평가하기 위한 것이고, 음운 변동 분석은 오류 패턴을 분석하기 위한 것이다.
4)	ⓓ, 새로운 단어는 완전한 문장으로 반복하여 말해 주고, 의사소통의 기회를 충분히 주기 위하여 개방형 질문을 주로 해 준다.

해설

1) ⓒ 형식적인 측면에서 /아바바/라는 의미 있는 소리를 산출한다는 것, 내용적 측면에서는 질문에 대해 '아빠'의 의미를 이해하고 있기 때문에 아빠를 바라보는 것이라고 할 수 있다.

2) 오류를 분석하면 다음과 같다.

땅콩→강공	ㄸ→ㄱ	긴장음(경음) → 평음
	ㅋ→ㄱ	기식음(격음) → 평음
장구→앙쿠	ㅈ→∅	생략(또는 탈락)
	ㄱ→ㅋ	평음 → 기식음(격음)

4) ⓓ 지우는 현재 대부분의 조사가 생략된 문장 형태 즉, 전보식 문장을 사용하고 있다. 따라서 새로운 단어는 완전한 문장으로 반복하여 말해 주고, 의사소통의 기회를 충분히 주기 위하여 개방형 질문을 주로 해 주는 것이 바람직하다.

| Check Point |

긴장도 및 기식도에 따른 변동

분류	하위 유형	내용 및 예시
긴장도 및 기식도	이완음화	긴장음들의 긴장성이 상실될 때 예 /땅콩/ → /강콩/
	긴장음화	긴장음이 아닌 음소에 긴장성을 첨가하였을 때 예 /김밥/ → /김빠/
	기식음화	기식음이 아닌 음소에 기식성을 첨가하였을 때 예 /나무/ → /파무/
	탈기식음화	기식음들의 기식성이 상실될 때 예 /책상/ → /내상/

① 긴장음은 ㄲ, ㄸ, ㅃ, ㅆ, ㅉ와 같은 된소리(경음)를 의미한다.
② 기식음이란 ㅋ, ㄷ, ㅍ, ㅊ와 같은 거센소리(격음)를 의미한다.

61   2018 중등A-12

모범답안

- ⓒ 스크립트 일과법(또는 스크립트 활용 언어중재)
  상황에 맞는 언어를 가장 일반적인 형태로 지도할 수 있다.

해설

ⓒ p.s.의 내용 중 '패스트푸드점을 이용하는 상황을 구조화한 내용으로 의사소통 중재'를 단서로 의사소통 중재 방법의 명칭을 알 수 있다.

| Check Point |

스크립트

① 스크립트 이론 : 특정한 상황에서 주로 고정적이고 일정한 순서에 따라 그것이 전개되는 것과 관련한 지식을 교육에 적용시키려는 이론(각본이론)
② 특정한 상황에서 주로 고정적이고 일정한 순서에 따라 그것이 전개되는 것과 관련한 지식을 상황지식(동 사태지식, event knowledge)이라고 하는데 이와 같은 상황지식에 대한 표상이 일반화되고 추상화된 것이 스크립트(script)이다.
③ 스크립트를 기초로 하는 일상생활에 대한 사태지식은 인지 세계를 이해하기 위한 강력한 정신적 도구가 된다.
④ 스크립트를 순서적으로 정교하게 가지면 가질수록 행동을 매끄럽게 할 수 있다. 따라서 스크립트 이론은 인지발달의 정도를 설명해 주는 수단으로써 활용되고 있다.
⑤ 스크립트 이론의 특성
  ㉠ 스크립트는 목표와 관련되어 공통적으로 나타나는 의례적인 행동을 중심으로 구성된다.
  ㉡ 스크립트는 친숙한 상황에서 아동이 어떻게 해야 하는지를 알려줄 수 있어 일상생활에 대한 안정성을 제공해 준다.
  ㉢ 친숙하지 않더라도 두 개의 사태가 연결되어 있다면 아동은 그 행동을 모방하는 데 어려움을 보이지 않을 수 있지만 그렇지 않을 경우에는 모방이 어렵다.
⑥ 언어치료 적용 시 장단점

장점	상황에 맞는 언어를 가장 일반적인 형태로 지도할 수 있다.
단점	최소한의 구어적 능력을 가지고 있어야 실시할 수 있다.

62 | 2019 유아A-2

모범답안

2) 현수가 "같이 놀자."(또는 "같이 놀아도 돼?")라는 적절한 반응을 보이도록 촉구하고 필요한 경우 반응을 정교화하거나 시범을 보인다.

해설

2) 우발교수의 절차를 살펴보면, 첫째, 지적장애 아동이 놀이활동 중에 있는 다른 아동들 근처에 있게 함으로써 또래 상호작용에 참여할 수 있는 기회를 구성한다. 둘째, 다른 아동의 놀이나 학습에 관심을 보일 때까지 기다린 후, 사회-의사소통 행동을 보이도록 촉진한다. 셋째, 필요하다면 아동의 반응을 정교화하거나 시범을 보인다. 넷째, 긍정적인 피드백이나 칭찬을 제공한다(송준만 외, 2022 : 559).

Check Point

(1) 우발교수 실행 절차

1단계	아동이 물건 또는 활동을 원하거나 필요로 하는 상황을 찾거나 만들어 준다.
2단계	공동관심을 형성한다.
3단계	관심을 보일 때까지 기다린 후 적절한 반응을 보이도록 촉구하고 필요한 경우 아동의 반응을 정교화하거나 시범을 보인다.
4단계	적절한 반응에 대한 긍정적인 피드백(원하는 물건 또는 활동)이나 칭찬을 제공한다.

출처 ▶ 이승희(2015 : 234)

(2) 사회적 통합 활동

① 사회적 통합 활동은 교사가 미리 계획하고 구조화한 활동을 통하여 사회적 상호작용의 문제를 지닌 장애 유아에게 지원적인 환경을 구성해 준다는 원리를 바탕으로 한다.
  • 사회적 통합 활동은 또래 상호작용을 촉진하기 위한 효과가 입증된 소집단 활동으로 널리 사용되고 있는 방법이다.
② 사회적 통합 활동은 다음과 같은 네 가지 요소로 구성된다.
  ㉠ 사회적 상호작용이 제한되었거나 부정적인 상호작용을 보이는 유아와 사회적으로 반응적인 또래의 선정
  ㉡ 정해진 활동 영역에서 5~15분간 진행되는 잘 계획된 사회적 활동의 실행
  ㉢ 긍정적인 놀이 경험과 또래 상호작용을 촉진하기 위한 기회를 제공해 주는 놀이 활동의 선정
  ㉣ 유아 간 사회적 상호작용을 촉진하기 위한 놀이 주제 소개 및 사회적 참여 격려

출처 ▶ 이소현(2017 : 175)

63 | 2019 유아A-7

모범답안

1) ㉠ 과잉확대
   ㉡ 전보식 문장
2) 균형적 언어 접근법
3) • 예상치 못한(또는 갑작스러운) 질문은 피한다.
   • 다른 아동에게 먼저 질문함으로써 아동이 준비할 수 있는 시간을 준다.

해설

1) ㉠ '콜라'라는 동일 어휘를 모든 사물/현상에 적용시키는 과잉확대에 해당한다.
   • 과잉확대는 유아가 아직 알고 있는 어휘의 양이 부족하고 정확한 지식이 형성되지 않아서 생기는 현상으로, 이러한 현상은 잠깐 동안 나타났다가 어휘력과 지식이 증가하면서 사라진다(고은, 2019 : 135).
   ㉡ 조사와 연결어와 같이 문법적 기능을 하는 기능어는 생략하고 명사와 동사와 같은 내용어를 중심으로 문장을 구성하고 있기 때문에 전보식 문장을 사용하고 있다고 할 수 있다.
   • 전보식 문장이란 조사나 연결어 등을 생략하고 명사와 동사 중심으로 짧게 말하는 것(2022 중등 B-10 기출)을 의미한다.

2) 이야기나 동화 등과 같이 의미 있는 맥락에서 문자를 경험하게 하는 것은 총체적 언어 접근법에 해당하며 직접적으로 읽기 하위 기술에 대한 지도를 병행하는 방법은 발음 중심 접근법에 해당한다. 따라서 이 두 접근법을 모두 사용하는 균형적 언어 접근법에 대한 설명이라고 볼 수 있다.
   • 균형적 접근법은 발음 중심 접근법과 총체적 언어접근법의 균형을 강조한다. 때로는 글자의 기본원리를 쉽게 배울 수 있는 한글의 장점을 살려서 자모체계의 이해와 자소와 음소의 대응관계 등에 초점을 맞춘 발음 중심 지도를 하고, 때로는 아동의 경험과 흥미를 고려한 익숙한 단어들을 중심으로 이해에 관한 지도에 초점을 맞춘 의미중심 전략을 사용하는 지도방법이다(고은, 2021 : 439-440).

3) 종호가 말을 더듬는 상황을 살펴보면 다음과 같다.

지문 돋보기

• 종호에게 갑자기 양말을 어디서 샀냐고 물으니 종호가 말을 더듬으며 … (중략) … 더듬지 않았다. : 예상치 못한(또는 갑작스러운) 질문을 받았을 경우
• 내가 종호에게 먼저 질문하면 말을 더듬으며 대답했는데, 다른 친구들에게 질문한 후 종호에게 질문하면 더듬지 않고 대답했다. : 다른 아동에 비해 먼저 질문을 받은 경우

Check Point

(1) 두 단어 시기의 어휘발달 특징

과잉확대	과잉확대는 자신이 배운 낱말을 너무 넓은 범위까지 적용시켜서 사용하는 현상이다.
과잉축소	과잉축소는 단어가 가지고 있는 본래의 뜻보다도 더 좁은 의미로 사용하는 현상이다.
과잉일반화	• 과잉일반화는 유아가 언어를 배우는 과정에서 사용규칙을 일반화시키는 것이다. • 특히 문법습득 과정에서 많이 나타나는데, 가장 대표적인 것은 주격 조사의 과잉일반화이다.
주축문법	주축문법은 주축이 되는 단어를 중심으로 새로운 단어를 조합하여 문장을 표현하는 것이다.
수평적 어휘확장과 수직적 어휘확장	**수평적 어휘확산**: 수평적 어휘확장은 유아가 단어의 여러 가지 속성을 알고 다양한 상황에서 그 단어의 의미를 경험함으로 써 한 단어의 관습적 의미를 이해하며 이를 통해 어휘를 배우는 것을 말한다. **수직적 어휘확장**: 수직적 어휘확장은 유아가 어떤 어휘의 개념 속성을 학습하게 되면 이와 관련된 단어들을 하나의 의미 집합체로 구성할 수 있게 되어 어휘를 학습하게 되는 것을 말한다.
전보식 문장	전보식 문장이란 조사나 연결어 등을 생략하고 명사와 동사 중심으로 짧게 말하는 것을 의미한다.

(2) 문자언어 지도 방법

발음 중심 교수법	• 행동주의적 관점에 기초한 전통적인 언어 교수 방법으로 조직적이고 명확하게 글자와 소리의 관계를 지도하는 방법이다. • 학습 방향을 자·모음 낱자 → 글자 → 단어 → 문장 → 문단 → 텍스트로 나아가는 계열적 과정으로 보기 때문에 상향식 접근이라고도 한다. • 기본 음절표를 활용하여 한글의 구조를 체계적이고 논리적으로 지도할 수 있다는 장점이 있다. • 지나치게 분석적이고 논리적이며 단지 읽기와 쓰기만을 강조하였다는 단점이 있다.
총체적 언어 접근법	• 언어의 구성 요소들을 음소나 자모체계로 분리하지 않고 하나의 전체로 가르치는 언어교육법이다. • 의미이해에 중점을 두고 실제 생활에 활용되는 문자언어 자료를 활용하고 학습자 중심 과정으로 지도한다. • 말하기, 듣기, 읽기, 쓰기는 순서에 따라 제시하지 않고 통합적으로 지도하며, 전체 이야기에서 문장과 단어순으로 지도하는 하향식 접근방법을 사용한다.
균형적 언어 접근법	• 발음 중심 교수법과 총체적 언어 접근법의 적절한 균형을 강조한다. • 때로는 발음 중심 지도를 하고, 때로는 의미 중심 전략을 사용하는 지도방법이다.
언어경험 접근법	• 아동이 자신의 경험이나 생각을 말로 표현하면 교사는 그것을 글로 옮겨 적어서 아동에게 읽기 자료로 활용하는 교수법이다. • 아동이 직접 경험한 것을 말과 글로 표현해가면서 언어능력을 향상시켜 나가기 때문에 다양한 연령과 아동 자신의 발달 단계에 맞는 활동을 할 수 있다는 장점을 가지고 있다. • 학습자는 글의 내용을 더 쉽게 예측할 수 있기 때문에 이해하기 쉽다는 장점을 가지고 있다.

(3) 유창성장애 학생을 위한 교사교육

① 부정적 정서(벌, 좌절, 불안, 죄의식)를 감소시켜 줘야 한다.
② 말을 더듬어도 괜찮다는 허용적 분위기를 조성해 준다. 필요한 경우 교사가 약간 말을 어눌하게 하는 모습을 보여 주는 것도 괜찮다.
③ 질문할 때는 짧고 간단한 문장으로 한다.
④ 아동이 말을 하려고 할 때는 절대로 중단하거나 다른 아동이 끼어들지 않도록 하고, 교사가 충분히 그 아동에게만 집중하는 모습을 보여 준다.
⑤ 놀림을 당하지 않도록 반 아이들을 대상으로 사전교육을 시킨다. 우리는 모두 다 조금씩 말을 더듬는다는 사실과, 상대방의 태도에 따라 더 말을 더듬을 수 있다는 주의도 함께 준다.
⑥ '말더듬이'라는 용어를 사용하지 않도록 한다.
⑦ 듣기가 답답하거나 아동이 힘들게 말하더라도 "이 말을 하려는 거지?" 하면서 대신 나머지 말을 해주지 않는다.
⑧ 수업시간에 '읽기' 순서를 면제해 주기보다는, 짝을 이루어 2명씩 함께 읽도록 하는 방법을 사용하는 것이 좋다. 이때 다른 아이들과 동일한 규칙을 주어야 한다.
⑨ 교사가 치료사처럼 "다시 말해 봐."라든지, "이렇게 해 봐."라고 말하지 않는다.
⑩ 아이의 말을 이해하지 못했다면 이해한 척하지 말고 "미안해. 중간 단어를 이해 못했어."라든지, "길동이가 뭘 어쨌다고? 다시 한번 말해 줄래?"라고 구체적으로 요구하는 것이 좋다.
⑪ 말을 더듬는 아이들은 말로 자신의 부당함이나 상황을 잘 표현하지 못한다. 구두적 직면을 두려워하기 때문에 사실이 드러나지 않는 경우가 많다. 따라서 또래아이들과의 갈등상황이 발생할 경우 교사는 아이에게 설명할 수 있는 시간을 충분히 주고 들어 주려는 자세가 필요하다.

⑫ 편안하고 수용적인 학급 분위기를 조성한다.
⑬ 교사는 말의 속도를 늦추고, 아동의 발화가 끝난 후 바로 대답하지 말고 시간 간격을 둔 후에 반응한다.

64   2019 유아A-8

모범답안

1) ① 전의도적 단계(또는 언향적 단계)
    ② 공동관심

해설

1) ① 민 교사가 "승우의 행동이 뭔가를 의미한다고 생각하고 반응해 주고 있어요."라고 한 것은 대화 상대자가 주도적으로 학생의 의도를 파악하고 있음을 의미하므로 전의도적 단계라고 할 수 있다.
   - 문제에서 '언어 전 의사소통 발달 단계'를 묻고 있으므로 언어 이전기 의사소통 능력 발달 단계에 근거하여 답할 수도 있을 것이다. 그러나 이 경우 언어 전 단계이면서 ㉠에 제시된 '의도적인 의사소통 행동이 명확하게 나타나지 않는' 단계는 초보적 의사소통 행동 단계서부터 언어 이전의 의도적 의사소통 행동 단계에 이르기까지를 모두 포함하므로 답안의 범주가 지나치게 확장되는 문제점이 발생한다. 따라서 일반적인 의사소통의 발달 단계를 기준으로 제시하는 것이 바람직하다.
   - 의사소통의 발달 단계 중 언어 전 단계에는 전의도적 단계(언향적 단계)와 의도적인 비구어 단계(언표내적 단계)가 포함되며, 이 중 의도적인 의사소통 행동이 명확하게 잘 나타나지 않는 단계는 전의도적 단계이다.

Check Point

(1) 언어 이전기 의사소통 능력 발달 단계

초보적 의사소통 행동 단계	• 0~3개월 • 울음, 미소, 눈맞춤 따위의 초보적인 의사소통 행동들을 보이는데, 이러한 행동들은 아직 반사적이다. • 이 기간 동안 신생아는 자신의 행동이 환경이나 다른 사람에게 어떤 영향을 미치게 되는지 미처 인식하지 못한다. • 관심도 사물이나 사람 각각에게는 집중되더라도 사물과 사람을 함께 통합하여 연관 짓지는 못한다.
목표지향적인 의사소통 행동 단계	• 4~7개월 • 유아는 자신의 소리내기, 몸짓, 눈맞추기 등의 행동이 성인의 행동이나 환경에 영향을 미칠 수 있다는 것을 깨닫게 된다. 그러나 유아의 관심과 행동은 즉각적인 목표에 한정되어 있어서, 의사소통적인 신호도 즉각적인 목표 성취에 제한된다. • 아직까지 사물과 사람의 인식이 확실히 분리되지 않아서, 갖고 싶은 사물을 손을 뻗쳐 잡을 수 없을 때 칭얼대거나 웃음을 터뜨려 성인이 그 물건을 집어 주게는 하지만, 성인의 얼굴을 쳐다보거나 그 물건을 요구하는 좀 더 변별적인 행동은 나타나지 않는다.
도구적인 전환기 행동 단계	• 8~11개월 • 유아는 미리 계획된 목적을 이루기 위해서 분명한 신호를 보내게 된다. 예를 들어, 유아는 안아 달라고 팔을 벌리거나 성인들의 관심과 웃음을 자아내기 위하여 여러 가지 우스꽝스러운 행동을 하기도 한다. • 이 시기에는 많은 시행착오를 거쳐서 자신이 보내는 신호와 결과 사이의 '수단-목적' 관계를 깨닫게 된다.
언어 이전의 의도적 의사소통 행동 단계	• 11~14개월 • 유아는 의도적인 의사소통 행동을 보여준다. 의도적인 의사소통이라 함은 유아 자신이 신호를 보내기 이전에 그 신호가 상대방에게 어떤 영향을 미쳐서, 어떤 행동적인 결과를 초래하리라는 인과관계를 충분히 이해하는 것을 의미한다. 그래서 그 목적이 달성되거나 그렇지 못하리란 확신이 설 때까지 계속해서 의사소통을 시도해 보는 것이다. • 이 시기의 유아의 의사소통은 의도적이기 때문에 자신의 행동이 성인의 주의를 충분히 끌지 못했을 때 다른 여러 가지 방법을 써서라도 그 목적을 성취하려고 시도한다. • 이 시기에는 관습적인 몸동작들이 많이 사용되는데 이들은 초기적 의사소통 행동보다 좀 더 발달된 행동 형태로서 뚜렷하게 의사를 내포하는 행동을 의미한다.

언어적 의사소통 행동 단계	• 14~16개월 • 언어적 의사소통 행동 단계는 아동이 말을 사용함으로써 자신이 원하는 의사소통의 목적을 달성하게 되는 시기이다. • 초기 단계에서는 흔히 말과 몸동작이 함께 동반되기도 하는데, 이때의 '말'에는 발성을 통한 구화뿐 아니라, 수화나 언어 보조기 등을 통한 언어도 포함된다.

출처 ▶ 김영태(2019 : 31-35) 내용 정리

(2) 의사소통의 발달 단계

의사소통의 발달 단계는 3단계로 나누어 볼 수 있다(박은혜 외, 2018 : 282).

전의도적 단계 (언향적 단계)	• 이 단계는 학생이 자신의 의도를 정확하게 표현하지 못하므로 대화상대자가 학생이 표현하고자 하는 의도를 주도적으로 해석해야 하는 단계이다. • 이 단계에서 교사는 학생이 흥미 있어 하는 사물을 이용하여 공동관심이나 상호관심을 형성할 수 있도록 유도한다. 교사와 학생이 같은 사물이나 활동에 집중하고 있거나 학생과 교사가 서로를 바라볼 때 교사의 일관성 있는 피드백은 학생의 의도를 유도할 수 있다.
의도적인 비구어 단계 (언표내적 단계)	이 단계는 학생이 정확한 발음의 구어는 아니지만 관습적인 몸짓이나 부정확한 발음 혹은 일정한 행동이나 몸짓 등으로 표현하는 단계이다.
의도적인 상징적 의사소통 단계 (언표적 단계)	구체적인 의도를 가지고 상대방을 향해 단어나 기타 상징체계를 사용하여 지적하거나 표현하는 단계이다.

65 2019 초등B-6

모범답안

3) 모델링은 교사가 먼저 언어적 시범을 보이지만 요구모델은 학생에게 반응할 기회를 주고 나서 언어적 시범을 보인다.

해설

3) 자연스러운 환경에서 적용해야 일반화가 쉽다는 겁니다. 언어중재도 마찬가지예요. : 언어중재 방법은 '환경 중심 언어중재'이며, 환경 중심 언어중재를 위한 기법 중 요구모델과 모델링의 차이점을 비교하여 쓰도록 하는 문제이다.

Check Point

환경 중심 언어중재

① 개념

환경 중심 언어중재는 아동이 의사소통하고자 하는 자연적인 동기를 근거로 시작되며, 자폐성장애 아동의 기능적 언어 기술 습득에 효과적이다.

② 환경 중심 언어중재를 위한 기법

기법	내용
모델링	• 아동 위주의 언어적 시범을 의미(동 아동 중심의 시범 기법) • 부모, 교사, 또는 임상가는 우선 아동의 관심이 어디에 있는지를 살피다가 그 물건이나 행동에 같이 참여하면서 그에 적절한 언어를 시범 보인다. • 흔히 모델을 제시하기 전에 아동의 언어 사용에 대한 강화가 될 수 있도록 교재나 활동을 통제하였다가, 아동이 바르게 반응하면 언어적 확장과 강화제(교재나 활동)를 제공한다. • 아동이 바르게 반응하지 못하였을 때는 다시 모델을 제시하고 그에 따른 강화를 제공한다.
요구- 모델 절차	• 아동과 부모, 교사 또는 임상가가 함께 주목 또는 활동을 하다가 아동에게 언어적인 반응을 구두로 요구해 본 후에 시범을 보이는 것(동 선 반응 요구 후 시범 기법) • 모델링과 다른 점은 아동에게 반응할 기회를 주고 나서 언어적인 시범을 보인다는 것이다.
시간 지연 기법	• 아동이 말해야 하는 상황임을 눈치채고 말하게 되면 그에 적절하게 교정 또는 시범을 보이는 것 • 부모, 교사 또는 임상가가 아동과 함께 쳐다보거나 활동하다가 아동의 언어적 반응을 가만히 기다려 주는 과정을 포함한다. • 만약 아동이 지연에 반응하지 않으면, 부모, 교사 또는 임상가는 다른 지연을 제시하거나 혹은 요구-모델 절차나 모델링을 사용한다.
우발 교수	• 환경 중심 언어중재의 핵심적인 부분 • 성인과 개별 아동 사이의 상호작용이 자유놀이와 같은 교수 상황에서 자연스럽게 일어나는 것(생활 장면에서 우연히 일어나는 의사소통 기회를 이용하는 것) • 기회가 주어지지 않으며, 중재 목표에 도달하기 위한 상황을 의도적으로 만들어 주기도 한다. • 우발교수는 자연스러운 환경에서 하루 종일, 자연 강화제(일상생활의 사건이나 항목들)를 사용하기 때문에 언어 사용의 일반화가 일어난다.

66
2019 중등A-11

모범답안

- 상황지식을 제공해 주지 않으면 상황 맥락을 이해하기 위한 과정에 인지 과부하가 나타나 목표언어에 집중하지 못할 수 있기 때문이다.
- ⓒ 행위자−행위
  ⓒ 여기에 앉아요.

67
2019 중등A-13

모범답안

- ㉠ 보드게임을 열리지 않는(또는 열기 어려운) 상자에 담아둔다.
  ㉢ 라면 끓이기에 필요한 물(또는 면, 스프)을 조금밖에 주지 않는다.
- ㉡ 공동관심 시작하기
  ㉣ 공동관심 반응하기
  ㉤ 학생 P는 교사, 보드게임이 담긴 상자, 교사를 번갈아 쳐다보고 교사는 학생의 시선을 따른다.
  ㉥ 교사가 물(또는 면, 스프)을 쳐다보면 학생 P는 교사가 바라보고 있는 것으로 교사의 시선을 따른다.

해설

다음과 같은 순서로 문제를 풀이한다.
① EMT 환경 구성 전략 중 도움, 불충분한 자료 전략에 맞춰 각각의 예를 제시한다. 예시는 다양하게 제시할 수 있다.
② 서로 다른 공동관심 유형(공동관심 시작하기, 공동관심 반응하기) 중 하나를 선택하여 EMT 환경 구성 전략에 적용한다. 나머지 공동관심 유형을 다른 유형의 EMT 환경 구성 전략에 배치한다. 이 역시 환경 조성 전략에 따라 정해진 유형이 있는 것은 아니다.
③ 각각의 공동관심 유형에 따른 교사와 학생의 행동을 EMT 환경 구성 전략(도움, 불충분한 자료)의 예에 맞춰 제시한다.

Check Point

(1) 물리적 환경조절 전략

전략	설명
흥미로운 자료 제공	학생들은 환경 내의 활동이나 물건이 흥미로울 때 의사소통 가능성이 높다.
손이 닿지 않는 곳에 물건 두기	학생들은 자신이 원하는 것에 접근할 수 없을 때 의사소통 가능성이 높다.
자료의 불충분한 제공	학생들은 수행에 필요한 자료를 가지지 못하였을 때 의사소통 가능성이 높다.
선택하기	학생들은 선택권이 주어졌을 때 의사소통할 가능성이 높다.
도움	학생들은 자료를 움직이거나 조작하는 데 도움이 필요할 때 의사소통 가능성이 높다.
예상치 못한 상황	학생들은 자신이 예상하지 않은 일들이 일어날 때 의사소통 가능성이 높다.

(2) 공동관심

① 공동관심에는 공동관심에 반응하기와 공동관심 시작하기의 두 가지 상호보완적인 행동이 있다.
② 대부분의 일반아동은 양육자가 지적하는 것을 바라볼 수 있으며, 자신이 관심 있어 하는 것을 양육자와 공유하기 위해 스스로 지적하기를 할 수도 있다. 관심 공유 행동은 사회적 교류와 타인과의 상호작용에 대한 참여의 기초가 되는데, 자폐성장애 아동은 이러한 관심 공유 행동에서 어려움을 보인다.
③ 공동관심 유형별 기술 그리고 정의는 다음과 같다.

유형	기술	정의
공동관심 시작하기	협동적인 공동주시	아동은 성인과 사물을 번갈아 쳐다보고 관심을 공유하기 위해 다시 성인을 바라본다(사물을 보고 성인을 본 후에 다시 사물을 보는 반대 순서로 행해질 수도 있다). 이러한 몸짓은 "저것 봐, 재미있는데!"라는 뜻이다.
	보여주기	아동은 손에 놀잇감을 들고 관심을 끌기 위해서 성인 앞에 들고 보여준다. 아동은 성인에게 놀잇감을 주지는 않는다. 이러한 몸짓은 "내가 뭐 가졌는지 봐!"를 의미한다.
	공유하기 위해 건네주기	아동은 놀잇감에 대한 도움을 얻기 위해서가 아니라 단순히 공유하기 위해서 성인에게 놀잇감을 준다. 이러한 몸짓은 "여기 놀잇감이 있으니까 너도 놀아도 돼!" 또는 "네 차례야!"라는 뜻이다.

공동관심 반응하기	가리키기	아동은 단순히 성인의 관심을 흥미로운 어떤 것으로 이끌기 위해 사물을 가리킨다. 아동은 성인이 놀잇감에 대해 행동하기를 원하지 않는다. 이러한 몸짓은 "저거봐요! 재미있어요."라고 의사소통하는 것이다.
	가리키는 곳 따르기	성인이 사물을 가리킨 후에 아동은 가리킨 곳을 따라 동일한 사물을 바라보는 것으로 반응한다.
	시선 따르기	아동은 성인이 바라보고 있는 것으로 성인의 시선을 따른다.

68 2019 중등B-4

모범답안

- ㉠ 회피행동
- ㉡ 탈출행동

회피행동은 말을 더듬을 가능성이 있는 '상황'을 피하기 위한 행동을 하고, 탈출행동은 말을 더듬는 도중에 말더듬에서 벗어나기 위한 행동을 한다.

- 다음 중 택 2
  - 첫 단어, 단어의 첫 음절, 초성에서 발생한다.
  - 모음인 경우보다 자음에서 더듬는다.
  - 파열음과 파찰음에서 더듬는다.

해설

지문 돋보기

학생 H의 구어 표현에 나타난 말더듬 특성은 다음과 같음

관찰 내용	초성	조음 방법에 따른 분류	말더듬 행동 유형
㉢ ㅂㅂㅂ바닷가	ㅂ	파열음	반복
㉣ ㅊㅊ척추	ㅊ	파찰음	반복
㉤ (입 모양만 보이고 소리가 나오지 않다가) ㅍㅍ 포포유류	ㅍ	파열음	막힘 / 반복

말더듬 행동 특성) 일반적으로 언급되는 음운론적 측면의 특성 중 '마찰음(ㅅ, ㅆ, ㅎ)에서는 연장이 자주 나타난다.', '특정음에서 특히 말을 자주 더듬는다.'는 발화 내용을 통해서는 파악할 수 없기 때문에 관련이 없음에 주의한다.

Check Point

📝 **말더듬의 심리언어학적 요인**

음운론적 측면	• 첫 단어, 단어의 첫음절, 초성에서 발생한다. • 모음인 경우보다 자음에서 더 자주 더듬는다. • 특정음에서 특히 말을 자주 더듬는다. • 파열음이나 파찰음에서 막힘이 자주 나타난다. • 마찰음에서는 연장이 자주 나타난다.
형태론적 측면	• 기능어(조사나 접속사)보다 내용어(명사, 동사, 형용사, 부사)에서 더 자주 더듬는다. • 비교적 긴 단어에서 더 많이 나타난다. • 사용 빈도가 높은 단어보다 잘 사용하지 않는 단어에서 더 더듬는다.
구문론적 측면	• 문장의 길이가 길수록 출현빈도가 높아진다. • 문장 구성이 복잡할수록 출현빈도가 높아진다.
화용론적 측면	• 대화 상대자가 친숙하고 허용적일수록 말을 더듬는 빈도가 낮아진다. • 의사소통 스트레스 정도가 높을수록 빈도가 높아진다.

출처 ▶ 고은(2014 : 255)

69 | 2020 유아A-5

모범답안

1)	㉠ 평균형태소길이 ㉡ 평균낱말길이
2)	평균발화길이는 유아의 표현언어 능력을 평가하는 것이다.
3)	① 대치 ② 다음 중 택 1 • 치조음화 • 전설음화

해설

1) 평균발화길이는 형태소, 낱말, 어절 단위로 측정한다.
   ㉠ 평균형태소길이는 전체 형태소의 수를 총 발화의 수로 나눈 값이다. 이 값이 증가한다면 문장의 길이가 길어지고 구조적으로 복잡해진다는 것을 의미한다.
   ㉡ 평균낱말길이는 전체 낱말 수를 총 발화 수로 나눈 값이다. 평균낱말길이의 값은 연구자가 어디까지를 낱말로 볼 것인지에 따라 달라진다(고은, 2021 : 153).

2) • 유아의 수용언어 능력을 평가하고 : 평균발화길이(MLU)는 초기언어 발달 단계에서 표현언어발달과 문법능력을 평가하기 위한 척도로 가장 많이 쓰이는 단위다(고은, 2021 : 153).
   • 교육진단에 목적을 두며 : 자발화 평가는 선별보다 진단에 목적을 두는 평가 방법으로 아동의 일상적인 표현언어능력을 평가한다(강은희 외, 2019 : 167). 표준화된 검사는 대개 교육목표를 수립하는 데 필요한 정보를 충분하게 제공해 주지 못한다는 단점이 있으나 비표준화검사인 자발화 평가는 구체적인 교수목표, 특히 학생의 일간 혹은 주간 진보 정도를 점검할 때도 사용될 수 있다는 장점이 있다(고은, 2021 : 150).
   • 구문론적 특성을 알아보기 위해서 : 표준화된 검사도 구를 실질적으로 사용할 수 없는 장애아동의 언어수준을 평가하는 데 있어 자발화의 분석은 매우 유용하다(고은, 2021 : 150). 자발화 분석에 의한 평가는 모든 언어영역, 즉 의미론, 구문·형태론, 화용론 측면에서 분석이 가능하다(강은희 외, 2019 : 167).

3) ① 개별음소의 조음오류 형태는 생략, 대치, 왜곡, 첨가로 구분한다. 목표음 /ㄱ/을 /ㄷ/으로 바꾸어 발음했으므로 조음오류 현상은 대치에 해당한다.
   ② 은지의 음운변동을 조음 위치 및 조음 방법에 따라 구분하면 다음과 같다.

구분	/ㄱ/	/ㄷ/
조음 위치	연구개음	치조음
조음 방법	파열음(평음)	파열음(평음)

70 | 2020 유아A-8

모범답안

1)	㉠ 말더듬 ㉡ 음성장애
3)	화용론

해설

1) ㉡ 음성장애는 음성을 산출하는 기관의 기질적인 문제나 심리적인 문제 또는 성대의 잘못된 습관으로 인하여 강도, 음도, 음질 그리고 유동성 등이 성, 연령, 체구와 사회적 환경들에 적합하지 않은 음성을 내는 것을 말한다.
   • 음성장애를 가진 사람들은 목쉰 소리, 성대 피로, 기식화된 소리, 발성 폭의 축소, 무성증, 높낮이 일탈 또는 부적절하게 높은 소리, 떨림 등의 특징을 보인다.

3) 언어는 음운론, 형태론, 구문론, 의미론, 화용론의 다섯 가지 요소를 포함한다.
   • 화용론이란 실제 상황적 맥락에서 화자와 청자에 의해서 쓰이는 말의 기능을 다루는 분야이다. 여기서 '화용'이란 문법적으로 완벽한 언어를 사용하는 능력과는 다른, 전체 담화 맥락을 잘 파악하고 상대방과 성공적인 대화를 이끌고 유지하는 것을 말하는데, 화용론적 결함을 가지고 있는 사람은 문장에 표면적으로 나타나는 낱말의 의미만 이해하고, 그 속에 숨겨져 있는 상대방의 의도를 파악하지 못한다. 또는 의사소통의 순서를 지키지 못하거나, 대화를 시작하고 유지하는 데에 어려움을 보이게 된다(고은, 2021 : 100, 106).

Check Point

언어의 구성 요소와 언어학의 하위 영역

구성 요소	언어학의 하위 영역	정의
형태	음운론	말소리 및 말소리의 조합을 규정하는 규칙
	형태론	단어의 구성을 규정하는 규칙
	구문론	단어의 배열, 문장의 구조, 서로 다른 종류의 문장 구성을 규정하는 규칙
내용	의미론	의미(단어 및 단어의 조합)를 규정하는 규칙
사용	화용론	사회적 상황에서의 언어의 사용과 관련된 규칙

71 2020 초등B-5

모범답안

2)	㉡, 학생이 "신어."라고 말하면 교사는 "신발을 신어요."라고 말한다.
3)	㉢ 구문론 ㉣ 의미론
4)	누가 사과를 먹나요?

해설

2) ㉡ '언어지도 시 일상생활과 관련하여 잘 계획되고 통제된 맥락의 활용'이란 환경 중심 언어중재 또는 강화된 환경 중심 언어중재의 활용을 의미한다.
   ㉢ 언어자극 방법으로서의 확장은 학생의 발화를 문법적으로 완전한 문장으로 바꾸어 말해주는 것이다. 특히 조사나 어미 사용이 잘못되었거나 생략된 경우에 많이 사용된다(고은, 2021 : 435).
   ㉣ 반복 요청하기란 아동이 바르게 말했을 경우에 다시 반복하도록 하여 강화하는 방법이다(김영태, 2019 : 409).

3) ㉢ 구문론이란 단어의 배열에 의하여 구, 절, 문장을 형성하는 체계 또는 규칙을 말하며, 주성분은 문장이다.
   ㉣ 의미론이란 언어의 의미를 연구하는 언어학의 한 분야로서 말의 이해 및 해석에 관한 영역으로, 주성분은 단어이다.

Check Point

(1) 의미론의 결함

언어의 의미론적 측면에 결함이 있는 아동은 다음과 같은 문제를 나타낼 수 있다(김영태, 2019 : 96-97).

① 낱말의 뜻이 은유적으로 쓰일 때 그것을 이해하지 못하며, 은유적인 표현도 제한되어 있다.
② 말하는 사람의 입장에서 표현되는 의미를 자기의 입장으로 전환시키는 데 어려움을 나타내므로 상대어(여기-저기, 이-저)의 이해나 사용에 어려움을 보인다.
③ 때때로 신조어(신어)를 사용하기도 한다.
④ 가상적인 낱말의 사용을 이해하지 못한다.
⑤ 범주를 나타내는 낱말에 대한 이해나 표현에 어려움을 나타낸다.
⑥ 수용어휘 및 표현어휘의 수와 의미 관계의 유형이 제한되어 있다.
⑦ 기능적인 낱말들은 그것이 지닌 의사소통적 영향력 때문에 쉽게 배우더라도 실체나 행위, 수식 등의 내용을 담은 낱말의 사용은 제한될 수 있다.
⑧ 만지거나 조작할 수 있는 사물에 대한 낱말들에 비하여 동작이나 과정 또는 상태를 나타내는 낱말의 사용이 제한될 수 있다.
⑨ 2~3세 아동의 의미발달과정에서 잠시 나타나는 과잉확대 또는 과잉축소 현상을 오래도록 보일 수도 있다.
⑩ 낱말의 이름을 상기하는 데 어려움을 나타내기도 하는데, 이런 경우 낱말의 이름보다는 그 낱말의 감각적, 기능적 특징만을 설명하기도 한다.
⑪ 부적절한 단어(틀린 단어)를 사용한다.
⑫ 접속문의 의미를 이해하는 데 어려움을 나타낸다.

(2) 구문론의 결함

구문론적인 결함의 예는 다음과 같은 것들이 있다(김영태, 2019 : 97).

① 낱말이나 문장에서 그 뜻이나 문법적 유형을 바꾸어 주는 형식 형태소들을 이해하거나 표현하는 데 어려움을 나타낸다. 이러한 형식 형태소들에는 격조사(주격, 목적격, 처소격, 관형격), 어말 어미(존칭), 선어말 어미(시제, 부정 등)들이 있다.
② 낱말의 순서를 바꾸어 문장을 만드는 경우가 많다.
③ 문장의 평균발화길이가 짧다.
④ 복문을 이해하거나 표현하는 데 어려움을 나타낸다. 특히 내포문에서 주절과 종속절의 관계를 이해하여 문장 전체의 뜻을 파악하는 데 어려움을 나타낸다.

(3) W-질문법(Wh-질문법)

① 아동의 발화를 자극하는 가장 좋은 동기 부여는 관심을 가지고 아동으로부터 답을 알고자 하는 것이다.
② 교사는 아동의 어휘발달 수준에 적합한 질문을 하여야 하는데, 단순언어장애의 경우 Wh-질문법이 효과적이다.
③ W-질문법 가운데 '왜'에 해당하는 질문은 답변이 매우 어려울 수 있으며, 폐쇄형 질문과 단답형 질문에서 단계적으로 접근하는 것이 좋다.
④ W-질문법의 예는 다음과 같다.

W-질문법	질문 내용
누가(who)	이 사람은 누구예요?
어디(where)	어디로 소풍을 간 거예요?
무엇을(what)	소풍가서 무엇을 하고 놀았어요?
언제(when)	소풍을 언제 간 거예요?
왜(why)	왜 이 친구는 앉아 있어요?

출처 ▶ 고은(2021 : 194)

72
2020 중등A-3

모범답안

㉠	음운변동
(나)	파열음화

해설

(나) 학생 B의 오조음 유형을 조음 위치와 조음 방법으로 구분하여 살펴보면 다음과 같다.

발음 예시			오조음 유형	
			조음 위치	조음 방법
풍선	→	풍턴	–	파열음화
책상	→	책강	연구개음화 후설음화	파열음화
반바지	→	밥바디	양순음화 전설음화	파열음화
자전거	→	다던더	치조음화 전설음화	파열음화

Check Point

📝 조음 위치와 방법에 따른 자음의 분류

조음 방법 \ 조음 위치		양순음	치조음	경구개음	연구개음	성문음
파열음 (폐쇄음)	예사소리 (평음)	ㅂ	ㄷ		ㄱ	
	된소리 (경음)	ㅃ	ㄸ		ㄲ	
	거센소리 (격음)	ㅍ	ㅌ		ㅋ	
마찰음	예사소리 (평음)		ㅅ			ㅎ
	된소리 (경음)		ㅆ			
파찰음	예사소리 (평음)			ㅈ		
	된소리 (경음)			ㅉ		
	거센소리 (격음)			ㅊ		
비음		ㅁ	ㄴ		ㅇ	
유음			ㄹ			

73
2020 중등A-7

모범답안

• ㉠ 형식(또는 형태)

해설

㉠ 언어의 3가지 하위 체계 구성 요소란 형식, 내용, 사용을 의미하며, 형식이란 소리를 의미가 있는 기호와 연결시키는 언어적 요소로 음운론, 형태론, 구문론의 세 가지를 포함한다.

Check Point

📝 언어의 구성 요소

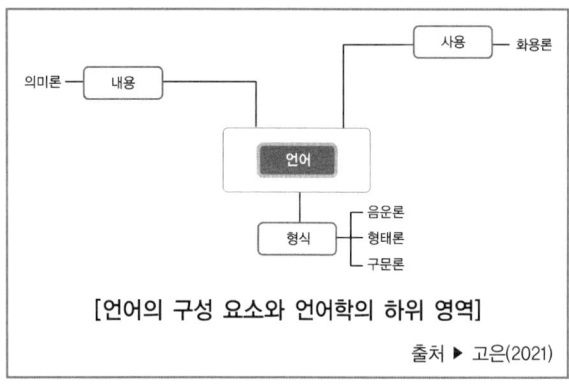

[언어의 구성 요소와 언어학의 하위 영역]

출처 ▶ 고은(2021)

74   2021 유아A-8

모범답안

1)	① 대답 ② 시작(또는 시도)
2)	찰흙통의 뚜껑을 닫아서 준다.
3)	① 두 단어를 연결하여 문장으로 표현하기(또는 이어문으로 표현하기) ② 대상-행위

해설

지문 돋보기

(다)의 내용을 구체적으로 살펴보면 다음과 같음
- (찰흙통과 비눗방울통을 보여 주며): 선택하기
- (찰흙이 아니라 비눗방울통을 주며): 예상치 못한 상황
- (찰흙을 아주 조금만 주며): 자료의 불충분한 제공

2) 다영이가 "열어"라고 발화하고 이에 대해 김 교사가 뚜껑을 열어주는 상황을 고려할 때 도움이 필요한 상황을 조성한 것임을 알 수 있다.

3) ① 다영이는 지속적으로 한 단어로 발화하고 있으며 김 교사는 이에 대해 "찍어"를 반복적으로 사용하여 문장으로 표현하고 있음을 고려한다.
- 다영이가 (소 도장을 찍으면서) "음매 찍어."라고 두 단어를 연결하여 발화하자(즉, 이어문으로 표현) 교사가 강화하는 것을 통해 최종목표가 두 단어를 연결하여 문장으로 표현하는 것임을 유추할 수 있다.

② "음매 찍어"는 음매(소 도장)를 찍다의 의미가 된다. '음매'는 '찍다'라는 행위의 대상이 되는 사물로 목적어의 역할을 하므로 의미 관계 유형은 대상-행위의 관계가 된다.

Check Point

📝 Dore의 의사소통 의도 분류

Dore는 한 낱말 발화 시기(대략 생후 12~18/24개월)에 초점을 두어서, 아동들이 한 낱말 발화를 사용하는 의도에 중점을 두어, 듣는 사람의 반응을 덜 강조했다. Dore의 의도는 다음의 <표>와 같다(Reed, 2017: 50).

의도	설명
이름 부르기	사물의 이름을 부르기 위해서(기대되는 반응은 없음)
대답하기	어른의 요구에 반응하기 위해서
요구하기	어른이 무언가를 하도록 하기 위해서
대답 요구하기	어른이 말로 요구에 반응하도록 하기 위해서
부르기	어른을 부르기 위해서(어른의 주의를 얻기 위해서)
인사하기	주변 어른이나 물건들에 대해 알기 위해서
항의하기	어른의 행동에 대해 반대하거나 부정하기 위해서
반복하기	어른의 말을 모방하기 위해서(기대되는 반응 없음)
활용하기(언어)	스스로에게 언어를 연습해 보기 위해서(기대되는 반응 없음)

75   2021 초등A-5

모범답안

2)	강화된 환경 중심 언어중재

해설

지문 돋보기

- 일상의 의사소통 상황을 자연스럽게 구조화하여: 물리적 환경조절 전략
- 지속적인 반응적 상호작용을 통해: 반응적 상호작용 전략
- 의사소통을 촉진: 강화된 환경 중심 언어중재의 목표

2) '일상의 의사소통 상황을 자연스럽게 구조화'는 물리적 환경조절 전략을, '지속적인 반응적 상호작용'은 반응적 상호작용 전략을 의미한다. 이와 같이 물리적 환경조절 전략과 반응적 상호작용 전략을 구성 요소로 의사소통을 촉진하는 대화 중심의 교수법은 강화된 환경 중심 언어중재이다.

76   2021 중등A-7

모범답안

- ㉠ 다음 중 택 1
  - 가리킴 말을 써서 문장 속에 포함된 낱말을 이해하기 쉽게 만들어 준다.
  - 접속부사나 연결어미를 써서 문장들 간의 관계를 명확하게 해준다.
  - 중복되는 부분을 생략해서 불필요한 부분까지 다 듣지 않아도 되게 해 준다.
- ㉡ 다음 중 택 1
  - 거기(서)
  - 저번(에)
  - 귀가
  - 코가
- 참조적 의사소통 능력
- 명료화 요구 전략(또는 명료화 요구하기)

해설

㉠ 결속표지는 발화를 관계없이 연속적으로 나열하기보다 통일된 이야기로 만들기 위해 문장을 묶는 언어적 표지이다(Paul et al., 2015 : 547). 즉 담화 내의 어떤 요소를 해석할 때 또 다른 어떤 요소에 의존하는 것을 의미하는데, 다른 문장에 있는 요소를 참고해야만 의미해석이 가능해지기 때문이다. 결속표지는 가리킴말(대명사, 지시형용사, 시간부사, 장소부사 등), 접속사나 연결어미, 중복되는 부분의 생략과 같은 방법으로 이루어진다.

- 결속표지는 가리킴말을 써서 문장 속에 포함된 낱말을 이해하기 쉽게 만들기도 하고, 접속사나 연결어미를 써서 문장과 문장 사이의 관계를 명확하게 해 주기도 하며, 때로는 중복되는 부분을 생략해서 불필요한 부분까지 다 듣지 않아도 되게 해 준다(김영태, 2019 : 59).

㉡ '거기서', '저번에'와 같은 가리킴말이 사용되었으며, (코끼리) '귀가', (코끼리) '코가'와 같이 중복되는 부분을 생략하여 말하고 있다.

언어의 화용적 능력) ㉡에 포함된 요소들을 살펴보면 전제기술("저번에 선생님이랑 봤던 코끼리")이 사용되고 있으며, 가리킴말과 중복되는 부분을 생략하는 결속표지를 이용하여 정보를 전달하고 있다. 따라서 이와 같이 전제기술, 결속표지 등을 이용하여 말하는 사람이 듣는 상대방으로 하여금 특정 대상을 정확하게 파악할 수 있도록 언어적으로 표현하는 능력은 참조적 의사소통 능력에 해당한다.

- 화자의 참조적 의사소통 능력은 말하는 사람이 듣는 상대방으로 하여금 특정 대상을 정확하게 파악할 수 있도록 언어적으로 표현하는 능력을 말한다. 상대방에게 말하는 내용을 정확하게 전달하기 위해서는 듣는 사람에게 어떠한 정보가 필요한가를 결정하는 전제기술이 필요하고, 결속표지와 같은 특정한 방식으로 그 정보를 전달하는 능력이 필요하고, 상대방의 반응에 대해 적절한 피드백을 줄 수 있는 능력도 필요하다(김영태 외, 2019 : 58).

대화 참여자들의 의사소통 전략) ㉢에서는 학생 C의 발화에 대하여 특수 교사가, ㉣에서는 특수 교사의 발화에 대하여 학생 C가 발화 내용에 대한 확인을 요구하는 명료화 요구 전략이 사용되고 있다.

- 의사소통의 실패 원인이 파악되면 그 문제를 해결하려는 시도가 있어야 한다. 그러므로 말하는 사람의 입장에서는 자신이 무엇을 잘못 말했는지 분석해서 수정해야 하며, 듣는 사람의 입장에서는 자신이 이해할 수 없었던 부분에 대하여 수정해서 다시 말해줄 것을 요구하여야 한다. 전자에 해당하는 행위를 '발화 수정 전략'이라고 하고, 후자에 해당하는 행위를 '명료화 요구 전략'이라고 할 수 있다(김영태, 2019 : 56).

- 명료화 요구하기는 아동이 잘못 발화한 부분에 대해 반복하거나 재형성하도록 요구하는 피드백이다. 직접적으로 "다시 한번 말해 줄래?"라고 요구할 수도 있지만 교사의 입장에서 아동이 말한 메시지를 좀 더 명료화시키는 방법도 있다. 첫째는 질문하기로서, 아동의 말을 끝까지 들은 후 명확하지 않은 부분에 대해서 물어보는 것이다. 둘째는 의역하기다. 아동의 말을 듣고 교사가 이해한 대로 "네가 방금 말한 것은 ~라는 거지?"라고 다시 말해 주는 것이다(고은, 2014 : 461).

> **Check Point**

(1) 결속표지의 종류

결속표지는 이야기의 연결을 얼마나 자연스럽게 하는가를 평가해 주는 기준이 될 수 있다. 결속표지에는 지시, 대치, 접속, 어휘적 결속 등이 있다(김영태, 2019: 69-70).

결속표지의 종류	내용
지시	선행 또는 후행 문장에서 언급되는 사물, 사람, 사건 등의 실체를 지시한다. 예 '이거', '그거', '이것들', '그것들', '여기', '거기', '지금', '다음'
대치	청자와 화자가 공유하고 있다고 여겨지는 정보는 지시하되 공유 정보의 자리에 다른 낱말을 대신 사용한다. 예 '-거', '같은 거', '-해', '그거', '그렇게', '-말구'
접속	문장 간의 내용을 논리적으로 연결하는 의미체로서 문장 간의 관계를 밝힌다. 예 첨가 관계(-하고, 그리고), 반선 관계(-지만, 그러나), 시간 관계(-한 후에, -한 다음에, -기 전에, -하고 나서, -하면서, 첫째, 둘째, -시간 후에)
어휘적 결속	사람, 생물, 사물, 무생물, 추상적 의미체, 행동, 장소, 사실들을 의미하는 명사를 사용해 전, 후 문장과의 관계를 분명히 한다.

(2) 화용론의 내용(의사소통을 위한 기능)

화용론은 직시, 전제, 함축, 화행, 대화체 구성 등의 내용을 갖는다.

직시	가리키고 지시하는 것으로 인칭대명사, 지시대명사, 장소부사, 시간부사 등이 포함된다.
전제	발화된 문장에 부수적으로 전달되는 의미를 말한다. 화자는 상대방에게 이야기할 때 상대방이 어느 정도의 배경지식을 가지고 있는가를 잘 파악하고 있어야 한다.
함축	구체적인 언어표현이나 명시적이고 직접적인 정보에 대해 추가적으로 전달되는 의미를 말한다.
화행	발화를 통해 행동이 수반되는 것을 말한다.
대화체 구성	의사소통 과정에서 제3자의 말을 인용하거나 행동을 전달할 때 새로운 대화체를 구성하는 것을 말한다.

(3) 의사소통 실패 해결 능력

① 두 사람 이상이 서로 대화를 할 때 의사소통의 실패(또는 단절)가 일어날 수 있는데, 이런 상황을 해결하는 능력을 습득하는 것 또한 대화기술에서 매우 중요하다. 의사소통의 실패는 말하는 사람이 잘못 말하거나 듣는 사람이 잘못 듣기 때문에 일어날 수 있다.

② 의사소통의 실패 원인이 파악되면 그 문제를 해결하려는 시도가 있어야 한다. 그러므로 말하는 사람의 입장에서는 자신이 무엇을 잘못 말했는지 분석해서 수정해야 하며, 듣는 사람의 입장에서는 자신이 이해할 수 없었던 부분에 대하여 수정해서 다시 말해줄 것을 요구하여야 한다. 전자에 해당하는 행위를 '발화 수정 전략'이라고 하고, 후자에 해당하는 행위를 '명료화 요구 전략'이라고 할 수 있다.

㉠ 발화 수정 전략 형태

세부 전략	정의
반복	이전 발화 전체 혹은 부분을 반복하는 것
개정	이전 발화의 문장 형태를 구조적으로 변화시키는 것
첨가	이전 발화에 특정 정보를 더하는 것
단서추가	이전 발화의 용어를 정의, 배경정보에 대한 설명, 발화 수정 자체에 대해 말하는 것

㉡ 명료화 요구 유형

명료화 요구 유형	정의	예
일반적 요구	원래 발화의 의미를 다시 묻는 경우 끝을 올리는 억양으로 이전의 발화의 어떤 부분에 대해 반복해 줄 것을 요구함. 주로 "응?", "뭐라고?", "못 알아듣겠다"	길동: 나 어제 할머니 집에 갔어요. 순신: 응?(또는 뭐라고?)
확인을 위한 요구	화자의 발화의 일부 혹은 전체를 반복함으로써 원래 발화의 의미를 확인하는 것 주로 끝을 올리는 억양이므로 '예/아니오' 질문과 비슷함	길동: 나 어제 할머니 집에 갔어요. 순신: 어제?(또는 할머니 집?)
발화의 특별한 부분 반복요구	원래 발화의 구성요소의 일부를 의문사로 바꾸어 질문하여 특별한 부분을 반복해 줄 것을 요구하는 경우	길동: 나 어제 할머니 집에 갔어요. 순신: 어제 어디에 갔어?

출처 ▶ 김영태 (2019: 57)

77

모범답안

- 단순언어장애
- 음운자각
  ㉠ 음소를 듣고 단어로 합성하기
- ㉡ 의미론

해설

지문 돋보기

(가)
- 단순언어장애의 진단 기준
- 표준화된 언어검사 결과: 표준화된 언어검사 결과 −1.25 SD 이하이므로 단순언어장애의 기준에 충족됨

(나)
- 활동 1: 상위언어기술 영역 − 음운자각
- 활동 2: 상위언어기술 영역 − 의미자각

학생 J의 언어장애 유형) 단순언어장애란 감각적·신경학적·정서적·인지적 장애를 전혀 가지고 있지 않고 언어발달에만 문제를 보이는 경우를 말한다. 단순언어장애를 가정하기 위해서는 일차적으로 다른 영역에서의 발달장애나 질병요인이 완전히 배제되어야 한다. 단순언어장애는 일차적으로 수용언어나 표현언어상의 심각한 결함을 보이는 발달적 언어장애이며, 동시에 언어발달상의 지체 현상을 가지고 있다(고은, 2021 : 162).

㉡ '오빠'와 '아빠'의 의미 관계, '짜장면'과 '마시다'의 의미 관계를 명확히 파악하고 있지 못하다. 이에 부적절한 단어(또는 틀린 단어)를 사용하였다.

Check Point

(1) 단순언어장애

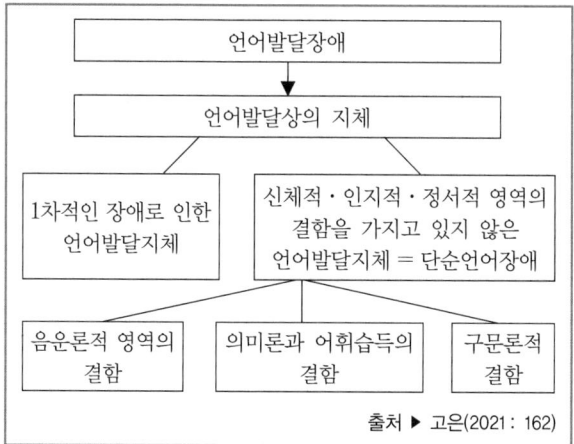

출처 ▶ 고은(2021 : 162)

(2) 단순언어장애의 판별기준(Leonard)
① 지능이 정상 범주에 속하여야 한다.: 비언어성 지능검사로 측정한 지능지수가 85 이상이어야 한다고 제시하였다.
  - 비언어성 지능검사에서 85 이상이라고 명시한 것은 일반적인 진단적 범주이며, 지적장애를 가진 아동을 배제하기 위해 설정한 기준선이다.

② 언어 능력이 정상보다 지체되어야 한다.: 표준화된 언어검사를 실시하였을 때 그 결과가 최소한 −1.25 표준편차(SD) 이하에 속하여야 한다고 제시하였다.
③ 청력에 이상이 없어야 하며, 진단 시 중이염을 앓고 있지 않아야 한다.
④ 뇌전증이나 뇌성마비와 같은 뇌손상 및 신경학적 이상을 보이지 않아야 하며, 뇌전증이나 신경학적인 문제로 인해 약물을 복용한 경험도 없어야 한다.
⑤ 말 산출과 관련된 구강 구조나 기능에 이상이 없어야 한다.
⑥ 사회적 상호작용 능력에 심각한 이상이나 장애가 없어야 한다.

(3) 상위언어인식

상위언어 기술 영역	설명
음운자각	구어에서 사용되는 단어들 속에 들어 있는 여러 가지 단위들을 분리하거나, 이런 단위들을 다시 결합하여 재합성될 수 있다는 것을 아는 것이다. 예 '돼지'라는 단어를 듣고 2음절로 만들어졌다는 것을 판단할 수 있고, '다람쥐'와 '도깨비'의 첫 글자 초성이 동일한 음소를 가진다는 것을 아는 것
단어자각	• 단어자각은 단어가 가지고 있는 물리적 속성과 추상적 속성을 이해하는 능력을 말한다. 예 '돼지'라는 단서 속에는 포유동물 돼지가 갖는 물리적 속성과 '많이 먹는 사람', '삼겹살', '더러움' 등의 추상적인 속성을 포함하고 있다. 이러한 개념 형성과 추상적 사고에 대한 인지적 유동성이 바로 단어자각 능력이다. • '서점−책방'과 같이 사물의 이름이 바뀌어도 속성이 바뀌지 않는다는 것을 아는 능력을 말한다.
구문자각	• 구문자각은 말의 언어학적 구조와 관련된 것으로 문법에 맞는 문장을 사용하는지에 대해 자각할 수 있는 능력을 말한다. 예 '밥이가 맛있어요.'나 '선생님이 철수에게 책을 읽었다.'와 같은 문장이 문법적으로 맞는지를 판단할 수 있는 능력 • 문법적으로는 맞지만 의미가 맞지 않는 문장의 오류를 판단하는 것은 의미자각에 해당하며 구문자각과 함께 분석할 수 있다. 예 '동생이 아빠를 낳다.'나 '밥을 마셔요.'와 같이 문법적으로는 맞지만 의미가 맞지 않는 단어를 사용한 경우
화용자각	화용자각은 자신의 발화가 상황에 적절한지 혹은 목적 달성에 적합한지 등을 스스로 점검하고 조절하는 것을 말한다. 예 적절치 못한 말이 튀어나왔을 경우 또는 대화자의 연령이나 지위에 맞지 않는 단어나 존칭을 썼을 때에도 스스로 옳고 그름을 판단한다. 화용인식에 결함이 있는 경우에는 대화의 상황적 맥락과 대화 규칙 등에 대한 정/오답에 대한 판단 능력이 낮다.

(4) 의미론의 결함

의미론의 결함은 다음과 같은 형태로 나타난다.

- 단어 찾기/복구에 결함이 있다.
- 이름을 말하지 못하여 하나의 개념을 설명하기 위하여 많은 수의 단어를 사용한다(에둘러 말하기).
- 제한된 어휘만을 과도하게 사용한다.
- 한 범주에서 항목들의 이름을 재현하는 데 어려움이 있다.
- 반대 어휘 복구에 어려움이 있다.
- 어휘 수가 적다.
- 한정성이 부족한 어휘를 사용한다.
- 부적절한 단어를 사용한다(틀린 단어 선택).
- 단어를 정의하는 데 어려움이 있다.
- 복잡한 단어를 잘 이해하지 못한다.
- 이중적인 단어 의미를 파악하는 데 어려움이 있다.

78　　　　　　　　　　　　　　2022 유아A-7

모범답안

1)	① 석우는 요리를 해요. ② 네모난 김
2)	김밥을 자르고 있어요.

해설

1) 확장은 문법적으로 오류가 있는 아동의 표현을 문법적으로 완전한 형태로 바꾸어 말해 주는 것이며, 확대는 아동의 발화에 대해 내용적 보완에 초점을 맞추는 것이다.
2) 평행적 발화 기법은 교사의 발화유도 전략으로 아동의 입장에서 과제 관련 혼잣말을 교사가 하는 형태이다.

79　　　　　　　　　　　　　　2022 유아A-8

모범답안

1)	몸짓언어
2)	㉠ 행동 요구(또는 요구하기) ㉡ 저항(또는 항의)
3)	① 요구－모델 ② 퍼즐 조각을 준다.

해설

1) 동호의 행동은 고개 끄덕이기, 손 내밀기, 물건 내밀기와 같은 몸짓을 의사소통 수단으로 이용하고 있다. 언어의 요소 중 몸짓은 자세, 표정 등과 함께 비언어적 요소로 분류된다.
2) ㉠ 신혜에게 신혜가 가진 꽃삽을 달라는 행동을 하고 있다. Dore의 초기 구어 기능 분석에 의하면 행동 요구에 해당한다.
   ㉡ 동호가 원하는 것은 신혜가 준 나뭇잎이 아니라는 행동을 하고 있다. Dore의 초기 구어 기능 분석에 의하면 저항에 해당한다.
3) ① 요구－모델 기법에서는 공동관심이 형성된 후 "무엇이 필요하지", "이게 뭐지" 등의 형태로 답을 요구한다. 적절하게 반응하면 원하는 것을 주고, 반응하지 않으면 다음 단계인 모델링을 시도한다(고은, 2021 : 429). 반성적 저널의 내용 중 환경 중심 언어중재의 전략을 살펴보면 다음과 같다.

지문 돋보기

- 동호에게 뭐가 필요한지, 무엇을 찾고 있는지 물어 보면서 동호의 반응을 유도하였다. : 요구
- 처음에는 동호가 아무런 반응을 하지 않아서 손을 뻗거나 내미는 모습을 보여주었다. : 모델링

② 동호는 교사가 시범 보인 행동(손을 뻗거나 내미는 행동)을 하고 있으므로 교사는 민호가 원하는 퍼즐 조각을 주는 것으로 강화를 해 줄 수 있다.

Check Point

언어의 발달

영아 초기 단계	① 울음 단계 ② 쿠잉 단계 ③ 옹알이 단계 ④ 몸짓언어의 발달
영아 후기~유아기	① 한 단어 시기 ② 두 단어 시기

80 | 2022 초등A-2

모범답안

| 2) | 지수의 실제적 발달 수준과 수행 목표(또는 잠재적 발달 수준) 간의 차이를 파악하는 것이다(또는 지수의 근접발달영역을 파악하는 것이다). |

해설

2) 일화기록을 통해 지수의 실제적 발달 수준 및 수행목표 간의 차이를 파악함으로써 적절한 비계를 제공하기 위한 것이다. 비계를 설정하기 위해서는 지수의 근접발달영역 내에서 계획되어야 하기 때문이다.

Check Point

(1) 근접발달영역
① 근접발달영역이란 실제적 발달수준과 잠재적 발달수준 간의 차이를 말한다.
② 실제적 수준이란 이미 완성된 지적 발달수준을 말하며, 잠재적 발달수준이란 현재는 혼자 해결하지 못하지만 다른 사람의 도움을 받아 학습하면 주어진 문제를 해결할 수 있는 발달수준을 의미한다.

(2) 비계
① 비계란 학습자가 처음 과제를 대할 때 문제에 쉽게 접근할 수 있도록 기호나 언어적 장치를 통해 제시해 주는 교수-학습방법을 말한다.
② 비계설정의 기본은 학습자의 근접발달영역 내에서 계획되어야 한다. 잠재적 발달수준에서는 혼자서 문제를 해결하는 것이 어려우므로 다른 사람의 도움을 받도록 한다. 아동이 혼자 할 수 있는 수준과 자동화 단계를 거치게 됨으로써 마지막 단계에서는 잠재적 발달수준이 한 단계 앞으로 간다. 이렇게 해서 또 다른 새로운 근접발달영역이 생겨나는 것이다. 즉, 비계설정이란 아동이 현재 혼자서 자신의 능력에 미치지 못하는 목표를 성취할 수 있도록 발판을 만들어 주는 것이라 할 수 있다.

출처 ▶ 고은(2021 : 125)

81 | 2022 초등A-3

모범답안

1)	① 어휘다양도 ② 반응적 상호작용 전략
2)	과잉축소
3)	① 신발장 문이 열리지 않도록 잠가 놓는다. ② 바닥에 놓아주세요(또는 여기에 놓아주세요).

해설

1) ② 강화된 환경 중심 언어중재는 환경 중심 언어중재, 물리적 환경조절 전략, 반응적 상호작용 전략으로 구성된다. 제시된 내용은 반응적 상호작용 전략을 구성하는 하위 전략들로, 구체적인 내용은 다음과 같다.

지문 돋보기

내용	전략
혼자 블록 쌓기를 하고 있으면 교사가 "상우야, 무슨 모양을 쌓은 거야? 좋아하는 버스 모양으로 쌓았네." 하며 대화를 이끌어 가기	공동관심 형성
색칠하기 책을 쳐다보고 있으면 "상우야, 선생님이랑 색칠하기 놀이를 해볼까? 무슨 색을 칠해 볼까?" 하며 놀이하기	아동 주도 따르기
퍼즐을 하나씩 번갈아 맞추며 "상우야, 이번에는 네 차례야."라며 교대로 대화 주고받기	상호적 주고받기
손등을 긁으며 가렵다는 표현을 하면 교사도 자신의 손등을 긁으며 "상우야, 가려워."라고 말하기	아동을 모방하기

2) 과잉축소란 단어가 가지고 있는 본래의 뜻보다 더 좁은 의미로 사용하는 현상으로, 자신이 가지고 있는 경험 속에서만 단어의 의미를 제한하는 것이다. 예를 들면, 아이는 자기가 지칭하는 특정한 신발만 '신발'이라고 말한다. 이러한 현상은 어휘력이 증가하고 지식이 증가하면서 곧 사라진다(고은, 2021 : 135).

3) ① 스크립트의 내용은 ㉢과 같은 상황을 만들면 상우는 "신발장 열어 주세요."라는 요구하기의 기능이 담긴 발화를 할 가능성이 높으며, 이 발화는 대상(신발장)-행위(열다)의 의미 관계로 구성되어 있음을 의미한다. 따라서 신발장의 문이 열리지 않는 상황을 설정해 놓으면 된다.

Check Point

(1) 강화된 환경 중심 언어중재

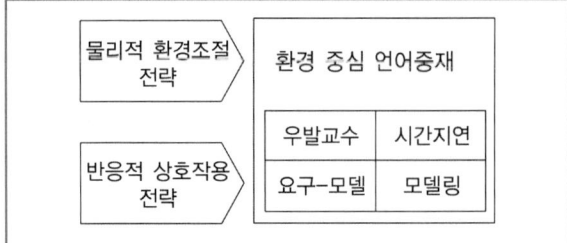

(2) 반응적 상호작용 전략

전략	방법
아동 주도 따르기	아동의 말이나 행동과 유사한 언어적·비언어적 행동을 하며 아동 주도에 따른다. 아동이 말하도록 기다려 주고, 아동이 하는 말이나 행동을 모방한다. 아동의 관심에 기초하여 활동을 시작하고 다른 활동으로 전이할 때에도 아동이 흥미를 편향한다.
공동관심 형성하기	아동이 하는 활동에 교사가 관심을 보이며 참여한다. 아동이 활동을 바꾸면 성인도 아동이 선택한 활동으로 바꾼다.
정서 일치시키기	아동의 정서에 맞추어 반응한다. 그러나 아동의 정서가 부적절하면 맞추지 않는다.
상호적 주고받기	상호작용을 할 때에는 아동과 성인이 교대로 대화나 사물을 주고받는다.
시범 보이기	먼저 모델링이 되어 준다. 혼잣말 기법이나 평행적 발화 기법을 사용한다.
확장하기	아동의 발화에 적절한 정보를 추가하여 보다 완성된 형태로 다시 들려준다.
아동을 모방하기	아동의 행동 또는 말을 모방하여 아동과 공동관심을 형성하거나 아동에게 자신의 말이 전달되었음을 알려 준다.
아동 발화에 반응하기	아동이 한 말에 대해 고개를 끄덕이거나 '응', '옳지', '그래' 등과 같은 말을 해 주면서 아동의 말을 이해했다는 것을 알려 주고 인정해 준다.
아동 반응 기다리기	아동이 언어적 자극에 반응할 수 있도록 적어도 5초 정도의 반응시간을 기다려 준다.

출처 ▶ 고은(2021 : 432-433)

82 2022 중등A-1

모범답안

㉠	다음 중 택 1 • 말의 높낮이 • 말의 강세 • 말의 리듬 • 말의 속도
예	다시 말해 줄래?

해설

지문 돋보기

표정, 몸짓으로 대답하고 표현합니다.	비언어적 요소
친구의 표정과 몸짓을 자세히 살펴보세요. 표정과 몸짓에 대답과 생각이 담겨 있습니다.	
친구에게 이야기할 때 표정과 몸짓을 많이 사용하여 말해 주세요.	
쉬운 낱말을 사용하여 짧은 문장으로 천천히 말해 주세요.	언어적 요소

예) 듣는 사람의 입장에서 자신이 이해할 수 없었던 부분에 대하여 수정해서 다시 말해 줄 것을 요구하는 행위를 '명료화 요구 전략'이라고 한다. 아동이 화자인 경우 명료화 전략은 잘못 발화한 부분에 대해 반복하거나 재형성하도록 요구하는 피드백이다. 교사의 입장에서 아동이 말한 메시지를 좀 더 명료화시키는 방법에는 질문하기와 의역하기가 있다.

83
2022 중등B-2

모범답안
- ⓒ 의미착어
- ⓓ 막힘

해설

(가) 착어란 유창하고 문법적으로 적절히 말하는 의뢰인들에게 나타나는 낱말의 대치를 말한다. 의도한 낱말이, 이를 테면 car를 truck으로 말하는 것처럼 의미에 의거하여, 그리고 car를 tar라고 하는 것처럼 유사한 소리에 의거하여, 또는 기타 관련성에 의거하여 연합된다(Owen et al., 2018 : 158). '전화'와 '콜 센터', '운동'과 '체육'의 관계를 볼 때 학생 B는 목표단어 대신 그 단어와 의미적으로 연관된 다른 단어로 대치된 반응을 보이는 의미착어의 특징을 보이고 있다.

Check Point

착어의 구분

음소착어	단어 내 일부 음소를 다른 음소로 대치하여 반응하는 것
의미착어	목표단어 대신 그 단어와 의미적으로 연관된 다른 단어로 대치된 반응을 보이는 것
형식착어	한 개 이상의 음소대치로 인해 다른 의미 있는 단어로 변하는 경우
신조착어	해당 언어의 사전에는 존재하지 않는 비단어 혹은 신조어를 만들어서 표현하는 것

84
2022 중등B-10

모범답안
- ⓞ 전보식 문장(또는 전보식 표현)
- ⓒ 자극반응도

해설

ⓞ 전보식 문장이란 조사나 문법적 의미를 가진 단어들은 모두 생략하고 대부분 핵심단어로만 이루어진 문장을 말한다(고은, 2021 : 137). 학생 I가 오랫동안 조사나 연결어(문법 형태소 또는 형식 형태소) 등을 생략하고 명사나 동사(어휘 형태소 또는 실질 형태소) 중심으로 짧게 말하는 경향을 보였음은 전보식 문장을 사용하는 특성이 있음을 의미한다.

ⓒ 조음·음운장애의 진단평가 과정에서는 자음정확도가 가장 널리 사용되며 이외에도 단어단위 음운발달 지표인 평균음운길이, 개정자음정확도, 명료도, 용인도, 자극반응도 등의 다양한 지표를 이용한다(김수진 외, 2020 : 154). 자극반응도는 아동이 오류를 보인 특정 음소에 대하여 청각적·시각적 또는 촉각적인 단서나 자극을 주었을 때, 어느 정도로 목표음소와 유사하게 산출할 수 있는가를 의미한다. 흔히 자극반응도를 검사할 때는 우선 말소리목록 검사를 하고 나서 그때 보인 오류음소들에 대해서만 검사하게 된다. 예를 들어, 아동이 어두에 나오는 /ㄱ/에서 오류를 보였다면, 먼저 /ㄱ/나 '가방'을 발음해 주면서 모방하게 한다. 그래도 못할 경우 설압자로 조음점인 연구개나 혓몸을 짚어 주고 발음하게 해 볼 수 있다(심현섭, 2017 : 223).

ⓢ 우리말 조음·음운평가(U-TAP)를 이용하여 검사할 경우 아동의 발음을 그대로 전사한 후에는 정조음은 (+)로, 대치한 경우에는 대치한 음소를 그대로 표기하고, 왜곡은 'D' 그리고 생략은 'Ø'으로 표기한다(고은, 2021 : 209).

Check Point

(1) 실문법증과 전보식 문장

① 실문법증 발화는 짧고, 단순하거나 간략한 통사구조를 보이며, 또한 많은 경우에 단순히 내용어의 나열 형태를 보이는 경우도 있다. 언어적 수단이 제한되었음에도 불구하고 최대한의 정보를 전달하기 위해서 의도적으로 표어체 형식이나 전보체 형식과 같은 단순화된 언어가 사용되는 경우가 있다.

② 실문법증과 전보체를 같은 형태로 보는 경향이 있으나, 이는 서로 다른 현상이다.

출처 ▶ Tesak(2007 : 52-53)

(2) 교실에서의 조음·음운장애 중재 방법

교사가 사용하는 말은 아동들에게 단순히 '말' 이상의 의미를 갖는다. 아동들에게 '말의 모델'이 되기 때문에 교사는 분명한 발음, 적절한 속도, 적절한 강도 그리고 표준어를 사용하여야 한다. 음운인식 능력은 조음 산출을 위한 기초다. 소리에 대해 집중하고 변별하는 능력을 조기에 길러주는 것은 조음·음운장애의 예방적 측면에서 매우 효과적이다. 조음장애를 가지고 있는 아동을 지도할 때 교사는 다음과 같은 점을 고려하여 접근하여야 한다(고은, 2014 : 238-241).

① 아동의 발달 단계에서 습득 시기가 빠른 음소부터 지도한다.
② 일상생활에서 사용 빈도수가 높은 음소부터 지도한다.
③ 자극반응도(특정 음소에 대해서 청각적·시각적·촉각적인 단서가 주어졌을 때 목표음소와 유사하게 조음하는 능력)가 높은 음소부터 지도한다.
④ 오류의 일관성이 없는, 즉 가끔 올바르게 발음하기도 하는 음소부터 지도한다.
⑤ 첫음절에 가장 집중이 되기 때문에 가르치고 싶은 음소는 초성에 놓인 것부터 하는 것이 좋다. 예를 들면, 유음 /ㄹ/의 경우 /라면/이 /신라/보다 더 효과적이다.
⑥ 단음절이 다음절 단어보다 조음하기 쉬우므로 /자동차/보다는 /차/라는 단어를 먼저 사용한다.
⑦ 명사, 단단어, 의미적으로 쉬운 개념을 갖는 단어를 먼저 가르친다.
⑧ 음운인식에 대한 지식이 형성되지 않은 혹은 결함을 가지고 있는 아동에게는 행위와 함께 전달하는 것도 효과적이다. 손바닥에 철자를 쓴다거나, 전체 몸을 이용하여 /i/, /a/, /o/ 등의 모음을 모방한다거나, /h/음 같은 경우에는 숨을 뱉을 때 가슴에 손을 얹고 기류를 느끼게 하는 것도 좋다. 무성음과 유성음에서 문제를 보이는 아동은 자신의 손을 후두에 대고 떨림을 인지하도록 하는 것이 도움이 된다.
⑨ 교사는 좀 더 적극적으로 언어치료적 수업을 설계할 수 있다. 우선 교사가 목표로 하는 음소나 단어 앞에서는 잠깐 휴지를 두어야 한다. 아동이 집중할 수 있는 시간을 준 다음 천천히 그러나 약간 강세를 두고 반복해서 조음을 해 주어야 한다. 그래야만 아동이 교사가 주는 수정 모델에 청각적으로 주의를 기울일 수 있다.
⑩ 선택 질문을 줌으로써 아동이 특정 발음을 하되, 교사의 발음을 한 번 듣고 발음할 수 있는 기회를 준다. "이것은 어떤 나무일까요?"라고 질문을 하기보다는 "이것은 사과나무일까요, 이과나무일까요?"라고 물어봄으로써 아동이 음의 차이를 스스로 지각하고 목표음을 산출할 수 있도록 한다.
⑪ 아동이 잘못된 조음을 하였을 때 교사는 즉시 피드백을 해 주어야 한다. "아니야, 틀렸어. 다시 말해 봐." 식의 피드백은 아동이 자신의 오류에 대해 정확하게 인식하지 못하게 하며, 오히려 회피행동을 유도할 수 있으므로 피해야 한다. 물론 아동이 발음을 잘했을 때는 칭찬해야 하지만, 너무 의도적으로 과장하여 그때그때 칭찬을 하는 것보다는 "오늘은 /ㅅ/ 발음이 참 좋았어." 등의 자연스러운 강화가 바람직하다.

85 | 2023 유아A-8

모범답안

2) 공동관심 반응하기(또는 공동관심)

해설

2) 공동관심이란 어떤 사물이나 사건에 대한 인식을 공유하기 위해 자신과 상호작용하는 상대방과 해당 사물이나 사건 사이에서 주의를 끌어 관심을 공유하는 능력을 의미한다.
- 공동관심은 다른 사람과 함께 사물이나 활동을 공유하기 위해서 관심있는 사물이나 사건에 다른 사람의 관심을 유도하려는 신호를 사용하는 것이다. 예를 들어, 관심있는 물건을 다른 사람에게 보여 주거나, 다른 사람의 관심을 끌기 위하여 사물을 가리키는 등의 행동으로 나타난다(김영태, 2019 : 118).

Check Point

📝 **학생의 공동관심 유형**

유형	기술	정의
공동관심 시작하기	협동적인 공동주시	• 학생은 성인과 사물을 번갈아 쳐다보고 관심을 공유하기 위해서 다시 성인을 바라본다(이러한 행동은 사물을 보고 성인을 본 후에 다시 사물을 보는 반대 순서로 행해질 수도 있다). • 이러한 몸짓은 "저거 봐, 재미있는데!"라는 뜻이다.
	보여주기	• 학생은 손에 놀잇감을 들고 관심을 끌기 위해서 성인 앞에 들고 보여준다. 학생은 성인에게 놀잇감을 주지는 않는다. • 이러한 몸짓은 "내가 뭘 가졌는지 봐!"를 의미한다.
	공유하기 위해 건네주기	• 학생은 놀잇감에 대한 도움을 얻기 위해서가 아니라 단순히 공유하기 위해서 성인에게 놀잇감을 준다. • 이러한 몸짓은 "여기 놀잇감이 있으니까 너도 놀아도 돼!" 또는 "네 차례야!"라는 뜻이다.
	가리키기	• 학생은 단순히 성인의 관심을 흥미로운 어떤 것으로 이끌기 위해 사물을 가리킨다. 학생은 성인이 놀잇감에 대해 행동하기를 원하지 않는다. • 이러한 몸짓은 "저거 봐요! 재미있어요."라고 의사소통하는 것이다.
공동관심 반응하기	가리키는 곳 따르기	성인이 사물을 가리킨 후에 학생은 가리킨 곳을 따라 동일한 사물을 바라보는 것으로 반응한다.
	시선 따르기	학생은 성인이 바라보고 있는 것으로 성인의 시선을 따른다.

86   2023 유아B-1

모범답안

1) 몸짓이나 손짓을 통해서도 자신이 원하는 바를 표현하고 이를 통해 상호작용할 수 있기 때문이다(또는 언어에 의존하지 않고도 메시지를 전달/파악할 수 있기 때문이다).

해설

1) 사회적 상호작용은 구어적 의사소통뿐만 아니라 비구어적 의사소통을 통해서도 이루어진다. 언어습득이 이루어지기 이전 단계에서 일반아동들은 비구어적 신호들을 통해 자신이 원하는 바를 표현하고 이를 통해 상호작용을 한다(고은, 2021 : 343).

• 의사소통에 있어 비구어적 요소는 몸짓, 자세, 표정 등과 같은 말이나 언어에 의존하지 않고 메시지를 전달하는 것을 말한다(고은, 2021 : 36). 그러나 비구어적 의사소통은 상황적 맥락에 의해서만 이해가 되고 주변 양육자의 해석에 의존해야만 하는 한계가 있다(고은, 2021 : 130).

87   2023 초등A-4

모범답안

2)
① /고기/를 /오기/로 발음함(또는 /코다리/를 /오다리/로 발음함, /꼬리/를 /오리/로 발음함 등)
② 짝자극 기법

3)
① 회피행동
② 다음 중 택 1
  • 말을 더듬어도 괜찮다는 허용적 분위기를 조성해 준다.
  • 벌, 좌절, 불안, 죄의식과 같은 부정적 정서를 감소시켜 줘야 한다.

해설

2) ② 짝자극 기법은 정조음이 가능한 핵심단어와 훈련단어의 짝에 의해 조음치료를 하는 방법이다. 핵심단어는 10번 가운데 9번을 정조음하는 단어로, 훈련단어는 3번 가운데서 2번 이상 오조음하는 단어로 구성된다. 짝자극 기법의 핵심은 하나의 말소리에 지나치게 집중하기보다는 아동이 정확히 산출하는 단어를 이용하여 다른 단어로 자연스럽게 정조음이 전이될 수 있다는 데 있다. 정확하게 산출할 수 있는 표적음소가 들어 있는 단어 하나와 표적음이 들어 있는 훈련단어들로 하나의 짝을 만들어 훈련하는 것으로서, 핵심단어가 없을 경우에는 일차적으로 핵심단어를 만들어야 한다(고은, 2021 : 220-221).

3) ① 말더듬 초기에는 회피행동이 나타나지 않지만 말더듬이 점차 심화되면서 도피행동이 시작되고 더 진전되면서 회피행동이 나타난다. 회피행동은 음/단어 공포, 상황공포에 직면하지 않기 위해 하는 다양한 행동을 말한다. 가능한 한 사람들을 만나지 않으려고 하고, 부득이하게 사람을 만나야 할 때는 가능한 한 말을 적게 하려고 한다. 다른 사람들이 말을 걸거나 질문을 하지 않도록 시선을 피하거나, 눈을 감고 생각에 잠겨 있는 것처럼 행동하거나 딴전을 피운다. 부득이하게 자기가 말을 해야 하는 상황이라면 웃는 표정으로 동의를 표하거나, 간단한 몸짓이나 제스처로 의사표시를 하거나, '예', '아니요'와 같은 간단한 표현을 한다. 질문에 대한 답을 알고 있더라도 말더듬 행동에 대한 두려움으로 모르는 것처럼 행동한다(곽미영 외, 2020: 182-183).

② 말을 더듬는 사람들이 가지는 대표적인 심리적인 특성으로는 부모의 기대에 미치지 못한다는 죄책감과 사람들과의 접촉에서 느끼는 수치심, 좌절감 그리고 낮은 자아개념 등을 들 수 있다(고은, 2021: 250). 아동이 보내는 시간이 많은 교실에서 교사가 말더듬에 대해 어떠한 태도를 취하는가는 매우 중요하다.

Check Point

(1) 말더듬 아동을 위한 교사 교육
① 부정적 정서를 감소시켜 주어야 한다.
② 말을 더듬어도 괜찮다는 허용적 분위기를 조성해 준다.
③ 질문할 때는 짧고 간단한 문장으로 한다.
④ 아동이 말을 하려고 할 때는 절대로 중단하거나 다른 아동이 끼어들지 않도록 하고, 교사가 충분히 그 아동에게만 집중하는 모습을 보여 준다.
⑤ 듣기가 답답하거나 아동이 힘들게 말하더라도 "이 말을 하려는 거지?"하면서 대신 나머지 말을 해 주지 않는다.
⑥ 편안하고 수용적인 학급 분위기를 조성한다.
⑦ 교사는 말의 속도를 늦추고, 아동의 발화가 끝난 후 바로 대답하지 말고 시간간격을 둔 후에 반응한다.

출처 ▶ 고은(2021: 266-267)

(2) 파라다이스-유창성 검사
이 검사는 취학 전 아동, 초등학생, 중학생 이상으로 연령에 따라 검사문항을 달리하도록 되어 있다. 취학 전 아동의 경우에는 그림으로 표현된 쉬운 어휘를 중심으로 검사하며 구어평가에서는 '읽기' 대신 글자가 없는 그림책을 활용하는 등 파라다이스-유창성 검사는 연령대별로 나누어 검사 과제의 종류, 문항 그리고 그림형식들을 달리한다. 검사는 구어평가와 의사소통 태도평가로 구성되어 있다(고은, 2021: 254-255).

88 2023 초등B-5

모범답안

1) 의도적인 비구어 단계(또는 언표내적 단계)
3) (사물) 요구하기

해설

1) 제시되어 있는 민수의 의사소통 특성을 살펴보면 다음과 같다.

내용	단계와의 관련성
• 요구하는 상황에서 • 가지고 싶은 물건이 있으면	의사소통의 목적
• '으', '거' 등의 소리를 내거나 • 몸을 앞뒤로 흔드는 행동	부정확한 발음 혹은 일정한 행동이나 몸짓

• 의도적인 비구어 단계는 학생이 정확한 발음의 구어는 아니지만 관습적인 몸짓이나 부정확한 발음 혹은 일정한 행동이나 몸짓 등으로 표현하는 단계이다(박은혜 외, 2019: 282).

• 의도적인 의사소통이라 함은 아동 자신이 신호를 보내기 이전에 그 신호가 상대방에게 어떤 영향을 미쳐서, 어떤 행동적인 결과를 초래하리라는 인과관계를 충분히 이해하는 것을 의미한다. 그래서 그 목적이 달성되거나 그렇지 못하리란 확신이 설 때까지 계속해서 의사소통을 시도해 보는 것이다(김영태, 2019: 33).

3) (지체장애 학생의) 초기 의사소통 교수는 제스처나 몸짓, 간편한 수어 등을 사용하여 지도하는 것이 수월하다. 요구하기 등의 반응이 직접적이고 빠른 것을 먼저 지도하는 것이 도움이 된다. 지도의 초기 단계에서 학생들은 좋아하는 사물을 획득하고 간직하기 위한 수단으로 '요구하기'와 '거절하기'를 배운다. 요구하기 기술은 정상 발달단계에 있는 학생에게서 나타나는 초기 의사소통 기능이다. 요구하기를 지도하기 위해서 사물이나 행동을 취사선택할 수 있는 수단을 제공하기 때문에 초기 의사소통의 목표로 성공 가능성이 높은 목표 행동이 된다(박은혜 외, 2023: 243).

Check Point

📝 의사소통 발달 단계

단계	내용
전의도적 단계 (언향적 단계)	• 학생이 자신의 의도를 정확하게 표현하지 못하므로 대화 상대자가 학생이 표현하고자 하는 의도를 주도적으로 해석해야 하는 단계이다. • 아기가 울면 배고프다는 신호로 여기고 양육자는 우유를 먹인다. 즉, 구체적으로 우유를 달라고 운 것은 아니지만 양육자의 도움을 요구하는 의사소통 기능을 수행한다.
의도적인 비구어 단계 (언표내적 단계)	• 학생이 정확한 발음의 구어는 아니지만 관습적인 몸짓이나 부정확한 발음 혹은 일정한 행동이나 몸짓 등으로 표현하는 단계이다. • 아동이 병을 잡으려고 할 때 병을 한 번 보고 양육자를 쳐다본 후 다시 병을 바라본다. 이는 병을 달라는 의도적 행동이다.
의도적인 상징적 의사소통 단계 (언표적 단계)	• 구체적인 의도를 가지고 상대방을 향해 단어나 기타 상징체계를 사용하여 지적하거나 표현하는 단계이다. • 아동은 병을 지칭하는 '벼~벼' 소리를 통해 병을 달라고 요구한다.

89   2023 중등A-8

모범답안

- 탈기식음화
- ㉠ 최소대립쌍
  말소리 하나를 교체함으로써 의미의 변별이 생기는 단어의 쌍을 의미한다.
- ㉡ 확인

해설

(가) 기식음(격음, 거센소리, 유기음)인 /ㅍ/, /ㅌ/, /ㅋ/이 예사소리(평음)인 /ㅂ/, /ㄷ/, /ㄱ/으로 발음되고 있다.

㉠ 최소대립쌍의 의미는 다음과 같다.

김광해 외 (고은, 2021 : 225 재인용)	말소리 하나를 교체함으로써 의미의 변별이 생기는 음절이나 단어의 쌍을 말한다.
이진호(2020 : 31)	오로지 같은 자리에 오는 하나의 음운만 차이 남으로써 그 뜻이 구별되는 단어의 묶음을 말한다.
석동일(2004 : 187)	단지 하나의 음의 속성만 달리하고 다른 음소적 속성은 같이 하는 두 낱말의 짝을 말한다.

Check Point

📝 변별자질 접근법의 중재 단계

단계	내용
확인 단계	아동이 치료에 사용될 어휘의 개념을 아는지를 본다.
변별 단계	• 아동이 변별자질을 지각할 수 있는지를 알아본다. • 변별자질의 지각 여부를 파악하기 위해 최소대립쌍을 사용한다.
훈련 단계	• 최소대조를 인식하고 단어를 발음한다. • 아동에게 그 단어를 말하도록 하고 치료사는 아동이 발음한 단어와 일치하는 그림을 가리킨다.
전이-훈련 단계	아동이 표적단어를 발음할 수 있게 되면 길고 복잡한 문장에서 훈련한다.

90 | 2023 중등B-4

모범답안

- ㉠ (아~) 사과를 먹었어요?(또는 사과를 먹었구나.)
  ㉡ 재미있는 영화 봤어요.
- ㉢ 연구개음

해설

㉠ 고쳐 말하기 전략이란 오류가 있는 말의 일부나 전부를 수정해 주는 형태로서, 오류를 명시적으로 지적하지 않고, 교정한 상태로 말해주는(고은, 2021 : 435) 교정적 피드백 유형이다. 학생 A의 경우 언어 규칙의 습득이 지체되어 있기 때문에 목적어와 서술어의 관계를 명확히 하여 교정한 상태로 말해준다.

㉡ 확대는 아동의 발화에서 단어의 의미를 보완해 주는 데에 초점을 맞춘다(고은, 2021 : 435). 학생 B의 경우 형용사나 부사의 사용 빈도가 낮은 특성이 있기 때문에 형용사나 부사를 이용하여 단어의 의미를 보완해 주는 것이 필요하다.

Check Point

✎ 교정적 피드백의 유형

유형	설명
명시적 오류수정	발화에 오류가 있음을 명확하게 알려 주고 올바른 발화를 직접 제시해 주는 형태다. 예 고양이를 보고 "저기 멍멍이!"라고 말하면, "멍멍이가 아니라 고양이야."라고 정확한 표현을 제시해 준다.
상위언어적 교정	오류에 대해 명확하게 수정하는 대신에 오류에 대한 힌트를 주거나 정확한 형태에 대한 코멘트, 정보나 질문을 제공하는 형태다. 예 "나 줘."라고 말하면, "어른들한테 말할 때는 어떻게 하라고 했지?"라고 하면서 존댓말을 유도한다.
고쳐 말하기	오류가 있는 말의 일부나 전부를 수정해 주는 형태로서, 오류를 명시적으로 지적하지 않고, 교정한 상태로 말해 준다. 예 아동: 띤발(발음오류) 있어. 　　교사: 아~ 여기 신발이 있구나?
명료화 요구	교사가 아동의 말을 잘 이해하지 못했거나 잘못된 발화를 하였을 때, 발화를 다시 한번 반복하거나 수정할 것을 요구한다. 중립적인 언어를 사용할 수도 있고, '무엇을 주라고' 등의 특정적 어휘를 요구할 수도 있다. 예 아동: 선생님, &8^% 있어요. 　　교사: 미안해, 뭐라고? (또는) 저기 뭐가 있다고?
이끌어 내기 (유도)	학생 스스로가 정확한 형태를 발화하도록 유도하여 제공하는 피드백이다. 언급한 것을 완성하게 하거나 올바른 언어형태를 이끌어 내기 위해 질문을 할 수 있다. 예 교사: (그림책을 보면서) 여기 큰 호랑이가 있네. 호랑이 뭐 하고 있어? 　　아동: 아~ 벌려(어휘오류) 　　교사: 입을 크게 벌리고 뭐 하고 있지? 　　아동: 하품
반복하기	잘못된 발화 부분을 반복하여 말해 준다. 이때는 억양을 다르게 해주는 것이 좋다. 예 교사: 내 엄마의 엄마는 뭐라고 부르지? 　　아동: 엄마엄마(어휘오류) 　　교사: 엄마엄마?↗

출처 ▶ 고은(2021 : 435)

91   2024 유아A-1

모범답안

1) 공동관심 시작하기 행동을 할 수 있다(또는 동주가 좋아하는 곤충을 다른 사람에게 먼저 보여줄 수 있다).

해설

1) (가)에 의하면 동주는 곤충을 좋아한다. 그리고 공동관심 측면에서 상호작용 중 상대방이 가리키거나 쳐다보는 사물, 사람 혹은 사건을 함께 쳐다볼 수는 있다. 즉, 공동관심의 유형 중 공동관심 반응하기는 가능하다. 그러나 (나)의 내용에 의하면 교사들은 동주가 자신이 좋아하는 곤충을 먼저 보여주도록 하는 공동관심 시작하기 중 보여주기를 지도하고 있음을 알 수 있다.

Check Point

✏ 학생의 공동관심 유형

유형	기술	정의
공동관심 시작하기	협동적인 공동주시	• 학생은 성인과 사물을 번갈아 쳐다보고 관심을 공유하기 위해서 다시 성인을 바라본다(이러한 행동은 사물을 보고 성인을 본 후에 다시 사물을 보는 반대 순서로 행해질 수도 있다). • 이러한 몸짓은 "저거 봐, 재미있는데!"라는 뜻이다.
	보여주기	• 학생은 손에 놀잇감을 들고 관심을 끌기 위해서 성인 앞에 들고 보여준다. 학생은 성인에게 놀잇감을 주지는 않는다. • 이러한 몸짓은 "내가 뭘 가졌는지 봐!"를 의미한다.
	공유하기 위해 건네주기	• 학생은 놀잇감에 대한 도움을 얻기 위해서가 아니라 단순히 공유하기 위해서 성인에게 놀잇감을 준다. • 이러한 몸짓은 "여기 놀잇감이 있으니까 너도 놀아도 돼!" 또는 "네 차례야!"라는 뜻이다.
	가리키기	• 학생은 단순히 성인의 관심을 흥미로운 어떤 것으로 이끌기 위해 사물을 가리킨다. 학생은 성인이 놀잇감에 대해 행동하기를 원하지 않는다. • 이러한 몸짓은 "저거 봐요! 재미있어요."라고 의사소통하는 것이다.
공동관심 반응하기	가리키는 곳 따르기	성인이 사물을 가리킨 후에 학생은 가리킨 곳을 따라 동일한 사물을 바라보는 것으로 반응한다.
	시선 따르기	학생은 성인이 바라보고 있는 것으로 성인의 시선을 따른다.

92   2024 유아A-2

모범답안

3) ① 전언어 단계
② 엄마와 의사소통을 위한 외적 언어(또는 사회적 언어)가 나타나지 않았기 때문이다.

Check Point

✏ 비고츠키의 언어발달 단계

[1단계] 전언어 단계	• 0~2세 영아기 • 울음과 같은 정서 방출 • 타인의 목소리에 대한 사회적 반응 • 부모가 어떤 대상을 특정 단어와 빈번히 짝지어 줌으로써 단어들의 조건반사적 학습
[2단계] 상징적 언어 단계	• 2세 이후 • 의사소통을 위한 외적 언어(사회적 언어) 단계 • 사고가 단어로 변형 • 문법의 내면적 기능은 인식하지 못함
[3단계] 자기중심적 언어 단계	• 3~6세 • 외적 기호를 내적 문제해결의 보조수단으로 사용(손가락으로 수를 세거나, 자신이 활동하는 동안 독백을 하는 형태) • 스스로에게 조용하게 말하는 혼잣말 형태
[4단계] 내적 언어 단계	• 말이 사고로 내면화된 단계 • 자기중심적 언어의 성숙으로 나타남(머릿속으로 수를 세며 논리적 기억을 사용)

출처 ▶ 고은(2021)

93 | 2024 유아A-4

모범답안

| 3) | 과잉확대 |

해설

3) 과잉확대는 유아가 아직 알고 있는 어휘의 양이 부족하고 정확한 지식이 형성되지 않아서 생기는 현상으로서, 예를 들면 성인 남자를 모두 '아빠'라고 한다거나, 네 발 달린 동물을 모두 '개'라고 말하는 것이다. 이러한 현상은 잠깐 동안 나타났다가 어휘력과 지식이 증가하면서 점차 사라진다(고은, 2021 : 135).

Check Point

✎ 두 단어 시기에 나타나는 대표적인 어휘발달의 특징

과잉확대	유아가 아직 알고 있는 어휘의 양이 부족하고 정확한 지식이 형성되지 않아서 생기는 현상으로, 잠깐 동안 나타났다가 어휘력과 지식이 증가하면서 점차 사라진다.
과잉축소	단어가 가지고 있는 본래의 뜻보다도 더 좁은 의미로 사용하는 현상으로, 자신이 가지고 있는 경험 속에서만 단어의 의미를 제한하는 것이며, 어휘력이 증가하고 지식이 증가하면서 곧 사라진다.
과잉일반화	유아가 언어를 배우는 과정에서 사용규칙을 일반화시키는 것이다.
주축문법	주축이 되는 단어를 중심으로 새로운 단어를 조합하여 문장을 표현하는 것으로, 두 단어 시기의 유아 말에서 관찰된다.
수평적 어휘확장	유아가 단어의 여러 가지 속성을 알고 다양한 상황에서 그 단어의 의미를 경험함으로써 한 단어의 관습적 의미를 이해하며 이를 통해 어휘를 배우는 것을 말한다.
수직적 어휘확장	유아가 어떤 어휘의 개념 속성을 학습하게 되면 이와 관련된 단어들을 하나의 의미 집합체로 구성할 수 있게 되어 어휘를 학습하게 되는 것을 말한다.
전보식 문장	조사와 연결어 등을 생략하고 명사와 동사 중심으로 짧게 말하는 것을 의미한다.

94 | 2024 유아A-5

모범답안

1)	치조음화(또는 후설음화)
2)	① 반복 ② 말더듬에 대한 부정적 감정과 태도를 갖지 않도록 하면 말더듬의 핵심행동과 부수행동을 줄일 수 있기 때문이다.
3)	① 표적음을 포함한 단어 중 10번 가운데 9번은 정조음을 할 수 있는 단어 ② '뽀이'를 핵심단어로 선정하여 '뽀이'를 지적하면 민지가 발음하고, 다음 훈련단어인 '뽕'을 제시하면 '뽕'을 발음한다.

해설

1) ㉠과 ㉡의 발음에 나타난 대치 음운변동 현상을 자음에 한하여 살펴보면 다음과 같다.

㉠	ㅃ (양순음, 파열음, 된소리)	→	ㄷ (치조음, 파열음, 예사소리)	• 치조음화 • 후설음화 • 이완음화
㉡	ㅂ (양순음, 파열음, 예사소리)	→	ㅌ (치조음, 파열음, 거센소리)	• 치조음화 • 후설음화 • 기식음화

2) ② 말더듬 수정법은 말을 더듬지 않으려는 회피와 노력이 결국 말더듬을 악화시키므로 말에 대한 공포감을 줄이고 긍정적인 태도를 갖게 되면 말의 유창성이 만들어진다는 데서 출발한다. 따라서 말을 더듬는 순간에 화자가 가능한 한 긴장과 투쟁 없이 말을 더듬는 방법을 배우는 것이 말더듬 수정법이다(고은, 2021 : 261).

3) ① 짝자극 기법은 정조음이 가능한 핵심단어(열쇠단어)와 훈련단어의 짝에 의해 조음치료를 하는 방법이다. 핵심단어는 10번 가운데 9번을 정조음하는 단어로, 훈련단어는 3번 가운데서 2번 이상 오조음하는 단어로 구성된다(고은, 2021 : 220).
   - 핵심단어는 표적음을 사회적으로 수용되는 방법으로 10번 가운데 적어도 9번은 아동이 발음을 할 수 있는 단말로 규정한다. 핵심단어는 어두나 어말위치에 단 한 번 표적음을 내포하고 있어야 한다. 만약 핵심단어가 어린이의 어휘 가운데서 발견되지 않으면 가르쳐서 핵심단어를 만든다(석동일, 2004 : 104).
   ② 정조음할 수 있는 횟수가 명확하게 제시되어 있지는 않으나 민지가 산출한 단어를 활용하도록 하고 있으므로 정조음한 '뽀이'를 핵심단어로 하고 오조음하는 단어인 '뽕'을 훈련단어로 선정하여 지도하는 것이 적절하다.

Check Point

📝 **짝자극 기법의 단계별 내용**

단계	내용
단어 수준	• 핵심단어 '가방'을 지도한다. • '가방'을 지적하면 학생이 발음하고, 다음 훈련단어인 '감'을 제시하면 '감'을 발음한다. • 가방-감, 가방-공, 가방-가지, 가방-교회 등으로 이행한다. … (중략) … • 핵심단어 '달력'을 지도한다. • '달력'과 다양한 훈련단어를 짝지어 학습한다. 예 달력-약, 달력-주먹, 달력-북 등
문장 수준	핵심단어 '가방'에 해당하는 질문에 훈련단어를 넣어 반응 문장을 완성하게 한다. 예 가방 옆에 무엇이 있어요? - 가방 옆에 감(훈련단어)이 있어요. - 가방 옆에 거울(훈련단어)이 있어요.
회화 수준	표적음소를 포함하는 회화에 참여하여 연속적으로 바르게 발음하도록 한다. 예 집에는 무엇이 있어요?(교사는 표적음 /ㄱ/을 포함하는 반응을 유도할 수 있는 질문을 한다.) 우리집에는 금붕어, 냉장고, 가위가 있어요.

95
2024 유아A-6

모범답안

3) ① 우발교수
② 풍선이라고 말해 보세요.

해설

3) ① 단비가 천장에 붙어 있는 풍선을 바라본 후 안 교사를 바라보며 풍선을 줄 것을 요구하고 이에 안 교사가 요구-모델의 방법을 이용하여 좀 더 복잡한 반응을 유도하고 있는 상황이므로 환경 중심 언어중재법 중 우발교수에 해당한다.
  • 우발교수는 언어를 확장하기 위해서 학생이 요구하기를 할 때 사용한다. 일단 학생이 요구를 하면, 교사는 좀 더 복잡한 반응을 위해 모델, 요구, 지연을 제공한다(Best et al., 2018: 296-297).
② 단비가 풍선이라고 말한 것은 그 이전에 안 교사가 풍선이라고 말하는 것을 시범 보인 것을 따라 한 것이며, 단비가 정확한 반응을 보였기 때문에 단비가 원하는 풍선을 줌으로써 강화를 제공하고 있다.

96
2024 유아A-8

모범답안

1) 화용론

해설

1) 화용론은 실제 상황적 맥락에서 화자와 상대방에 의해서 쓰이는 말의 기능(사용)과 관계되는 영역이다(김영태, 2019: 16).
  • 화용론은 언어의 사용원리를 연구하는 학문이므로 언어적 요소뿐만 아니라 비언어적 요소도 포함하며, 연구 분야 또한 매우 넓다(고은, 2021: 100).

Check Point

📝 **화용론의 결함**

화용론의 결함은 다음과 같은 형태로 나타난다.
① 문장에 표면적으로 나타나는 낱말의 의미만 이해하고, 그 속에 숨겨져 있는 상대방의 의도를 파악하지 못한다.
② 상대방의 비언어적 의도를 파악하는 데 어려움을 보인다. 특히, 얼굴표정이나 강세, 억양 등에 전달되는 비언어적인 의도를 파악하지 못한다.
③ 대화를 시작하고 유지하는 데 어려움을 보인다.
④ 의사소통 순서를 잘 지키지 못하여 상대방이 말하는 도중에 끼어들거나, 대답을 기다리지 않고 질문만 하기도 한다.
⑤ 원인-결과 관계를 이해하는 데 결함을 나타내기 때문에 이야기 전체의 의미를 해석하거나, 종말을 추측하거나, 모순점을 찾으라는 과제에 대하여 어려움을 나타낸다.
⑥ 간접적인 표현이나 완곡한 표현을 이해하지 못한다.
⑦ 제한된 의사소통 기능만을 나타낸다.
⑧ 상대방의 전제나 가정에 대한 인식이 부족하다.
⑨ 인칭, 위치, 시간 등을 나타내는 상대어나 지시어, 관계어 등의 사용에 결함을 보인다.
⑩ 의미론적 결함이 동반된 경우에는 상대방의 말을 부분적으로 또는 완전히 반복하는 반향어나 기계적인 상투어의 사용을 보이기도 한다.

97 2024 초등A-3

모범답안

1)	[A]는 특정음에서 일관적인 오류를 보이고, [C]는 오류가 일관적이지 않다.
2)	① 조음점 지시법 ② /가-방/을 합쳐서 말해 보세요(또는 /가/와 /방/을 합쳐서 말해 보세요).
3)	① 확대 ② 평행적 발화 기법

해설

1) [A]는 구강 운동 기능의 결함으로 인해 조음기관의 협응이 잘 이루어지지 않아서 특정 음소에서만 발음이 부정확한 조음장애 유형을, [C]는 조음기관의 결함은 없으나 음운상의 오류를 보이고, 말소리의 구조를 인지하거나 변별하는 능력에 결함이 있는 음운장애를 제시하고 나타내고 있다. 조음장애의 경우 몇 개의 특정음에서만 오류를 보이며, 특정음에서 일관적인 오류를 보이는 데 반해 음운장애는 복합적인 조음오류를 보이며, 오류가 일관적이지 않다.

  • 조음장애란 조음기관의 결함으로 특정음에서 일관된 오류를 보이는 경우를 말한다. 반면에 음운장애란 말소리의 규칙을 습득하고 사용하는 데 문제가 있는 경우로서 독립된 음소는 발음할 수 있으나 단어 내 음소들이 결합되면 그 변화에 따라 오류를 보인다. 만들어진 조음을 단어에서 정확하게 사용하는 기능의 문제이기 때문에 말장애가 아닌 언어장애의 일부로 보기도 한다. 즉, 조음장애는 언어산출 이전 단계에서는 문제를 보이지 않고, 단지 발음을 산출하는 데에서 문제가 발생하는 반면, 음운장애는 음운체계, 즉 언어지식과 관련되어 있다. 그러나 조음장애와 음운장애는 개념적으로는 다르지만, 임상에서는 독립적으로 나타날 수도 있고 동시에 나타날 수도 있다(고은, 2021 : 198-199).

2) ① 조음점 지시법은 수동적 방법의 하나로서 치료사가 지시해 주는 대로 조음 위치나 방법을 지각하는 훈련을 말한다. 예를 들어, 치료사는 설압자나 면봉 등을 이용하여 조음점을 지적해 준다. 또는 구강모형이나 그림 등을 사용하여 입술과 혀의 위치를 지도할 수도 있다. 소리나 그림 등을 통한 조음점 지시법은 구체적 조작기에 있는 초등학교 연령 학생들에게 효과적이다(고은, 2021 : 223).

3) ① "우유"에 대해 "초코 우유", "딸기 우유", "바나나 우유"와 같이 발화 주제는 그대로 유지한 상태에서 어휘만 더 첨가하여 단어의 의미를 보완(즉, 내용적 보완)해 주는 데에 초점을 맞추고 있기 때문에 발화 후 언어지극 전략 중 확대에 해당한다.

   ② 어머니가 영호의 입장에서 말해주도록 하고 있다. 성인(교사, 부모 등)이 학생의 입장에서 학생의 행동을 표현해 주는 발화유도 전략은 평행적 발화 기법이다.

Check Point

📝 **조음장애와 음운장애의 비교**

조음장애	음운장애
• 몇 개의 특정음에서만 오류를 보인다. • 특정음에서 일관적인 오류를 보인다. • 말을 산출하는 조음기관의 이상으로 나타난다. • 조음기관을 통하여 말소리가 만들어지는 과정에서의 결함을 말한다.	• 복합적인 조음오류를 보인다. • 오류가 일관적이지 않다. • 문맥이나 단어의 위치에 따라 오류가 나타난다. • 음운지식이나 능력의 부족으로 정상적인 음운규칙을 사용하지 못하고 오류음운 패턴을 사용하는 것을 말한다.

출처 ▶ 고은(2021 : 198)

98
2024 초등B-4

모범답안

1) 고모음으로 조음한다.

Check Point

📝 **모음 사각도**

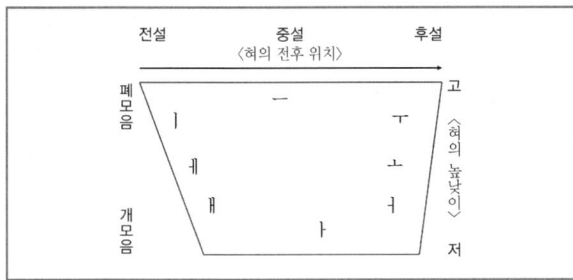

혀의 높낮이에 따른 분류	고모음 (폐모음)	혀끝이 입천장에 가깝게 하고 입을 좁게 열어서 조음되는 모음 예 /ㅣ/, /ㅡ/, /ㅜ/
	중모음	발음할 때 고모음보다 입이 더 열려서 혀의 위치가 중간인 모음
	저모음 (개모음)	혀끝이 입천장에서 멀리 떨어지고 입을 크게 열어서 조음하는 모음 예 /ㅏ/
혀의 전후위치에 따른 분류	전설모음	입천장의 중간점을 기준으로 하여 혀의 최고점이 앞부분에 있을 때 발음되는 모음 예 /ㅣ/, /ㅔ/, /ㅐ/
	후설모음	입천장의 중간점을 기준으로 하여 혀의 최고점이 뒷부분에 있을 때 발음되는 모음 예 /ㅜ/, /ㅗ/, /ㅓ/
입술의 원순상태에 따른 분류	원순모음	입술을 둥글게 오므려서 내는 모음
	평순모음	입술을 펴서 내는 모음
조음 위치의 변화 여부에 따른 분류	단모음	음소를 발음할 때 입이나 혀의 위치가 변하지 않는 모음
	이중모음	발음하는 동안 입술 모양이나 혀의 위치를 처음과 나중을 서로 달라지게 하여 내는 모음

99
2024 중등A-3

모범답안

㉠	말명료도
(나)	음운변동 접근법

해설

지문 돋보기

2. 중재 진행 방향
  1) 음운 오류인 탈기식음화 감소를 중재 목표로 설정함: 대치 음운변동 현상 중 탈기식음화가 나타나고 있으므로 이와 같은 오류의 감소를 중재 목표로 설정
  2) 목표음을 지도할 때 문맥적 훈련에 중점을 두어 진행함: 문장으로 말할 때 음운상의 오류를 더 많이 보인다는 점 고려
  3) 한 번에 여러 개 음소를 동시에 수정하고자 함: 언어 인지적 접근법 적용

㉠ 특수교사의 발화 내용 중 "학생 A가 발음하는 것을 선생님이 알아듣는 정도"란 말명료도의 개념에 해당하는 내용이다.
  • 말명료도는 화자가 말한 것을 청자가 이해한 정도를 의미한다(곽미영 외, 2020: 137).
  • 화자 입장에서 의사소통의 성공이라는 것은 결국 청자가 자신의 의도를 정확하게 알아듣는 것으로, 그 정도를 언어치료분야에서는 '말명료도'라고 한다(김수진 외, 2020: 159).

(나) 중재 진행 방향에 의하면 자음 정확도와 모음 정확도를 통해 밝혀진 개별 음소를 수정하는 것이 아니라 한 번에 여러 개의 음소를 동시에 수정하고자 하며 문맥적 훈련에 중점을 두어 진행하고자 한다는 점, 탈기식음화 등의 오류 패턴이 있음은 우리말 조음·음운 평가의 개별음소분석이 아닌 음운변동분석을 통해 파악 가능한 내용이라는 점 등을 고려하면 학생 A에게 적용할 조음·음운 중재 기법은 음운변동 접근법임을 알 수 있다.
  • 음운변동 접근법에서는 특정 음소 정확도만으로는 찾아내기 어려운 아동의 조음 패턴을 찾아, 예를 들면 조음평가 결과 ㄷ/ㄱ, ㅈ/ㅋ, ㄸ/ㅊ 등의 대치가 자주 나타났다면 전설음화가 자주 나타난다고 보고 치료의 초점을 개개의 다른 음을 가르치기보다 아동에게 나타나는 비정상적인 전설음화 변동을 제거함으로써 여러 개의 오류음을 동시에 수정하는 데 둔다. 이것이 효과적인 이유는 개별 조음오류 현상에 접근하는 것보다 일반화 가능성이 높아지기 때문이다(고은, 2021: 226).

100   2024 중등B-7

모범답안

- ㉠ 의미론
- ㉡ 자동차의 경우 '자'로 시작한다고 말해 준다.
  ㉢ 자동차의 경우 '타는 거'라고 말해 준다.
- ㉣ 학생에게 직접적인 지시를 하지 않고도 언어적 대화의 상호작용을 유도하는 효과를 기대할 수 있다.

해설

지문 돋보기

- 범주어의 이름이나 기능을 설명하는 단서: 의미적 단서
- 상용구를 활용하는 단서: 구문적 단서
- 자신이 하는 행동에 대하여 자신의 입장에서 혼잣말하는 것을 학생에게 들려 주는 방법: 혼잣말 기법의 정의

㉠ 의미론에 결함이 있는 경우 낱말의 이름을 상기하는 데 어려움을 나타내기도 하는데, 이런 경우 낱말의 이름보다는 그 낱말의 감각적, 기능적 특징만을 설명하기도 한다(김영태, 2019: 96-97).

㉣ 스스로 묻고 답하는 과제전략적인 혼잣말을 교사가 자신의 입장에서 스스로 모델링해 주는 것은 아동에게 직접적인 지시를 하지 않고도 언어적 대화의 상호작용을 유도하는 효과를 기대할 수 있다(고은, 2021: 434).

Check Point

✏️ 낱말찾기 훈련에 사용되는 단서의 종류

	목표 낱말의
의미적 단서	• 동의어 예 '선생님'에 대해 '교사' • 반의어 예 '선생님'에 대해 '학생' • 연상어 예 '팥'에 대해 '빙수' • 동음이의어 예 '사과'에 대해 손바닥으로 싹싹 비는 흉내 • 상위범주어 예 '바지'에 대해 '옷', '가위'에 대해 "이건 문구의 종류인데요."라고 길동이에게 말하기 • 하위범주어 예 '옷'에 대해 '바지, 치마' • 목표 낱말의 기능 예 '자동차'에 대해 '타는 거' • 물리적 특성 예 '자동차'에 대해 '바퀴로 굴러가는 거' • 몸짓으로 그 낱말을 흉내 냄
구문적 단서	• 그 목표 낱말이 자주 사용되는 문맥이나 상용구를 활용하는 것 • 예를 들어, '고추'는 'ㅇㅇ 먹고 맴맴…'과 같은 구문적 단서를 사용할 수 있음
음향-음소적 단서	• 첫음절(예 '자동차'의 경우 '자')을 말해 줌 • 음절 수를 손으로 두드리거나, 손가락으로 알려주는 방법 • 첫 글자를 써 주는 방법 예 길동이의 손바닥에 'ㄱ'을 적어 주며 "선생님이 쓴 글자로 시작합니다."라고 말하기

출처 ▶ 김영태(2019). 내용 요약정리

101   2025 유아A-3

모범답안

1)	비언어적 요소는 말이나 언어에 의존하지 않고 메시지를 전달하는 것이고, 준언어적 요소는 강세, 속도 등을 말에 첨가하여 메시지를 전달하는 것이다.
3)	① 자발화검사 ② 다음 중 택 1 • 표준화검사는 실제 언어사용에 대한 정보 수집이 어렵지만 자발화검사는 아동의 일상적인 표현언어능력을 분석할 수 있다. • 표준화검사는 교수목표 수립에 필요한 정보를 충분히 제공하지 못하지만 자발화검사는 교수목표 수립에 필요한 정보를 제공한다. • 표준화된 검사도구를 실질적으로 사용할 수 없는 장애아동의 언어수준을 평가할 수 있다.

해설

지문 돋보기

- 손을 내밀며 떨리는 눈빛 · 비언어적 요소(몸짓, 표정)
- 많이 달라는 의미로 큰 소리로 빠르게 말하며: 준언어적 요소 (강세, 속도)

1) 비언어적 요소는 몸짓, 자세, 표정 등과 같이 말이나 언어에 의존하지 않고 메시지를 전달하는 것을 말하며, 준언어적 요소란 억양, 강세, 속도, 일시적인 침묵 등과 같이 말에 첨가하여 메시지를 전달하는 것을 말한다(고은, 2021: 35-36).

2) ① [B]와 같은 언어 표본이란 지혜가 실질적으로 일상에서 사용한 표현언어 표본을 의미한다.

② 많은 문헌들은 자발화검사의 장점으로 아동의 실제 언어능력을 분석할 수 있다는 점을 제시하고 있다.

- 자발화 분석은 비표준화된 검사방법이지만, 아동이 실제 표현하는 언어를 분석함으로써 아동의 실제 언어능력을 분석할 수 있는 유효한 수단이다(심현섭 외, 2019: 47).
- 자발화 분석은 선별보다 진단에 목적을 두는 평가방법으로 아동의 일상적인 표현언어능력을 평가한다(강은희 외, 2019: 167).
- 교사는 자발화검사를 통해 보고자 하는 영역별로 발달수준을 알 수 있으며, 몸짓언어를 비롯한 비구어적 의사소통발달 정도도 평가할 수 있다. 표준화된 검사도구를 실질적으로 사용할 수 없는 장애아동의 언어수준을 평가하는 데 있어서 자발화의 분석은 매우 유용하다. 무엇보다도 표준화된 검사는 대개 교육목표를 수립하는 데 필요한 정보를 충분하게 제공해 주지 못한다는 단점이 있다.

그에 비해 자발화검사는 구체적인 교수목표, 특히 학생의 일간 혹은 주간 진보 정도를 점검할 때도 사용될 수 있다는 장점을 갖는다(고은, 2021 : 149-150).

Check Point

자발화 평가의 장단점

장점	• 구체적인 교수목표를 파악하는 데 유용하다. • 학생의 성취 수준 또는 일간 혹은 주간 진보 정도를 점검할 때도 사용될 수 있다. • 일상생활에서 학생이 사용하는 말을 평가한다는 점에서 매우 적합하다.
단점	• 말 표본을 얻는 것이 항상 쉽지만은 않으며 시간과 노력이 많이 소요된다. • 학생이 의도적으로 특정 단어 혹은 발화 자체를 회피할 수 있다는 문제점이 나타날 수 있다.

102　　　　　　　　　　　2025 유아B-4

모범답안

1) 택트

해설

1) 대호의 말은 실로폰 소리를 듣고 나서 그리고 빨간색 음판을 보고 색깔을 지칭하기 위해 이루어지고 있다. 따라서 어떤 사물과 접촉하였을 때 그리고 지칭을 위해 이루어진 언어 행동이므로 택트에 해당한다.

• '접촉' 또는 '지칭'의 의미를 가지고 있는 택트는 단순히 욕구 충족이 아니라 어떤 사물과 접촉하였을 때 이루어지는 방법이다(고은, 2019 : 114).

Check Point

스키너의 언어행동 유형

유형	내용
맨드	• 'mand'는 'command'와 'demand'의 단어에서 만들어진 용어로서, 아동이 무엇인가를 요구하고 부모가 그 요구를 충족시켜 주는 과정에서 만들어지는 언어행동이다. • 맨드는 언어습득 시 가장 먼저 사용되는 언어유형이다. • 맨드는 자연스러운 강화를 통해 나타난다.
택트	• 'tact'는 'contact'라는 단어에서 유래한 용어다. • '접촉' 또는 '지칭'의 의미를 가지고 있는 택트는 단순히 욕구충족이 아니라 어떤 사물과 접촉하였을 때 이루어지는 방법이다.
모방	• 엄마 또는 주변 사람의 말을 듣고 따라 말하는 언어 행동이다. • 모방 과정에서 정확한 발음이 아니더라도 그 반응 자체에 강화를 주는 것이 좋다.
오토클래티스	• 언어발달 초기 단계에서는 거의 나타나지 않던 문법이 성인의 발화를 통해 점차 문법적인 규칙을 습득하고 상황적 맥락 속에서 청자의 반응을 고려하여 발화하게 되는 언어행동이다. • 상황적 맥락 속에서 청자의 반응을 고려하여 사용하는 가장 복잡한 언어행동에 해당한다.
언어자극 - 언어반응	질문에 대답하면서 생겨나는 언어행동을 의미한다.

출처 ▶ 고은(2021 : 114-116). 내용 요약정리

103   2025 유아B-5

모범답안

3) 혼잣말 기법

해설

3) 김 교사는 자신의 행위에 대해 혼자 대화하듯이 말하고 있다.

Check Point

교사의 발화 전략

① 발화유도 전략

전략	내용
혼잣말 기법	• 학생에게 요구하지 않으면서 교사가 자기 행위에 대해 혼자 대화를 하듯이 말을 한다. • 학생에게 직접적인 지시를 하지 않고도 언어적 대화의 상호작용을 유도하는 효과를 기대할 수 있다.
평행적 발화기법	교사가 학생의 입장에서 학생의 행동을 말로 표현해 주는 방법이다.
FA 질문법	학생에게 대답할 수 있는 두 개의 모델을 제시하는 폐쇄형 질문법의 하나이다.
대치요청	• 명료화 요구의 한 전략으로서 발화 자체를 불완전하게 할 경우 수정하여 발화하도록 돕는 전략이다. • 목표언어가 나올 때까지 학생의 말을 고쳐 나가도록 유도한다.

② 발화 후 언어자극 전략

전략	내용
확장	학생의 발화를 문법적으로 완전한 문장으로 바꾸어 말해 주는 것이다.
확대	학생의 발화에서 단어의 의미를 보완(즉, 내용적 보완)해 주는 데에 초점을 맞춘다.
문장의 재구성	문장 자체를 바꾸어서 교정해 주는 형태이다.
교정적 피드백	• 특정한 문제를 고쳐 줄 의도로 사용되는 피드백과 보충 설명 그리고 시범들을 포함하는 개념이다. 즉, 정답과 오답에 대한 정보뿐만 아니라 오답을 수정하기 위해 보충적인 교수를 제공하는 것이다.

• 교정적 피드백의 유형은 다음과 같다.

명시적 오류수정	발화에 오류가 있음을 명확하게 알려 주고 올바른 발화를 직접 제시해 주는 형태다.
고쳐 말하기	오류가 있는 말의 일부나 전부를 수정해 주는 형태로서, 오류를 명시적으로 지적하지 않고, 교정한 상태로 말해 준다.
상위 언어적 교정	오류에 대해 명확하게 수정하는 대신에 오류에 대한 힌트를 주거나 정확한 형태에 대한 코멘트, 정보나 질문을 제공하는 형태다.
명료화 요구	교사가 학생의 말을 잘 이해하지 못했거나 잘못된 발화를 하였을 때, 발화를 다시 한번 반복하거나 수정할 것을 요구한다.
이끌어 내기	학생 스스로가 정확한 형태를 발화하도록 유도하여 제공하는 피드백이다.
반복하기	잘못된 발화 부분을 반복하여 말해 준다. 이때는 억양을 다르게 해주는 것이 좋다.

104 2025 초등A-3

모범답안

2) 과잉일반화

해설

2) 동일한 주격 조사를 적용하여 문법적으로 오류가 있는 문장을 완성하고 있다.
   • 과잉일반화란 유아가 언어를 배우는 과정에서 사용규칙을 일반화시키는 것이다. 이러한 과잉일반화는 특히 문법습득과정에서 많이 나타나는데, 가장 대표적인 것은 주격 조사의 과잉일반화다(고은, 2021 : 135).

Check Point

✎ 두 단어 시기의 어휘발달 특징

특징		내용
과잉 확대		• 과잉확대는 자신이 배운 낱말을 너무 넓은 범위까지 적용시켜서 사용하는 현상이다. • 어휘의 양이 부족하고 정확한 지식이 형성되지 않아서 생기는 현상으로, 잠깐 동안 나타났다가 어휘력과 지식이 증가하면서 점차 사라진다.
과잉 축소		• 과잉축소는 단어가 가지고 있는 본래의 뜻보다도 더 좁은 의미로 사용하는 현상이다. • 자신이 가지고 있는 경험 속에서만 단어의 의미를 제한하는 것으로, 어휘력이 증가하고 지식이 증가하면서 곧 사라진다.
과잉 일반화		• 과잉일반화는 유아가 언어를 배우는 과정에서 사용규칙을 일반화시키는 것이다. • 특히 문법습득 과정에서 많이 나타나는데, 가장 대표적인 것은 주격 조사의 과잉일반화이다.
주축 문법		• 주축문법은 주축이 되는 단어를 중심으로 새로운 단어를 조합하여 문장을 표현하는 것이다. • 주축문법은 초기 두 단어의 조합은 설명할 수 있지만 모든 단어 조합과 모든 의미를 설명하기에는 부족하다는 지적을 받는다.
수평적 어휘 확장과 수직적 어휘 확장	수평적 어휘 확장	수평적 어휘확장은 유아가 단어의 여러 가지 속성을 알고 다양한 상황에서 그 단어의 의미를 경험함으로써 한 단어의 관습적 의미를 이해하며 이를 통해 어휘를 배우는 것을 말한다.
	수직적 어휘 확장	수직적 어휘확장은 유아가 어떤 어휘의 개념 속성을 학습하게 되면 이와 관련된 단어들을 하나의 의미 집합체로 구성할 수 있게 되어 어휘를 학습하게 되는 것을 말한다.
전보식 문장		전보식 문장이란 조사와 연결어 등을 생략하고 명사와 동사 중심으로 짧게 말하는 것을 의미한다.

105 2025 초등A-6

모범답안

1) ① 요구-모델(또는 선 반응 요구-후 시범)
   ② 자기중심적 언어
   ③ 표상적 몸짓

2) 나는 욕구를(또는 감정을) 조절해요.

해설

1) ① 문제에서 구어적 맥락의 지도방법을 요구하고 있음에 유의한다. 구어적 맥락의 지도방법은 기능적 언어중재의 기본 원칙 중 하나인 '맥락의 활용'에 해당하며, 맥락은 비구어적인 맥락과 구어적인 맥락으로 구분된다. 아동의 바른 구어를 유도하기 위하여 어떠한 단서나 연계반응을 사용하는 구어적 맥락은 시범, 직접적인 구어적 단서, 간접적인 구어적 단서 등의 세 가지 종류로 나눌 수 있다.
   • 요구-모델은 질문, 대치요청과 함께 직접적인 구어적 단서의 하나로 목표 언어를 시범 보이기 전에 아동이 자발적으로 반응할 기회를 요구한 후 시범을 보이는 방법이다(김영태, 2019).

   ② '자기중심적'이란 다른 사람의 입장에서 볼 수 없는 유아의 사고 경향을 말한다. 세상을 자신의 방식으로 이해하고, 다른 사람이 자기와 똑같이 생각한다고 믿기 때문에 타인의 마음을 읽을 수 없다(고은, 2021 : 124).
   • 피아제에 따르면, 언어발달은 자기중심적 언어에서 사회화된 언어로 발달한다(고은, 2021 : 124).

   ③ 표상적 몸짓이란 이 닦기, 머리 빗기, 잠자기, 전화하기 등과 같이 어떤 대상이나 행위의 특성을 표상해서 행동으로 묘사하는 몸짓이다(고은, 2021 : 130-131).

지문 돋보기

• 은수는 세상을 자신의 방식으로 이해하고, 다른 사람이 자기와 똑같이 생각한다고 믿는 것 같아요. : 자기중심적 언어의 발생 원인
• 상대방과 대화를 한다기보다는 자신에게 말하는 것처럼 독백 느낌의 말 : 집단적 독백
• 휴대전화를 손으로 쥐고 귀에 대서 통화하는 동작, 컴퓨터는 자판을 타자하는 동작 : 어떤 대상이나 행위의 특성을 표상해서 행동으로 묘사하는 몸짓

2) 행위자-대상-행위의 의미 관계에 맞춰 작성된 3어문 문장의 예는 다음과 같다.

행위자	대상	행위
나는	욕구(또는 감정)를	조절해요.
나는	감정(또는 욕구)을	말해요.
나는	대상을	말해요.

- 다음의 예와 같이 상태 서술이 사용된 경우는 행위자가 아닌 경험자가 되기 때문에 주의한다.

경험자	대상	상태서술
나는	욕구를	느껴요.
나는	감정이	있어요.
나는	대상을	알아요.

Check Point

(1) 언어치료 접근법
① 언어치료 목표의 선정
치료목표의 우선순위를 정하는 데 있어서는 다음과 같은 두 가지 접근법으로 나눌 수 있다.
  ㉠ 현재 아동이 가지고 있는 언어 능력의 결함을 또래 일반아동의 언어 능력 수준으로 올리려는, 발달단계에 근거한 접근법
    - 발달단계에 근거한 접근법은 Piaget의 인지발달 이론에 근거하여 선행단계가 습득되어야 더 높은 단계의 행동들을 훈련할 수 있다는 입장이다.
  ㉡ 현재 아동의 생활에서 우선적으로 필요한 언어 및 의사소통 기술을 가르치려는 기능적인 접근법
    - 기능적인 접근법은 발달순서보다는 아동이 실생활에서 의사소통하는 데 우선적으로 필요한 기술들을 먼저 가르치려는 것이다.

② 기능적 언어중재의 기본 원칙
목표언어를 의사소통 기능에 맞게 습득시키려는 기능적인 언어중재의 기본 원칙은 다음과 같다.

자연스러운 강화 방법	· 기능적인 접근법에서는 기존에 사용되어 온 강화 방법을 좀 더 자연스러운 상황에서 문맥과 이어지게 사용하도록 권고한다. · 기능적인 접근법에서의 강화물은 과자나 토큰과 같이 부자연스러운 것보다는 실제 생활에서 얻을 수 있는 강화물과 유사한 것이 좋다. 예 학생이 무엇을 요구하였다면 그 요구한 물건을 주는 것이 가장 효과적인 강화가 될 것이며, 학생이 무엇을 자랑하려고 하였다면 그 물건이나 행동에 대하여 칭찬해 주는 것이 가장 좋은 강화가 될 것이다.
정상 발달을 고려한 중재 계획	· 일반학생이 화용론적 능력을 발달시켜 나가는 과정을 토대로 언어 기능을 가르치는 것이 바람직하다. · 학생에게 의미적인, 구문적인 측면을 가르칠 때도 정상적인 과정을 토대로 하는 것이 바람직하다.
학생 주도의 의사소통 행동	· 기능적인 언어 사용을 가르치는 데 있어서 학생의 주도에 따르는 것이 매우 중요하다. · 훈련 상황에서부터 학생의 주도적인 의사소통 행동을 유도해 준다면 일반화가 훨씬 수월해질 것이다.

- 학생의 일상생활 속에서 의사소통을 하기에 충분한 여러 가지 기능들을 습득시키기 위해서는 훈련의 맥락을 잘 계획하여야 한다.
- 언어치료를 위해 통제하여야 하는 맥락에는 비구어적인 맥락과 구어적인 맥락이 있다.

맥락의 활용	비구어적 맥락	비구어적인, 즉 상황적인 맥락에서 유도할 수 있는 언어의 기능들과 그러한 맥락의 예는 다음과 같다.	
		주고-받기 및 물건 요구하기 기능을 위한 맥락	두 학생이 함께하는 활동에 필요한 도구를 한 개만 준비해 놓을 수 있다.
		지시 따르기 및 지시하기 기능을 위한 맥락	종이컵에 구멍을 뚫고 흙을 담아 씨를 뿌리는 활동을 하면서, 처음에 언어치료사의 지시에 따르고, 두 번째는 학생의 지시에 따라 언어치료사가 시행한다.
		정보 요청하기 기능을 위한 맥락	흥미롭게 생긴 물건이나 그림을 학생 앞에 보여 주되, 학생이 질문할 때까지는 그것이 무엇인지 말을 하지 않는다.
		정보 제공하기 기능을 위한 맥락	학생이 만든 찰흙이나 그림에 대하여 언어치료사가 궁금한 태도를 취하거나 질문함으로써 설명하게 한다.
		도움 요청하기 기능을 위한 맥락	학생이 하기 어려운 물리적인 일을 요청하게 유도한다. 예 색종이를 붙이기 위해서 풀 뚜껑 열기
		저항하기 기능을 위한 맥락	학생에게 불가능한 것을 요구한다. 예 플라스틱 칼로 과일을 깎으라고 한다.
	구어적 맥락	· 구어적 맥락은 학생의 바른 구어를 유도하기 위하여 어떠한 단서나 연계반응을 사용하는 것이다. · 기능적인 중재에서도 전통적인 시범이나 강화 방법을 사용하는데, 이러한 방법들을 좀 더 실생활에 가까운 상황이나 소재로 유도한다. · 구어적 맥락은 시범, 직접적인 구어적 단서, 간접적인 구어적 단서 등의 세 가지 종류로 나누어 볼 수 있다.	
		시범	혼잣말 기법	학생이 표현할 말을 직접 시범 보이기보다는 언어치료사나 부모가 자신의 입장에서 말하는 것을 들려주는 것이다.

	평행적 발화 기법	의사소통 상황에서 학생이 말할 만한 문장을 학생의 입장에서 말해 주는 것이다.
직접적인 구어적 단서	질문	단답형, 선택형, 개방형 또는 과정형 질문과 훈련자가 시작한 문장에 목표낱말이나 구를 삽입시켜서 문장을 완성하는 방법들이 있다.
	대치 요청	학생의 말에서 목표가 되는 언어를 유도하는 방법으로, 목표낱말이나 문장이 표현될 때까지 학생의 말을 고쳐 나가도록 유도하는 것이다.
	선반응 요구-후시범	목표 언어를 시범 보이기 전에 학생이 자발적으로 반응할 기회를 요구한 후 시범을 보이는 방법이다.
간접적인 구어적 단서	학생의 반응을 요구하는 것	- 수정모델 후 재시도 요청하기 - 오류반복 후 재시도 요청하기 - 자기교정 요청하기 - 이해하지 못했음을 표현하기 - 확장 요청하기 - 반복 요청하기 - 주제확대하기
	학생의 반응을 요구하지 않는 것	- 아동의 요구 들어주기 - 이해했음을 표현하기 - 모방 - 구문 확장 - 어휘 확대 - 분리 및 합성 - 문장의 재구성

출처 ▶ 김영태(2019 : 391-410). 내용 요약정리

(2) 자기중심적 언어의 종류

반복	특정한 누군가에게 말하려는 의도 없이 단지 즐거움을 얻기 위해 단어를 되풀이하는 형태다.
개인적 독백	혼자 있을 때 큰 소리로 자기 자신에게 말하는 것이다.
집단적 독백	두 명 이상의 아동들이 함께 있는 상태에서 서로에게 말을 하고 있는 것 같지만 실제로는 한 명의 아동이 혼잣말을 하고 다른 아동들은 주의를 기울여 듣지 않고 있는 형태다.

106 2025 초등B-3

모범답안

1) 파열음화

해설

1) 대치 음운변동 현상을 조음 방법과 조음 위치 측면에서 살펴보면 다음과 같다.

구분	조음 오류	조음 방법	조음 위치
/오징어/ → /오딩어/	/ㅈ/→/ㄷ/	파찰음→파열음 : 파열음화	경구개음 → 치조음: 전설음화, 전설음화
/사자/ → /타다/	/ㅅ/→/ㅌ/	마찰음→파열음 : 파열음화	치조음 → 치조음
	/ㅈ/→/ㄷ/	파찰음→파열음 : 파열음화	경구개음 → 치조음 : 치조음화, 전설음화
/치마/ → /티마/	/ㅊ/→/ㅌ/	파찰음→파열음 : 파열음화	경구개음 → 치조음 : 치조음화, 전설음화

Check Point

대치 음운변동

분류	하위 유형	내용 및 예시
조음 위치	전설음화	목표음의 조음점보다 혀를 앞쪽으로 움직여 조음이 이루어지는 경우(전방화) 예 /짝자꿍/ → /딱따꿍/, /자동차/ → /자돈차/
	후설음화	목표음의 조음점보다 혀를 뒤쪽으로 움직여 조음이 이루어지는 경우(후방화) 예 /책상/ → /핵상/
	양순음화	다른 음소가 양순음으로 대치될 경우 예 /장난깜/ → /방난깜/
	치조음화	다른 음소가 치조음으로 대치될 경우 예 /호랑이/ → /호란이/
	경구개음화	다른 음소가 경구개음으로 대치될 경우 예 /토끼/ → /초끼/
	연구개음화	연구개음이 아닌 음소가 연구개음으로 대치되는 경우 예 /김밥/ → /김방/
	성문음화	성문음이 아닌 음소가 성문음으로 대치되는 경우 예 /모자/ → /모하/

조음 방법		파열음화	예 /모자/ → /모다/
		마찰음화	예 /책상/ → /색상/
		파찰음화	예 /눈썹/ → /눈첩/
		유음화	예 /오뚜기/ → /오뚜리/
		비음화	예 /로보트/ → /로모트/
동화	방향	순행동화	앞에 있는 음소의 영향을 받아 뒤의 음소가 변화 예 /가방/ → /가강/
		역행동화	뒤에 있는 음소의 영향을 받아 앞의 음소가 변화 예 /가방/ → /바방/
	연접	연속동화	인접한 음소에 의한 동화 예 /장난깜/ → /장낭깜/
		불연속동화	다소 인접하지 않은 음소에 의한 동화 예 /장난깜/ → /깜나깜/
	조음 위치	양순음 동화	예 /여필/ → /염필/
		치조음 동화	예 /자동차/ → /자돈차/
		경구개음 동화	예 /자동차/ → /자종차/
		연구개음 동화	예 /풍선/ → /풍껀/
		성문음 동화	예 /호랑이/ → /호랑히/
	조음 방법	파열음 동화	예 /짝짜꿍/ → /따따꿍/
		마찰음 동화	예 /책상/ → /색상/
		파찰음 동화	예 /자동차/ → /자종차/
		비음 동화	예 /못/ → /몬/
		거센소리 동화 (기식음 동화)	예 /깡총/ → /캉총/
		된소리 동화	예 /장난깜/ → /깜나깜/
긴장도		이완음화	긴장음들의 긴장성이 상실될 때 예 /땅콩/ → /강콩/
		긴장음화	긴장음이 아닌 음소에 긴장성을 첨가하였을 때 예 /김밥/ → /김빠/
기식도		기식음화	기식음이 아닌 음소에 기식성을 첨가하였을 때 예 /나무/ → /파무/
		탈기식음화	기식음들의 기식성이 상실될 때 예 /책상/ → /내상/

107   2025 중등A-8

모범답안

- 요구-모델
- ㉠ 흥미 있는 자료

해설

지문 돋보기

- "뭐라고 해야 하지?"라고 말해보세요. : 요구
- 학생 K가 "공 주세요."라고 말을 하면 공을 주면 돼요. : 정반응 시 자연스러운 후속결과 제공
- 학생 K가 아무 말도 하지 않으면 "공 주세요 해야지."라고 하면서 선생님께서 시범을 보여 주세요. : 무반응 또는 오반응 시 시범을 보임
- 물리적인 환경을 조절하는 것도 도움이 돼요. : 물리적 환경조절 전략

Check Point

(1) 환경중심 언어중재의 교수 기법 절차 및 유의점

전략	내용 및 절차
모델링	학생의 관심이 어디 있는지 관찰하고 관심사(물건 또는 행동)에 함께 참여하면서 그와 관련된 적절한 모델링(시범 보이기)을 함으로써 새로운 행동을 학습하는 것이다.
요구-모델	• 학생에게 구두로 언어적 반응을 요구해본 후 시범을 보이는 것이다. • 비모방적 구어촉진을 한다는 점에서 모델링과 차이가 있다. • 새롭거나 어려운 형태를 훈련하거나 명료성 향상을 위해 주로 사용한다.
시간 지연	• 학생과 함께 활동하는 중 학생의 반응을 기다려 주는 것으로 반복적 일과의 단계 중 잠깐 진행을 멈추고 학생을 바라보고 의사소통하기를 기다리는 것이다. • 목표행동이 이미 학생의 행동 레퍼토리에 있는 경우 효과적이며 초기 단계보다는 자발적 언어사용을 유도할 때 효과적이다.
우발 교수	• 생활환경에서 우연히 일어나는 의사소통이나 언어학습의 기회를 이용하여 학습시키는 것이다. • 학생 주도적이며, 자연적인 후속결과에 의해 적절한 행동이 강화되고 유지될 수 있다는 장점이 있으나 어느 정도 모방할 수 있는 능력이 선행되어야 한다. 또한 우연한 학습 기회가 자주 발생하기 어려우므로 교사가 학생의 환경이나 그와 유사한 환경에서 우발적인 학습의 기회를 만들어서 교수할 필요가 있다.

출처 ▶ 강혜경 외(2023 : 194-195)

(2) 물리적 환경조절 전략

전략	방법	예시
흥미 있는 자료	학생이 흥미를 가지고 있는 자료를 이용한다.	학생이 좋아하는 사물을 교실에 배치한다.
닿지 않는 위치	시야 안에 두되, 학생의 손에 닿지 않는 곳에 둔다.	학생이 볼 수 있는 투명한 플라스틱 상자 안에 사물을 넣고, 학생의 키보다 조금 더 높은 교구장 위에 둔다.
도움이 필요한 상황	성인의 도움이 필요한 상황을 만든다.	학생이 좋아하는 장난감을 일부러 잘 열리지 않는 통에 담아 두거나, 점심시간에 수저를 제공하지 않는다.
불충분한 자료 제공	학생이 추가적인 자료를 요구하도록 수와 양을 적게 제공한다.	신발을 주는데 한 짝만 주거나, 미술활동 시간에 만들기에 필요한 재료보다 적은 양의 재료를 준다.
중요 요소 빼기	활동 과제에 필요한 중요 요소를 빼고 과제수행을 요구한다.	퍼즐 맞추기 게임을 하는데 퍼즐 일부분을 빼고 완성하도록 한다.
선택의 기회 제공	비슷한 물건을 제시하여 선택할 수 있는 기회를 제공한다.	염색활동을 하는데, 어떤 색으로 하고 싶은지 선택하도록 한다.
예상치 못한 상황	학생의 기대에 맞지 않는 비상식적이거나 우스꽝스러운 요소를 만들어 준다.	인형 옷을 입히면서 양말을 머리에 씌우거나, 풀 대신 지우개를 준다.

108 2025 중등B-5

모범답안

- ⊙ 기능적
- ⓒ 음운론
- ⓒ "그래, 여기 손 소독제 있어요."라고 말하면서 손 소독제를 준다.
- 문장의 재구성

해설

지문 돋보기

- 조음 기관에 이상이 없기 때문: 조음·음운장애의 원인
- 자연스럽게 언어를 사용하는 환경에서 말소리를 가르치는: 의사소통중심법의 방법의 개념
- "손 소독제 주세요.": 목표발화(/ㅅ/)
- 의사소통에 기초한 반응과 강화를 강조: 칭찬이나 강화물을 사용하기보다는 발화 의도에 적절한 반응으로 강화를 해 줌

ⓒ 음운론은 한 언어에서 음들이 결합하여 단어를 이루는 규칙을 연구하는 분야로서 음소를 기본 단위로 한다(곽미영 외, 2020 : 38).
- 음운론이란 한 언어 내에서 사용되는 말소리의 기능과 체계를 과학적으로 연구하는 학문이다(고은, 2021 : 76).

ⓒ "손 소독제 주세요."라는 학생의 정확한 발화에 기초하여 발화 의도에 적절한 반응으로 강화해 주어야 한다.
- 의사소통중심법은 의사소통으로부터 말소리 차원까지의 하향식 접근법으로, 상위의 화용적 단위로 시작하여 하위의 말소리 산출기술까지 증진시키는 접근법이다. 의사소통을 중시하는 기능적 언어치료법이 확산됨에 따라 발전된 것으로, 자연스러운 학습 환경 속에서 말소리를 치료하도록 하는 접근법이다(심현섭 외, 2024 : 231).
- 목표발화에 대하여 의사소통적 내용에 맞는 강화를 사용한다. 칭찬이나 강화물을 사용하기보다는 발화 의도에 적절한 반응으로 강화해 준다(심현섭 외, 2024 : 231).

언어 지도 전략) 문장의 재구성은 학생이 말한 문장의 뜻은 유지한 채, 문장의 형태를 재구성해서 들려준다(김영태, 2019 : 410).
- 맥락은 비구어적인 맥락과 구어적인 맥락으로 구분된다. 학생의 바른 구어를 유도하기 위하여 어떠한 단서나 연계반응을 사용하는 구어적 맥락은 시범, 직접적인 구어적 단서, 간접적인 구어적 단서 등의 세 가지 종류로 나눌 수 있다. 간접적인 구어적 단서로는 학생의 반응을 요구하는 것과 그렇지 않은 것이 있는데 문장의 재구성은 학생의 반응을 요구하지 않는 간접적인 구어적 단서에 해당한다.

Check Point

맥락 활용 언어 지도 전략 중 구어적 맥락

① 구어적 맥락은 학생의 바른 구어를 유도하기 위하여 어떠한 단서나 연계반응을 사용하는 것이다.
② 구어적 맥락은 시범, 직접적인 구어적 단서, 간접적인 구어적 단서 등의 세 가지 종류로 나누어 볼 수 있다.
③ 목표 언어를 유도하기 위한 간접적인 구어적 단서로는 학생의 반응을 요구하는 것과 그렇지 않은 것이 있다.

학생의 반응을 요구하는 것	수정모델 후 재시도 요청하기	• 학생이 잘못 말한 부분이나 전체 문장을 수정한 상태로 다시 말해 주고 나서 학생이 다시 말하도록 요청하는 방법이다. • 학생에게 다시 말하도록 하는 것은 학생의 반응이나 대화의 흐름에 따라 선택적으로 사용할 수 있다.
	오류반복 후 재시도 요청하기	• 학생이 잘못 말한 부분이나 문장을 그대로 반복한 후 학생에게 다시 말하도록 요청하는 방법이다. • 학생에게 다시 말하도록 하는 것은 생략할 수도 있다.
	자기교정 요청하기	언어치료사가 학생의 말을 되묻거나 맞는지를 물음으로써 학생이 자신의 말을 스스로 교정하도록 하는 방법이다.
	이해하지 못했음을 표현하기	학생의 말을 못 알아들었다고 말하든가 "응?", "어?"와 같이 말함으로써 학생이 다시 또는 수정하여 말하도록 한다.
	확장 요청하기	학생에게 완성된 구나 문장을 말하도록 요청하는 것이다.
	반복 요청하기	학생이 바르게 말했을 경우에 다시 반복하도록 하여 강화하는 방법이다.
	주제확대 하기	학생의 말을 알아들었다는 표시를 해 주고 나서 학생에게 좀 더 이야기를 하도록 요청하는 것이다.
학생의 반응을 요구하지 않는 것	학생의 요구 들어주기	학생이 요구한 사물을 집어 주거나 행동을 수행함으로써 학생에게 그의 메시지가 전달되었다는 것을 알려주는 것이다.
	이해했음을 표현하기	학생이 한 말에 대해 고개를 끄덕이거나 "응", "그래", "그렇지", "그랬어?"와 같은 말을 해 줌으로써 학생의 말을 이해했다는 것을 알려주는 것이다.
	모방	학생의 말을 그대로 모방함으로써 학생에게 자신의 말이 전달되었다는 것을 알려주는 것이다. 특히, 학생이 목표언어를 바르게 사용하였을 때 "맞아"나 "그래" 등의 긍정적 표현과 함께 학생의 말을 모방해 주면 매우 효과적이다.
	구문 확장	학생의 문장구조는 유지한 채, 문법적으로 바르게 고쳐서 다시 들려주는 것이다.
	어휘 확대	학생의 발화주제는 유지한 채, 어휘를 더 첨가하여 들려주는 것이다.
	분리 및 합성	학생의 발화를 구문의 작은 단위들로 쪼개서 말했다가 다시 합쳐서 들려주는 것이다. 예 학생이 "형이 유리로 발을 찔렸어"라고 하면 "형이 찔렸구나", "유리에 찔렸구나", "(저런) 발이 찔렸구나"와 같이 작은 단위의 문장으로 쪼개서 말하고 나서 "형이 유리에 발이 찔렸구나"라고 합쳐서 말해 준다.
	문장의 재구성	학생이 말한 문장의 뜻은 유지한 채, 문장의 형태를 재구성해서 들려준다.

출처 ▶ 김영태(2019 : 407-410). 내용 요약정리

김남진
KORSET 특수교육
기출분석 ❹

PART 12
시각장애아교육

01
2009 유아1-9

정답 ①

해설
ㄷ. '기'(1246점)와 '사'(123점)는 별도의 약자가 제자되어 있다. 그리고 '라'(3-126)와 '차'(56-126)는 'ㅏ'를 생략할 수 없다. 이외에 'ㅏ'가 들어간 글자에 받침이 없고 바로 따라오는 글자의 초성이 'ㅇ'인 경우도 모음 'ㅏ'를 생략하지 않고 적는다.

ㄹ. 된소리표는 6점이다.

02
2009 초등1-23

정답 ③

해설
① 대비감도란 물체와 배경 색의 차이를 말하는 것으로 대비가 높을수록 시감도가 증가한다. 대비를 증가시키기 위해서는 보려는 물체의 밑이나 뒤에 물체와 대비가 잘 되는 색깔의 물체를 놓으면 된다. 일반적으로 저시각이 되면 높은 수준의 대비가 요구되며, 저시각 학생들을 위한 교육적 조치로 대비가 잘된 노트와 필기구를 제공하는 것은 기본이며, 교실바닥과 책상 사이, 교실의 벽과 문 사이, 복도의 바닥과 벽, 계단 등의 대비를 증가시켜 주는 것이 필요하다(박순희, 2019 : 36). 따라서 경호의 경우는 색깔의 대비감도를 높이기 위해 색깔 단서가 명확한 자료를 제공하는 것이 바람직하다.
② (나)에 제시된 정호의 특성 중 모둠 활동을 저해하는 요인은 없다.
③ 가까이 볼 수 있는 사물은 볼 수 있지만 멀리 있는 사물은 거의 보지 못하는 경우는 근시를 의미하므로 오목렌즈를 통해 초점이 맺히는 거리를 증가시켜 줄 필요가 있다.
④ 정호의 좋은 쪽 눈의 교정시력이 0.08로 국립특수교육원의 저시력 기준(0.05 이상 0.3 미만)에 해당한다.
⑤ 정호가 자리에 앉아서 칠판에 적힌 모둠별 발표 개요를 읽을 수 있게 확대경을 제공한다. : 확대경은 독서 같은 근거리 보기 활동에 사용되며 칠판에 적힌 모둠별 발표 개요를 읽을 수 있도록 하기 위해 망원경을 제공할 수 있다. 망원경은 일반적으로 칠판 보기, TV 보기, 표지판 읽기 같은 원거리 활동에 유용하다(이태훈, 2021 : 271).

03
2009 초등1-31

정답 ⑤

해설
ㄱ. 시각장애의 기능적 정의 측면에서 볼 때 전맹은 시력이 전혀 없는 상태이므로 개인용 조명기구의 설치는 불필요하다.
ㄴ. 전맹이므로 아세테이트지의 사용은 무의미하다.
• 아세테이트지는 대비를 높이거나 종이로부터 반사되는 눈부심을 줄여 줄 수 있다. 선글라스로 사용하는 착색 렌즈와 비슷한 기능을 갖고 있다. 대비감도가 낮거나 눈부심에 민감한 학생에게 도움이 된다. 일반적으로 노란색 계열을 많이 사용하지만 안질환에 따라 밝은 갈색 등 다른 색을 사용할 수 있다(이태훈, 2021 : 265).

04 2009 중등1-16

정답) ①

해설
① 약시 학급의 경우, 개인 간 차이에 맞춰 교실의 밝기를 조절해 준다. 저시력 학생에게 알맞은 적정 조도는 개인에 따라서 그 차이가 대단히 크다. 조명을 늘리는 것이 모든 저시각 학생들에게 도움이 되는 것은 아니다. 일부 학생들은 빛을 증가시켜 주면 편안함과 성과산출 면에서 오히려 방해를 받기도 한다. 시기능 평가 결과를 심사숙고하여 학생의 요구와 선호도를 분석하는 것이 중요하다(박순희, 2019: 303).
② 병이 주변부에서 황반으로 진행하면서 터널시야가 나타나다가 중심시력이 감소하며, 결국 실명하게 된다(박순희, 2019: 87). 학생이 크게 확대해도(24포인트 이상) 읽기에 어려움을 보이기 시작하면 실명 전에 점자를 익히도록 지도한다(이태훈, 2021: 41).
③ 수정체 중심부에 혼탁이 있는 백내장은 낮은 조명을, 수정체 주변부에 혼탁이 있는 백내장은 높은 조명을 선호하므로, 수정체 혼탁 부위를 고려하여 교실에서의 자리배치와 조명기구 지원 여부를 결정할 필요가 있다(이태훈, 2021: 38).
⑤ 황반변성의 경우, 추체세포가 분포되어 있는 중심부의 손상이 있기 때문에 색각, 대비, 민감도 등이 제한적이다. 따라서 대비가 선명한 자료를 제공하는 것이 바람직하다.

Check Point

(1) 저시력 학생을 위한 조명 활용 지침
저시각정보센터에서는 저시력 학생을 위한 조명 활용 지침을 다음과 같이 제안하고 있다(박순희, 2019: 449-451).
① 방 전체를 위한 조명을 설치하면서 아동에게 조명을 따로 제공한다. 방을 어둡게 한 상태에서 부분 조명을 사용하는 것은 피한다.
② 과제 활동을 할 때 아동 가까이에 조명을 두거나 얼굴을 향해 정면으로 비추면 눈부심을 유발할 수 있으므로 아동의 측면에서 빛을 제공한다.
③ 그림자가 지지 않도록 아동의 양쪽에서 조명을 비춰 준다.
④ 쓰기를 할 때는 그림자가 지지 않도록 사용하는 손의 반대편에서 조명을 제공한다.
⑤ 눈부심을 방지하기 위해서 전등에 덮개를 씌우고, 창문을 통해 들어오는 빛의 양을 줄이기 위해 창문에 블라인드 혹은 얇은 커튼을 사용한다. 햇빛이 들어오는 창문을 향해 책상을 배치하지 않도록 한다.
⑥ 빛 반사로 인한 눈부심을 줄이기 위하여 바닥이나 책상에는 유광 자재를 피한다.
⑦ 복도와 계단에 있는 곳에는 조명을 설치하여 벽, 바닥, 계단, 난간 등의 위치를 파악할 수 있도록 한다.
⑧ 건물 내 모든 방은 같은 조도를 유지하도록 하여 장소 이동과 빛 적응에 불편이 없도록 한다.

(2) 황반변성 아동을 위한 교육적 조치
① 손잡이형 확대경 또는 CCTV를 사용하는 것이 좋다.
② 모든 과제 수행 시 적절한 조명이 필요하다.
③ 독서할 때, 줄을 잃지 않도록 타이포스코프를 사용하도록 한다.
④ 글자와 종이의 대비가 선명한 자료를 사용하도록 한다.
⑤ 필기할 때, 굵고 진한 선이 있는 종이와 검정색 사인펜을 사용하도록 한다.
⑥ 교실 환경을 눈부시지 않도록 한다.
⑦ 삽화 위에 글씨가 쓰인 교과서나 책을 사용하지 않도록 한다.
⑧ 암점이 발달하고 확대되므로 중심 외 보기 방법을 지도한다.

출처 ▶ 임안수(2008: 80)

05 | 2009 중등1-25

정답 ⑤

해설

①	○● ●○ ●○	●○ ○○ ○○	●○ ●● ○●	●○ ○○ ○●	●○ ○○ ●○
	ㅓ	ㅁ	ㅏ	ㄴ	ㅣ
②	●○ ●○ ○●	●○ ○○ ○○	○○ ○○ ●●	○○ ○● ●○	●○ ○○ ●○
	ㅏ	ㅈ	ㅓ	ㅅ	ㅣ
③	○● ○○ ●○	●○ ○○ ●○	○● ○○ ●○	○○ ○○ ●○	●○ ○○ ●○
	ㅓ	ㄱ	ㅓ	ㅈ	ㅣ
④	●○ ●○ ○●	●○ ○○ ●○	○○ ○○ ●○	○● ○○ ●○	●○ ○○ ●○
	ㅏ	ㅂ	ㅜ	ㅈ	ㅣ
⑤	●○ ●○ ○●	○● ○○ ●○	●○ ○○ ●○	○● ○○ ●○	●○ ○○ ●○
	ㅏ	ㅂ	ㅓ	ㅈ	ㅣ

06 | 2009 중등1-31

정답 ①

해설

- 점자정보단말기: 점자로 읽고 쓸 수 있는 기기로, 초등학교에서 점자를 깨친 후부터 학습 및 생활 전반에서 적극적으로 사용하는 기기이다. 본체에 6개의 점자 입력 버튼으로 입력하고, 음성 합성 장치와 점자디스플레이를 통해 음성과 점자로 출력할 수 있다. 점자정보단말기는 노트북처럼 다양한 기능이 있고, 컴퓨터 및 스마트폰과 연결하여 사용할 수 있다(이태훈, 2021: 258-256).
- 확대독서기: 저시력 학생이 문자를 읽을 수 있도록 확대시켜 주는 것으로 카메라에 비쳐진 이미지를 제어하여, 확대하고 색상을 바꾸어 그 내용물을 보여 주는 기기다(박순희, 2019: 438).
- 점자전자출력기: 점자전자출력기는 전자 점자를 의미한다. 전자 점자(electronic braille)는 무지 점자라고도 한다. 전자 점자는 종이를 사용하는 것이 아니라 점자알 크기의 핀(금속이나 나일론)들이 표면으로 올라와 점자를 구성한다. 이 핀들은 읽은 후 스페이스 바를 누르면 지금까지의 점자는 사라지고, 다음 줄에 해당하는 점자가 나타난다(임안수 2008: 223). 이와 유사하게 점자 프린터(braille printer)는 컴퓨터에서 작성한 문서를 점자 인쇄물로 출력해 주는 기기로, 점자 프린터를 사용하려면 컴퓨터에 묵자를 점자로 바꾸어 주는 점역 프로그램을 설치하여야 한다(이태훈, 2021: 287).
- 옵타콘: 소형 촉지판에 있는 핀들이 문자 모양대로 도출되어 맹학생이 일반 활자를 읽을 수 있게 해주는 장치다(박순희, 2019: 247).

Check Point

(1) 점자정보단말기의 주요 기능

주요 기능	설명
워드프로세서	문서 작성 프로그램으로 점자정보단말기 문서(hbl), 점자 문서(brl) 외에도 MS 워드 문서(doc), 한글(hwp), 텍스트(txt) 파일 형식도 사용할 수 있다.
독서기	음성 독서를 위한 프로그램으로 점자정보단말기 작성 문서, 점자 문서, MS 워드 문서, 한글, 텍스트, E-book 파일 형식의 문서를 열어 음성으로 들을 수 있다.
미디어 플레이어	디지털 녹음기와 같은 기능으로, 수업 강의 등 원하는 소리를 녹음하고 재생할 수 있으며, 오디오 파일도 열어서 들을 수 있다.
인터넷 설정	컴퓨터 없이 인터넷을 사용할 수 있어 웹페이지나 이메일 이용이 가능하다.

온라인 데이지	데이지 도서를 읽을 수 있는 기능이다.
기타 기능	주소록 관리, 계산기, 일정 관리, 달력, 알람 등의 기능을 가지고 있다.

출처 ▶ 이태훈(2021 : 286)

(2) 확대독서기의 주요 기능

주요 기능	설명
배율 조절	확대 및 축소 버튼을 이용하여 책의 글자를 불편 없이 읽을 수 있는 최소 배율로 조절한다.
모니터 밝기 조절	모니터 밝기 조절 버튼을 이용하여 자신의 조명 선호도와 눈부심 여부에 따라 자신에게 맞는 모니터의 밝기로 조절한다.
색상 대비 조절	색상 대비 버튼을 사용하여 자신이 선호하는 바탕색과 글자색을 찾는다. 낮은 대비 자료를 볼 때 대비 조절 기능을 적극적으로 사용하도록 하고, 눈부심이 심한 학생은 검은색 바탕에 흰색 글자가 도움이 될 수 있다.
마커 기능	화면에 줄을 표시하거나 불필요한 영역을 가려 원하는 부분만을 볼 수 있다. 시야가 좁아 줄을 놓치거나 문장을 따라가며 읽는 능력이 부족한 학생에게 도움이 될 수 있다.
화면 캡처	시간 내에 보기 어려운 내용은 스마트폰의 사진 촬영이나 캡처 기능을 이용하여 화면 내용을 저장하였다가 다시 불러내어 확대하여 볼 수 있다.

출처 ▶ 이태훈(2021 : 295)

07 2009 중등1-39

정답 ③

해설

ㄱ. 계단을 오를 때는 지팡이 손잡이 아래 부분을 연필 쥐듯이 잡고 팔을 앞으로 뻗어 한두 계단 위쪽 끝 부분을 지팡이 끝으로 스치듯 치면서 올라간다(2011 중등1-33 기출).
- 계단을 내려갈 때는 지팡이를 지면에 대고 슬라이딩시키거나 대각선법을 사용하여 지팡이를 잡을 수 있다.

ㄴ. 호의 넓이는 몸의 가장 넓은 부분(어깨 너비)보다 약간 더 넓게(일반적으로 5~6cm 정도) 유지한다.

ㄹ. 지팡이 끝이 왼쪽 지점을 칠 때, 오른쪽 발이 지면에 닿게 한다. 반대로 지팡이의 끝이 오른쪽 지점을 칠 때, 왼쪽 발이 지면에 닿게 한다. 이 방법은 일반인이 걸으면서 왼손을 앞으로 내밀 때 오른쪽 발이, 오른손을 앞으로 내밀 때 왼쪽 발이 나가는 방식과 같다. 즉, 지팡이 사용자에게는 지팡이가 팔의 역할을 한다(박순희, 2019 : 381).
- 지팡이 끝이 지면을 '탁' 하고 두드리는 순간 앞으로 내딛은 발의 뒤꿈치가 동시에 '쿵' 소리를 내며 지면에 닿아야 하는데, 이를 '리듬'이라고 한다(정인욱복지재단, 2014 : 250).

ㅂ. 지팡이를 사용하는 기법으로는 이점 촉타법과 대각선법을 들 수 있다. 이점 촉타법은 실외에서 주로 사용하는 기법이고, 대각선법은 실내에서 사용할 수 있는 기법이다. 이점 촉타법은 실내에서도 사용 가능한데, 시각장애인에게 익숙한 실내에서 몸 양편을 두드리는 것은 불필요한 에너지를 낭비하고 지팡이를 자주 두드리는 것이 소음을 만들어 낼 수 있으므로 사용 여부를 주의 깊게 결정해야 한다(박순희, 2019 : 379).

Check Point

📝 **이점 촉타법 변형 기술**

① 지면접촉 유지법(콘스턴트 콘택)
   ㉠ 지팡이로 좌우측으로 이동할 때, 지팡이 끝을 계속해서 지면 위에 유지한다.
   ㉡ 중복장애인이나 지형의 변화를 탐지하는 데 어려움을 겪는 시각장애인에게 유용하다.
   ㉢ 지팡이를 지면과 계속 접촉함으로써 내려가는 계단이나 연석 등을 가장 빠르게 탐지할 수 있도록 하고, 지면의 정보를 가장 많이 입수할 수 있으며 지팡이로 바닥이나 지면을 두드리는 소리로 인하여 교육생이 다른 사람의 주의를 끄는 일이 없도록 하는 장점이 있다.

㉣ 표면이 거친 지역에서는 지팡이 끝이 금이 가서 갈라지거나 사용하기 곤란하고, 손에 힘이 약한 교육생의 경우는 오랜 시간 동안 이 기술을 사용하기 어렵다는 단점이 있다. 또한 교육생들은 지면에 지팡이를 두드려서 얻을 수 있는 촉각적·청각적 단서가 없기 때문에 보조를 유지하기 어려울 수 있다.

② 촉타 후 밀기법(터치 앤 슬라이드)
  ㉠ 가능한 한 지면과 지팡이가 많이 접촉할 필요가 있을 때 사용된다.
  ㉡ 연석이나 내림 계단 등을 발견하고, 인도, 흙길, 자갈길과 같은 지면의 변화를 판단하기 위하여 사용될 수도 있다.
  ㉢ 인도를 덮고 있는 이물질(눈, 얼음, 낙엽 등) 층 아래를 지팡이 끝으로 '찔러서' 위치를 확인할 수 있다.
  ㉣ 마른 땅과 진흙 웅덩이 등을 구별하기 위하여 이 기술을 사용할 수 있다.

③ 촉타 후 긋기법(터치 앤 드래그)
  ㉠ 기준선을 따라 걸어가는 동안 계단의 난간이나 점자블록과 같은 실외의 기준선을 따라가기에 적합한 방법이다.
  ㉡ 기준선을 활용하되, 지팡이 끝으로 기준선 반대쪽 지면을 우선 터치한 후, 지팡이 끝을 지면에 유지한 채 바닥에 끌어 기준선에 닿게 한다.

④ 삼점 촉타법
  ㉠ 벽이나 연석과 같이 수평면보다 위쪽에 위치한 환경물을 이용하여 보행할 때 활용하는 방법이다.
  ㉡ 바닥의 정보가 아닌 벽이나 연석 등을 랜드마크로 활용해야 할 상황에서 이 방법을 사용하면 효과적이다.

⑤ 한 번 바닥 치고 한 번 측면 치기
  ㉠ 삼점 촉타법과 동일한 목적으로 사용된다.
  ㉡ 삼점 촉타법에서의 포인트 2를 생략하는 방법이다. 바닥을 한 번 터치한 후 바로 포인트 3에 해당하는 위쪽 측면을 터치한다.
  ㉢ 삼점 촉타법보다 배우기 쉽지만, 바닥에 대한 충분한 정보를 제공하지 못하는 단점이 있다.

08 2010 유아1-5

정답 ④

해설
① 안압 상승을 초래하므로 아동에게 정기적으로 안약을 넣도록 지도한다. : 녹내장에 대한 설명이다.
② 백색증은 망막박리를 초래하므로 아동에게 신체적인 운동을 줄이도록 권장한다. : 백색증은 망막관련 질환이기는 하지만 망막박리의 위험성이 직접적으로 보고되지는 않고 있다. 백색증은 색소 결핍이나 신체 내의 멜라닌 색소 감소로 발생한다.
③ 점진적인 시력 저하를 초래하므로 아동에게 점자를 미리 익히도록 지도한다. : 망막색소변성에 대한 설명이다.
⑤ 백색증은 암순응 곤란을 초래하므로 교실의 전체 조명보다 높은 수준의 조명을 아동에게 개별적으로 제공한다. : 백색증과 암순응과는 관련이 없다. 백색증은 눈부심에 매우 민감하므로 교실 내에 커튼이나 블라인드 등을 설치하고, 전체 조명보다 낮은 조도의 조명을 제공한다.

09 2010 유아1-34

정답 ②

해설
ㄱ. 민우는 좌우 시력이 모두 전맹이므로 명암의 구분을 할 수 없다.
ㄴ. 장애 발생 시기상, 시 기억을 활용한 교육을 실시한다. 2세 또는 5세 이후에 실명하였을 때는 시각적인 기억이 남아 있어 개념 형성과 학습에 도움이 된다. 선천맹인 경우는 시각적인 기억이 남지 않아 전적으로 시각 외의 다른 감각에 의존하는 교육 방법을 실시해야 한다. 출생 후 실명한 경우 아동은 시각이 아닌 촉각, 청각 등의 잔존 감각을 통하여 세상을 경험하였기 때문에 실명 이전에 보았던 세상에 대한 시각적 기억은 교육에 중요하게 활용될 수 있다(박순희, 2019 : 70).
ㄷ. 최신의 (전자) 확대독서기는 음성 지원이 되는 만큼 묵자로 된 학습 자료를 음성으로 변환시켜 제공하는 것이 불가능한 것은 아니나 일반적인 확대독서기의 주요 기능으로 접근하는 것이 적절하다.

- 확대독서기의 주요 기능에는 배율 조절, 모니터 밝기 조절, 색상대비 조절, 마커 기능, 화면 캡처가 포함되며, 학습 자료를 음성으로 변환시켜 제공하는 기능은 없다.
- ㅂ. 민우의 경우 잔존시력이 남아 있지 않은 전맹이므로 K-WISC-III의 동작성 검사는 불가능하며 K-WISC 검사의 실시 및 결과 해석에 상당한 어려움이 있다. 그리고 지능검사의 실시가 민우의 수업을 계획하거나 교육적 지원에 대해 제공할 수 있는 정보는 거의 없다.

Check Point

☑ 시각장애 아동의 지능검사

① 지능검사도구들이 시각장애 아동을 대상으로 하여 표준화되어 있지 않다는 점을 주지하고 결과 해석에 주의를 기울여야 한다.
② 시각장애 아동을 위해 따로 개발 혹은 수정된 것은 아니지만 널리 사용되는 표준화된 검사로는 한국 웩슬러 유아지능검사(K-WIPPSI), 한국 웩슬러 지능검사(KEDI-WISC)와 한국 웩슬러 아동지능검사(K-WISC)가 있다. 이 지능검사들에서는 언어성 검사만 실시되고, 만약 아동이 사용 가능한 잔존시력이 남아 있다면 동작성 검사도 가능하다.
③ 결과를 분석할 때 아동이 정해진 시간 안에 수행하였는지 아니면 시간제한 없이 실시했는지 참고해야 한다. 전맹아동에게 언어검사가 실시될 수 있으나 이 검사항목들은 시각적인 요소를 요구한다. 현재 지능검사에는 시각장애 아동을 위한 규준이 제시되어 있지 못하다.
④ 시각장애 아동을 위하여 개발된 지능검사들로는 Williams intelligence test for children with defective vision 등이 있다.

출처 ▶ 박순희(2019 : 187-188)

10 2010 초등1-30

정답 ④

해설

지문 돋보기

〈인적 사항에 나타난 정희의 특성 분석〉
- 시신경 위축: 눈에서 뇌로 시각 정보를 전달하는 시신경의 변성을 말함. 시신경 위축이 있는 사람들은 희미하거나 뿌연 시각을 경험하고 시야 감소도 나타남. 대비시켜 보거나 세부를 식별하는 데 어려움을 보임
- 수동과 광각: 아동이 시력표 앞 1m까지 근접해도 0.1 시표를 읽지 못하는 경우는 손가락 수를 알아맞히는 거리를 측정함. 손가락 수를 셀 수 없고 눈앞에서 흔드는 손의 움직임만을 알 수 있다면 시력은 수동으로 표기됨. 손 흔듦도 알지 못하는 경우에는 암실에서 환자의 눈에 광선을 점멸하여 광선의 유무를 물음. 이때의 시력을 광각이라 함(박순희, 2019 : 119)

ㄱ. 정희의 시력은 광각과 수동 수준이므로 묵자를 읽을 수 없다.
ㅁ. 정희의 시력은 광각과 수동 수준이므로 색을 구분할 수 없다. 따라서 결과수치를 대비가 높은 색을 사용하여 제시하는 것은 무의미하다.

Check Point

☑ 시각장애의 기능적 정의에 따른 분류법

지수 (FC)	아동이 0.1 시표를 읽지 못하는 경우는 손가락 수를 알아맞히는 거리를 측정한다. **예** 학생외 50cm 거리에서 검사자가 편 손가락의 수를 셀 수 있다면 지수 50cm(또는 FC/50cm, 50cm FC, 50cm 안전지수)로 표기한다.
수동 (HM)	손가락 수를 셀 수 없다면 아동의 얼굴 앞에서 손의 움직임을 인지할 수 있는지 확인한다. **예** 학생의 50cm 거리에서 검사자가 손을 좌우로 흔들고 있는지, 멈추고 있는지를 인지할 수 있다면 수동 50cm(또는 HM/50cm, 50cm HM, 50cm 안전수동)로 표기한다.
광각 (LP)	손 흔듦도 알지 못하는 경우에는 아동이 빛의 유무를 아는지 확인한다. **예** 빛이 있는지를 인식하면 광각 혹은 LP로 표기한다. 빛의 근원(**예** 해, 조명 등)까지 찾아낼 수 있다면 광투사(light projection)로 표기한다.
무광각 (NLP)	• 빛도 느낄 수 없는 시력은 0으로 본다. • 빛도 느끼지 못하는 상태라는 의미로 무광각 혹은 NLP로 표기하며, 맹(盲)과 같은 의미로 사용한다.

11
2010 중등1-29

정답 ④

해설

- 따라가기(또는 트레일링, 핸드 트레일링)는 자신이 따라가고자 하는 대상과 나란히 15~20cm 간격을 두고 서서 사물 쪽의 팔을 약 45도 정도로 올려 계란을 쥔 듯한 손 모양을 만든 뒤 사물에 갖다 대면서 가는 기법이다(박순희, 2019: 373).
- 대각선법은 실내에서 사용되는 주요 지팡이 기법이다. 지팡이는 골반 바깥쪽으로 내밀어 주먹을 쥔 모양으로 잡고 엄지를 뻗게 된다. 몸을 가로질러 지팡이를 뻗치고 지팡이 끝은 어깨에서 약 2.5cm 정도 나오게 한다. 지팡이 끝은 지면에서 약간 위로 띄운 상태에서 이동하게 된다(박순희, 2019: 382-383).
- 자기보호법은 상체보호법과 하체보호법(동 하부보호법)으로 나뉜다(박순희, 2019: 372).
  - 상체보호법에서는 한 팔을 어깨 높이로 올려 120도 각도로 구부려 손바닥이 전면을 향하도록 뻗게 한다. 어깨 쪽으로 손끝을 약 2.5cm 정도 더 내밀어 몸 전면을 보호하도록 한다.
  - 하체보호법은 한 손을 몸 중심부 쪽으로 뻗어 하반신을 보호하는 기법이다. 손등이 전면을 향하도록 하고 손에 힘을 빼 충돌 시 충격이 크지 않도록 한다.
- 지팡이 사용법인 촉타법은 보행 중에 떨어지는 곳과 보행할 때 장애물을 탐지할 수 있게 해준다. 이 기술은 익숙한 환경이나 익숙하지 않은 환경 모두에서 사용된다. 촉타법으로 지팡이를 사용할 때 지팡이는 보행자 전면 중앙에서 잡고 땅 표면으로부터 낮게 호를 이루면서 좌우를 탐지한다(임안수, 2008: 297).

12
2010 중등1-30

정답 ②

해설

② 책을 읽을 때 빛의 조도는 개별 학생의 특성에 맞춰 조절해 준다.
- 녹내장을 가진 학생에게 적합한 빛의 조도는 개인별로 차이가 있다. 일반적으로 밝은 빛에는 눈부심을 호소하므로 책을 읽을 때 아동에게 맞게 빛의 양을 조절한다(박순희, 2014: 101; 임안수, 2008: 75).

Check Point

📝 **선천성 녹내장 아동을 위한 교육적 고려사항**

① 정상 안압을 유지하기 위해 안약을 사용할 수 있다. 그러나 안약은 동공을 팽창시켜 심한 수명(눈부심)을 느끼게 하므로 적절한 조도의 조명을 제공하고 세심하게 관찰해야 한다.
② 정확한 시간에 안약을 넣어야 하므로 교사는 수업 중에도 약을 넣도록 지도한다.
③ 약물을 복용하는 아동은 감각이 둔해질 수 있으므로 감각훈련을 실시한다.
④ 녹내장이 진행되어 시야가 좁아진 아동은 독서할 때 읽던 줄을 놓치는 경우가 많으므로 타이포스코프를 사용하도록 한다.
⑤ 시야가 좁아진 경우에는 보행에 어려움을 느낄 수 있으므로 보행지도를 실시한다.
⑥ 피로와 스트레스는 안압을 상승시키는 요인이 될 수 있으므로 주의한다.

출처 ▶ 임안수(2008: 74-75)

13 · 2010 중등1-31

정답 ①

해설
- 노란색 아스테이트 종이를 책 페이지 위에 올려놓으면 흐릿하거나 컬러로 인쇄된 것이 검은색으로 보여 대비를 증가시킨다(임안수, 2008 : 125).
- 타이포스코프(또는 독서 보조판, 대조강화경)는 시야의 문제로 인해 문장을 좌에서 우로 똑바로 읽어 나가지 못하거나, 다음 줄을 잃어버리거나, 눈부심이 민감한 학생이 사용하면 도움이 된다(이태훈, 2021 : 265).
- 마이크로스코프(microscope)는 현미경을 의미한다.

14 · 2010 중등1-38

정답 ④

해설

①	●● / ○● / ○○	●● / ○○ / ●○
	ㅍ	ㅔ
②	●● / ●● / ○○	○● / ○○ / ●○
	ㅎ	ㅔ
③	●○ / ●● / ○○	●○ / ●● / ○○
	ㄷ	ㅐ
④	●● / ●● / ○○	○● / ○○ / ●○
	ㅍ	ㅔ
⑤	○● / ●● / ○○	●● / ○○ / ●○
	ㅎ	ㅔ

15 · 2011 초등1-7

정답 ⑤

해설
① 기차의 '차'는 'ㅏ' 중성 빼기 법칙을 적용할 수 없기 때문에 반드시 'ㅏ'를 써주어야 한다.
② 라디오의 '라'는 'ㅏ' 중성 빼기 법칙을 적용할 수 없기 때문에 반드시 'ㅏ'를 써주어야 한다.
③ 'ㅏ'가 들어간 글자에 받침이 없고 바로 따라오는 글자의 초성이 'ㅇ'인 경우는 'ㅏ'를 뺄 수 없다는 규정에 해당된다.
④ '사'는 따로 123점으로 약자가 제자되어 있다.

Check Point

📝 점자의 약자

① 약자를 사용하기 위해서는 우선적으로 모음 'ㅏ'가 들어간 글자들에서 'ㅏ'를 생략하는 법칙인 'ㅏ' 중성 빼기 법칙을 이해하고 있어야 한다.

　예 '나'에서 초성 'ㄴ'만 찍어도 '나'로 사용된다.

② 예외가 되는 경우가 있는데, '가'와 '사'는 따로 1246점과 123점으로 약자가 제자되어 있고, '라'와 '차'는 'ㅏ'를 빼서 사용할 수 없기에 반드시 'ㅏ'를 써주어야 한다. 또한, 'ㅏ'가 들어간 글자에 받침이 없고 바로 따라오는 글자의 초성이 'ㅇ'인 경우는 'ㅏ'를 뺄 수 없다. 이는 점자에서 초성 'ㅇ'을 쓰지 않기 때문에 일어나는 현상으로 다른 글자로 오독될 수 있기 때문이다.

　예 '나이'에서 'ㅏ'를 안 쓰게 되면 14점과 135점만이 있게 되므로 '나이'가 아닌 '니'로 읽게 된다. '가', '라', '사', '차'를 제외한 '나', '다', '마', '바', '자', '카', '타', '파', '하'가 들어간 글자에서 주의하도록 한다.

③ 약자들이 한 글자 안에 들어간 경우는 사용 가능하다. 단, '억', '옹', '울', '옥', '연', '운', '온', '언', '얼', '열', '인', '영', '을', '은' 약자가 쓰이는 경우, 초성 'ㅇ'은 없는 것으로 약속하였다.

　예 '연'에서 '연'은 약자 '연' 16점만 찍어 표기한다. 초성 'ㅇ' 1245점은 사용하지 않는 것이다.

④ '까', '싸', '껏'은 각각 '가', '사', '것'의 약자 앞에 된소리표를 사용하여 표기한다.

　예 '까'는 된소리표 6점에 '가' 약자 1246점을 찍어 표시하면 된다. '싸'는 된소리표 6점에 '사' 약자 123점을 찍고, '껏'은 된소리표 6점에 '것' 약자 456점, 234점으로 표기한다.

⑤ 이중 받침이 들어간 글자에서 약자 사용이 가능하다.

　예 '넋'은 초성 'ㄴ' 14점, 약자 '억' 1456점, 종성 'ㅅ' 3점으로 표기한다.

⑥ 약자 '영'은 초성 'ㄱ, ㄴ, ㄷ, ㅁ, ㅂ, ㅋ, ㅌ, ㅍ, ㅎ' 등의 자음 다음에서는 '영'으로 쓰이나 초성 'ㅅ, ㅆ, ㅈ, ㅉ, ㅊ' 다음에 쓰이면 '엉'으로 읽힌다.

예 한 칸씩 순서대로 6점, 12456점, 4점, 12456점을 찍으면 6점은 초성 'ㅅ', 12456섬은 '엉'으로, 4점은 초성 'ㄱ', 12456점은 '영'으로 읽혀 '성경'으로 읽게 된다.

⑦ '팠'을 적을 때에는 'ㅏ'를 생략하지 않고 적는다. 원래는 'ㅏ' 빼기 법칙에 따라 'ㅏ'를 생략할 수 있으나, 'ㅆ' 받침과 'ㅖ'가 34점을 같이 써서 'ㅏ'를 쓰지 않으면 '폐'로 읽게 된다. 그래서 '팠'은 'ㅍ' 145점, 'ㅏ' 126점, 'ㅆ' 받침 34점으로 표기한다.

16 · 2011 초등1-36

정답 ⑤

해설

지문 돋보기

- 시각장애 3급임: 2019년 장애인복지법 개정 전 시각장애 3급의 기준은 다음과 같음
  ① 3급 1호: 좋은 눈의 시력이 0.06 이하인 사람
  ② 3급 2호: 두 눈의 시야가 각각 모든 방향에서 5도 이하로 남은 사람

① 일반적으로 교실의 조명이 400룩스임을 고려할 때 700룩스 이상으로 높인다는 것은 조명을 밝게 한다는 의미이다. 그러나 시각장애 학생 현아는 수정체 중심부에 혼탁이 있으므로 조명을 밝게 했을 때의 효과를 기대할 수 없다.

② this, that, it 등 대명사를 사용하는 것보다는 구체적인 사물의 이름을 명명하는 것이 효과적이다. 동시에 행동 지시를 구체적으로 해야 한다. 여기, 저기라는 지시어보다는 앞, 뒤, 왼쪽, 오른쪽, 시계 방향이라는 표현으로 지시하여 정확하게 이동하도록 해야 한다.

③ 교실 유리창 근처에서 시범을 보이지 않는다. 저시력 학생은 직사광선이 적을 때 시력을 효율적으로 사용할 수 있다. 직사광선이나 광택이 있는 표면은 눈부심을 유발할 수 있으므로 사용에 주의를 요한다. 교사를 바라보는 학생의 시선에 섬광이 비추지 않게 해야 한다.

④ 빛 반사로 인한 눈부심을 줄이기 위하여 광택이 많이 나는 재질을 사용하면 안 된다.

⑤ 확대경과 그림 카드 간의 초점거리를 6cm 정도 유지하여 사용하게 한다.

[풀이 과정]
- 배율(X) = $\frac{디옵터(D)}{4}$ 이므로 4X = 16D
- 공식 [초점거리 = 100cm ÷ 디옵터(D)]에 대입, 100cm ÷ 16 그러므로 6.25cm(약 6cm)

Check Point

(1) 조명 활용 지침

아동에게 적합한 조명을 활용하여 시각을 최대로 사용하도록 도와준다. 조명의 밝기(500~800lux 적당)와 눈부심 정도도 조정하며 대비의 효과도 활용한다. 조명은 방 전체를 밝히기 위하여 사용될 수도 있고, 읽기 활동용으로 부분 조명으로도 활용할 수 있다. 저시각정보센터에서는 저시각 학생을 위한 조명 활용 지침을 다음과 같이 제안하고 있다(박순희, 2014: 449-451).

① 방 전체를 위한 조명을 설치하면서 아동에게 조명을 따로 제공한다. 방을 어둡게 한 상태에서 부분 조명을 사용하는 것은 피한다.

② 과제 활동을 할 때 아동 가까이에 조명을 두거나 얼굴을 향해 정면으로 비추면 눈부심을 유발할 수 있으므로 아동의 측면에서 빛을 제공한다.

③ 그림자가 지지 않도록 아동의 양쪽에서 조명을 비춰 준다.

④ 쓰기를 할 때는 그림자가 지지 않도록 사용하는 손의 반대편에서 조명을 제공한다.

⑤ 눈부심을 방지하기 위해서 전등에 덮개를 씌우고, 창문을 통해 들어오는 빛의 양을 줄이기 위해 창문에 블라인드 혹은 얇은 커튼을 사용한다. 햇빛이 들어오는 창문을 향해 책상을 배치하지 않는다.

⑥ 빛 반사로 인한 눈부심을 줄이기 위하여 바닥이나 책상에는 유광 자재를 피한다. 복도와 계단이 있는 곳에는 조명을 설치하여 벽, 바닥, 계단, 난간 등의 위치를 파악할 수 있도록 한다.

⑦ 건물 내 모든 방은 같은 조도를 유지하여 장소 이동과 빛 적응에 불편이 없도록 한다.

(2) 한국산업규격의 학교 시설 조도 기준

구분	조도(lux)		
	최저	표준	최고
교실	300	400	600

17

정답) ②

해설

㉠ 학생 A의 시력은 한천석 시시력표를 읽을 때, 4m 앞에서 시력 기준 0.1에 해당하는 숫자를 읽을 수 있는 수준: 한천석 시시력표에는 3m용과 5m용이 있다. 제시된 내용에 의하면 4m 앞에서 시력 기준 0.1에 해당하는 숫자를 읽을 수 있는 수준이므로 검사에는 5m용이 사용되었음을 알 수 있다. 학생 A가 4m 앞에서 시력 기준 0.1에 해당하는 숫자를 읽을 경우의 시력은 0.04가 아닌 0.08이 된다.

[풀이 과정]
시력 = 마지막으로 읽은 라인의 시력(0.1)
$\times \dfrac{실제검사거리(4m)}{표준검사거리(5m)}$
그러므로 학생 A의 시력은 0.08

- 교정 시력이 0.04가 되기 위해서는 한천석 시시력표를 읽을 때 2m 앞에서 시력 기준 0.1 해당하는 숫자를 읽을 수 있는 수준이어야 한다.

㉡ 양안의 교정시력이 0.04인 경우 교육적 정의에 의하면 맹(두 눈의 교정시력이 0.05미만이거나 두 눈 중 좋은 쪽 눈의 시야가 20도 이하인 경우)에 해당하므로 확대자료 또는 촉지도를 활용하는 것이 적절하다.

㉢ 시각장애학교 체육과 교육 영역은 일반 체육 교과와 동일하게 건강활동, 도전활동, 경쟁활동, 표현활동, 여가활동으로 세분되어 있고, 영역별로 일반 체육과 내용에 시각장애학생을 위한 특별한 내용이 추가되어 있다.

Check Point

(1) 원거리 시력검사

① 원거리 시력검사는 란돌트 고리, 스넬렌 시표, 진용한 시력표(4m), 한천석 시력표(3m 또는 5m) 등을 사용하여 5~6m 거리에서 실시한다.

② 만약 시력표의 맨 위 시표(0.1)도 읽지 못하는 경우에는 아동을 시력표 쪽으로 이동시켜 0.1 시표를 읽을 수 있는 지점과 시력표의 기준거리를 비교하여 시력을 산출한다.

(2) 시력 계산 공식

시력 = 마지막으로 읽은 라인의 시력 $\times \dfrac{실제\ 검사거리(m)}{표준\ 검사거리(m)}$

18

정답) ①

해설

㉠ 답지의 '과'는 'ㄱ', 'ㅗ', 'ㅏ'로 점필되어 있다.

㉡ '억', '옹', '울', '옥', '연', '운', '온', '언', '얼', '열', '인', '영', '을', '은'의 경우는 약자가 제자되어 있다.

㉢ ○● 는 'ㅡ'에 해당한다.
○○
○●

㉣ 숫자와 영어를 쓸 때는 한글과 구분하기 위해 숫자가 시작된다는 표시로 수표 3456점과 영어가 시작되고 끝난다는 표시를 하기 위해 영문표 시작점 356점, 종결점 256점을 찍어 표기한다.

㉠	㉡	㉢	㉣
○● ●○ ○○ ●● ○○ ○●	○○ ●● ●○ ○○ ●○ ●●	○● ●○ ●○ ○○ ○○ ○○	○● ○● ●● ○○ ●● ●○
ㄱ ㅘ	ㅊ 울 (약자)	ㅂ ㅣ	수표 2

19 2011 중등1-32

정답 ⑤

해설

① 시지각이란 눈을 통해 들어온 감각 정보를 분석·이해하는 과정으로 아동이 이전에 학습 받아 알고 있는 지식들이 기초가 되어야 하기 때문에 아동의 과거 시각적 경험과 아동이 기억하여 활용할 수 있는 학습 지식들이 무엇인지를 알아내는 것이 필요하다. 즉, 인간의 눈은 경험, 기대 그리고 지식 등의 테두리 속에서 사물을 보고 의미를 찾기 때문이다(박순희, 2019: 414). 따라서 시기능 훈련 시 학생의 능력에 인지적 요소를 포함시켜 고려하도록 하고 있다.

⑤ 주사와 추시를 통해 주변시야를 활용하는 시기능 훈련을 한다.
- 망막색소변성증, 녹내장, 시로 장애 등의 안질환을 가진 아동은 주변 시야검사를 실시하는 것이 필요하고 결과에 따라 주사와 추시와 같은 시각 활용 기술을 가르칠 필요가 있다. 황반부 변성, 시신경 위축 등의 안질환을 가진 학생은 시야 중심부에 암점이 있는지를 검사하는 것이 필요할 수 있다. 그리고 결과에 따라 시각 활용 기술로 중심외 보기를 적용시킨다.

Check Point

(1) 시지각

① 시자극을 조직하여 의미 있게 재해석하는 과정
② 시지각 기술은 사물의 유사성과 차이성을 구별하는 시각 변별, 불완전한 자극의 완전한 형태를 알아내는 시각 종결, 복잡하고 혼란스러운 배경 속에 숨겨진 자극을 확인하는 전경-배경, 자극을 정확한 형태로 재생해 내는 시각 기억 등을 포함한다.
③ 시지각의 장애는 사물의 인지, 공간에서 사물의 상호관계인지 등에 어려움을 야기하거나 학습부진의 원인이 될 수 있다. 그러므로 시지각은 후속 작업의 기초가 될 뿐만 아니라 학습준비기술로써 교과 학습 이전의 기초 과제로 중요한 기능을 한다.

(2) 시기능

① 시각을 사용하여 과제를 수행하는 능력
② 비슷한 시력을 가지고 있더라도 사람에 따라 일상생활에서 잘 활용하는 사람이 있고 어떤 사람은 잘 활용하지 못할 수도 있다.

(3) Corn의 시기능 모형

Corn은 저시력을 효율적으로 활용하기 위한 프로그램 개발모형으로 시기능 모형을 제안하였다.

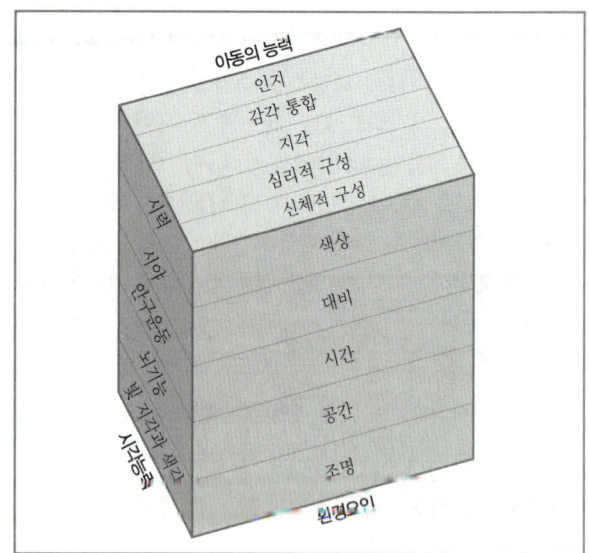

20 | 2011 중등1-33

정답 ④

해설

- ㉠ 지표와 단서, 번호 체계, 친숙화 과정은 방향정위의 기본 요소에 해당한다.
  - 시각장애 학생이 활용할 수 있는 이동기술들로는 남의 도움이나 보조구 없이 몸만 사용해서 이동하는 방법과 안내인, 흰지팡이, 안내견, 전자보행보조구를 활용하여 이동하는 방법으로 나누어 볼 수 있다(박순희, 2022 : 385).
- ㉣ 주로 시각장애인의 이동을 지원한다. 안내견 보행은 방향정위를 지원하는 것이 아니라 안전한 이동을 가능하게 해주기 때문에 시각장애인은 이동 중 방향정위에 더욱 집중할 수 있도록 해준다.

Check Point

(1) 방향정위의 기본 요소

방향정위를 위한 인지 과정이 효과적으로 이루어지기 위해서 아동은 다음과 같은 방향정위에 필요한 기본 요소들을 알고 있어야 한다(박순희, 2019 : 369-372).

① 지표
  - ㉠ 친숙한 사물, 소리, 냄새, 온도 또는 촉각 단서들로 재확인하기가 쉽고 항상 활용이 가능하다.
  - ㉡ 지표는 고정되어 있어 항상 활용이 가능하다.

② 단서
  - ㉠ 청각, 후각, 촉각(온도 포함), 근육감각이나 시각(색, 밝기와 대조) 자극물로 자신의 위치를 파악하거나 이동방향을 결정하는 데 쉽게 활용될 수 있다.
  - ㉡ 단서는 지표와는 달리 변화가 심하여 항상 활용할 수는 없다.

③ 번호체계
  - 번호체계는 환경이 어떤 순서로 구성되어 있는지를 알게 해 준다.

④ 측정
  - ㉠ 단위를 사용하여 사물이나 공간의 치수를 정확히 또는 대략적으로 파악할 수 있다.
  - ㉡ 표준화된 단위로 미터, 센티미터, 피트, 인치를 활용할 수 있으며 비교측정으로 ~보다 길다, ~보다 넓다, ~보다 좁다 등을 사용할 수 있다.
  - ㉢ 비표준화된 측정으로 걸음 수, 무릎 높이, 팔 길이를 사용할 수 있고 손 뼘을 사용하여 길이를 재는 방법도 사용할 수 있다.

⑤ 나침반 방위
  - 나침반 방향인 동서남북이 주로 사용되며, 북서, 북동, 남서, 남동을 포함시켜 팔방을 사용할 수도 있다. 특히, 더 자세한 방향을 나타내기 위해 시계방향(1~12시 방향)을 사용할 수 있다.

⑥ 친숙화 과정
  - ㉠ 친숙화 과정은 지표, 단서, 번호체계, 측정, 나침반 방위에 관한 정보를 활용하여 환경을 파악하는 방향정위 활동이다.
  - ㉡ 친숙화 과정에서 아동은 다음의 세 가지 질문에 대해 확실하게 답을 알아내야 한다.
    - 어떤 환경에서 기능할 때 필요한 정보는 무엇인가?
    - 정보를 어떻게 획득할 수 있는가?
    - 이 정보들을 어떻게 활용할 것인가?

(2) 안내법의 장단점

장점	• 안내인과 시각장애인이 서로 원만한 사회적 관계를 유지할 수 있도록 도움을 준다. • 안내인이 안내법을 정확하게 알고 있는 경우라면 안내법은 가장 안전하고 신속한 이동방법이다. • 안내인의 설명을 통해 안내를 받으면서 지형이나 표지판 등을 알아갈 수 있어서 독립보행을 위한 준비가 될 수 있다.
단점	• 안내자가 안내법을 정확히 모를 경우 시각장애인이 불편할 수 있다. • 다른 사람에게 의지하는 마음을 키우게 한다. • 시각장애인의 자존감에 부정적인 영향을 미치기도 한다.

(3) 안내견 보행의 장단점

장점	• 빠르고 안전한 보행 　- 다른 사물이나 사람과 많은 접촉 없이도 스스로 장애물을 인식하여 적절한 판단을 내리므로 속도감 있고 안전하게 이동이 가능하나. 　- 안내견은 안전하지 못한 상황에서 지적으로 불복종하여 시각장애인을 보호한다. 　- 안내견은 머리 높이나 통로에 있는 장애물도 인식할 수 있다. • 오리엔테이션을 위한 다감각적 단서 활용이 용이 　- 촉각 정보를 스스로 파악하기 위한 노력을 덜 기울이는 대신 다른 잔존감각을 극대화할 수 있게 되어 오리엔테이션 정보를 수집하는 데 큰 도움이 된다. 즉, 시각장애인은 위험 정보를 파악하기 위한 노력을 덜 기울이는 대신 방향정위에 집중할 수 있다. • 독립성 고취 　- 일반적으로 타인의 의존을 덜 받게 되어 독립적 사고를 지닐 수 있게 된다. • 사회성 증대 및 활동 범위의 극대화 　- 안내견을 매개로 많은 사람들과의 접촉 기회가 늘고, 이를 바탕으로 자신의 역량을 넓힐 수 있다.

	• 책임감 함양과 정서적 안정 　- 안내견을 자신의 가족으로 받아들여 돌보고 보살피는 과정 속에서 시각장애인은 책임의식을 높일 수 있을 뿐만 아니라, 상호 유대감과 애정이 바탕이 되어 정서적인 안정을 취할 수 있다. • 자신감 증대 　- 안내견은 몇 회 반복적으로 가는 장소에 대해서는 자동으로 유도하는 습성을 가져 목적지 보행이 확실하므로 보행에 대한 자신감이 함양된다. • 심리적 안정감 　- 일대일로 매일매일 일상을 함께 하면서 정서적·심리적으로 안정감을 얻는다.
단점	• 안내견을 돌보는 데 시간과 노력이 소요된다. • 안내견을 이용하지 않을 때 기다리게 하기 어렵다. • 시각장애인보다 안내견이 주위의 주목을 더 끌 수 있다.

21   2012 초등1-7

정답) ①

해설

㉠ 확대경은 중심시력을 상실하고, 시야가 넓을수록 효과적이다.

　• 중심시력을 상실하지 않았을 경우에는 굳이 확대경을 사용할 필요가 없다. 또한 주변시야를 상실한 아동이 확대경을 사용하면 아동의 시야보다 더 좁은 시야를 갖게 된다(임안수, 2008: 117).

Check Point

확대경 사용 시 유의사항

① 연령이 낮거나 확대경을 처음 사용해 보는 아동은 확대경 렌즈의 직경이 크고 사각형인 확대경이 사용하기 쉬울 수 있다. 확대경 사용에 익숙해지면 휴대성이 좋은 작은 확대경을 사용할 수 있다.

② 렌즈의 초점거리 개념을 이해하는 데 어려움이 있거나 맞추기 어려운 유아나 시각·지적장애 아동은 처음에는 학습 자료 위에 대고 사용하는 집광 확대경이나 스탠드형 확대경을 사용하도록 한 후 익숙해지면 손잡이형 확대경을 도입할 수 있다.

③ 과학 실험이나 미술 활동처럼 양손을 사용한다면 안경 부착형이나 안경형 확대경을 사용할 수 있다.

④ 밝은 조명을 선호하는 아동은 집광 확대경이나 조명이 부착된 확대경 종류를 사용한다.

⑤ 주변시야가 좁은 아동은 상대적으로 낮은 배율을 사용하면 시야 감소 문제를 줄일 수 있고, 반대로 중심 암점이 있는 아동은 상대적으로 높은 배율을 사용하면 암점 영향의 감소 효과를 얻을 수 있다.

⑥ 주변시야 손상이 심한 아동은 프리즘 부착 안경이 도움이 될 수 있다.

⑦ 확대경 렌즈와 눈 간의 거리는 시야와 관련이 있다. 확대경 렌즈로부터 눈이 멀리 떨어질수록 렌즈 속에 보이는 글자 수가 적어지고 렌즈 주변의 왜곡 현상을 더 많이 느끼게 되어 읽기 가독성이 떨어질 수 있다. 따라서 확대경 배율이 높을수록 렌즈에 더 다가가는 것이 필요하다.

⑧ 확대경 렌즈의 직경이 클수록 렌즈 속으로 보이는 시야가 넓어지므로, 같은 배율이라도 직경이 큰 렌즈를 구해 사용하면 렌즈 속에 더 많은 글자를 볼 수 있다.

⑨ 확대경이 고배율일수록 렌즈의 곡률 문제로 렌즈의 직경이 작아지고, 렌즈 가장자리에서 물체상의 왜곡 현상이 증가하므로 렌즈의 중앙으로 보도록 한다.

22

2012 초등1-22

정답) ④

해설

ⓒ 일반지도처럼 지역 경계선을 자세하게 묘사할 경우 학생에게 혼란스러움을 줄 수 있다. 따라서 필수적이지 않은 요소는 제거하거나 단순화하여 만들면 더 잘 이해할 수 있다.

ⓔ 양각의 화살표나 안내선을 사용하기보다는 기호나 주석을 사용하여 혼돈이 없도록 해야 한다.

• 양각 그림에 점자 글자를 적기 어려운 경우에는 안내선(유도선)을 사용하기보다는 기호나 주석을 사용한다. 안내선을 사용해야만 한다면 안내선으로 사용한 양각선이 양각 그림에서 사용하고 있는 양각 선과 구별되어야 한다(이태훈, 2024 : 22).

23

2012 초등1-23

정답) ④

해설

① 학생 특성에 따라 제시된 내용을 살펴보면 다음과 같다.

지문 돋보기

• 학생의 특성에 맞게 사진 및 그림 자료로 수정·확대하여 보여주고 : 시력 특성을 고려한 것
• '우리 교실 어디 있지?' 노래를 부르며 교실 위치에 대한 기억을 촉진한다. : 중등도 정신지체임을 고려한 기억전략

② 시력 및 인지적 특성을 고려한 것이다.
④ 건물 내 모든 환경은 같은 조도를 유지하도록 하여 장소 이동과 빛 적응에 불편함이 없도록 한다. 한국산업규격의 학교 시설 조도 기준을 살펴보더라도 도서 열람실과 같이 특별한 목적을 위한 공간을 제외한 대다수 구역의 최저, 표준 그리고 최고 조도는 동일하다.

구분	조도(lux)		
	최저	표준	최고
계단, 복도, 승강구	300	400	600
교실	300	400	600
도서 열람실	600	1,000	1,500

⑤ 시력 특성을 고려한 것이다.

Check Point

시각장애 아동을 위한 학교환경 개선 방법

시각장애 아동이 안전하고 편안하게 학교에서 독립적인 생활을 할 수 있도록 돕기 위한 환경 개선 방법은 다음을 포함한다(이태훈, 2018 : 333-334).

① 교실
  ㉠ 창문에는 눈부심을 줄이고 적정 밝기를 유지하기 위하여 밝은 색 계열의 블라인드를 사용한다.
  ㉡ 교실의 전체조명이 적절한 밝기를 유지하도록 한다.
  ㉢ 교실 입구를 찾기 쉽게 고대비 매트를 출입문 앞에 부착한다.
  ㉣ 교실주변에 부딪치기 쉬운 고정 설치물이 있는 경우 학생에게 이를 알린다.
  ㉤ 교실의 교구함, 사물함은 점자와 큰문자 라벨을 붙인다.

② 통행로
  ㉠ 운동장에 보도와 차도가 구분되지 않은 경우에는 고대비 색으로 보도라인을 그려준다.
  ㉡ 웅덩이, 맨홀, 나뭇가지 등 보도의 위험물을 모두 제거하거나 안전장치를 마련한다. 파손되거나 표면이 평탄하지 않은 보도는 수리한다.

ⓒ 복도 바닥과 벽은 다른 색이 좋고, 바닥과 벽의 색이 비슷한 경우에는 벽의 걸레받이를 대비되는 색을 사용하여 바닥과 벽의 식별을 높인다.
ⓔ 보건실, 교무실 등의 주요시설에는 점자 표지판이나 고대비의 큰문자 표지판을 사용한다. 큰문자 표지판은 문 중앙에 눈높이에 부착하고, 점자 표지판은 손으로 촉지하기 쉽게 허리와 가슴 높이 사이에 부착한다.

③ 계단
ⓐ 난간이 없는 쪽의 벽에는 핸드레일을 설치하여 잡고 올라갈 수 있도록 한다.
ⓑ 계단은 적정 밝기의 조명 상태를 유지한다.
ⓒ 계단 입구에는 점형 블록을 설치한다. 계단코(계단 모서리)에는 고대비 테이프를 붙여 계단과 계단 사이의 식별을 돕는다.
ⓓ 난간이나 핸드레일에는 층별 정보를 나타내는 점자 표지판을 부착한다.

④ 문
ⓐ 문은 완전히 열어두거나 완전히 닫아두어 부딪치지 않도록 한다.
ⓑ 문의 손잡이는 찾기 쉽게 문과 대비되는 색으로 설치한다.
ⓒ 유리문에는 고대비의 유색 테이프를 붙인다.

⑤ 놀이터와 체육시설
ⓐ 놀이 기구나 운동 기구는 바닥과 대비되는 색으로 칠한다.
ⓑ 놀이 기구나 운동 기구 주변에는 질감이나 색이 다른 바닥재로 마감하거나 고대비 색으로 안전선을 표시한다.
ⓒ 농구장 같은 코트의 경기 라인은 바닥과 대비되는 색으로 그린다.

⑥ 학교 식당
ⓐ 바닥과 대비되는 색의 식탁과 의자를 사용한다.
ⓑ 식탁과 의자는 일렬로 줄을 맞추어 이동 통로를 확보한다.
ⓒ 배식을 위해 줄을 서는 곳은 바닥에 고대비 테이프로 표시한다.
ⓓ 맹학생은 배식과 이동이 용이한 곳에 지정석을 둘 수 있다.

24

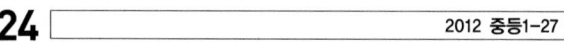

정답 ②

해설

제시된 정보에 의하면 시각장애 학생 A는 좋은 눈의 시력이 0.06 이하이면서 12디옵터(3X)의 렌즈로 되어 있는 손잡이형 확대경을 사용하고 있다. 이는 사물과 렌즈 간의 초점거리를 8.3cm 정도로 유지해야 함을 의미한다.

[풀이 과정]
- 배율(X) $= \dfrac{디옵터(D)}{4}$ 이므로 디옵터(D)=12
- 디옵터(D) $= \dfrac{100cm}{초점거리(cm)}$ 이므로

$$12 = \dfrac{100cm}{초점거리(cm)}$$

$$초점거리(cm) = \dfrac{100}{12}$$

$$= 약 \ 8.3cm$$

ㄱ. 망막 간상체의 이상으로 인해 암순응에 어려움이 있는 만큼 야맹증의 가능성이 있다.
ㄴ. 3급 ①호는 좋은 눈의 시력이 0.06이하인 사람이다. 좋은 눈의 시력이 0.04 정도인 경우는 2급 ①호에 해당한다.
ㄷ. 4급 ②호에 대한 설명이다. 3급 ①호에는 시야 관련 기준이 포함되지 않는다.
ㅁ. 원거리 시력검사의 결과를 바탕으로 처방받은 단안 망원경을 사용하고 있을 것이다. 단안 망원경은 원거리 시력검사의 결과를 바탕으로 처방받는다.

Check Point

(1) 장애인복지법의 시각 장애등급 판정 기준
① 개정 전

장애 등급	장애 정도	비고
1급 1호	좋은 눈의 시력(공인된 시력표에 의하여 측정한 것을 말하며, 굴절 이상이 있는 사람에 대하여는 최대 교정시력을 기준으로 한다. 이하 같다)이 0.02 이하인 사람	안전 수지(눈앞에 주어진 손가락의 개수를 셀 수 있음) 등으로 표현되는 시력 포함
2급 1호	좋은 눈의 시력이 0.04 이하인 사람	
3급 1호	좋은 눈의 시력이 0.06 이하인 사람	
3급 2호	두 눈의 시야가 각각 모든 방향에서 5도 이하로 남은 사람	
4급 1호	좋은 눈의 시력이 0.1 이하인 사람	
4급 2호	두 눈의 시야가 각각 모든 방향에서 10도 이하로 남은 사람	
5급 1호	좋은 눈의 시력이 0.2 이하인 사람	

5급 2호	두 눈의 시야가 각각 정상 시야의 50% 이상 감소한 사람	한 눈을 실명한 경우 5급 2호로 판정 불가
6급	나쁜 눈의 시력이 0.02 이하인 사람	

② 개정 후

> 가. 장애의 정도가 심한 장애인
>   1) 좋은 눈의 시력(공인된 시력표로 측정한 것을 말하며, 굴절이상이 있는 사람은 최대 교정시력을 기준으로 한다. 이하 같다)이 0.06 이하인 사람
>   2) 두 눈의 시야가 각각 모든 방향에서 5도 이하로 남은 사람
> 나. 장애의 정도가 심하지 않은 장애인
>   1) 좋은 눈의 시력이 0.2 이하인 사람
>   2) 두 눈의 시야가 각각 모든 방향에서 10도 이하로 남은 사람
>   3) 두 눈의 시야가 각각 정상시야의 50퍼센트 이상 감소한 사람
>   4) 나쁜 눈의 시력이 0.02 이하인 사람
>   5) 두 눈의 중심 시야에서 20도 이내에 겹보임(복시)이 있는 사람

(2) 추체세포와 간체세포

① 망막은 색소상피, 시세포층(추체 및 간체), 외경계막, 외과립층, 외망상층, 내과립층, 내망상층, 신경절세포층, 신경섬유층 그리고 내경계막의 10개 층으로 되어 있다. 이 중 시세포층은 추체세포와 간체세포가 있어 빛, 색깔, 물체의 형태를 지각한다(임안수, 2008 : 56-57).
② 망막의 중심부에 타원형의 함몰부가 있는데 이를 황반부라 하며, 황반부의 중앙에 가장 함몰된 부위를 중심와라 한다. 이 중심와에 추체세포가 집중되어 있으며, 간체세포는 안저 주변부에 많고 중심부에는 적다.
③ 추체세포는 높은 조명하에서 기능을 발휘하고 색각의 기능을 가지고 있으며, 간체세포는 낮은 조명하에서 기능을 발휘한다.

25   2012 중등1-28

[정답] ①

[해설]

ⓒ 안내견을 사용하면 시각장애인이 안전보다 방향정위에 집중할 수 있기 때문에 익숙하지 않은 지역에서 보행하는 데 편리하다.
ⓒ 우리나라 삼성안내견학교의 경우 안내견 신청 자격은 만 19세 이상의 성인으로 하고 있으며 미국은 16세 이상 사용할 수 있다.
ⓜ 지팡이 끝을 바닥에서 떼지 않고 양쪽으로 이동시키는 것은 '콘스턴트 콘택' 방법(또는 지면접촉 유지법)이다.

Check Point

(1) 안내견 보행

① 안내견 보행의 장점
  ㉠ 머리 높이나 통로에 있는 장해물을 피할 수 있다.
  ㉡ 안전하지 못한 상황에서 지적으로 불복종할 수 있다.
  ㉢ 빠른 속도로 자신감을 가지고 보행할 수 있다.
  ㉣ 시각장애인이 안전보다 방향정위에 집중할 수 있기 때문에 익숙하지 않은 지역에서 보행하는 데 편리하다.
  ㉤ 안내견을 사용함으로써 사회적 접촉과 상호작용이 촉진된다.

② 안내견 보행의 단점
  ㉠ 안내견을 빗질하고 먹이고 돌보는 데 시간이 많이 걸린다.
  ㉡ 안내견을 사용하지 않을 때 기다리게 하기 어렵다.
  ㉢ 시각장애인보다 안내견이 주위 사람의 주목을 끈다.

출처 ▶ 임안수(2008 : 282-283)

(2) 이점 촉타법의 변형
① 터치 앤 슬라이드(촉타 후 밀기법)
② 터치 앤 드래그(촉타 후 긋기법)
③ 콘스턴트 콘택(지면접촉 유지법)
④ 삼점 촉타법
⑤ 한 번 바닥 치고 한 번 측면 치기

출처 ▶ 정인욱복지재단(2014 : 255-258)

26 | 2012 중등1-39

정답 ⑤

해설

ㄱ. 점자정보단말기는 6개의 핀이 하나의 셀을 구성하고 있는 점자 디스플레이를 갖추고 있어, 시각장애 학생이 커서의 움직임에 따라 점자로 정보를 읽을 수 있다. : 점자정보단말기는 점자로 읽고 쓸 수 있는 전자 기기로, 초등학교에서 점자를 익힌 후부터 학습 및 생활 전반에서 적극적으로 사용하는 기기이다. 점자정보단말기는 본체 중앙에 위치한 <space>키를 기준으로 1점, 2점, 3점, 우측으로 4점, 5점, 6점의 점자 입력 키들이 배열되어 있다. 본체의 하단에는 플라스틱 재질의 점자가 출력되는 점자디스플레이가 있는데, 점 칸이 6개 점이 아닌 8개의 점으로 구성되어 있다. 점 칸의 제일 아래의 두 점은 컴퓨터의 커서에 해당하는 것으로, 커서를 이동하여 원하는 위치에 점자의 입력이나 수정을 할 수 있다(이태훈, 2021 : 285-286).

27 | 2013 초등B-6

모범답안

1)	• 학생 이름: 수진 • 이유: 간체의 손상으로 주변시야가 좁기 때문이다.
3)	25초

해설

1) 망막색소변성은 망막의 주변부부터 손상이 이루어져 주변부 시야 손상과 야맹증이 발생한다. 주변부 시야 손상이 계속 진행되면 터널을 지나갈 때처럼 보이는 터널 시야가 나타나며, 효율적인 잔존 시각 활용을 위해 추시, 추적, 주사 등의 시기능 훈련이 필요할 수 있다(이태훈, 2021 : 40-41). 이와 같은 이유에서 녹내장, 시로 장애 등의 안질환을 가진 학생도 주변부 시야검사를 실시하는 것이 필요하다(이태훈, 2021 : 106). 준수의 경우는 선천성 녹내장이나 현재 시각장애 정도가 전맹이기 때문에 추시하기와 주사하기와 같은 시각 기술을 활용할 필요는 없다.

3) ⓒ의 점자는 다음과 같다.

○○ ○○ ●●	●○ ●● ○○	●○ ●○ ○○	○○ ○○ ●○	●○ ○○ ●●
수표	2	5	ㅊ	ㅗ

Check Point

(1) 녹내장

신체적 특징	수양액의 정상적인 흐름이 이루어지지 않기 때문에 눈 속의 압력이 증가되어 생기는 눈병
의학적 처치	• 안약이 처방되어 정규적으로 안압을 낮추기 위해 사용되어야 함 • 수술이 필요할 수 있음
원인	• 약물치료 • 유전 • 수술과정에서의 잘못 • 외상, 수정체의 변형으로 인해 생김 • 유전성이라면 상염색체 열성/우성 또는 다인성 유전에 의한 것임
영향	• 시각기능의 변화 • 주변시야 상실 • 야맹증 • 광선 공포증 • 가까운 사물을 보거나 읽는 데 어려움 • 안통이나 두통 • 눈의 충혈 • 각막이 흐려짐 • 동공이 넓게 열림 • 치료받지 않으면 맹과 유두의 퇴화가 일어남
시각 보조구	• 선글라스와 보안경 챙 • 번쩍임이 없고, 거리 조정이 가능하고, 가감저항기를 가진 조명 사용 • 뚜렷한 대조, 확대경, 약시자용 확대독서기, 흡수력 있는 렌즈 사용
교육 시 고려 사항	• 시각적 수행에 변동이 심해 아동에 대한 기대 정도는 이에 따라 조정되는 것이 필요함 • 스트레스와 피로는 시각적 수행에 부정적인 영향을 줌 • 교사는 안압이 증가하는지, 통증이 있는지를 주의 깊게 살펴보는 것이 필요함 • 약물치료가 처방된다면, 정규적으로 복용하여야 함 • 익숙하지 않은 장소로 여행하는 것이 어려울 수 있음

출처 ▶ 박순희(2019 : 90)

(2) 백내장

신체적 특징	• 수정체가 불투명해지거나 흐려져서 빛의 통과 제한, 대부분 좌우 상칭임 • 안구가 발달되지 않았거나 백내장 초기에는 흐리게 보임 • 백내장이 심해질수록 너무 흐려져서 눈 속을 볼 수 없고 동공은 하얗게 됨
의학적 처치	• 백내장이 심해졌을 때 대개 수술이 추천됨 • 렌즈(Intraocular Lens; IOL)가 이식되거나 각막 콘택트렌즈가 수술 후에 사용됨
원인	• 안구손상 • 외상 • 약물 • 영양 부족 또는 임신 기간 중 풍진, 고령, 안질과 유전성 • 상염색체 우성이거나 X 연관일 수 있음
영향	• 시력 감소 • 흐린 시각 • 색각 부족 • 광선 공포증 • 안구진탕증 • 시각능력은 빛에 따라 변동 • 사시는 선천성 백내장의 초기 증상일 수 있음 • 교정되지 않으면 저시각 상태가 됨 • 수술 후에 렌즈가 처방되어 잔존 시각을 사용할 수 있음
시각 보조구	• 확대장치를 사용할 수 있음 • 활자를 확대하거나 눈 가까이 대고 활자를 읽는 것이 필요함 • 조명은 아동의 뒤에 있어야 하며, 번쩍이는 빛은 피해야 함 • 백내장이 주변시야에 있다면, 밝은 빛이 동공 가까이에 주어져 홍채가 백내장이 있는 영역을 대신하도록 함 • 수정체가 제거가 된다면 무수정체(aphakia)의 상태에 있게 됨
교육 시 고려 사항	• 교사는 아동을 가르치거나 말할 때 창문 앞에 서 있지 않아야 함 • 거리 조정이 가능하고 가감저항기를 가진 조명으로 근거리 작업을 하도록 함 • 콘택트렌즈 또는 안경이 처방된다면 반드시 착용해야 함 • 조명이 바뀐다면, 눈이 적응할 시간을 줌 • 작업거리를 바꾸는 경우, 즉 근거리 과제에서 원거리 과제로 바꿀 때는 휴식 시간을 주어 피로를 줄여 주는 것이 필요함

출처 ▶ 박순희(2019 : 84)

28   2013 중등1-19

정답 ④

해설

ⓒ 시각장애 학생은 듣기를 이용하여 학습 자료를 자세히 분석하거나 원하는 페이지를 찾는 데 어려움이 있다. 듣기는 참조하는 데 어려움을 준다. 학생은 듣기를 통해 앞의 내용을 다시 듣거나, 건너뛰거나, 자세히 분석하거나, 원하는 장이나 페이지를 찾기 어렵다.

ⓒ 외국어로 된 용어나 이름은 정확한 발음과 함께 철자도 읽어 주고, 한문으로 표기된 단어는 글자의 음과 뜻을 읽어 주거나, 낱말의 뜻도 녹음해 준다.

ⓔ 책 전체의 위계를 알 수 있도록 책의 부, 장, 절 그리고 순서를 나타내는 숫자는 물론 책의 제목, 출판사, 출판 연월일, 트랙의 수를 녹음한다(임안수, 2008 : 274).

Check Point

(1) 듣기의 장단점

① 장점
㉠ 듣기는 말하기, 읽기, 쓰기보다 더 많은 양을 차지한다. 듣기는 말하기, 읽기, 쓰기의 발달에 도움을 준다.
㉡ 중복장애학생과 묵독이나 점독에 어려움이 있는 학생에게 듣기는 중요한 학습 수단이다.
㉢ 속도가 빠르다.
㉣ 듣기는 자료를 구하고 처리하는 데 효과적인 수단이다. 경우에 따라 듣기가 점자보다 학습에서 더 효과적인 수단은 아니지만 점자도서를 보급·제작하는 것보다 녹음 도서를 제작하는 것이 더 쉽고 빠르다.

② 단점
㉠ 듣기(청독)는 일부 내용을 전달하기 어렵다. 특히 그림, 차트, 그래프, 도형 등은 듣기에 의하여 정확하게 전달될 수 없다.
㉡ 듣기는 참조하는 데 어려움을 준다. 학생은 듣기를 통해 앞의 내용을 다시 듣거나, 건너뛰거나, 자세히 분석하거나, 원하는 장이나 페이지를 찾기 어렵다. 녹음 도서의 인덱싱 방법도 정독, 표제어, 문단, 특수한 체재를 통하여 다시 읽거나 전체를 훑어 읽는 데 시간이 많이 걸린다.
㉢ 자료를 통제하기 어렵다. 속도, 억양, 고저, 간격 등은 낭독자가 결정한다. 전자공학의 발달로 압축어, 속도와 음색의 다양한 조절, 그 밖의 기기를 통하여 다양한 변화와 발전이 이루어지고 있으나 아직도 자료를 통제하는 데 어려움이 있다.
㉣ 듣기는 수동적이다. 녹음 도서는 가만히 앉아서 듣기 때문에 수동적으로 되기가 쉽다. 따라서 집중력을 높이기 위해서는 능동적인 듣기를 해야 한다.

ⓒ 자료를 구하기 어렵다. 정안학생이 사용하는 청각자료는 시각장애 학생도 사용할 수 있으나 이러한 자료는 시각적 자료와 함께 사용하는 경우가 많아 시각장애 학생이 사용하기 어렵다. 시각장애 학생이 교과서와 참고서의 대체 자료로 녹음 도서를 구하기 어렵다는 점이 듣기 학습을 제한한다.

출처 ▶ 임안수(2008 : 272-273)

(2) 음성 자료 제작 방법

음성 자료(또는 육성 녹음 자료)를 제작하는 방법과 유의점은 다음을 포함한다(이태훈, 2021 : 191-192).

① 소음이 적은 시간과 장소에서 녹음한다.
② 일부러 읽는 속도를 늦추지 말고 보통 속도로 최대한 명확하게 발음하여 읽는다.
③ 자료를 녹음할 때 원본 자료에 기재된 표지, 목차, 저자 소개 등을 빠뜨리지 않고 녹음하는 것을 원칙으로 한다.
④ 쉼표, 마침표 같은 구두점은 특별한 경우가 아니면 듣기 가독성과 이해도를 돕기 위해 생략한다.
⑤ 도서는 1개의 챕터를 1개의 파일로 제작하는 것이 일반적이나 1개의 파일이 60분이 넘어가면 2개의 파일로 나누어 저장하고 이를 알기 쉽게 파일 이름에 번호를 달아 준다.
⑥ 표를 읽을 경우에는 각 항목을 어떠한 순서로 읽을 것인지 알려 준 후 항목별 내용을 읽어 준다.
⑦ 원그래프는 현재 몇 시 방향(보통 12시 방향 기준)에서 시작하여 시계 또는 반시계 방향으로 어떤 항목이 어느 정도 비율을 차지하는지 읽어 준다.
⑧ 막대그래프는 가로축과 세로축의 제목을 읽고, 가로축의 항목별로 세로축의 크기를 설명한다.
⑨ 선그래프의 경우는 x축과 y축의 제목을 읽고 x축과 y축의 범위와 간격이 어떠한지 먼저 이야기한다. 그다음 각 좌표의 점을 x축, y축 순서로 읽어 준다. 이때 각 그래프의 변화 경향성이 어디서부터 감소하고 증가하는지를 설명한다.

29 | 2013 중등1-20

정답 ③

해설

㉠ 교과서나 교육 자료를 큰 문자로 인쇄하거나 확대 복사하는 것은 상대적 크기 확대법에 해당한다.
- 상대적 거리 확대법은 자료에 가까이 다가가서 보는 것으로, 자료에 다가갈수록 물체의 상이 커지는 효과가 있다(이태훈, 2021 : 258).

㉡ 주변시야를 상실한 아동이 확대경을 사용하면 아동의 시야보다 더 좁은 시야를 갖게 된다. 또한 중심시력을 상실하지 않았을 경우에는 굳이 확대경을 사용할 필요가 없다(임안수, 2008 : 117).

Check Point

(1) 확대법

상대적 거리 확대법	상대적 거리 확대법은 자료에 가까이 다가가서 보는 것으로, 자료에 다가갈수록 물체의 상이 커지는 효과가 있다. • 물체와 눈과의 거리를 가깝게 조정 • 물체를 눈에 더 가까이 가져가면 망막의 상은 더 커짐 • 상을 크게 확대하려면 물체와 눈의 거리를 가깝게 조정
상대적 크기 확대법	상대적 크기 확대법은 자료를 더 크게 만들어 주는 것으로, 칠판에 더 크게 써 주거나 복사기로 2배 확대한 자료를 제공하는 것이다. • 물체의 실제 크기를 확대 • 교과서와 교육 자료를 큰 문자로 인쇄하거나 확대, 복사 • 독서매체를 저시력 아동의 독서에 보다 효과적으로 사용
각도 확대법	각도 확대법은 렌즈를 사용하여 자료가 더 크게 보이도록 하는 것으로, 원자료가 렌즈를 통과하면 자료의 글자나 그림의 상이 더 커진다. 이와 관련된 저시력 기구로 확대경과 망원경이 있다. • 여러 종류의 렌즈를 사용하여 물체의 크기 확대 • 광학기구를 이용한 확대법이 해당
투사 확대법	투사 확대법은 카메라 및 전자 장치를 통해 모니터 혹은 스크린에 원자료의 크기보다 크게 투사한다. 이와 관련된 저시력 기구로 확대 독서기가 있다. • 필름, 슬라이드 등을 스크린에 투영 • 텔레비전, 컴퓨터, CCTV

(2) 확대경의 종류별 기능

집광 확대경	• 빛을 모아 주는 성질이 있어 렌즈 안을 밝게 비춘다. • 밝은 조명을 선호하는 학생에게 도움이 된다. • 읽기 자료에 대고 사용하므로 초점거리를 맞출 필요가 없어 유아가 사용하기 쉽다. • 고배율이 없어 경도 저시력 학생에게만 유용하다.
막대 확대경	• 읽기 자료에 대고 사용한다. • 한 줄 단위로 읽을 수 있어 글줄을 놓치는 학생에게 도움이 된다. • 고배율이 없어 경도 저시력 학생 중 시야 문제나 안진 문제로 안정된 읽기가 어려운 학생에게 유용하다.
스탠드형 확대경	• 읽기 자료에 대고 사용하므로 초점거리를 맞출 필요가 없다. • 어린 학생이나 수지 운동 기능에 문제가 있는 학생에게 유용하다. • 밝은 조명을 선호하는 학생에게는 조명이 부착된 스탠드형 확대경을 지원한다. • 고배율의 확대경도 있다.
손잡이형 확대경	• 렌즈와 자료 간의 초점거리를 맞추어야 선명하게 확대된다. • 지능이나 수지 운동 기능 문제로 초점거리를 맞추고 유지하기 어려운 학생은 사용하기 어렵다. • 밝은 조명을 선호하는 학생에게는 조명이 부착된 손잡이형 확대경을 지원한다. • 고배율의 확대경도 있다.
안경형/ 안경부착형 확대경	• 양손을 사용하는 활동이나 과제를 할 때 유용하다. • 렌즈와 자료 간의 초점거리를 맞추어야 선명하게 확대된다. • 양안을 모두 사용할 수 있는 학생은 양안용, 한쪽을 실명하거나 양쪽 시력 차가 큰 학생은 좋은 눈을 기준으로 단안용을 사용한다.

30 2013 중등1-21

정답 ③

해설

㉠ 18	• 보기는 10에 해당한다. • 18을 점자로 표기하면 다음과 같다. 수표　1　8
㉡ 청소년	• 보기는 음소별(ㅊ, ㅓ, ㅇ, ㅅ, ㅗ, ㄴ, 연)로 표기한 것이다. • 약자 '영'은 초성 'ㄱ, ㄴ, ㄷ, ㅁ, ㅂ, ㅋ, ㅌ, ㅍ, ㅎ' 등의 자음 다음에서는 '영'으로 쓰이나 초성 'ㅅ, ㅆ, ㅈ, ㅉ, ㅊ' 다음에 쓰이면 '엉'으로 읽힌다. 따라서 다음과 같이 표기해야 한다. ㅊ　영　ㅅ　ㅗ　ㄴ　연
㉢ 문화	ㅁ　운　ㅎ　나
㉣ 쌀쌀	된소리표　사　ㄹ　된소리표　사　ㄹ

31 · 2013추시 초등1-5

모범답안

3) ① 기호와 이유: ⓒ, 불수의 운동으로 인해 인쇄 자료와 확대경까지의 초점거리를 맞추기 어렵기 때문이다.
② 기호와 이유: ⓐ, 상지의 불수의 운동으로 키보드 활용 시 오타가 많기 때문에 타이핑 정확도를 향상시키기 위해서이다.

해설

3) <보기>에 제시된 보조공학기기의 특성은 다음과 같다.

ⓐ 보이스 아이	문자 정보를 바코드 상징으로 저장하고, 보이스 아이 전용 리더기나 보이스아이 앱을 설치한 스마트폰을 이용해 바코드를 음성으로 변환하여 듣거나 확대해서 볼 수 있도록 한 기기	
ⓒ 스탠드 확대경	확대경 종류의 하나로 초점거리를 일정하게 유지시켜 줄 수 있어서 어린 학생이나 수지 운동 기능에 문제가 있는 학생에게 유용	
ⓒ 옵타콘	소형 특수시판에 있는 핀들이 문자 모양대로 노출되어 맹학생이 일반 활자를 읽을 수 있게 해 주는 장치	
ⓔ 음성인식장치	말을 해서 컴퓨터를 작동하거나 문자를 입력하는 장치	
ⓕ 입체복사기	시각장애인을 위한 촉지도, 다이어그램, 그래픽 등을 전용 용지를 사용해 양각 그림으로 제작하는 기기	
ⓖ 조이스틱	컴퓨터의 마우스 포트나 범용 직렬 버스에 연결하여 사용하는 입력장치 중 하나	
ⓐ 키가드	컴퓨터 키보드 위에 놓기 위해 키마다 구멍이 뚫린 아크릴이나 금속으로 만들어진 커버	
ⓞ 트랙볼	볼 마우스를 뒤집어 소켓 내에 심어 놓은 형태의 대체입력 장치	

32 · 2013추시 초등1-6

모범답안

1)
- ⓐ: 영
- 카드 A: 그러나
- 카드 B: 막

2) 점자 타자기

3) 전자 점자(또는 무지 점자)

해설

1)
- 카드 번호 ①은 약자 '영'의 쓰임을 알려주기 위한 것으로 카드 A는 '성', 카드 B는 '경'으로 읽어야 한다.
- 카드 번호 ②는 자음 'ㄱ'의 쓰임을 알려주기 위한 것으로 카드 A는 약어로, 카드 B는 종성 자음으로 사용되는 경우이다.

2) 점자 타자기는 점자를 쓰기 위한 타자이다. 점자 타자기의 주요 구조는 6개의 점을 찍기 위한 글쇠 6개, 사이띄개, 줄바꾸개, 뒷걸음쇠 등 모두 9개의 키로 구성되어 있다. 점자 타자기를 사용하여 점자를 쓸 때에는 한 칸에 들어가는 점형은 해당하는 점의 글쇠를 동시에 눌러 적으며, 글쇠를 누르면 점자지 위로 점자가 찍혀 나온다. 점자 타자기에는 9개의 키 이외에 종이나르개, 여백조절개, 종이누르개 등 여러 가지 다른 구조도 있다(특수교육학 용어사전, 2009 : 341).

3) 점자정보단말기는 여섯 개의 키와 스페이스 바로 구성되어 있는 점자 컴퓨터 기기로, 가볍고 휴대할 수 있으며 음성이나 전자 점자를 지원한다. 이 기기를 사용한 후 컴퓨터에 연결하여 묵자나 점자로 전환할 수 있고, 일반 컴퓨터의 키보드를 사용할 수도 있다. 우리나라에서 개발된 것으로는 브레일 한소네 II가 있어 많은 시각장애 학생들이 사용하고 있다(임안수, 2008 : 225). 전자 점자(electronic braille)는 무지 점자(paperless braille)라고도 한다. 전자 점자는 종이를 사용하지 않고 점자알 크기의 핀(금속이나 나일론)이 표면으로 올라와 점자를 구성한다. 이 핀을 읽은 후 스페이스 바를 누르면 지금까지의 점자는 사라지고, 다음 줄에 해당하는 점자가 나타난다(임안수, 2008 : 223).

33 2013추시 중등1-4

모범답안

1)	• 용어: 대각선법 • 기능: 몸의 전면 하부에 있는 장애물을 미리 알려주어 하체를 보호한다.
2)	ⓒ 단서 ⓒ 지표(또는 랜드마크) • 차이점: 지표는 일정 기간 고정되어 있지만 단서는 변화가 심하여 항상 활용할 수는 없다.
3)	㉣: 예절실
4)	• 기호와 수정 내용: ㉤, 경호는 희수의 팔꿈치 조금 위를 잡고 반보 뒤에서 걸었다.

해설

1) 다음과 같은 지문의 내용을 통해 지팡이 사용기법을 알 수 있다.

지문 돋보기

• 화장실, 다른 교실로 이동: 실내 이동 시 사용
• 지팡이를 몸의 앞쪽에서 가로질러 잡고 지팡이 끝을 지면에서 약간 들면서 보행: 기법의 자세

2) 지표(또는 랜드마크)란 보행자에게 환경 내의 특정 위치를 알려주는 지각적 특징이며 단서란 보행 도중 특정 순간, 공간에 관한 정보를 알려주는 감각자극이다(정인욱복지재단, 2014: 34-35). 단서는 지표와는 달리 변화가 심하여 항상 활용할 수는 없다. 음식점에서 요리를 할 때는 음식 냄새를 활용할 수 있으나 영업이 끝나면 더 이상 음식 냄새가 나지 않는다. 음식 냄새 같은 단서들은 위치 파악에 중요하나 항상 활용할 수는 없다(박순희, 2019: 369).

3) ㉣의 점자는 다음과 같다.

○○ ○○ ●○	○● ○○ ○●	○● ●● ●○	○○ ○○ ○●	●○ ○○ ●○	○○ ●○ ○○
ㅖ	ㅈ	얼	ㅅ	ㅣ	ㄹ

4) 정안인인 희수가 시각장애인인 경호를 안내하는 것이므로 경호가 희수의 반보 옆, 반보 뒤에 서는 것이 기본 자세에 해당한다.

Check Point

(1) 지표의 조건
① 일정 기간 고정되어 있어야 한다.
② 특정 환경의 고유한 특징을 드러내야 한다.
③ 쉽게 인지되어야 한다.

출처 ▶ 정인욱복지재단(2014: 34)

(2) 기본 안내법의 기본 자세
① 시각장애인은 안내인의 팔꿈치 바로 안쪽 상박 부위를 계란을 쥐듯 가볍게 잡는다.
   • 시각장애 아동을 안내하거나 키 큰 시각장애인을 안내할 때의 자세는 필요에 의해 변형될 필요가 있다. 어린 아동의 경우에는 상박부를 잡을 수 잡을 수 없기 때문에 팔목을 잡도록 유도하고 키가 큰 시각장애인의 경우에는 안내자의 어깨에 가볍게 손을 얹은 상태에서 안내를 받을 수 있다.
② 안내자는 자신의 팔을 몸통 가까이에 붙이고 시각장애인은 안내인의 반보 옆, 반보 뒤에 선다.
   • 팔을 몸통에 붙이지 않으면 팔에서 느끼는 정보에 혼란을 줄 수 있으므로 유의한다.

출처 ▶ 정인욱복지재단(2014: 216-217)

34 2014 초등B-6

모범답안

2)	• ㉠과 ㉡의 유의점을 특별히 고려해야 할 학생 이름과 이유: 정배, 얼굴이나 머리에 충격이 가해지면 망막박리의 위험이 있기 때문이다. • ㉢의 역할을 담당할 학생 이름과 그 이유: 민수, 잠영은 안압을 상승시킬 수 있기 때문이다.
3)	해파리 뜨기

해설

3) 점자를 묵자로 옮기면 다음과 같다.

ㅎ	ㅐ	파	ㄹ	ㅣ	된소리표	ㄷ	ㅡ	ㄱ	ㅣ

Check Point

(1) 미숙아망막변성

신체적 특징	• 망막박리 • 망막의 혈관이 발달되지 못함 • 상처를 남김 • 손상의 범위는 출혈 정도만 일으키는 최소한의 손상에서 전맹까지 다양함
의학적 처치	• 비타민 E요법 • 레이저광선 소작법 • 냉동요법 • 압력으로 공막을 구부리는 요법 • 초자체 절제술
원인	• 체중 미달 • 산모가 어린 나이에 임신 • 산소 관리와 산소 제공 기간
영향	• 시력감소 • 고도 근시 • 변동이 심한 시각 • 사시 • 망막에 상처를 냄 • 시야 손실 • 망막박리와 녹내장 발생
시각 보조구	• 밝은 조명 • 근거리 작업을 위한 확대장치 • 멀리 있는 것을 보기 위한 망원경 • 저시각인용 확대독서기
교육 시 고려사항	• 아동은 행동문제와 발달지체를 일으키는 뇌 손상을 가질 수 있음 • 망막박리를 예방하는 것이 필요하고, 조기 치료 서비스와 감각자극 훈련이 중요

출처 ▶ 박순희(2019 : 87)

(2) 추체이영양증

추체이영양증은 망막의 중심부가 발달하지 못하여 색맹이 되거나 원거리 시력이 감퇴되는 질환이다. 추체세포의 기능이 상실되고 간체세포는 밝은 곳에서 기능을 잘하지 못하므로 이 질환이 있는 아동은 심한 수명과 안구진탕을 일으킨다. 교육적 조치는 백색증과 같다(임안수, 2008 : 81).

(3) 시신경 위축

신체적 특징	• 시신경이 전기적인 충격을 뇌에 전도하지 못해서 일어나는 시력 손실 • 눈의 유두는 엷은 색을 띠고, 동공이 제대로 작동하지 못함
원인	• 질병 • 시신경 압박 • 외상 • 녹내장 • 유전성(우성) 또는 독성으로 일어날 수 있음
영향	• 시각적 수행에 변동이 심함 • 흐린 눈 • 색각과 시지각이 손상됨
시각 보조구	• 밝은 조명 • 확대 활자 • 확대경 • 높은 대비 • 점자와 촉각 자료가 필요 • 선명한 색 사용
교육 시 고려사항	• 시각적 혼란을 피하여 단순하고 분리해서 시각 자극을 제시함 • 교사는 가르칠 때 복잡한 배경 앞에 서 있는 것을 피하고, 복잡한 무늬의 옷을 입지 않음 • 시각적 수행에서 변화가 심하므로 아동의 상태에 맞춰 교사의 기대 수준을 수정해야 함 • 본 것을 해석하는 방법을 아동에게 가르쳐 주어야 함

출처 ▶ 박순희(2019 : 91-92)

(4) 녹내장에 대한 교육적 조치

① 정상 안압을 유지하기 위해 안약을 사용하도록 한다. 그러나 안약은 동공을 팽창시켜 심한 수명(눈부심)을 느끼게 하므로 적절한 조도의 조명을 제공하고 세심하게 관찰해야 한다.
② 정확한 시간에 안약을 넣어야 하므로 교사는 수업 중에도 약을 넣도록 지도한다.
③ 약물을 복용하는 아동은 감각이 둔해질 수 있으므로 감각훈련을 실시한다.
④ 녹내장이 진행되어 시야가 좁아진 아동은 독서할 때 읽던 줄을 놓치는 경우가 많으므로 타이포스코프를 사용하도록 한다.
⑤ 시야가 좁아진 경우에는 보행에 어려움을 느낄 수 있으므로 보행지도를 실시한다.
⑥ 피로와 스트레스는 안압을 상승시키는 요인이 될 수 있으므로 주의한다.
⑦ 잠영, 물구나무서기, 중량 들기 등 몸의 압력, 특히 안구의 압력을 높이는 운동은 금해야 한다.

35 · 2014 중등A-9

모범답안

중심 외 보기

해설

- 암점은 시야 내에서 부분적 또는 완전한 맹이 있는 부위를 말한다. 즉, 시야 내에 부분적 또는 전체적으로 생긴 불투명한 부분을 말한다(박순희, 2019: 31).
- 시야 중심부인 황반에 손상이 없다면 좋은 시력을 유지할 수 있다. 시야 중심부에 손상이 있으면 시력이 저하되고 목표물을 똑바로 바라보면 물체의 가운데가 보이지 않아 물체를 알아보기 어려울 수 있다. 따라서 황반변성, 시신경 위축, 망막박리 등으로 시야 중심부의 손상이나 암점이 있는 학생은 시야 중심부에서 비교적 가까운 주변 시야로 보는 중심 외 보기(eccentric viewing) 기술을 익혀야 한다. 중심 외 보기를 하는 학생은 정면에 위치한 물체를 보기 위해 안구나 고개가 정면을 향하지 않고, 안구나 고개를 돌려 주변부로 보아야 하는데, 학생마다 중심부의 손상 위치와 크기에 따라 중심 외 보기 방향이 다를 수 있다(이태훈, 2021: 275).

Check Point

✎ 시각 활용 기술(또는 시기능 훈련)

① 고시
  ㉠ 고시(fixation)는 한 지점을 눈으로 계속 응시하는 기술이다.
  ㉡ 고시를 하지 못하면 물체에 초점을 맞추기 전에 시선이 다른 곳을 향하게 되어 목표물을 확인하기 어려울 수 있다.

② 추시
  ㉠ 추시(tracing)는 움직이지 않는 목표물을 눈으로 따라가며 목표물 전체를 보는 기술이다.
  ㉡ 시야가 좁은 학생은 목표물의 전체를 한 번에 보기 어렵기 때문에 전체를 확인하기 위해 목표물의 시작 부분부터 끝부분까지 눈으로 따라가면서 보는 것이 필요하다.
  ㉢ 시야 손상이 있는 학생은 문장 읽기, 표지판 읽기, 인도에서 펜스나 연석을 따라 걷기 등의 활동에 추시 기술의 사용이 도움이 될 수 있다.

③ 추적
  ㉠ 추적(tracking)은 움직이는 목표물을 눈으로 따라가며 보는 기술이다.
  ㉡ 시야가 좁은 사람은 움직이는 목표물을 쉽게 놓치기 때문에 목표물의 이동 방향을 눈으로 계속 쫓아가면서 목표물을 확인하는 추적 기술이 필요하다.
  ㉢ 시야 손상이 있는 학생은 마우스 커서 움직임 따라가기, 공 주고받기, 이동하던 택시가 멈추어 서는 위치 확인하기, 움직이는 버스의 노선 번호 확인하기 등의 활동을 할 때 추적 기술의 사용이 도움이 될 수 있다.

④ 주사
  ㉠ 주사(scanning)는 특정 공간이나 장소를 눈이나 머리를 체계적으로 움직이면서 빠뜨리지 않고 훑어보는 기술이다.
  ㉡ 시야 손상이 있는 학생은 특정 장소에서 목표물을 찾는 데 어려움이 있다.
  ㉢ 학생은 바닥에 떨어진 물건 찾기, 책 페이지에서 특정 줄이나 단어 찾기, 운동장에서 한 사람 찾기, 상가 지역에서 특정 상점 찾기 등의 활동을 할 때 주사 기술의 사용이 도움이 될 수 있다.

출처 ▶ 이태훈(2021: 274-277)

36 _2014 중등A-서2_

모범답안

1. 우수	'ㅇ'이 첫소리 자리에 쓰일 때에는 이를 표기하지 않는다.
3. 차로	'차'는 'ㅏ' 중성 빼기 법칙의 예외인 경우이므로 반드시 'ㅏ'를 써준다.
5. 구애	'ㅜ'에 'ㅐ'가 이어 나올 때는 그 사이에 붙임표(36점)를 적어 나타낸다.

해설

구분	잘못된 표기	바른 표기
1. 우수	초성ㅇ+ㅜ+초성ㅅ+ㅜ	ㅜ(134)+초성ㅅ(6)+ㅜ(134)
3. 차로	초성ㅊ+초성ㄹ+ㅗ	초성ㅊ(56)+ㅏ(126)+초성ㄹ(5)+ㅗ(136)
5. 구애	초성ㄱ+ㅜ+ㅐ	초성ㄱ(4)+ㅜ(134)+붙임표(36)+ㅐ(1345)

1. 'ㅇ'이 첫소리 자리에 쓰일 때에는 이를 표기하지 않는다(한글점자규정 제2항).
3. 한국점자규정 제12항에 제시되어 있는 약자 관련 문법 요소는 다음과 같다.
   - '가'와 '사'는 따로 1246점과 123점으로 별도의 약자가 제자되어 있다.
   - 한 어절 안에서 'ㅏ'를 생략한 약자에 받침 글자가 없고 다음 음절이 모음으로 시작될 때에는 'ㅏ'를 생략하지 않는다.
   - '라'와 '차'는 'ㅏ'를 빼서 사용할 수 있으며 반드시 'ㅏ'를 써주어야 한다.
5. 'ㅑ, ㅘ, ㅜ, ㅝ'에 '애'가 이어 나올 때에는 그 사이에 붙임표를 적어 나타낸다(한국점자규정 제11항).

37 _2014 중등B-2_

모범답안

㉠	눈과 확대경 간의 거리를 가깝게 하여 시야를 넓게 하고, 확대경과 읽기 자료 간의 거리는 배율에 따른 초점거리로 조절하여 선명하게 볼 수 있도록 한다.
㉢	양안 중 시력이 더 좋은 쪽 눈으로 망원경을 보게 하고, 훈련 초기에는 목표물 위치를 찾기 쉽도록 처방된 배율보다 낮은 배율의 망원경을 사용하여 지도한다.

해설

㉠ 독서할 때 글자가 흐릿하게 보이는 것은 초점이 맞지 않음을, 렌즈를 통해 보이는 글자 수가 적음은 시야가 좁음을 의미한다.
- 확대경을 효과적으로 사용하는 방법은 다음을 포함한다.

> - 눈과 렌즈 간의 거리를 가깝게 하면 시야가 넓어지는 효과가 있으므로 고배율의 확대경을 사용할수록 눈과 렌즈 간의 거리를 가까이 하여 렌즈 속에 더 많은 정보가 보이도록 한다.
> - 확대경 렌즈의 직경이 클수록 렌즈 속으로 보이는 시야가 넓어지므로, 같은 배율이라도 직경이 큰 렌즈를 구해 사용하면 렌즈 속에 더 많은 글자를 볼 수 있다.
> - 확대경이 고배율일수록 렌즈의 곡률 문제로 렌즈의 직경이 작아지고, 렌즈 가장자리에서 물체 상의 왜곡 현상이 증가하므로 렌즈의 중앙으로 보도록 한다.

㉡ 확대독서기(또는 CCTV, 독서확대기)는 크기의 확대는 물론 상의 반전, 색 변환 등 여러 가지 형태로 대비 증강이 가능하다. 일반적으로 광학도구로 도움이 안 되는 경우나 대비가 낮은 경우에 처방한다(문남주 외, 2016: 80).

㉢ 저배율 망원경에서 시작하여 고배율 망원경으로 단계적으로 도입하면 고배율 망원경 사용에 따른 눈의 피로나 어지러움을 줄이고 망원경으로 목표물을 찾는 어려움을 줄일 수 있다(이태훈, 2021: 272).

Check Point

(1) 광학문자인식시스템(OCR)

① 광학문자인식시스템(optical character recognition system, OCR)은 스캐너 또는 카메라로 인쇄물을 스캔하여 저장한 후 문자 인식 프로그램을 통해 이미지를 제외한 문자만 추출하여 텍스트(txt) 파일로 변환하게 된다.
  ㉠ 맹학생은 이 텍스트 파일을 음성이나 점자로 출력하여 이용하게 된다.
  ㉡ 일반적으로 문자가 많은 소설책보다 그림, 사진 같은 이미지가 많은 도서의 문자 인식률이 떨어진다.
② 광학문자인식시스템은 인쇄 자료를 확대해도 읽을 수 없어 인쇄 자료를 점자나 음성으로 다시 변환해야 읽을 수 있는 맹학생에게 유용하다.
③ 광학문자인식시스템은 일체형 제품과 컴퓨터에 설치하는 소프트웨어형이 있다.
  ㉠ 일체형 기기는 광학문자판독기라고 부르는데, 카메라, 문자 인식 프로그램, TTS 기능이 기기 안에 모두 통합되어 있는 것으로, 리드이지 무부가 있다.
  ㉡ 문자인식 프로그램으로 불리는 소프트웨어형은 컴퓨터에 설치하고 별도의 스캐너를 연결해서 사용해야 하는데 소리안, 파인 리더 등이 있다.

출처 ▶ 이태훈(2021 : 291-292)

(2) 제어판 수정을 통한 컴퓨터의 접근성 향상

포인터 속도와 스크롤 양	• 관련 메뉴: 마우스 - 마우스 등록 정보의 포인터 옵션 중 포인터 속도 선택을 보통보다 느림으로 해 주면 시각장애 아동이 쉽게 마우스의 움직임 추적 가능 - 휠 기능의 조절을 통해 휠의 1회 회전 시 스크롤할 양을 줄여 주는 것도 정보 추적을 보다 수월하게 해줌
고대비와 마우스키	• 관련 메뉴: 내게 필요한 옵션 - 읽기 쉽도록 구성된 색상 및 글꼴을 사용하기 위해서는 고대비 옵션 선택 - 커서 옵션에서는 커서가 깜빡이는 속도 및 커서의 너비를 변경할 수 있는데, 일반적으로 깜빡이는 속도는 평균보다 조금 느리게 그리고 너비는 넓게 하는 것이 저시력 아동이 커서를 쉽게 확인할 수 있도록 하는 데 유리 - 마우스에서는 마우스의 움직임을 확인할 수 없는 시각장애 아동을 위해 마우스의 기능을 키보드가 대신할 수 있게 조정할 것: 키보드의 숫자 키보드로 마우스 포인터를 움직이게 할 수 있는 마우스키 사용도 활성화시켜 주는 과정이 요구됨
텍스트 음성 변환	• 관련 메뉴: 음성 - 텍스트 음성 변환(TTS), 즉 음성합성(speech synthesis)에 적용할 음성, 속도 및 기타 옵션 조정 가능
디스플레이	• 관련 메뉴: 디스플레이 - 화면 해상도를 낮춰주면 인터넷을 통해 제시되는 글자와 그래픽을 보다 확대된 상태로 볼 수 있음

(3) 망원경

① 일반적으로 6m 이상 떨어진 물체를 볼 때 사용되는 기구로 때로는 60cm 이내의 물체를 볼 때도 사용된다.
② 망원경 사용이 필요한 안경은 어떤 종류의 망원경이 적합한지, 안구진탕이나 암점, 편마비와 같은 신체적 문제로 인해 망원경 사용에 제한이 없는지, 어떤 상황과 활동에서 망원경을 사용하도록 할 것인지를 검토해야 한다.
  • 망원경의 종류: 양안용과 단안용 망원경, 고정초점식과 가변초점식, 자동초점식 망원경, 안경부착형과 안경형망원경 등
③ 단안 망원경은 양안의 시력 차이가 큰 경우에 좋은 눈에 착용하고, 쌍안경은 양안의 시력차이가 없는 경우에 사용한다.
  • 단안 망원경을 학생의 양 눈 중 좋은 눈에 사용하는 이유는 더 낮은 배율을 사용함으로써 더 넓은 시야로 편안하게 볼 수 있기 때문이다.
④ 가변초점식 망원경은 초점의 개념을 이해하고 경통을 돌려 초점을 맞출 수 있는 학생이 사용하고, 너무 어리거나 지적장애나 수지 운동 기능 제한으로 초점을 맞추기 어려운 학생은 일정한 거리에서 사용할 수 있는 고정초점식 망원경이나 거리 변화에 따라 자동으로 초점이 맞추어지는 자동 초점식 망원경을 사용할 수 있다.
⑤ 손잡이형 단안 망원경은 손으로 잡고 보는 망원경으로, 도로 표지판, 버스 노선표, 상점이나 물체 찾기처럼 단시간 동안 사용할 때 가장 보편적으로 사용한다.
⑥ 안경부착형 망원경은 안경렌즈의 상단 부분에 양안 또는 단안으로 망원경을 부착하는 것으로, 양손을 사용하거나 긴 시간 동안 망원경을 사용해야 할 때 유용하다. 근거리 보기를 할 때는 망원경 아래의 안경 렌즈로 보고, 원거리 보기를 할 때는 안경 상단에 부착된 망원경을 통해 본다.

⑦ 망원경의 종류와 배율에 따라 초점거리가 다를 수 있으므로 사용할 망원경의 초점거리를 확인하는 것이 필요하며, 망원경으로 목표물의 초점을 맞추는 절차는 다음과 같다.
  ㉠ 나안으로 목표물을 찾는다.
  ㉡ 목표물을 찾으면 고개와 눈을 돌려 물체를 향해 응시한다.
  ㉢ 목표물을 응시한 채로 망원경을 눈에 가져다 댄다.
  ㉣ 망원경의 경통을 돌려 목표물이 선명하게 보일 때까지 초점을 맞춘다.
  ㉤ 목표물이 무엇인지 확인하여 말한다.
⑧ 망원경의 몸체에 망원경의 사양이 숫자로 표시되어 있다.
  예 "8×21 7.2": 8배율, 대물렌즈 직경 21mm, 시야각 7.2°

38 2015 유아A-3

모범답안

1)	• 방향정위 • 이동성
2)	다음 중 택 1 • 차양이 넓은 모자를 착용하도록 지도한다. • 차광안경을 착용하도록 지도한다.

해설

1) 시각장애인의 보행은 단순히 걷는 것을 의미하는 것이 아니라 방향정위와 이동성의 개념을 포함한다.
2) 백색증은 눈, 피부에 색소가 부족한 유전적 상태이다(박순희, 2019 : 97). 백색증 아동인 진수가 실외로 나갈 때, 빛을 흡수하여 여과시키는 안경을 착용하고 차양이 있는 모자를 쓰면(임안수, 2008 : 81) 특정 시각 과제를 짧은 시간에 보다 쉽고 편안하게 수행할 수 있다.

Check Point

(1) 백색증 아동을 위한 교육적 조치
① 햇빛이 비치는 실외로 나갈 때, 빛을 흡수하여 여과시키는 안경을 착용하고 차양이 있는 모자를 쓰도록 한다.
② 교실의 자연 조명도 조절해야 한다. 예를 들면, 직사광선을 차단하기 위하여 커튼이나 블라인드를 설치한다.
③ 광택이 있는 표면은 반사되어 눈이 부시므로 교실의 전체 조명보다 낮은 조명을 선택해야 한다.
④ 백색증 아동은 원거리 활동을 가까운 거리에서 하는 것을 좋아하므로 독서대 또는 높이를 조절할 수 있는 책상을 제공하고, 저시력 기구를 사용하도록 한다.

출처 ▶ 임안수(2008 : 81)

(2) 시효율
① 시효율이란 특정 시각 과제를 짧은 시간에 보다 쉽고 편안하게 수행하는 능력의 정도를 의미한다.
② 시효율은 원거리 및 근거리 시력과 시운동의 조절, 시각적 기제의 적응능력, 전달 경로의 속도와 여과능력, 그리고 두뇌의 처리능력 속도와 질 등에 따라 달라진다.

39   2015 초등A-5

모범답안

1)	인지지도
2)	ⓐ 칠판(또는 창문, 앞문, 뒷문) ⓑ 다음 중 택 2 • 일정 기간 고정되어 있기 때문이다. • 쉽게 인지되기 때문이다. • 특정 환경의 고유한 특징이 드러나기 때문이다.
3)	㉡ 주변탐색(또는 둘레파악법) ㉢ 격자탐색(또는 수직횡단파악법)

해설

1) 인지지도란 환경의 공간구조나 사물의 위치와 공간관계에 대한 정신적 이미지이다. 인지지도는 사물중심 기준위치에 따라 랜드마크, 보행경로, 사물들 간의 거리와 방향을 표상화한 것이다. 시각장애인이 환경 내에서 독립적으로 보행한다면 그 환경에 대한 인지지도를 형성하고 있다는 것을 의미한다(정인욱복지재단, 2014 : 39).

2) ⓐ, ⓑ 지표는 보행자에게 환경 내의 특정 위치를 알려주는 지각적 특성으로, 고정되어 있어 재확인이 쉽고 항상 활용할 수 있다. 그리고 단서는 보행하는 도중의 어느 특정한 순간에, 그 공간에 대한 정보를 알려 주는 감각자극을 말한다. 단서는 지표와는 달리 변화가 심하여 항상 활용할 수는 없다. 따라서 칠판, 창문, 앞문, 뒷문 등과 같이 고정되어 있는 것이 이에 속한다. 반면 우산꽂이는 필요에 따라 비치할 수도 있고 그렇지 않을 수도 있을 뿐만 아니라 그 위치가 변할 수 있기 때문에 지표가 될 수 없다.

3) 환경 탐색 기법에는 주변탐색(둘레파악법) 또는 격자탐색(수직횡단파악법)을 사용할 수 있다. 복도와 같이 좁은 공간이라면 주변탐색이 적당하고, 탐색하려는 곳이 '방'과 같이 넓은 공간이라면 격자탐색을 사용한다. 필요한 경우 두 가지 방법을 함께 사용할 수 있다(박순희, 2022 : 384).

Check Point

(1) 인지지도

① 인지지도는 경로 인지지도와 총체 인지지도로 구분할 수 있다.
  ㉠ 경로 인지지도란 출발지점과 목표지점 두 지점을 연결하는 경로에 대한 방향과 거리 및 경로 중 랜드마크 등에 대한 정신적 표상을 가리킨다.
    • 시각장애 유아가 교실 출입구에서 자신의 사물함을 스스로 찾아가 옷을 걸어두고 자기자리를 찾아간다면 출입구, 사물함, 의자까지의 경로에 대한 인지지도를 형성하고 있다는 것을 의미한다. 이 유아는 같은 교실 내 다른 친구들의 사물함이나 의자 위치, 교사의 책상, 세면대 등 교실 전체와 세부 구조에 대한 인지지도를 형성하고 있지 않을 수 있다.
  ㉡ 총체 인지지도는 특정 환경 전체 및 환경 내 사물들 간의 위치 관계 등에 대한 인지적인 표상이다.
    • 특정 환경에 대한 총체 인지지도를 형성하고 있다면, 해당 환경 내에서는 항상 같은 경로를 따라 보행하는 대신 상황에 따라 다양한 경로를 선택할 수 있다. 위에서 예로 든 시각장애 유아의 경우, 교실 출입구에서 자신의 사물함을 지나 의자까지 일상적으로 가는 경로를 선택하지 않고 앞서 걷는 친구 발자국 소리를 들으면서 다른 쪽으로 돌아 사물함을 찾아간다면 교실에 대한 총체 인지지도를 형성하고 있다는 것을 의미한다.
    • 경로 인지지도만 형성하고 있다면 다양한 상황에 맞추어 보행경로를 선택하지 못하지만, 총체 인지지도를 형성하고 있을 경우에는 훨씬 다양하고 자유롭게 보행경로를 선택할 수 있다.

② 경로 인지지도를 먼저 형성하고 나서 점차 총체 인지지도를 확보하는 것이 시각장애인의 방향정위 전략이다. 처음 접하는 환경에서는, 더욱이 복잡한 환경일수록, 경로 인지지도를 형성하여 보행하면서 점차 총체 인지지도를 형성해가는 것이 실용적이다.

출처 ▶ 정인욱복지재단(2014 : 39-40)

(2) 자기익숙화

주변 탐색	• 보행자가 특정 환경의 전체적인 윤곽을 이해하기 위해 특정 공간의 주위 경계를 각각 탐색하고 각 경계면의 특징을 반영한 이름을 붙여 기억하는 것이다. • 어느 복지관 1층에 있는 강당의 구조를 파악하기 위해 강당 전체를 탐색하면서, 출입구가 있는 왼쪽 벽면, 정수기가 배치된 뒤쪽 벽면, 내빈을 위한 안락의자가 배열될 오른쪽 벽면, 무대단상이 있는 앞면 등을 기억하면서 탐색하는 것이 주변탐색을 활용하여 자기익숙화를 하는 것이다.
격자 탐색	• 특정 환경을 바둑판과 같이 구획을 설정하여 전후 또는 좌우 방향으로 체계적으로 이동하면서 사물의 위치를 파악하는 것이다. • 앞에서 예로 든 강당을 상세히 탐색하고자 할 경우, 단상 왼쪽 앞에서 정수기가 놓인 뒤쪽으로 이동한 후 오른쪽으로 몇 발자국 옮겨 다시 단상 앞으로 오면서 보행경로마다 어떤 사물이 있는지를 파악하는 것이다. 이와 같은 패턴으로 강당 앞뒤를 반복적으로 탐색하는 것이 격자탐색 전략을 활용하는 자기익숙화의 예이다.
기준점	• 환경 전체를 탐색하기 위해 어느 지점에 있든지 간에 쉽게 되돌아와 활용할 수 있는 기준이다. • 앞에서 예로 든 강당을 익히고자 하는 시각장애인은 출입구를 기준점으로 삼아 강당 내 어느 지점에 있든지 사물들 간의 배열을 파악하기 위해 필요할 때마다 기준점을 재확인하면서 방향정위하는 전략이다.

출처 ▶ 정인욱복지재단(2014 : 56-57)

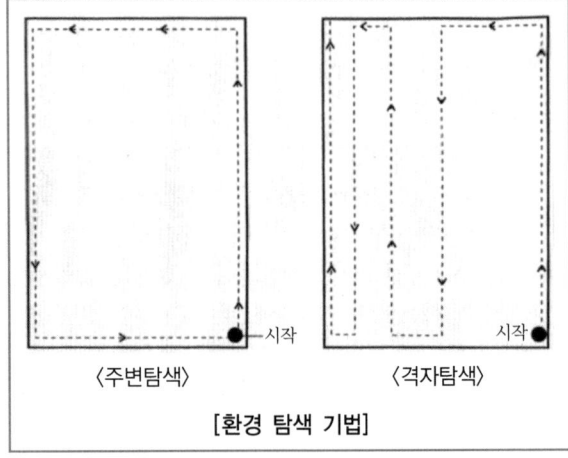

[환경 탐색 기법]

40 2015 중등A-4

모범답안

㉠	-20
㉡	암점

해설

㉠ D = 100cm ÷ 초점거리(5cm)이므로 20이 된다. 그러나 제시문에 오목렌즈임이 명시되어 있기 때문에 '-'(마이너스)를 반드시 표기해야 한다.

㉡ 암점이란 동그란 점 모양의 시야 손상 부위를 말하며, 암점이 있는 부분은 시야가 가려져 보이지 않는다. 마치 칠판을 바라볼 때 눈앞에 손바닥을 놓으면 칠판에서 손바닥이 가리는 부분이 보이지 않는 것과 비슷하다. 시야의 중심부에 출현하는 암점을 중심부 암점이라 하며, 주변부에 암점이 있을 때보다 사물을 보는 데 더 큰 어려움을 준다. 암점은 시신경 질환, 황반부 질환에서 많이 나타난다(이태훈, 2018 : 55).

Check Point

◪ **암점이 있는 학생을 위한 교육적 고려사항**

① 암점의 위치에 따라 중심부와 주변부 시야 손상을 가져오며, 특히 중심부 암점은 중심부 시야 손상 외에 심각한 시력 저하를 가져올 수 있다.
② 암점의 위치에 따라 중심 외 보기 기술을 지도하고, 암점의 위치와 중심 외 보기 방향을 찾기 위해 암슬러 격자 검사, 시계 보기 검사 등이 유용할 수 있다.
③ 중심부 암점이 있으면 중심시력이 감소하여 작은 글자나 세밀한 그림 자료를 보기 어려우므로 확대 자료나 확대기기를 사용하도록 한다.
④ 암점의 영향을 감소시키기 위해 더 높은 비율의 확대나 대상에 더 가까이 다가가는 것이 도움이 될 수 있다.

출처 ▶ 이태훈(2018 : 56)

41

2015 중등A-7

모범답안

㉠	지점자
㉡	촉수어(또는 촉수화, 촉독 수화, 촉각 수화)

Check Point

◾ **시각 중복장애 아동을 위한 비구어 의사소통 방법**

접촉단서	의사소통을 위해 신체를 일관된 형태로 접촉하는 방법
사물단서	사람, 장소, 물체 또는 활동을 나타내기 위해 사용하는 사물의 일부나 전체
사물상징	개념 또는 활동을 나타내기 위해 사용되는 사물(사물의 일부 또는 전체, 그림 또는 촉각 자료) 같은 물품(items)들
촉수어	대화 상대자의 수화 표현을 맹농 아동이 손으로 읽는 방법
공동수화	촉수화를 발달시키기 위한 것으로 대화 상대자가 맹농인의 손을 접촉하고, 안내하면서 수화를 익힐 수 있도록 돕는 방법
손바닥 문자	아동의 손바닥에 대화 상대자가 글자를 손으로 써서 나타내는 방법
지점자 (손가락 점자)	점자타자기 사용법과 유사한데, 손가락 여섯 개에 여섯 점을 배정하여 서로 손가락을 접촉한 상태에서 점자 기호를 만들어 의사소통하는 방법

42

2015 중등A-서1

모범답안

잘못 받아쓴 단어	(나) 바위, (라) 찡그리고
①	'밥'을 쓸 때 'ㅏ'를 생략하여 쓴다.
②	'바'와 같이 'ㅏ'가 들어간 글자에 받침이 없고 바로 따라오는 글자의 초성이 'ㅇ'인 경우는 'ㅏ'를 뺄 수 없다.
③	약어 '그리고' 뒤에 다른 음절이 붙어 쓰일 때에도 약어를 사용하여 표기한다.
④	약어 '그리고' 앞에 다른 음절이 붙어 쓰일 때에는 약어를 사용하여 적지 않는다.

해설

② 한 어절 안에서 'ㅏ'를 생략한 약자에 받침 글자가 없고 다음 음절이 모음으로 시작될 때에는 'ㅏ'를 생략하지 않는다.

• '바위'를 바르게 쓰면 다음과 같다.

○●	●●	●●	●○
○○	●○	○○	●●
○○	○●	●○	●○
ㅂ	ㅏ		ㅟ

⑤ 약어 앞에 다른 음절이 붙어 쓰일 때에는 약어를 사용하여 적지 않는다.

• '찡그리고'를 바르게 쓰면 다음과 같다.

된소리표	ㅈ	ㅣ	ㅇ	ㄱ	ㅡ	ㄹ	ㅣ	ㄱ	ㅗ

Check Point

◾ **주의해야 될 점자의 문법적 내용 요소**

구분	예외 규정
자음	• 초성 복자음(ㄲ, ㄸ, ㅃ, ㅆ, ㅉ)은 된소리표 6점을 먼저 쓰고 다음에 해당 자음을 쓰면 된다. • 종성 복자음(ㅆ, ㄳ, ㄵ, ㄶ, ㄺ, ㄻ, ㄼ, ㅀ, ㅄ)에는 된소리표를 사용하지 않고, 해당 자음 기호를 순서대로 적어 주면 된다. 단, 받침 'ㅆ'은 한 칸에 34점을 찍어서 표시한다.
모음	• 초성 'ㅇ'을 사용하지 않기 때문에 딴 'ㅣ'가 쓰인 것인지 모음 'ㅐ'가 쓰인 것인지 혼동되므로 모음 'ㅐ'가 쓰인 단어에서는 붙임표 36점을 찍어 준다. • 모음 'ㅖ'는 34점으로 표기되며 받침 'ㅆ'과 같은 기호를 쓰게 되므로 혼동될 경우가 있다. 모음 다음에 '예'가 이어 나올 때에는 그 사이에 붙임표를 적어 표기한다.

약자	• '가'와 '사'는 따로 1246점과 123점으로 약자가 제자되어 있고, '라'와 '차'는 'ㅏ'를 빼서 사용할 수 없기에 반드시 'ㅏ'를 써 주어야 한다. 또한, 'ㅏ'가 들어간 글자에 받침이 없고 바로 따라오는 글자의 초성이 'ㅇ'인 경우는 'ㅣ'를 뺄 수 없다. • '까', '싸', '껏'은 각각 '가', '사', '것'의 약자 앞에 된소리표를 사용하여 표기한다. • 이중 받침이 들어간 글자에서 약자 사용이 가능하다. • 약자 '영'은 초성 'ㄱ, ㄴ, ㄷ, ㅁ, ㅂ, ㅋ, ㅌ, ㅍ, ㅎ' 등의 자음 다음에서는 '영'으로 쓰이나 초성 'ㅅ, ㅆ, ㅈ, ㅉ, ㅊ' 다음에 쓰이면 '엉'으로 읽힌다. • '팠'을 적을 때에는 'ㅏ'를 생략하지 않고 적는다. 원래는 'ㅏ' 빼기 법칙에 따라 'ㅏ'를 생략할 수 있으나, 'ㅆ' 받침과 'ㅔ'가 34점을 같이 써서 'ㅏ'를 쓰지 않으면 '폐'로 읽게 된다. 그래서 '팠'은 'ㅍ' 145점, 'ㅏ' 126점, 'ㅆ' 받침 34점으로 표기한다.
약어	약어 앞에 다른 음절이 붙어 있는 경우에는 약어로 적지 않는다.
숫자	숫자 바로 뒤에 수자 기호와 동일하게 사용되는 초성 'ㄴ, ㄷ, ㅁ, ㅋ, ㅌ, ㅍ, ㅎ'과 약자 '운'이 올 때는 숫자와 한글을 띄어 찍는다.

43   2016 유아A-4

모범답안

1) ① 기호와 이유 : ⓒ, 수지는 수화를 모르기 때문이다.
   ② 기호와 이유 : ⓜ, AAC는 구어를 이용한 의사소통에 어려움이 있는 사람들을 위한 의사소통 방법이기 때문이다.

해설

지문 돋보기

각 유아의 강점은 다음과 같음

수지	뛰어난 촉지각 능력
인호	수화 가능, 촉독 수화 사용
은영	AAC를 이용한 의사소통

이와 같은 유아의 강점에 중점을 두어 문제를 해결하는 것이 바람직함

1) ㉠ 촉지각 능력이 뛰어나다는 강점을 이용한 바람직한 지도 방법이다.
   ㉡ 농맹중복장애 학생인 인호는 수화를 표현 의사소통 방법으로, 촉독 수화를 수용 의사소통 방법으로 이용하고 있다. 인호가 촉독 수화를 사용하기 위해서는 대화 상대자가 수화를 이용하여 의사소통 내용을 표현해야 하는데 수지의 특성에는 이에 대한 내용이 없다. 따라서 수지와 인호가 촉독 수화를 이용하여 의사소통하는 것은 불가능하다.

• 촉수어는 대화 상대자의 수어 형태와 동작을 알기 위해 맹농인이 대화 상대자의 손에 자신의 손을 얹어 수어를 확인하며, 농맹인이 수어를 좀 더 정확하게 촉지하도록 수어 동작을 보다 단순하게 변형하기도 한다(이태훈, 2021 : 356).

㉢ 농맹중복장애이기 때문에 촉각을 이용하도록 하고 있다.

㉣ 단순화된 수화를 AAC를 위한 상징의 일부로 사용하면 상징 양식을 다양화할 수 있는 이점이 생긴다.

• 의사소통 방법은 하나의 방법을 선택하기보다는 개별 학생의 의사표현과 소통의 효율성을 고려하여 필요한 경우 구어를 이용한 의사소통의 지도 외에 다양한 양식의 사용을 허용하는 접근이 이루어져야 한다. 뇌성마비 학생의 의사소통 지도는 학생이 가지고 있는 모든 잔존 능력, 즉 구어, 발성, 제스처, 수화, 노구를 사용하는 의사소통 방식을 포함하여 지도하는 것이 효과적이다. 의사소통은 쌍방 간의 소통이며, 적절한 시간 내에 정확하게 표현하는 것이 의사소통의 성패를 좌우하기 때문에 비상징적·상징적 의사소통 양식 중 상황에 더 적합한 양식체계를 사용할 수 있도록 지도한다. 이러한 다중양식체계를 활용한 AAC 방법은 뇌성마비 학생들의 의사소통 효율성을 높일 수 있다(박은혜 외, 2018 : 282-286).

㉤ 말하기에 심한 장애가 있는 경우 AAC를 사용하는 것이므로 구어 중심의 중재는 부적절하다.

• 보완대체의사소통이란 구어로 의사소통을 전혀 할 수 없거나 심각하게 어려움을 갖는 사람들이 구어가 아닌 다른 수단으로 자신의 요구를 표현하도록 하는 치료적·교육적 방법이다(고은, 2021 : 390).

44   2016 초등B-5

모범답안

2)	6학년 선수 이예성
3)	간체의 손상으로 인해 암순응에 어려움이 있으므로 추체를 활용하기 위해서는 조도를 높게 조절해야 하기 때문이다.
4)	(시각장애) 확대 핵심 교육과정(또는 [시각장애] 확대 중핵 교육과정, 확대 기본 교육과정)

해설

2) 점자를 묵자로 옮기면 다음과 같다.

수표	6		하	ㄱ	ㄴ	연

ㅅ	언	ㅅ	ㅜ	ㅣ	붙임표	ㅖ	ㅅ	영

4) 시각장애 확대 핵심 교육과정은 시각장애인이 사회의 구성원으로 독립적으로 살아가기 위해서 필수적으로 습득해야 하는 지식과 기술로 구성된 교육과정을 의미한다. 시각장애 아동에게는 일반학생을 위한 교육과정 시각장애를 고려한 교육과정을 포함하여 확대시킨 교육과정을 적용하는 것이 필요하다(박순희, 2019: 263).

Check Point

확대 핵심 교육과정

확대 핵심 교육과정에는 보상기술, 기능적 기술, 방향정위와 이동기술, 사회기술, 생활기술, 레크리에이션/여가 기술, 공학, 시기능 훈련, 진로교육, 전환 등이 포함된다(박순희, 2019: 263-270).

① 보상기술
   ㉠ 보상기술은 시각장애 아동이 교육에 쉽게 접근할 수 있도록 도와주는 기술이다.
   ㉡ 보상기술은 아동별로 시기능의 정도, 시각장애 외 중복장애의 영향, 아동 수행 과제에 따라서 다르게 선택될 수 있다.
      예 시각을 전혀 활용할 수 없는 아동인 경우는 점자를 배운다. 일반 글자를 읽을 수 없기 때문에 보상기술로 점자를 읽혀 손가락으로 읽으면서 교육을 받게 된다. 저시각 아동은 일반 글자가 작아서 읽기 어려울 수 있다. 보상기술로 확대 문자 혹은 광학 기구를 사용한 일반 글자 읽기를 배울 수 있다. 또는 컴퓨터에서 문자 확대 프로그램을 사용하는 방법도 익힐 수 있다.

② 기능적 기술
   ㉠ 기능적 기술이란 사회에서 일하면서 즐겁게 생활할 수 있도록 개인적인 요구를 해결하기 위해 필요한 기술이다.
   ㉡ 주요 기능적 기술의 영역에는 개념 발달, 추리력, 촉각기술, 운동발달, 공부기술, 청해기술(listening skills), 의사소통, 성교육 등이 포함된다.

③ 방향정위와 이동기술
   ㉠ 방향정위와 이동기술은 시각장애 아동에게 점자와 함께 중요한 과목이다.
   ㉡ 시각장애가 아동에게 미친 주요 영향이 의사소통과 이동에 있기 때문에 방향정위와 이동 교육과정에는 독립적으로 이동하면서 환경 속에서 즐거움을 찾고 배울 수 있는 기본 권리를 충족시켜 주는 내용이 담겨 있어야 한다.
   ㉢ 방향정위와 이동훈련 전문가는 시각장애 아동의 신체발달과 신체 및 환경 개념에서부터 특정 방향정위와 이동기술을 지도하면서 주택가 및 번화가 지역에서의 독립이동능력을 직접 환경 속에서 지도하는 역할을 한다.

④ 사회기술
   ㉠ 시각장애 아동은 일반아동처럼 자연스럽게 시각을 활용하면서 사회생활에 필요한 인간관계 기술을 배우기가 어렵다.
   ㉡ 시각장애 아동에게 사회기술은 조심스럽게 계획적으로 단계를 밟아 가며 지도되어야 한다. 일반교육과정에서는 이 사회기술을 시각장애 아동이 필요한 만큼 충분히 다루지 못하기 때문에 시각장애 특성화 교육과정에서 강조될 필요가 있다.

⑤ 생활기술
   ㉠ 아동이 스스로 할 수 있는 수준의 일상생활 지식과 기법 또는 개인 관리 기술을 습득하면 사회에 쉽게 통합될 수 있다. 교사는 가족이나 다른 전문가들과 함께 위생습관, 식사습관, 예절, 의복착용, 몸단장, 언어와 비언어 의사소통, 긍정적인 자아상을 확립할 수 있도록 지도한다. 이는 일상생활기술(daily living skills; DLS)이라고도 하며, 독립적인 삶을 살아갈 수 있도록 자신의 능력에 맞게 제공되는 모든 과제와 기능들, 즉 위생관리, 요리, 세탁, 금전관리, 시간관리, 조직화의 기술들을 말한다.
   ㉡ 일상적인 생활기술 외에도 성인으로서의 독립적인 생활에 필요한 기술들로 자립적인 가정생활과 지역사회 생활에 필요한 적응기술을 구분하여 지도한다.

⑥ 레크리에이션/여가 기술
  ㉠ 시각장애 아동이 성인이 되어서도 즐길 수 있는 레크리에이션과 여가활동을 개발해 줄 필요가 있다.
  ㉡ 시각장애 아동은 일반학생과 달리 시각을 통해 배워 나갈 수 없기 때문에 교사가 특별한 계획을 세워 레크리에이션과 여가 기술을 체계적으로 가르쳐야 한다.
⑦ 공학
  ㉠ 공학은 시각장애 아동의 의사소통과 학습을 향상시킴은 물론 의미 있게 시각장애 아동의 세상을 넓혀 준다.
  ㉡ 공학을 활용하여 시각장애 아동은 자신의 시각장애로 오는 한계를 줄여 나가는 것이 가능하게 되었다. 따라서 시각장애 특성화 교육과정에 공학을 포함하여 지도해야 한다. 화면과 인쇄 기능 강화, 음성 지원, 점자 출력과 관계된 소프트웨어와 하드웨어를 구비하여 아동이 컴퓨터를 활용할 수 있도록 한다.
⑧ 시기능 훈련
  ㉠ 시각능력이 남아 있는 대부분의 아동은 철저하고도 체계적인 훈련을 통하여 잔존시력을 효율적으로 더 잘, 더 많이 사용하는 방법을 배워야 한다.
  ㉡ 시각정보 활용은 학업, 심리-운동, 자기관리, 작업과 사회 기술 면에서 중요하므로 다양한 조건에서 시각정보를 사용하고 해석하는 방법을 지도한다.
⑨ 진로교육
  • 시각장애 아동은 고등과정에서 직업교육을 통해 직업과 관련된 지식과 기술을 배운다. 그러나 성인으로서의 삶을 준비해야 하기 때문에 이 내용만으로는 충분하지 못하다. 삶 전체적인 차원의 준비로서 진로교육(career education)이 필요하다. 이 진로교육은 시각장애 확대중핵 교육과정에 포함되어야 하고, 어릴 때부터 실시되어야 한다.
⑩ 전환
  ㉠ 전환 서비스는 시각장애 아동이 한 장소에서 다른 장소로 자연스럽게 이동할 수 있도록 도와준다.
  ㉡ 부모와 각 팀원이 함께 아동에게 맞는 옵션을 결정하고 새로이 담당할 교사를 준비시키며 자문을 제공한다. 아동별로 조기 중재에서 유치원으로, 유치원에서 학교로, 고등학교에서 성인으로 바뀔 때 정기적으로 전환 서비스의 도움을 준다. 또한 아동이 일반학급에서 특수학급으로, 기숙제 특수학교에서 일반학교 일반학급으로 이동 등의 특별한 경우에도 도움을 준다. 학년이 올라갈 때에도 전환 서비스를 제공할 수 있다.

45 | 2016 중등A-13

모범답안

• 투사 확대법
(전자) 확대독서기를 활용하여 교과서를 확대해서 보게 하였다(또는 저대비 자료를 볼 때 전자 확대독서기를 사용하게 한다).

• 정동기
시력이 계속 저하되어 확대해도 자료를 보기 어려워지고, 손의 촉각 둔감화로 점자를 읽기도 어려워지기 때문이다.

해설

• '교육적 조치'에 적용된 확대법의 종류는 다음과 같다.

지문 돋보기

내용	확대법
교실의 제일 앞줄에 자리 제공	상대적 거리 확대법
일반 교과서의 150% 크기인 확대교과서 제공	상대적 크기 확대법
판서 내용을 볼 수 있게 망원경 제공	각도 확대법

• 당뇨망막병증 아동은 점차 촉각이 둔해지므로 듣기 교재를 사용하여 학습 능력을 길러야 한다(이해균 외, 2011 : 56).

Check Point

(1) 확대법

상대적 거리 확대법	상대적 거리 확대법은 자료에 가까이 다가가서 보는 것으로, 자료에 다가갈수록 물체의 상이 커지는 효과가 있다. • 물체와 눈과의 거리를 가깝게 조정 • 물체를 눈에 더 가까이 가져가면 망막의 상은 더 커짐 • 상을 크게 확대하려면 물체와 눈의 거리를 가깝게 조정
상대적 크기 확대법	상대적 크기 확대법은 자료를 더 크게 만들어 주는 것으로, 칠판에 더 크게 써 주거나 복사기로 2배 확대한 자료를 제공하는 것이다. • 물체의 실제 크기를 확대 • 교과서와 교육 자료를 큰 문자로 인쇄하거나 확대, 복사 • 독서매체를 저시력 아동의 독서에 보다 효과적으로 사용
각도 확대법	각도 확대법은 렌즈를 사용하여 자료가 더 크게 보이도록 하는 것으로, 원자료가 렌즈를 통과하면 자료의 글자나 그림의 상이 더 커진다. 이와 관련된 저시력 기구로 확대경과 망원경이 있다. • 여러 종류의 렌즈를 사용하여 물체의 크기 확대 • 광학기구를 이용한 확대법이 해당

투사 확대법	투사 확대법은 카메라 및 전자 장치를 통해 모니터 혹은 스크린에 원자료의 크기보다 크게 투사한다. 이와 관련된 저시력 기구로 확대 독서기가 있다. • 필름, 슬라이드 등을 스크린에 투영 • 텔레비전, 컴퓨터, CCTV

(2) 당뇨망막병증 아동을 위한 교육적 조치
① 인슐린 의존형일 경우에는 매일 인슐린을 맞도록 격려한다.
② 당뇨병이 진행되면 점차적으로 촉각이 둔해지므로 듣기 교재를 사용하도록 한다.
③ 화면읽기 프로그램을 익혀 사용할 수 있도록 지도한다.
④ 의사와 상의하여 신장병과 말초혈관장애로 합병증이 있는가를 관찰, 지도한다.
⑤ 발에 감각이 없을 경우, 신발을 신을 때 이물질 등이 없는지를 살펴본 후 신도록 한다.

출처 ▶ 임안수(2008 : 76)

46 2016 중등B-2

모범답안

㉠	• 1,000 앞에 수표 3456점이 생략되었다. • 수의 자릿점은 2점으로 적는다.
㉡	운
㉢	• 점자책의 부피를 줄이기 위해서이다. • 점자 읽기와 찍기의 속도를 증가시킬 수 있기 때문이다.

해설

㉠ 숫자를 쓸 때는 숫자가 시작된다는 표시로 수표 3456점을 찍어 표기한다. 문자 부호인 쉼표(5점)와 자릿값을 구분하기 위한 자릿점(2점)은 구분되어야 한다.
• '땅 1,000'을 점자로 찍으면 다음과 같다.

된소리표		수표	1	자릿점	0	0	0
다	ㅇ	수표	1	자릿점	0	0	0

㉡ 숫자 다음에 한글이 이어 나올 때에는 숫자와 한글을 붙여 쓴다(한국 점자 규정, 한글점자 제38항). 다만 숫자와 혼동되는 'ㄴ, ㄷ, ㅁ, ㅋ, ㅌ, ㅍ, ㅎ'의 첫소리 글자와 '운'의 약자가 숫자 다음에 이어 나올 때에는 숫자와 한글을 띄어 쓴다.

ㄴ/3	ㄷ/9	ㅁ/5	ㅋ/6	ㅌ/8	ㅍ/4	ㅎ/0	운/7

㉢ 점자 읽기와 찍기의 속도를 증가시키고 점자책의 부피를 줄이기 위해서 약자와 약어가 만들어져 있다. 한국 점자에는 27개의 약자와 7개의 약어로 구성되어 있다. 약자란 글자에 포함된 자모의 일부를 생략하거나 글자가 차지하는 칸의 수를 줄이기 위해서 별도의 기호를 정하여 간략하게 쓰는 점자를 말하며, 약어란 낱말 또는 두 글자 이상을 간략하게 약기하여 쓰는 점자를 말한다(박순희, 2019 : 343).

47 | 2017 초등A-4

모범답안

1)	'석탑'
2)	독서 보조판은 글줄을 잃어버리지 않도록 해주기 때문이다.
3)	다음 중 택 1 • 프레넬 프리즘 • 리버스 망원경

해설

1) 제시된 점자를 묵자로 쓰면 다음과 같다.

○○ ○○ ○●	○○ ●○ ●●	○○ ○○ ○●	●● ●● ○○	●○ ●● ○○	●○ ○○ ●●	○○ ○○ ●●	○○ ○○ ●○
'	ㅅ		억	타	ㅂ		'

2) 독서 보조판(또는 타이포스코프, 대조강화경)은 시야의 문제로 인해 문장을 좌에서 우로 똑바로 읽어 나가지 못하거나, 다음 줄을 잃어버리거나, 눈부심이 민감한 학생이 사용하면 도움이 된다(이태훈, 2021 : 265). 따라서 안구진탕(동 안진)이 있는 수지가 책을 읽을 때 읽는 줄을 놓치지 않도록 해주기 때문에 읽기 속도 및 시기능(시효율)을 향상시킬 수 있다.

3) 시야 확대 보조구로 시야 범위가 지나치게 좁은 아동을 위한 특별한 보조구로, 리버스 망원경과 프레넬 프리즘이 있다. 리버스 망원경(reverse telescope)은 시야가 좁아 보는 범위가 작은 경우에 대상을 축소시켜 주어 자신의 눈으로 볼 수 없는 범위의 사물까지 볼 수 있게 도와주는 광학기구이다. 프레넬 프리즘(fresnel prism)은 투명하고 두꺼운 플라스틱막으로 안경알에 부착해서 쓴다. 안전하고 효율적인 이동을 위해 필요한 정보를 받아들일 수 없을 정도로 시야가 좁은 경우 프리즘을 통하여 80~90도 범위 안에 있는 대상을 볼 수 있다(박순희, 2019 : 438). 반맹의 경우에도 프리즘막(동 프레넬 프리즘) 같은 저시각 기구가 효과적이다(정인욱복지재단, 2014 : 87).

Check Point

(1) 안구진탕증

신체적 특징	특정 사물을 보고 있을 때 안구가 수평, 수직, 원 또는 여러 모양으로 무의식적으로 움직임
의학적 처치	안근육 수술이 도움이 될 수 있음
원인	원인은 알려지지 않았으나, 흔히 유전성이거나, 또는 신경학상 또는 내이 장애로 인해 일어날 수 있음
영향	지속적으로 응시할 수 없고, 시력감소, 피로, 현기증이 나타남
시각 보조구	눈을 위로 올리거나 머리를 기울이는 것으로 안구의 흔들림을 막는 영점(null point)을 만듦
교육 시 고려사항	• 책을 읽을 때 읽는 줄을 표시하면서 읽도록 함 • 글씨가 깨끗하고 대비가 선명한 자료를 사용하도록 함 • 한 지점을 주시하는 훈련을 실시 • 근거리 과제는 눈을 피로하게 하므로 오랜 시간 계속하지 않도록 함 • 초점을 맞추기 위하여 머리를 돌리거나 몸을 기울일 때, 꾸중을 하거나 자세를 교정시켜서는 안 됨

출처 ▶ 박순희(2019 : 97), 임안수(2008 : 86)

(2) 타이포스코프의 기능

① 한 줄 단위로 문장을 제시하여 글줄을 잃어버리지 않도록 한다.
② 바탕색과 글자색 간의 대비를 더 높여 준다.
③ 책의 흰색 바탕보다 타이포스코프의 검은색 바탕이 빛 반사를 낮추어 눈부심을 줄여 준다.

출처 ▶ 이태훈(2021 : 265)

48 2017 중등A-10

모범답안

- ㉡, 자세를 교정하기보다 시기능을 가장 잘 활용할 수 있는 자세를 취하도록 해야 하기 때문이다(또는 안구 흔들림을 막기 위해 머리를 돌리거나 몸을 기울이는 것이므로 자세를 교정해서는 안 되기 때문이다).
  ㉣, 옵타콘은 점자를 읽기 위한 것이 아니라 일반 활자를 읽을 수 있도록 해주는 것이기 때문이다.
- ㉥ 356-6-1-256-1345-4-1345

해설

지문 돋보기
- 수업 시간에 머리를 돌리거나 몸을 기울임: 안구진탕증을 갖고 있는 학생들은 안구의 흔들림을 막는 영점을 만들기 위해 머리를 돌리거나 몸을 기울일 수 있음
- 고시 능력에 문제가 있음: 안구의 불수의적 움직임으로 인해 일정 시간 동안 안정적으로 고시를 유지하는 능력 부족
- 피로하거나 과도한 스트레스를 받으면 안질환의 증상이 심해짐: 과도한 긴장과 스트레스는 안구의 불수의적인 움직임을 심화시킬 수 있음

㉠ 교실 앞쪽에 창을 등지고 앉도록 자리를 배치함: 교실 앞쪽에 배치한 것은 사물을 잘 볼 수 있도록 얼굴을 사물로 근접시킨 것이며 창을 등지고 앉도록 자리를 배치한 것은 눈이 부시지 않도록 한 것이다.

㉡ 안구진탕증이 있는 아동은 안구의 흔들림을 막는 영점을 만들기 위해 머리를 돌리거나 몸을 기울이는 자세를 취할 수 있다.

㉢ 시험지를 확대하여 제공함: 시기능을 극대화하기 위해서이다.

㉣ 옵타콘은 소형 촉지판에 있는 핀들이 문자 모양대로 도출되어 맹학생이 일반 활자를 읽을 수 있게 해주는 장치다(박순희, 2019: 247).

㉥ A에게의 점형은 다음과 같다.

로마자 표	대문자 기호표	a	로마자 종결표	ㅔ	ㄱ	ㅔ
356	6	1	256	1345	4	1345
○○	○○	●○	○○	●●	○●	●●
○●	○○	○○	○●	○●	○○	○●
●●	○●	○○	○○	●○	○○	●○

49 2017 중등B-6

모범답안

- ㉠ 렌즈와 사물(또는 지도)과의 거리는 5cm를 유지하고, 렌즈와 눈과의 거리는 가깝게 조절한다.
- ㉢, 키보드를 한 번 눌렀을 때 누르는 시간에 관계없이 한 번만 입력되게 하는 것은 필터키 설정을 통해 이루어지기 때문이다.
  ㉣, 해당키 값의 소리가 나게 하는 것은 내레이터의 기능이기 때문이다.

해설

㉠ 학습 자료서부터 렌즈까지의 거리, 즉 초점거리는 $20 = \dfrac{100cm}{초점거리(cm)}$로 구할 수 있다. 따라서 초점거리는 5cm이다.

㉢ 고정키 시스템은 <Ctrl+Alt+Del> 같은 바로가기 키를 순차적으로 눌러 입력하는 데 사용하고, 토글키는 <Caps Lock>, <Num Lock> 또는 <Scroll Lock> 키를 누를 때 청각적 신호를 제공함으로써 컴퓨터에 대한 시각장애인의 접근성을 향상시킨다.

㉣ 음성인식 테크놀로지는 말을 해서 컴퓨터를 작동하거나 문자를 입력하는 것이다. 음성인식 소프트웨어를 컴퓨터에 인스톨해야 음성 단어가 컴퓨터 명령 또는 문자로 전환될 수 있다(Dell et al., 2011: 215).

㉤ 색에 관계없이 인식될 수 있는 콘텐츠를 활용함: 관련 내용은 한국형 웹 콘텐츠 접근성 지침 2.1 중 인식의 용이성(원칙), 그리고 색에 무관한 콘텐츠 인식 콘텐츠(지침)와 관련된다. 색에 무관한 콘텐츠 인식 콘텐츠란 제공하는 모든 정보는 특정한 색을 구별할 수 없는 사용자, 흑백 디스플레이 사용자, 흑백 인쇄물을 보는 사용자 및 고대비 모드 사용자가 인식할 수 있도록 제공해야 함을 의미한다.

50　　　　　　　　　　　　　　　　　　2018 초등A-6

모범답안

3)	① 점자로 표시하기 어려운 도형이나 그림을 촉각자료로 만들 수 있다. ② 불필요한 부분들을 생략하고 단순화시켜서 촉각 식별이 용이하도록 한다.
4)	페널티 지역

해설

3) ① 일반적으로 수업에서 쓰는 자료의 수정 방법은 교과서, 유인물, 시험지, 기타 인쇄물 혹은 수기 자료의 내용을 점자로 변환하여 제공하는 것이다. 글자는 점자로 변환하여 제공하는 것이 가능하나 지도, 그래픽, 도형 혹은 그림은 점자로 만들기 어려워서 다른 방법으로 촉각자료를 만들어 표시해 주어야 한다 (박순희, 2022 : 275).
   - 점자로 표시하기 어려운 도형이나 그림은 입체복사기를 사용하여 촉각자료로 만들 수 있다. 전용 용지인 입체복사지에 사인펜, 마커 등으로 그림을 그린 뒤 입체복사기에 통과시키면 잉크로 그려진 부분이 부풀어 올라 촉각으로 만져 확인할 수 있다 (박순희, 2022 : 284).
   ② 문제에서 '복잡한 시각 자료를 입체복사 자료로 제작'한다는 점에 초점을 둔다.

4) 제시된 점자를 묵자로 나타내면 다음과 같다.

●●	○●	●○	○●	●○	●○	○●	●○	○○	●○	○○
○●	○●	○○	●○	○○	●○	●●	○○	●○	●○	○○
●○	○○	●●	○●	●○	●○	○○	●○	○●	●○	○○
프	페	ㄴ	얼	ㅌ	ㅣ	지	ㅣ	ㅋ	ㅓ	

Check Point

양각 자료의 제작

양각 그림 자료를 제작할 때 준수해야 할 지침과 기준은 다음을 포함한다.

① 원본 그림이 본문의 내용이나 개념을 이해하는 데 필요한 자료인지 확인한다. 단지 장식적인 목적의 그림이거나 구어 설명만으로 충분한 이해가 가능하다면 생략할 수 있다.

② 원본 그림을 양각 그림으로 만들 때 점자 프린터나 입체 복사기로 출력할 것인지, 교사가 여러 가지 사물과 재료로 제작할 것인지 결정한다. 단순한 시각 자료(예 단순한 모양의 차트)는 점자 프린터나 입체 복사기로도 제작할 수 있다.

③ 양각 그림의 크기는 양손으로 확인할 수 있는 크기(30×30cm 내외)가 적절하다. 너무 크거나 작으면 촉각 자료의 전체 모양이나 세부 요소 간의 관계를 파악하기 어렵다. 촉각 자료의 세부 요소는 손으로 지각하고 구별할 수 있는 최소 크기가 되어야 한다.

④ 양각 그림을 원본 그림과 똑같이 만드는 데 주안점을 둘 필요가 없다. 원본 그림에서 필수적이지 않은 요소는 제거하거나 단순화하여 양각 그림을 만들면 더 잘 이해할 수 있다. 예를 들어, 우리나라의 지도 모양을 이해할 때 남도의 많은 섬을 배우는 데 목적이 있는 것이 아니라면 작은 섬들을 생략하거나 보다 단순화하여 제시할 수 있다.

⑤ 양각 그림을 원본 그림과 동일한 크기로 제시하는 데 주안점을 둘 필요는 없다. 다만 원본 그림을 정확한 비례로 확대·축소해야 하고, 필요에 따라 그림의 확대나 축소 비율을 명시할 수 있다.

⑥ 복잡한 원본 그림의 모든 세부 정보가 필요하다면 원본 그림을 한 장에 제시하기보다 여러 장으로 분리하여 책 자형으로 제작할 수 있다. 첫 장에는 원본 그림의 전체 윤곽이나 형태를 나타내는 양각 그림을 배치하고, 다음 장부터는 원본 그림을 몇 개로 나누어 만든 세부 양각 그림들을 제시한다.

⑦ 양각 그림의 주요 특징을 손으로 탐색할 때 그림 이해를 돕기 위한 짧은 설명의 점자 글을 함께 제시할 수 있다.

⑧ 원본 그림의 형태를 단지 양각의 윤곽선만으로 나타내기보다 선의 안쪽을 채운 양각 면 형태로 제시하면 대상의 모양이나 형태 등을 더 잘 지각할 수 있다.

⑨ 중증의 저시력 학생은 촉각 탐색뿐만 아니라 잔존 시각도 활용할 수 있도록 그림의 양각 윤곽선에 대비가 높은 색을 입히면 양각 그림 자료를 더 잘 이해할 수 있다.

⑩ 양각 그림에 너무 많은 촉각 심벌, 무늬, 질감이 들어가면 오히려 이해하기 어렵고 혼동을 줄 수 있다.

⑪ 양각 그림에 여러 개의 양각 선을 사용해야 할 때는 양각 선들을 촉각으로 구별할 수 있도록 5mm 정도의 간격을 두고, 그림의 양각 선과 점자 글자 간의 간격도 3mm 이상 되도록 한다.

⑫ 양각 그림에 점자 글자를 적기 어려운 경우에는 안내선(유도선)을 사용하기보다 기호나 주석을 사용한다. 안내선을 사용해야만 한다면 안내선으로 사용된 양각 선이 양각 그림에서 사용되고 있는 양각 선과 구별되어야 한다.

⑬ 복잡한 원본 그림을 양각 그림으로 제작하는 방법으로 전체-부분 방식이나 단계별 방식이 있다. 전체-부분 방식은 전체 그림을 2개 이상의 부분 양각 그림으로 나누어 제작하는 것이고, 단계별 방식은 원본 그림의 전체 윤곽과 세부 내용을 나누어 제작하는 것이다.

⑭ 복잡한 원본 그림을 여러 부분으로 분리하여 양각 그림 자료를 제작할 때 그림의 분리점(또는 분리선)을 더욱 명확하고 도드라지게 표시해야 분리된 양각 그림 자료를 탐색한 후 하나로 통합하여 이해하기 쉽다.
⑮ 복잡한 원본 그림을 분리할 때는 논리적인 분할이 이루어져야 하고, 각 분리된 부분을 잘 나타내는 제목을 다시 붙여야 한다. 분할은 수평이나 수직으로 절반을 나누거나 1/4로 나눌 수 있으며, 또는 자연의 랜드마크(강, 산맥 등)에 의해 나눌 수 있다.
⑯ 양각 그림을 개발할 때 학생의 연령과 경험을 고려해야 한다. 학생의 연령과 기술 수준이 낮을수록 양각 그림에서 사용하는 양각 면, 양각 선, 양각 점, 양각 기호의 수를 줄여주는 것이 좋다.

출처 ▶ 이태훈(2021 : 181-184)

51   2018 중등A-8

모범답안

㉠	화면 해설 서비스
㉡	데이지

해설

㉠ 청각장애인을 위하여 TV 방송국에서 수화 통역을 시작한 것과 같이 시각장애인을 위하여 대사나 음향을 방해하지 않고 시각적 요소를 해설해 주는 서비스를 화면 해설 서비스라 한다. 이 서비스는 극장에서 직접 배우들의 의상, 얼굴표정, 신체어, 색깔, 행동 등 시각적 요소를 전문가가 설명해 주는 기술인 소리 설명에 기초를 두고 있다(임안수, 2008 : 228-229).

㉡ DAISY(디지털정보접근시스템, Digital Accessible Information System)는 시각장애인이나 독서장애인을 위한 전자도서의 국제 표준 형식을 의미한다. 그리고 데이지 도서(DAISY)란 DAISY 형식으로 제작된 도서로 시각장애인 등 일반 활자 이용에 어려움이 있는 사람들을 위한 표준화된 형식의 디지털 도서로, 텍스트, 녹음, 점자 파일 등을 포함하므로 시각장애 정도에 따라 자신에게 적합한 것을 선택할 수 있다(이태훈, 2021 : 291).

52   2018 중등B-4

모범답안

- ㉡, 색각 기능을 담당하는 추체가 손상된 상태이기 때문에 다양한 색상의 시각단서는 효과적이지 않기 때문이다.
- ㉢, 문을 통과할 때 문을 여는 것은 안내인이지만 닫는 것은 시각장애인의 역할이기 때문이다.
- ㉥, 장애물과 부딪혔을 때 충격을 완화하는 동시에 신체를 보호해야 하기 때문이다.
- ㉦ 24-134-1235-3-15-1245

해설

㉥ 지팡이의 역할(목적)은 안전성 확보, 정보 입수, 시각장애인의 상징으로 구분할 수 있다. 이 중 안전성과 관련하여 지팡이가 너무 단단하면 지팡이가 장애물과 부딪혔을 때 충격을 완화할 수 없으며, 너무 약한 경우에는 충격을 견디지 못해 장애물로부터 신체의 안전을 확보할 수 없게 된다.

㉦ 밑줄 친 '뒷문'을 점자로 나타내면 다음과 같다.

○●	●●	●○	○○	●○	●●
●○	○○	○●	○○	○○	●●
○○	●○	●○	●○	○○	○○
ㄷ	ㅟ	ㅅ	ㅁ	운	

Check Point

(1) 지팡이의 선택

지팡이 선택 시 구비 조건을 요약하면 다음과 같다(정인욱복지재단, 2013 : 241-242).

길이	지팡이의 길이는 사용자의 체격, 보폭, 보행속도에 따라 다르다. 그러나 일반적으로 사용자의 겨드랑이 높이 정도 되는 것이 좋다. 최대로 긴 것이라도 자기의 어깨 높이보다 더 길지 않아야 하며, 짧은 경우라도 자기의 팔꿈치 높이보다 짧으면 좋지 않다.
무게	지나치게 무겁거나 가벼운 지팡이는 사용하기에 적합하지 않다. 보편적으로 170~200g 정도의 것이 성인용으로 적합하다.
접촉 탐지능력	장애물을 탐지하고 지면의 상태를 알아내는 것이므로, 지팡이에서 전달되는 소리나 진동이 잘 전달되어야 한다.
내구성	지팡이는 우선 튼튼하고 오래 사용할 수 있어야 한다. 충격이나 압력에도 견딜 수 있어야 하고, 오래 사용하여도 변질되거나 약화되지 않는 것이어야 한다.
팁	지팡이의 팁은 예민하여 사물을 잘 탐지할 수 있어야 하고, 잘 닳지 않고 울퉁불퉁한 지면에서도 유연하게 미끄러져야 한다.

손잡이	손잡이는 우선 잡기에 편해야 하고 오래 사용해도 피로를 느끼지 않게 하는 것이어야 한다. 또한 기후의 변화에도 이상이 없는 것이어야 하기 때문에 우리나라에서 제작되는 지팡이의 손잡이 재질은 폴리우레탄을 사용하고 있다.

(2) 지팡이의 길이

학생에게 적합한 흰지팡이의 길이는 다음과 같다(이태훈, 2021 : 243).

① 일반적으로 흰지팡이의 표준 길이는 학생의 겨드랑이나 가슴 중앙 높이 정도에 오는 것이 적절하다.
② 흰지팡이 사용 시, 지팡이가 주변 사물에 자주 걸리는 학생은 표준 길이보다 짧은 것을 사용할 수 있다.
③ 흰지팡이 사용 시, 주변 사물이나 장애물에 대한 반응이 느려 자주 부딪히는 모습이 나타나는 학생은 표준 길이보다 더 긴 것을 사용할 수 있다. 시각·지적장애 학생, 시각·지체장애 학생에게 나타날 수 있다

53   2019 유아A-1

모범답안

3)	① 다음 중 택 1 • 망막색소변성 • 녹내장 • 시로장애(또는 반맹) ② 시야가 더 좁아질 수 있기 때문이다.
4)	다음 중 택 1 • 스탠드형 확대경 • 집광 확대경(또는 플랫베드 확대경)

해설

3) ① 주변시야의 손상을 가져오는 안질환에는 망막색소변성, 녹내장, 시로장애(㉧ 반맹) 등이 있다.
  • 중심시력을 상실하지 않았을 경우에는 굳이 확대경을 사용할 필요가 없다(임안수, 2008 : 117).
  ② 주변시야를 상실한 아동이 확대경을 사용하면 아동의 시야보다 더 좁은 시야를 갖게 된다(임안수, 2008 : 117).
  • 주변시야가 좁은 아동은 상대적으로 낮은 배율을 사용하면 시야 감소 문제를 줄일 수 있고, 반대로 중심 암점이 있는 아동은 상대적으로 높은 배율을 사용하면 암점 영향의 감소 효과를 얻을 수 있다. 주변시야 손상이 심한 아동은 프리즘 부착 안경이 도움이 될 수 있다(이태훈, 2021 : 266-267).

4) 렌즈의 초점거리 개념을 알고, 맞추기 어려운 유아나 시각·지적장애 아동은 처음에는 학습 자료 위에 대고 사용하는 집광 확대경이나 스탠드형 확대경을 사용하도록 한 후 익숙해지면 손잡이형 확대경을 도입할 수 있다. 뇌성마비를 가진 시각장애 학생이 수지 기능의 문제로 손잡이형 확대경을 손으로 잡거나 초점거리를 유지하기 어렵다면 스탠드형 확대경을 사용할 수 있다(이태훈, 2021 : 266).

Check Point

확대경의 종류

집광 확대경	• 빛을 모아 주는 성질이 있어 렌즈 안을 밝게 비춘다. • 밝은 조명을 선호하는 학생에게 도움이 된다. • 읽기 자료에 대고 사용하므로 초점거리를 맞출 필요가 없어 유아가 사용하기 쉽다. • 고배율이 없어 경도 저시력 학생에게만 유용하다.
막대 확대경	• 읽기 자료에 대고 사용한다. • 한 줄 단위로 읽을 수 있어 글줄을 놓치는 학생에게 도움이 된다. • 고배율이 없어 경도 저시력 학생 중 시야 문제나 안진 문제로 안정된 읽기가 어려운 학생에게 유용하다.
스탠드형 확대경	• 읽기 자료에 대고 사용하므로 초점거리를 맞출 필요가 없다. • 어린 학생이나 수지 운동 기능에 문제가 있는 학생에게 유용하다. • 밝은 조명을 선호하는 학생에게는 조명이 부착된 스탠드형 확대경을 지원한다. • 고배율의 확대경도 있다.
손잡이형 확대경	• 렌즈와 자료 간의 초점거리를 맞추어야 선명하게 확대된다. • 지능이나 수지 운동 기능 문제로 초점거리를 맞추고 유지하기 어려운 학생은 사용하기 어렵다. • 밝은 조명을 선호하는 학생에게는 조명이 부착된 손잡이형 확대경을 지원한다. • 고배율의 확대경도 있다.
안경형/ 안경부착형 확대경	• 양손을 사용하는 활동이나 과제를 할 때 유용하다. • 렌즈와 자료 간의 초점거리를 맞추어야 선명하게 확대된다. • 양안을 모두 사용할 수 있는 학생은 양안용, 한쪽을 실명하거나 양쪽 시력 차가 큰 학생은 좋은 눈을 기준으로 단안용을 사용한다.

54
2019 초등B-5

모범답안

2)	① ⓑ, 보통 속도로 최대한 명확하게 발음하여 읽어 녹음한다. ② ⓓ, 설명 자료의 표지, 목차, 저자 소개 등은 빠뜨리지 않고 녹음하는 것을 원칙으로 한다.
3)	어린 무용수
5)	손 아래 손 안내법

해설

3) 제시된 점자를 묵자로 쓰면 다음과 같다.

○●	○○	●●	○○	●●	○●	●○	○●	●●
●○	○●	○●	●○	○●	●○	○○	○●	○○
●○	○○	○●	●○	○○	●○	●○	○○	○○
ㅓ	ㄹ	인	ㅁ	ㅜ	ㅛ	ㅇ	ㅅ	ㅜ

Check Point

(1) 음성 자료 제작 방법

시각장애 학생이 효율적으로 음성 자료를 듣고 이해할 수 있도록 육성 녹음 자료를 제작하는 방법과 유의점은 다음을 포함한다. 이러한 방법과 유의점은 학생에게 대면 낭독으로 설명할 때 역시 유사하다(이태훈, 2018 : 191-193).

① 소음이 적은 시간과 장소에서 녹음한다.
② 일부러 읽는 속도를 늦추지 말고 보통 속도로 최대한 명확하게 발음하여 읽는다.
③ 자료를 녹음할 때 원본 자료에 기재된 표지, 목차, 저자 소개 등을 빠뜨리지 않고 녹음하는 것을 기본으로 한다.
④ 쉼표, 마침표 같은 구두점은 특별한 경우가 아니면 듣기 가독성과 이해도를 돕기 위해 생략한다.
⑤ 녹음 자료를 체계적으로 관리할 수 있도록 일정한 규칙에 따라 파일 이름을 붙인다.
⑥ 도서는 한 개의 챕터를 한 개의 파일로 제작하는 것이 일반적이나 한 개의 파일이 60분이 넘어가면 두 개 파일로 나누어 저장하고 이를 알기 쉽게 파일 이름에 번호를 달아준다.
⑦ 제목 번호 낭독은 보편적으로 로마자 단위는 '단원'을 붙여 낭독하고(Ⅱ-2단원), 1.1은 '1장 1절'로, 1.1.1은 '1장 1절 1'로, ①은 '동그라미 일'로, (1)은 '괄호 일'로, 1)은 '반괄호 일'로 낭독한다.
⑧ 괄호 안에 있는 글을 읽는 방법은 여러 가지가 있다. 괄호 안 글이 길거나 문장일 경우는 '괄호 열고-내용 낭독-괄호 닫고' 순서로 읽는다. 괄호 안 글이 한두 단어 정도면 괄호 밖으로 빼서 자연스러운 연결 문장으로 만들어 읽을 수 있다. 예를 들어, '노년기의 20년간 시간 수는(수면 시간 제외함) 하루 16시간으로'를 '노년기의 20년간 시간 수는 수면 시간을 제외한 하루 16시간으로'라고 읽을 수 있다.

⑨ 문장 중에 '주'가 나오면 해당 문장을 마친 후 '주석 시작-주석 내용-주석 끝' 순서로 읽는다. 예를 들어, 다음 박스의 글은 '다만 규범적 일원체인 사법인은 기본적 주체가 될 수 있다. 주 시작. 그러나 권리능력 없는 단체의 기본권 주체성은 부인된다. 주 끝'이라고 읽을 수 있다.

> **예** 다만 규범적 일원체인 사법인은 기본적 주체가 될 수 있다.[2]
> ─────────────────
> 2) 그러나 권리능력 없는 단체의 기본권 주체성은 부인된다.

⑩ 표를 읽을 경우에는 각 항목을 어떠한 순서로 읽을 것인지 알려 준 후 항목별 내용을 읽어 준다. 예를 들어 다음 표는 '구분, 오메가-3, 수은, 수은 대비 오메가-3의 비율 순으로 낭독해 드리겠습니다. 먼저 연어, 2.7, 0.05, 54.0 다음 정어리 1.57, 0.04, 39.3 다음 훈제 연어 1.54, 0.04, 38.5 마지막으로 송어 1.15, 0.06, 19.2입니다.'라고 읽을 수 있다.

구분	오메가-3	수은	수은 대비 오메가-3 비율
연어	2.7	0.05	54.0
정어리	1.57	0.04	39.3
훈제 연어	1.54	0.04	38.5
송어	1.15	0.06	19.2

⑪ 원그래프는 현재 몇 시 방향(보통 12시 방향 기준)에서 시작하여 시계 또는 반시계 방향으로 어떤 항목이 어느 정도 비율을 차지하는지 읽어준다.
⑫ 막대그래프는 가로축과 세로축의 제목을 읽고, 가로축의 항목별로 세로축의 크기를 설명한다.
⑬ 선그래프의 경우는 x축과 y축의 제목을 읽고, x축과 y축의 범위와 간격이 어떠한지 먼저 이야기한다. 그다음 각 좌표의 점을 x축, y축 순서로 읽어준다. 이때 각 그래프의 변화 경향성이 어디서부터 감소하고 증가하는지를 설명한다.

(2) 촉각교수법

신체적 안내법	신체 자세나 동작을 지도할 때 교사가 자신의 손을 사용하여 아동이 적절한 신체 자세나 동작을 취하도록 지도한다.
손 위 손 안내법	• 아동의 손 위에 교사의 손을 놓고, 교사가 아동의 손을 움직여 학습 기술을 지도하는 방법이다. • 교사의 적극적인 개입이 이루어지는 촉각 교수 방법으로 중복장애 아동에게 특히 많이 사용된다. • 아동의 손을 접촉하여 안내할 때 강압적이지 않아야 하며, 특히 다른 사람과의 접촉에 예민하거나 거부감을 보이는 아동에게는 사용하지 않아야 한다.

손 아래 손 안내법	• 아동의 손 아래에 교사의 손을 두고 교사의 손 움직임을 아동이 인식하도록 하여 학습 기술을 지도하는 방법이다. • 교사가 아동의 손을 잡아끌지 않아 덜 개입적이나, 따라서 촉각적 민감성이 심하거나 친숙하지 않은 물체의 접촉이나 탐색을 거부하는 아동에게 효과적이다. • 아동이 손 아래 손 안내법으로 물체에 대한 거부감이나 저항이 감소하면 손 위 손 안내법으로 바꾸어 지도할 수 있다.

(3) 모델링

시각적 모델링	• 저시력 학생에게 적합하다. • 교사가 시범을 보일 때 저시력 학생이 잔존 시각을 잘 활용할 수 있도록 환경을 조성하는 것이 필요하다. • 학생이 다가가서 교사의 시범을 보는 것을 허용해야 하고, 교사는 창가처럼 태양이 비추는 장소를 피해 시범을 보여야 하며, 시범을 보이는 장소의 배경과 대비되는 옷을 입는 것이 좋다.
촉각적 모델링	• 맹학생을 위한 촉각 교수법이다. • 교사가 과제 수행에 필요한 자세와 동작을 단계별로 시범 보이면 학생이 교사의 신체 자세와 동작을 만져서 확인하고 동일하게 모방하는 것이다.

55   2019 중등A-10

모범답안

- ㉠ 근거리 시력검사
- ㉡ 흰지팡이를 왼쪽 손으로 잡은 후, 흰지팡이를 자신의 몸 전면에 가로질러 뻗치게 하고 첨단은 지면에서 약 5cm 떨어지며, 흰지팡이의 아래쪽 끝과 위쪽 끝은 몸의 가장 넓은 부위보다 밖으로 약 2~4cm 벗어나게 해서 이동한다.
  - ㉢ 오른쪽 팔을 진행 방향과 평행되게 하고, 그 팔을 약 45도 아래쪽 정면으로 뻗쳐서 손을 허리 높이 정도로 들고, 새끼손가락 둘째 마디 바깥 부분을 기준선에 가볍게 대면서 이동한다.
- ㉣ 45-136-4-23456-6-135-2

해설

㉠ 현재 읽기 활동을 위해 확대 자료를 사용하고 있고 추후 점자를 이용해야 한다는 것을 알고 있기 때문에 학습매체 평가는 불필요하다. 읽기를 위한 확대 자료(교과서, 시험평가 자료)에 사용될 적절한 글자 크기 등을 파악하기 위해서는 근거리 시력검사가 필요하다.
- 근거리 시력검사는 40cm 정도 거리에서 보는 능력(독서 시력)을 측정하고, 검사 결과에 의해 확대경과 근거리용 확대독서기를 추천하는 데 그 목적이 있다(이태훈, 2021 : 96).

㉡ 흰지팡이를 자신의 몸 전면에 가로질러 뻗치게 하고 첨단은 지면에서 약 5cm 떨어지며, 흰지팡이의 아래쪽 끝과 위쪽 끝은 몸의 가장 넓은 부위보다 밖으로 약 2~4cm 벗어나게 해서 이동한다(2010 중등1-29 기출).
- 지팡이를 집게 손가락 잡기(또는 엄지손가락으로 잡기, 연필 잡는 식) 등을 이용하여 잡는다. 지팡이를 잡은 팔을 내려 뻗어 45도를 유지하여 지팡이가 몸 하부를 사선으로 가르듯이 놓는다. 손잡이 끝이 어깨 넓이보다 5cm 정도 나가도록 팔을 약간 벌려 앞으로 뻗는다. 지팡이 끝은 신체의 가장 넓은 부위(어깨)보다 약 5cm 바깥의 지면에 둔다. 이 상태를 유지하고 지팡이를 살짝살짝 지면에 대고 밀면서 앞으로 나간다(정인욱복지재단, 2014 : 245).
- 지팡이는 골반 바깥쪽으로 내밀어 주먹을 쥔 모양으로 잡고 엄지를 뻗게 된다. 몸을 가로질러 지팡이를 뻗치고 지팡이 끝은 어깨에서 약 2.5cm 정도 나오게 한다. 지팡이 끝을 지면에서 약간 위로 띄운 상태에서 이동하게 된다(박순희, 2019 : 382-383).

ⓒ 기준선(벽 등)과 가까운 팔을 진행 방향과 평행되게 하고, 그 팔을 약 45도 아래쪽 정면으로 뻗쳐서 손을 허리 높이 정도로 들고, 새끼손가락 둘째 마디 바깥 부분을 기준선에 가볍게 대면서 이동한다(2010 중등1-29 기출).
• 트레일링은 자신이 따라 가고자 하는 대상과 나란히 15~20cm 간격을 두고 서서 사물 쪽의 팔을 약 45도 정도로 올려 계란을 쥔 듯한 손 모양을 만든 뒤 사물에 갖다대면서 가는 기법이다(박순희, 2019 : 373).
ⓔ 보건실을 점자로 쓰면 다음과 같다.

○●	●○	○○	○○	●○	○○	●○
○○	○○	○○	●●	○○	○●	○○
○○	●●	○●	●●	○●	●○	○○
ㅂ	ㅗ	ㄱ	언	ㅅ	ㅣ	ㄹ

56 2019 중등B-5

모범답안

• ㉠ 스캐너 또는 카메라로 인쇄물을 스캔하여 저장한 후 문자 인식 프로그램을 통해 이미지를 제외한 문자만 추출하여 텍스트 파일로 변환해 준다.
ⓒ 다음 중 택 1
  - 독서기
  - 미디어 플레이어
  - 온라인 데이지

해설

ⓒ 제시된 학생 D의 특성을 고려할 때 독서기, 미디어 플레이어, 온라인 데이지 중 1가지를 제시하는 것이 적절하다.
• 점자정보단말기의 주요 기능과 관련하여 이태훈(2021 : 286)의 문헌에는 워드프로세서, 독서기, 미디어 플레이어, 인터넷 설정, 온라인 데이지가 제시되어 있다. 그리고 임안수(2008 : 225)의 문헌에는 독서, 워드프로세서, 인터넷, 전자수첩, 유틸리티, 점자 학습이 주요 기능으로 제시되어 있다. 본 문항의 경우 '인터넷'이 부가 기능으로 분류되어 있으므로 주요 기능에서 제외한다.

Check Point

📝 **광학문자인식시스템(OCR)**

광학문자인식시스템(optical character recognition system, OCR)은 인쇄 자료를 확대해도 읽을 수 없어 인쇄 자료를 점자나 음성으로 다시 변환해야 읽을 수 있는 맹학생에게 유용하다. 광학문자인식시스템은 스캐너 또는 카메라로 인쇄물을 스캔하여 저장한 후 문자 인식 프로그램을 통해 이미지를 제외한 문자만 추출하여 텍스트(txt) 파일로 변환하게 된다. 맹학생은 이 텍스트 파일을 음성이나 점자로 출력하여 이용하게 된다. 일반적으로 문자가 많은 소설책보다 그림, 사진 같은 이미지가 많은 도서의 문자 인식률이 떨어진다. 광학문자인식시스템은 일체형 제품과 컴퓨터에 설치하는 소프트웨어형이 있다. 일체형 기기는 광학문자판독기라고 부르는데 카메라, 문자 인식 프로그램, TTS 기능이 기기 안에 모두 통합되어 있는 것으로, 리드이지 무부가 있다. 문자인식 프로그램으로 불리는 소프트웨어형은 컴퓨터에 설치하고 별도의 스캐너를 연결해서 사용해야 하는데 소리안, 파인 리더 등이 있다(이태훈, 2018 : 288-289).

57 2020 유아B-3

모범답안

| 1) | ⓒ, 칠판에 사진 자료를 제시할 때 경민이에게 망원경을 줘서 볼 수 있게 한다. |

해설

1) ⓒ 경민이는 5m 이상 떨어진 사물을 보는 데 어려움을 보이고 있다. 원거리 시력을 향상시키는 대표적인 광학보조공학기기는 망원경이다.

58 | 2020 초등A-2

모범답안

1) 데이지

Check Point

(1) DAISY 형식

디지털정보접근시스템(Digital Accessible Information System : DAISY)은 국제적인 도서관 컨소시엄이며 프린트 장애인을 위한 기관이다. 이 기관의 사명은 모든 사람들이 디지털 토킹 북의 생산, 교환, 사용을 위해 국제적인 표준과 실행 전략을 개발함으로써 공공 자료에 접근할 수 있도록 하는 것이다. 이러한 국제적인 표준은 접근하기 쉽고, 풍부한 기능과 쉽게 항해할 수 있는 형식을 가지고 있다(Dell et al., 2011 : 94).

(2) 데이지 플레이어/데이지 도서

① 예전에는 사람이 직접 도서를 읽어 테이프에 육성으로 녹음하면 시각장애 학생이 녹음기를 활용하여 독서를 하였다. 최근에는 전자도서 형태로 제작이 증가하고 그 파일을 다양한 기기를 통해 읽을 수 있게 되었는데, 대표적인 기기가 데이지 플레이어이다.

  ㉠ 데이지 플레이어로는 책마루, 리니오포켓 등의 제품이 있다.

  ㉡ 데이지 플레이어의 음성 속도, 크기, 고저 등도 자신에게 맞게 설정할 수 있으며, 독서 기능 외에 녹음하고 재생할 수 있는 녹음 기능, 와이파이(WiFi)를 통해 웹 라디오나 팟 캐스트를 청취할 수 있는 기능도 있다.

  ㉢ 데이지 플레이어는 기본적으로 데이지 도서를 이용하도록 만들어졌으나 다양한 문서 파일 형식(hwp, doc, pdf 등)도 읽을 수 있다.

② 데이지 도서란 시각장애인 등 일반 활자 이용에 어려움이 있는 사람들을 위한 표준화된 형식의 디지털 도서로, 텍스트, 녹음, 점자 파일 등을 포함하므로 시각장애 정도에 따라 자신에게 적합한 것을 선택할 수 있다. 데이지 도서는 국가대체자료공유시스템인 DREAM을 통해 데이지 도서를 검색하고 내려 받아 이용할 수 있다.

출처 ▶ 이태훈(2018 : 288)

59 | 2020 초등A-5

모범답안

2)	한영, 망막 중심부에 손상이 생겨 추체의 기능을 상실한 상태이기 때문이다(또는 황반변성으로 인해 망막의 중심부에서 색각 기능을 담당하는 추체세포가 손상되었기 때문이다).
3)	민수, 시력이 계속 저하되어 확대해도 자료를 보기 어려워지고, 손의 촉각 둔감화로 점자를 읽기도 어려워지기 때문이다.
4)	12345-4-123456

해설

2) 황반이란 카메라의 필름에 해당하는 눈 망막의 중심부를 말한다. 황반변성은 노화과정의 하나로 새로운 혈관들이 망막 안으로 파고 들어와 황반 부위의 손상을 초래해 실명케 하는 질환이다. 만일 황반이 변성되면, 시각의 중심에서 실명이 생긴다. 즉, 주변시력은 온전하게 남아 있지만 중심시력만이 상실되는 것이다. 나타날 수 있는 증상들로는 단어를 읽을 때 글자의 공백이 보이거나 그림을 볼 때 어느 한쪽이 지워진 것처럼 보이고 글씨체가 흔들리거나 굽어보이는 것이다(박순희, 2019 : 85).

4) ㉣의 '인공'을 점자로 쓰면 다음과 같다.

●● ●● ●○	○● ○○ ○○	●● ○● ●●
인	ㄱ	옹

60   2020 중등A-9

모범답안

- ㉠ 우안
  더 낮은 배율을 사용함으로써 더 넓은 시야로 편안하게 볼 수 있기 때문이다.
- ㉡ 5배율(또는 5X)
- ㉢ (전자) 확대독서기

해설

㉠ 단안 망원경은 양안의 시력 차이가 큰 경우 좋은 쪽의 눈에 사용하고, 쌍안경은 양안의 시력 차이가 없는 경우에 사용한다. 단안 망원경을 양쪽 눈 중 좋은 눈에 착용하는 이유는 더 낮은 배율을 사용함으로써 더 넓은 시야로 편안하게 볼 수 있기 때문이다(이태훈, 2021 : 271).

㉡ 망원경 배율 산출 공식(목표 원거리 시력 ÷ 현재 원거리시력)을 이용하면 5배율(0.3 ÷ 0.06 = 5)이 된다.

㉢ 학생 I가 책을 읽기 위해서는 고대비, 고배율 확대가 요구되며, 이와 같은 기능을 충족시켜 주는 보조공학기기 중 투사확대법을 적용한다는 점에서 (전자) 확대독서기가 적합하다.

61   2020 중등B-5

모범답안

- ㉠ '팠'은 'ㅏ'를 생략하지 않고 적는다.
  물음표는 235점이 아니라 236점이다.
- ㉡ 된소리표(또는 된소리표 6점)
- ㉢ 1-25-6-234

해설

㉠ 밑줄 친 부분에 해당하는 점자를 묵자로 나타내면 다음과 같다.

| 마 | ㄴ | ㅎ | ㅣ | ㅏ | 파(ㅍ) | 쓰(ㅖ) | ㅈ | ㅣ | ! |

- 한 단어 안에서 '나, 다, 마, 바, 자, 카, 타, 파, 파, 하' 뒤에 모음이 이어 나올 때에는 'ㅏ'를 생략하지 않고 적는다. 그리고 '팠'을 적을 때에도 'ㅏ'를 생략하지 않고 적는다(한글 점자 규정, 한글 점자 제17항). 따라서 '팠'은 145-126-34점으로 표기한다.
- 235점은 느낌표이다.
- 제시된 내용을 한글 점자 규정에 따라 바르게 나타내면 다음과 같다.

| 마 | ㄴ | ㅎ | ㅣ | ㅏ | ㅍ | ㅏ | 쓰 | ㅈ | ㅣ | ? |

㉢ '그래서', '그러나', '그러면' 등과 같이 제자된 약어 뒤에 다른 음절이 붙어 쓰일 때에도 약어를 사용하여 적는다. 따라서 '그러면서'를 점자로 쓰면 다음과 같다.

| 그러면 | ㅅ | ㅓ |

62   2021 초등A-3

모범답안

1)	① 전경과 배경의 대비를 높여준다. ② 다음 중 택 1 • 빛 반사가 되지 않는 종이를 이용한다. • 빛 반사가 최소화되는 위치에 배치한다.
2)	24 – 136 – 36 – 34
3)	① 명칭: 핸드 트레일링(또는 트레일링, 따라가기) ② 이유: 실내에서 지팡이 사용에 따른 소음을 줄일 수 있기 때문이다.

해설

1) ① 물체와 배경 색의 차이를 대비라고 한다. 물체와 배경과의 대비가 높을수록 시감도는 증가하고, 눈부심이 있으면 물체와 배경이 유사한 색으로 보여 시감도는 떨어진다. 대비를 증가시키려면 보려는 물체의 밑이나 뒤에 물체와 대비가 잘되는 색깔이 물체를 놓으면 된다(임안수, 2008: 124).

2) 모음자에 '예'가 이어 나올 때에는 그 사이에 붙임표(36점)를 적어 나타낸다(한국 점자 규정, 한글 점자 제10항). 즉, 모음자에 '예'가 이어 나올 때에는 받침 'ㅆ'(34점)과의 혼돈을 막기 위해 그 사이에 붙임표(36점)를 적어 나타낸다.

ㄷ	ㅗ	붙임표	ㅖ

3) ② 이점 촉타법은 실내에서도 사용 가능한데, 시각장애인에게 익숙한 실내에서 몸 양편을 두드리는 것은 불필요한 에너지를 낭비하고 지팡이를 자주 두드리는 것이 소음을 만들어 낼 수 있으므로 사용 여부를 주의 깊게 결정해야 한다(박순희, 2019: 379).

63   2021 중등A-5

모범답안

• 학: 숫자 다음에 'ㅎ'이 이어 나올 때는 숫자와 한글을 한 칸 띄어 쓴다.
• 9:9의 점형은 24점이다.

해설

지문 돋보기

• 학습 자료에 제시된 점자를 읽으면 다음과 같음

의미	수표	3	하/0	ㄱ	ㄴ	연	수표	5	바	ㄴ

• 숫자 '3'(14점)에 이어 바로 하(245점)를 쓰면 숫자 '0'(245점)과 구분이 어렵기 때문에 '30'이라고 읽을 가능성이 있음. 따라서 한 칸을 띄어 써야 함
• 점형 15점은 숫자 '5'에 해당함

틀린 곳) 숫자와 혼동되는 'ㄴ, ㄷ, ㅁ, ㅋ, ㅌ, ㅍ, ㅎ'과 '운'의 약자가 숫자 다음에 이어 나올 때에는 숫자와 한글을 한 칸 띄어 쓴다.

• 3학년 9반을 점자로 바르게 쓰면 다음과 같다.

수표	3		하	ㄱ	ㄴ	연	수표	9	바	ㄴ

64   2021 중등B-3

모범답안

- 10cm
  학습 자료의 글자를 가장 크고 선명하게 볼 수 있기 때문이다.
- A
  주변시야가 좁기 때문에 너무 큰 확대 자료나 고배율 확대경을 사용하게 되면 잔존 시야 내에 목표물이 들어올 수 없기 때문이다.

해설

㉠ 읽기 자료와 렌즈 사이의 거리는 다음과 같다.

[풀이 과정]
$$D = \frac{100cm}{초점거리(cm)}$$
$$10 = \frac{100cm}{초점거리}$$
$$= 10cm$$

이때 단위를 생략하지 않도록 주의한다.
- 읽기 자료와 렌즈 사이의 거리를 일정하게 유지해야 하는 이유: 초점거리를 맞추고 유지해야 학습 자료의 글자를 해당 배율에 맞게 크고 선명하게 볼 수 있다(이태훈, 2021 : 269).

㉡ 망막색소변성 아동들은 볼 수 있는 글자 중 가장 작은 글자보다 한 단계 큰 글자를 사용하여 독서를 보다 효율적으로 할 수 있도록 한다(임안수, 2008 : 79).
- 망막색소변성의 경우 중심부까지 시야 손상이 진행되어 시력 저하가 일어나면 확대 자료, 확대경, 망원경 같은 확대 기기를 사용하도록 한다. 다만 시야가 좁기 때문에 너무 큰 확대 자료나 고배율 확대경을 사용하게 되면 잔존 시야 내에 목표물이 들어올 수 없으므로 잔존 시야를 고려한 최소 확대 글자나 확대 배율을 추천해야 한다(이태훈, 2021 : 41).

Check Point

✎ 망막색소변성 아동을 위한 교육적 고려사항

① 망막색소변성은 시야 장애 외에 진행 정도에 따라 시력과 대비감도 저하도 가져올 수 있으므로, 시야, 시력, 대비감도, 대비 선호, 조명 선호 및 눈부심 등의 시각 평가를 실시할 필요가 있다.

② 망막색소변성은 진행성 질환이므로, 지속적인 시야와 시력 감소로 특수교육 지원 요구가 변화할 수 있으므로 정기적인 시각 평가와 학습매체 평가를 실시하는 것이 필요하다.

③ 밝은 곳에서는 눈부심을 느낄 수 있으므로 색안경이나 차양이 달린 모자를 사용하도록 한다.

④ 주변시야 손상이 계속 진행되면 터널을 지나갈 때처럼 보이는 터널 시야가 나타나며, 효율적인 잔존 시각 활용을 위해 추시, 추적, 주사 등의 시기능 훈련이 필요할 수 있다.

⑤ 주변시야 손상으로 읽기 활동에서 글줄을 읽어버리는 현상이 나타나면 타이포스코프(통 독서 보조판), 라인 가이드 등을 사용하도록 한다.
  ㉠ 볼 수 있는 글자 중 가장 작은 글자보다 한 단계 큰 글자를 사용하여 독서를 보다 효율적으로 할 수 있도록 한다.
  ㉡ 필기를 할 때는 굵고 진한 선이 그려진 종이와 검정색 사인펜을 사용하도록 한다.
  ㉢ 글자 위에 노란색 아세테이트지를 덮어 대비를 높여주는 것이 도움이 된다.

⑥ 발병 초기에는 간체의 손상으로 밝은 곳에서 어두운 곳으로 이동하면 암순응이 잘 이루어지지 않으므로 어두운 곳에 갈 때나 밤에는 야맹증이 있다는 것을 이해하고 지도해야 한다. 특히 학교 내의 강당, 체육관 등은 주변 환경보다 어두운 곳이므로 각별히 주의를 기울여야 한다.
- 야맹증이 심한 경우에 휴대용 조명 기구를 사용하거나 야간 이동 및 어두운 장소에서 흰지팡이를 선택적으로 사용하도록 보행 교육을 실시할 수 있다.

⑦ 주변시야 손상이 심해지면 커다란 사물의 경우에 전체가 보이지 않을 수 있으므로 눈과 사물 간의 거리를 더 멀게 조절하여 먼저 전체 모양을 보도록 지도한다.
- 중심부까지 시야 손상이 진행되어 시력 저하가 일어나면 확대 자료, 확대경, 망원경 같은 확대 기기를 사용하도록 한다. 다만 시야가 좁기 때문에 너무 큰 확대 자료나 고배율 확대경을 사용하게 되면 잔존 시야 내에 목표물이 들어올 수 없으므로 잔존 시야를 고려한 최소 확대 글자 크기나 확대경 배율을 추천해야 한다.

⑧ 망막색소변성 말기는 실명할 수 있으므로 학생이 확대해도 읽기에 어려움을 보이기 시작하면 실명 전에 점자를 익히도록 지도한다.

⑨ 망막색소변성은 망막박리를 일으킬 수 있으므로, 과격한 신체 활동을 자제하는 것이 필요하다.

65   2022 유아A-5

모범답안

1)	① 시야 ② 선천성 녹내장은 진행성 질환이어서 지속적인 시야 손상과 시력 저하로 인한 특수교육적 지원 요구가 변할 수 있기 때문이다.
2)	눈과 자료의 거리를 멀게 한다.
3)	① 동화책을 볼 때 문장의 시작 부분부터 마지막 부분까지 순차적으로 눈으로 따라가면서 전체를 보도록 한다. ② 다음 중 택 1 • 타이포스코프 • 라인 가이드

해설

1) ① 문제에서는 다양한 시야 검사의 방법을 주변부 시야 검사와 중심부 시야 검사로 구분하지 않고 동시에 제시하고 있나.
   - 망막색소변성증, 녹내장, 시로 장애 등의 안질환을 가진 학생은 주변부 시야검사를 실시하는 것이 필요하다. 주변부 시야 검사 방법에는 대면법, 원판 시야검사, 1.2m띠 시야검사를 활용할 수 있다(이태훈, 2021 : 106-109).
   - 황반변성, 시신경 위축 등의 안질환을 가진 학생은 시야 중심부에 암점이 있는지를 검사하는 것이 필요하다. 중심부 시야 검사 방법에는 시계보기 검사, A4용지 검사, 암슬러 격자 검사 등을 활용할 수 있다(이태훈, 2021 : 109-110).
   ② 선천성 녹내장은 주변시야가 손상되어 터널시야가 나타난다. 따라서 눈과 자료와의 거리를 가깝게 하여 자료를 확대시켜 볼 경우 손상된 주변시야만큼은 자료를 볼 수 없다. 반대로 눈과 자료 간의 거리를 멀게 하여 자료의 크기를 축소시켜 볼 경우에는 자료 전체의 모습을 볼 수 있다.
   - 주변 시야 손상이 심해지면 물체가 시야에 모두 들어오지 않아 무엇인지 확인하기 어려우므로 사물과 눈 간의 거리를 좀 더 멀리하면 사물 전체가 시야에 들어올 수 있다(이태훈, 2024 : 57-58).

2) "자료 전체의 모습을 볼 수 있도록 했어요.": 상대적 거리 확대법의 개념을 적용할 때 눈과 자료의 거리를 가깝게 하면 자료를 확대하여 볼 수 있는 데 반해 눈과 자료의 거리를 멀리할수록 자료는 작게 보이기 때문에 자료 전체의 모습을 볼 수 있게 된다. 따라서 자료 전체의 모습을 볼 수 있도록 했다는 것은 눈과 자료 간의 거리를 멀게 조절하는 방법을 적용했음을 의미한다.

3) ① 추시(tracing)는 움직이지 않는 목표물을 눈으로 따라가며 목표물 전체를 보는 기술이다. 시야가 좁은 학생은 목표물의 전체를 한 번에 보기 어렵기 때문에 전체를 확인하기 위해 목표물의 시작 부분부터 끝 부분까지 눈으로 따라가면서 보는 것이 필요하다(이태훈, 2021 : 275).

Check Point

📝 **시각 활용 기술**

시각 기술	개념
고시	한 지점을 눈으로 계속 응시하는 기술
중심외 보기	시야 중심부에서 비교적 가까운 주변시야로 보는 기술
추시	움직이지 않는 목표물을 눈으로 따라가며 목표물 전체를 보는 기술
추적	움직이는 목표물을 눈으로 따라가며 보는 기술
주사	특정 공간이나 장소를 눈이나 머리를 체계적으로 움직이면서 빠뜨리지 않고 훑어보는 기술

66   2022 초등B-1

모범답안

2)	① 색상대비조절 기능 ② 다음 중 택 1 • 줄 간격을 넓혀준다. • 눈부심이 없는 무광 답안지를 제공한다. • 대비를 뚜렷하게 만든다.

해설

2) ② (나)의 경우 세희가 저시력 학생임에 초점을 두어 제시한다.

67 2022 초등B-6

모범답안

2)	① 밟았을 때 촉각으로 느낄 수 있도록 제작한다. ② 아이쉐이드 반칙
3)	교사가 자신의 손을 사용하여 학생이 볼 굴리기 관련 신체 자세와 동작을 취하도록 지도한다.

해설

2) ① 시력이 FC/50cm인 병수까지 포함하여 게임에 참여하도록 하기 위해서는 경기장 라인을 촉각으로 느낄 수 있도록 해야 한다.

② 제시된 점자는 다음과 같다.

●○ ●○ ○●	●○ ○● ●○	○○ ○● ●○	●● ●○ ●○	●○ ○● ●○	●○ ○○ ○○
ㅏ	ㅣ	ㅅ	ㅔ	ㅣ	ㄷ

●○ ●○ ○●	○○ ○○ ○○	○○ ○● ○○	○○ ●● ○○	○○ ○○ ○○	●○ ●○ ○○
ㅡ		ㅂ	ㄴ	ㅊ	ㅣ	ㄱ

3) 신체적 안내법이란 교사가 자신의 손을 사용하여 학생의 신체 부위를 접촉하거나 이끌어서 적절한 자세나 동작을 지도하는 방법이다. 예를 들어, 체육수업에서 체조 동작이나 보행 교육의 자기 보호법 자세 등을 지도할 때 사용할 수 있다(이태훈, 2021 : 105).

- 답안을 제시함에 있어 교사가 자신의 손을 사용하여 학생을 지도한다는 내용을 명확히 제시함으로써 학생이 교사의 신체 자세와 동작을 만져서 확인하고 동일하게 모방하는 촉각적 모델링과 구분될 수 있도록 기술해야 한다.

68 2022 중등A-10

모범답안

- ㉠ 대문자 단어표는 6-6점으로 표기한다.
  m의 점형은 134이다.
- ㉡ d, c, f, h
- ㉢ 커서를 이동하여 원하는 위치에 점자를 입력하거나 수정할 수 있다.

해설

㉠ 국어 문자 안에 로마자가 나올 때에는, 그 앞에는 로마자 표(356점)를 적고 그 뒤에는 로마자 종료표(256점)를 적어 나타낸다(한글 점자 규정 제30항).

- 로마자에서 대문자표를 표기할 때에는 대문자 표를 사용하여 적는다. 대문자 표에는 대문자 기호표, 대문자 단어표, 대문자 구절표와 대문자 종료표가 있다.
- 한 글자만 대문자일 경우에는 해당 로마자 앞에 대문자 기호표(6점)를 적고, 단어 전체가 대문자일 경우에는 해당 단어 앞에 대문자 단어표(6-6점)를 적는다. 세 단어 이상이 대문자일 경우에는 첫 대문자 앞에 대문자 구절표(6-6-6점)를 적고, 마지막 대문자 바로 뒤에 대문자 종료표(6-3점)를 적는다.
- 대문자 종료표 바로 다음에 로마자 종료표가 올 때에는 대문자 종료표는 적지 않는다.

- (나)의 필기 내용에 제시된 점자는 다음과 같다. 단, 제시되어 있는 점자에서 m에 해당하는 점자(146)는 존재하지 않으며 m의 바른 점형은 134점이다.

○○ ○● ●●	○○ ○○ ●○	●○ ●○ ○○	●● ○○ ○○	○○ ●● ○○	○○ ○● ○●
로마자 표	대문자 기호표	b	로마자 없음	i	로마자 종료표

BMI를 규정에 맞춰 바르게 쓰면 다음과 같다.

○○ ○● ●●	○○ ○○ ○●	○○ ○○ ○●	●○ ●○ ○○	●● ○○ ●○	○○ ●● ○●	○○ ●○ ○●
로마자 표	대문자 단어표		b	m	i	로마자 종료표

㉡ '가'의 점형은 1246점이므로 점자정보단말기에서 이에 해당하는 버튼을 동시에 누를 수 있도록 한다.

㉢ 점 칸의 제일 아래의 두 점은 컴퓨터의 커서에 해당하는 것으로, 커서를 이동하여 원하는 위치에 점자의 입력이나 수정을 할 수 있다(이태훈, 2021 : 286).

Check Point

📝 **점자정보단말기의 구조**

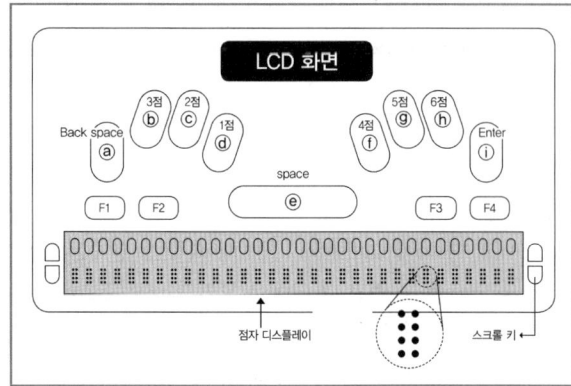

69 | 2022 중등B-8

모범답안

- ㉠ 선별(또는 선택)
  학교 정문에서 기숙사까지 방향정위하는 데 가장 적합하다고 여겨지는 정보들만을 선별해 내도록 지도한다.
- ㉡ 기준선 보행
- 지팡이 끝으로 점자블록 경계선 반대쪽 측면의 지면을 우선 터치한 후, 지팡이 끝을 바닥에 유지한 채 바닥에 끌어 점자블록 경계선에 닿게 한다.

해설

㉠ Hill과 Ponder에 따르면, 시각장애인이 환경에 대해 방향정위를 할 때 다섯 단계(지각 → 분석 → 선별 → 계획 → 실행)의 인지 과정을 순환적으로 반복한다(정인욱복지재단, 2014: 53).
- ㉠에 포함된 방향정위 인지 과정의 요소를 살펴보면 다음과 같다.

지문 돋보기

내용	인지 과정
학교 정문에서 기숙사까지 이동하는 데 필요한 정보를 촉각, 후각, 청각, 근육 감각 등을 사용하여 수집한다.	지각
지각한 정보를 일정한 기준으로 범주화하고 분류한다.	분석
학교 정문에서 기숙사까지 보행 계획을 수립한다.	계획
계획한 보행 경로를 따라 보행한다.	실행

㉡ 기준선 보행 방법은 보도의 연석, 건물의 벽, 도랑, 잔디나 자갈 등 노면의 단차 등의 경계를 기준선으로 이용하여 보행하는 방법이다. 기본적인 지팡이 조작은 이점 촉타법이지만, 목적지, 교차점, 랜드마크 등의 발견, 장애물 회피, 비어링 수정 등에는 지면접촉 유지법이 더 효과적이라고 할 수 있다(정인욱복지재단, 2014: 275-276).

㉡ 지도 내용) 촉타 후 긋기법은 기준선을 따라 걸어가는 동안 계단의 난간이나 점자블록과 같은 실외의 기준선을 따라가기에 적합한 방법이다. 이 기술에서 교육생들은 기준선을 활용하되, 지팡이 끝으로 기준선 반대편 측면의 지면을 우선 터치한 후, 지팡이 끝을 바닥에 유지한 채 바닥에 끌어 기준선에 닿게 한다(정인욱복지재단, 2014: 256).

Check Point

(1) 방향정위 인지 과정(Hill & Ponder)

지각	잔존시력, 후각, 청각, 촉각과 근육감각을 사용하여 환경정보를 수집한다.
분석	수집된 지각정보들을 분석한다. 정보들이 일관적으로 나타나는지, 믿을 만한지, 자신에게 익숙한 것인지에 따라 분류한다. 또는 지각정보를 제공하는 출처, 정보를 얻어내는 감각의 유형과 강도(세기)에 따라 분류한다.
선별	출발점에서 목표까지 방향정위하는 데 가장 적합하다고 여겨지는 정보들만을 선별해 낸다.
계획	출발점에서 목표까지의 행로에서 관련이 깊다고 선별된 정보들을 기초로 하여 이동계획을 짠다.
실행	이동계획을 실행에 옮긴다.

(2) 이점 촉타법의 변형

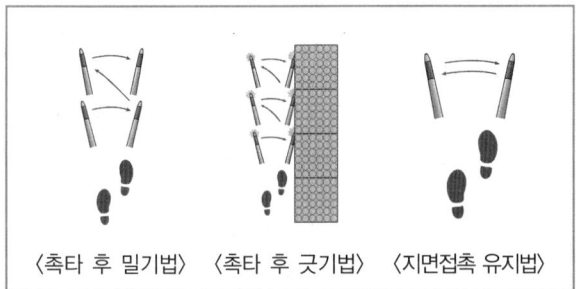

〈촉타 후 밀기법〉 〈촉타 후 긋기법〉 〈지면접촉 유지법〉

70

모범답안

- 학생 A는 학생 A의 30cm 거리에서 검사자가 편 손가락의 수를 셀 수 있는 정도이고, 학생 C는 학생 C의 50cm 거리에서 검사자가 편 손가락의 수를 셀 수 있는 정도이다.
- ㉠ 1−26
- ㉥, 235

해설

(가) 학생 A와 C의 시력 차이) 학생 A의 우안(FC, 지수)이 좌안(LP, 광각)에 비해 우세안이다. 학생 C 역시 우안(FC, 지수)이 좌안(NLP, 무광각)에 비해 우세안이다.

㉡ 로마자를 시작할 때는 로마자표 356점을, 그리고 대문자를 표기할 때에는 대문자 기호표(6점)를 사용하여 적는다.

로마자표	대문자 기호표	b

㉢ 'ㅑ, ㅕ, ㅛ, ㅠ'에 '애'가 이어 나올 때에는 그 사이에 붙임표(36점)를 적어 나타낸다.

ㅅ	ㅗ	ㅎ	ㅘ	붙임표	ㅐ	ㄱ(종성)

㉣ '나, 다, 마, 바, 자, 카, 타, 파, 하'는 모음 'ㅏ'를 생략하고 첫소리 글자로 약자 표기한다.

자	ㄱ(종성)

㉤ 현행 한글의 쌍받침은 'ㄲ'과 'ㅆ' 밖에 없다. 그중 쌍받침 'ㅆ'은 그 사용 빈도가 높아 약자(34점)로 표기하고, 쌍받침 'ㄲ'은 받침 'ㄱ' 1점을 두 번 적는다.

ㅣ	ㅆ

㉥ 문장 부호 중 느낌표(!)는 235점으로 표기한다. 236점은 물음표(?)이다.

느낌표(!)	물음표(?)

Check Point

📝 지수-수동-광각-무광각의 구분

만약 아동이 시력표 앞 1m까지 접근해서도 가장 큰 시표(0.1 시표)를 읽지 못하는 경우에는 (안전)지수, (안전)수동, 광각 순으로 측정한다.

지수 (FC)	학생이 0.1 시표를 읽지 못하는 경우는 손가락 수를 알아맞히는 거리를 측정한다. 예 학생의 50cm 거리에서 검사자가 편 손가락의 수를 셀 수 있다면 지수 50cm(또는 FC/50cm, 50cm FC, 50cm 안전지수)로 표기한다.
수동 (HM)	손가락 수를 셀 수 없다면 학생의 얼굴 앞에서 손의 움직임을 인지할 수 있는지 확인한다. 예 학생의 50cm 거리에서 검사자가 손을 좌우로 흔들고 있는지, 멈추고 있는지를 인지할 수 있다면 수동 50cm(또는 HM/50cm, 50cm HM, 50cm 안전수동)로 표기한다.
광각 (LP)	손 흔듦도 알지 못하는 경우에는 학생이 빛의 유무를 아는지 확인한다. 예 빛이 있는지를 인식하면 광각 혹은 LP로 표기한다. 빛의 근원(예 해, 조명 등)까지 찾아낼 수 있다면 광투사(light projection)로 표기한다.
무광각 (NLP)	• 빛도 느낄 수 없는 시력은 0으로 본다. • 빛도 느끼지 못하는 상태라는 의미로 무광각 혹은 NLP로 표기하며 맹(盲)과 같은 의미로 사용한다.

출처 ▶ 박순희(2022 : 71)

71 2023 중등B-6

모범답안

- ㉠ 비어링
- ㉡ 교실 출입구
  기준선과 가까운 팔을 진행 방향과 평행되게 하고, 그 팔을 약 45도 아래쪽 정면으로 뻗쳐서 손을 허리 높이 정도로 들고, 새끼손가락 둘째 마디 바깥 부분을 기준선에 가볍게 대면서 이동한다.
- ㉢ 보행 동선의 시발점, 분기점, 대기점에서 목적지점까지 정확히 방향을 잡는 데 사용된다.

해설

㉠ (가)의 그림을 보면 목표 진행 방향은 직선 방향이나 실제 진행 방향은 왼쪽으로 굽어져 걷고 있음을 알 수 있다. (나)에 제시된 체크리스트의 내용 중 '좌, 우로 틀어지지 않고 목표 진행 방향으로 걷는다.'에 대해서도 그렇지 못하는 것으로 나타났다.
- 비어링(veering)이란 직선보행을 할 때 자신도 모르게 왼쪽이나 오른쪽으로 굽어져 걷는 현상을 의미한다. 이때 보행자가 실시하여야 하는 것이 '방향 잡기'라는 기술이다. 방향 잡기란 목표지점을 향하여 일직선으로 갈 수 있는 기술이며, 이를 위해 소리나 사물로부터 방향을 가늠하게 된다. 이 훈련은 긴 복도나 인도의 중앙을 따라 걸으면서 하되, 훈련의 궁극적인 목적은 직선보행이다(정인욱복지재단, 2014 : 231).

㉡ 기준점이란 환경 전체를 탐색하기 위해 어느 지점에 있든 쉽게 되돌아와 활용할 수 있는 기준으로서 일종의 랜드마크라고 할 수 있다. 강당을 익히고자 하는 시각장애인은 출입구를 기준점으로 삼아 강당 내 어느 지점에 있든 사물들 간의 배열을 파악하기 위해 필요할 때마다 기준점을 재확인하면서 방향정위하는 전략이다(한국시각장애인연합회, 2016 : 51-52).
- 교실 둘레를 탐색한다는 것은 교실의 전체적인 윤곽을 파악하기 위한 것이므로 주변탐색 시점에서는 교실 내에 배치되어 있는 지표(칠판, 창문 등)보다는 시각장애 학생 A가 교실에 들어가면서 인식한 교실 출입구를 기준점으로 제시하는 것이 바람직하다.

㉢ 트레일링법은 벽이나 가구 등을 활용하여 평행 또는 직선보행을 유지하고 복도의 문을 지표로 하여 원하는 장소를 찾기 위하여 사용할 수 있는 방법이다(정인욱복지재단, 2014 : 230).

ⓒ 점자블록이란 시각장애인이 보행 시 발바닥이나 지팡이의 촉감으로 대강의 형태를 확인할 수 있도록 일정 규격의 표면을 양각시킨 블록을 의미한다. 선형 블록(방향표시용 블록)은 보행동선의 시발점, 분기점, 대기점에서 목적 방향으로 일정한 거리까지 설치하여 정확히 방향을 잡는 데 사용된다. 끝나는 지점은 점형 블록(위치표시용 블록)으로 마감하여 더 이상 연장되지 않음을 알려줘야 한다(한국시각장애인연합회, 2016 : 61-62).

Check Point

📝 비어링 수정

인도 보행 중에 차량 소리가 가까워지거나 흰지팡이 팁이 인도 아래로 떨어지는 느낌이 든다면 인도 중앙에서 차도 쪽으로 비어링한 것임을 알 수 있고 멈춰 서야 한다. 비어링을 수정하려면 연석에서 평행 서기를 한 후 인도 중앙을 향해 옆으로 서너 걸음 이동한 후 차량 소리를 이용해 방향과 자세를 정렬해야 한다(이태훈, 2021 : 249-250).

72   2024 초등B-3

모범답안

1)	① 확대경 렌즈의 글자 간 거리가 5cm를 유지하도록 지도한다. ② 다음 중 택 1 • 확대 배율을 낮춘다. • 확대경 렌즈의 지름이 큰 것을 사용한다. • 눈과 확대경 렌즈 간 거리를 (최대한) 가깝게 한다.
2)	지름 6cm 공

해설

2) 제시된 점자에 해당하는 묵자는 다음과 같다.

○● ○○ ●○	●○ ●○ ○●	○○ ●● ○○	○○ ○○ ●●	○● ●○ ○○	○● ○● ●●	●● ●○ ○○
ㅈ	ㅣ	ㄹ	ㅡ	ㅁ	수표	6
○○ ○● ●●	●● ○○ ○●	●● ○○ ●○	○○ ○○ ○○	○● ○○ ○○	●● ●● ●●	
로마자 표	c	m	로마자 종료표	ㄱ	웅	

73   2024 중등A-6

모범답안

- ㉠ 목적지 보행
- ㉡ 사용자가 진행해서는 안 되는 환경이나 물체에 대해 오판하여 명령을 내렸을 때 이를 거부하고 안전하고 올바른 행동을 취하는 것을 의미한다.
- ㉢ 소리 변별
- ㉣ 버스 정류장과 시각장애 학생 A 사이에 공사를 위한 대형 칸막이가 있는 경우이다.

해설

㉠ 목적지 보행: 안내견 보행에 있어서 기본적인 방향 설정과 방향정위는 사람의 몫이다. 그러나 자주 혹은 정기적으로 다니는 보행목적지의 경우 안내견이 좀 더 주도적으로 보행할 수 있으며, 목적지 근처에 이르렀을 때 출입문과 같은 최종 포인트를 찾아주는 훈련이다(정인욱복지재단, 2014 : 328).

㉢ 소리 변별: 소리가 나는 여러 사물 중에 같은 소리, 다른 소리, 특정 사물이 내는 소리를 구분해 내는 것을 말한다. 교차로에서 차량의 흐름이 직진인지, 좌회전인지, 우회전인지를 구분하는 훈련 등이 해당된다. 소리 식별 훈련이 이루어지면 비슷한 소리들을 구별할 수 있는 소리 변별훈련을 실시해야 한다(이태훈, 2021 : 230).

㉣ 사운드 섀도: 보행 도중 청각 단서가 나오는 곳(음원)과 시각장애 학생 사이에 큰 물체나 구조물이 있어서 청각 단서가 차단되어 잘 들리지 않는 현상이다(이태훈, 2021 : 231).

- 음원과 사람 사이에 놓인 사물이 수리를 덮어 생긴 결과이다(정인욱복지재단, 2014 : 132).

Check Point

📝 보행을 위한 청각기술 지도의 주요 내용

소리 인식	보행 환경 주변에서 나는 소리를 들을 수 있는 것을 말한다.
소리 식별	수돗물 소리, 체육관에서 공 튀기는 소리, 엘리베이터 소리, 오토바이 소리 등처럼 소리의 정체가 무엇인지 아는 것이다.
소리 변별	소리가 나는 여러 사물 중에 같은 소리, 다른 소리, 특정 사물이 내는 소리를 구분해 내는 것을 말한다.
소리 위치 추정	소리가 나는 곳을 알고 도달할 수 있는 것을 말한다.
소리 추적	사람이나 차량처럼 소리 나는 대상을 따라가는 것을 말한다.

출처 ▶ 이태훈(2021). 내용 요약정리

74   2024 중등B-6

모범답안

- ㉠ 손떨림이 있기 때문이다.
  자료와 렌즈 간의 거리를 일정하게 유지해 준다.
- ㉡ 학생에게 사물놀이 악기 탐색 활동 시간임을 알려주고 적절하게 반응하도록 유도하기 위해서이다.
- 덩덩쿵따쿵

해설

㉡ 촉각 단서(touch cue)란 특정 메시지를 전달하기 위해 학생이나 성인의 몸에 일관된 방식으로 접촉하는 신체 신호이다(이태훈, 2021 : 355).

- 아동의 몸을 접촉하여 이루어지는 의사소통 촉진 방법이다. 예로, 먹으라는 단서로 아동의 입술을 가볍게 만져준다. 촉각 단서를 사용하여 아동이 다음에 해야 할 활동을 알려주고 적절하게 반응하도록 유도한다(박순희, 2022 : 507).

(나) 제시된 점자에 해당하는 묵자는 다음과 같다.

⠊	⠎	⠛	⠊	⠎	⠛	⠋
ㄷ	ㅓ	ㅇ	ㄷ	ㅓ	ㅇ	ㅋ
⠕	⠢	⠔	⠑	⠕	⠕	⠔
ㅜ	ㅇ	된소리표	다	ㅋ	ㅜ	ㅇ

75   2025 유아A-5

모범답안

1)	① ㉢, 복잡한 패턴의 자료는 복잡성을 낮추어 순차적으로 제시한다. ② 다감각 교수법

해설

1) ① 주변의 공간 구성이나 시각적 배열이 CVI 아동의 시각적 주의에 영향을 미친다. 이것은 아동의 시야에 보이는 대상의 개수, 대상들 간의 배치 간격, 그리고 대상을 더 잘 인식하기 위한 수정 여부 등과 관련이 있다(Sheline, 2024 : 25).

- ㉠ 검은색 배경 판에 노란색 사물 제시하기 : 대비가 높은 단색 배경을 사용하면 아동이 보아야 하는 대상과 시각적 경계가 분명하게 만들어져 대상을 더 두드러지게 보이게 한다(Sheline, 2024 : 27).
- ㉡ 책상 주변에 검은색 칸막이 설치해 주기 : CVI 아동의 시각적 주의 집중을 방해할 수 있는 요소를 줄이거나 차단하는 것이 필요하다. 이때 검은색의 접이식 커튼이나 칸막이를 사용하거나 아동이 이러한 것을 보지 않도록 자세나 자리 배치를 조정하면 시각적 주의를 산만하게 하는 주변의 시각적 방해 요소를 줄일 수 있다(Sheline, 2024 : 40).
- ㉢ 복잡한 패턴의 자료 : 시각적 복잡성이 높은 학습 환경이나 학습 자료를 수정하여 복잡성을 낮추어 준다(이태훈, 2024 : 61).
- CVI의 시각적 복잡성 특성은 4가지 하위 복잡성으로 분류할 수 있다. CVI 아동은 복잡성 수준이 높을수록 대상(물체, 자료)을 보고 인식하는 데 어려움이 있기 때문에 생활 및 학습 환경에서 시각적 복잡성의 수준을 낮추는 중재 전략이 필요하다(Roman-Lantzy, 2023 : 48).
- CVI 아동은 여러 가지 색상과 패턴(무늬)이 있는 대상보다 단일 색상에 패턴이 없는 대상을 시각적으로 보다 쉽게 인식한다(Roman-Lantzy, 2023 : 48).

② 다감각 교수법(또는 다감각적 접근)이란 시각적인 제한을 보상해 주기 위해 촉각, 청각, 후각, 미각적 요소를 포함시키는 것이다(박순희, 2022 : 310).

> **지문 돋보기**
>
> 〈민정이와의 놀이 장면〉
> - 민정이가 나뭇잎을 만지작거린다. : 촉각
> - "바삭바삭."이라고 말해 준다. : 청각
> - 나뭇잎을 골라 냄새를 맡아 보게 하며 : 후각
> - 라이트 테이블 위에 올려 색과 모양을 본다. : 시각

Check Point

✏ CVI의 고유한 10가지 시각 특성과 중재 방법

고유 특성	특성과 중재 방법
특정 색상 선호	• 빨간색, 노란색 등 특정 색상에 시각적으로 끌린다(시각적 주의가 일어난다). • 학생의 시각적 주의를 위해 학습 자료에 선호하는 색상을 사용한다.
움직임에 대한 요구(끌림)	• 움직임에 시각적 주의와 끌림이 일어난다. • 학생의 시각적 주의를 유도하기 위해 보아야 하는 대상(물체)을 움직여 준다. 다른 한편, 주변 사람이나 사물의 움직임은 시각적 과제에 대한 주의 집중과 유지를 방해할 수 있으므로 최소화한다.
시각적(반응) 지연	• 대상을 제시하면 이것을 보고 반응하는 데 오랜 시간이 걸린다. 　- 또래와 비교해 시각 자극에 대한 즉각적인 반응이 일어나지 않는다. • 시각적으로 반응할 때까지 기다려 주며, 선호하는 색상이나 움직임 등을 통해 시각적 반응을 촉진할 수 있다.
특정 시야 선호	• 좌측이나 우측 시야처럼 선호하는 주변 시야 영역(방향)이 있다. 　- 일반적으로 하측 시야 영역(방향)을 잘 인식하지 못하는 경향이 있다. • 자료를 책상에 두기보다 수직보드나 경사대에 부착하여 제시한다.
시각적 복잡성의 어려움	• 시각적 복잡성이 있는 곳에서 대상을 바라보거나 인식하지 못한다. 　- 복잡성은 대상(사물) '표면(외형)의 복잡성', '배경(배열)의 복잡성', '감각 환경의 복잡성', '사람 얼굴의 복잡성'으로 구분한다. • 시각적 복잡성이 높은 학습 환경이나 학습 자료를 수정하여 복잡성을 낮추어 준다.
빛에 대한 요구(끌림)	• 광원(빛)에 끌려 오랜 시간 바라본다. • 학생이 바라보아야 하는 대상 주변에 광원이 있으면 시각적 과제에 주의 집중하는 것을 방해하므로 다른 측면에서 대상으로 바라보도록 유도하기 위해 대상을 빛(라이트 박스, 손전등 등)과 함께 제시하는 것이 도움이 된다.
원거리 보기의 어려움	• 멀리 떨어져 있는 대상을 인식하기 어렵다. 　- 그 이유는 시력의 문제가 아니라 멀리 떨어져 있을수록 학생의 시야에 주변 배경 요소들이 더 많이 보이게 되어(배경의 복잡성이 증가) 배경과 대상(물체)을 분리하여 확인하기 어렵기 때문이다. • 대상(자료, 물체 등)을 근거리에서 제시하되, 단계적으로 대상을 제시하는 거리를 증가시킨다.
비전형적인 시각 반사	• 학생의 콧대를 가볍게 건드리거나 얼굴에 손바닥을 갖다 대는 위협적 행동에 대한 반응으로 '눈 깜빡임 반사'가 일어나지 않는다. • 이 특성에 대해서는 별도로 중재하지 않는다. 　- 이 특성은 전반적인 시각 기능이 발달하면서 자연스럽게 해결된다.
시각적 새로움의 어려움	• 친숙한 대상(사물)에 대해서는 시각적 주의가 일어나지만, 새로운(낯선) 대상에는 시각적 호기심이나 시각적 주의가 부족하거나 일어나지 않는다. • 새로운 대상에 대한 반복적인 노출을 통해 친숙화하는 중재가 필요하며, 이미 알고 있는 친숙한 대상과 유사성이 있는 새로운 대상부터 먼저 제시한다.
시각적으로 안내된 신체 도달의 어려움	• 또래처럼 물체를 보면서 동시에 손으로 물체에 접촉하지 못한다. 　- 물체를 눈으로 바라보고, 다시 시선을 다른 곳으로 돌린 후, 물체에 손을 뻗어 접촉한다. • 학생이 선호하는 색상의 물체, 빛이 나는 물체, 단순한 배경에 물체 제시 등을 통해 대상을 보면서 동시에 손으로 접촉하는 행위를 촉진할 수 있다.

출처 ▶ 이태훈(2024)

76 2025 중등A-7

모범답안

- ⓒ, 대상을 제시한 후 시각적으로 반응할 때까지 기다려준다.
- ⓜ, 투사 확대법을 적용하여 확대 독서기로 학습자료 접근성 높이기
- ⓗ 중심 외 보기
- 추적

해설

㉠ CVI의 시각적 복잡성 특성은 4가지 하위 복잡성으로 분류할 수 있다. CVI 아동은 복잡성 수준이 높을수록 대상(물체, 자료)을 보고 인식하는 데 어려움이 있기 때문에 생활 및 학습 환경에서 시각적 복잡성의 수준을 낮추는 중재 전략이 필요하다(Roman-Lantzy, 2023 : 48-56).
- '물체 표면(외형)의 복잡성으로 인한 어려움' 특성을 보인다.
- '시각적 배열의 복잡성으로 인한 어려움' 특성을 보인다.
- '감각 환경의 복잡성으로 인한 어려움' 특성을 보인다.
- '사람 얼굴의 복잡성으로 인한 어려움' 특성을 보인다.

㉡ 시각적 (반응) 지연은 부모와 교사가 대상(물체)을 제시한 시점부터 CVI 학생이 대상을 바라보고 시각적 반응이 일어나는 시점까지의 시간(간격)이 또래보다 긴 것을 말한다. CVI 학생은 시각적 반응이 일어나기 전까지 마치 바라볼 시각적 대상(물체)이 없는 것처럼 행동한다. 대상(물체)이 친숙하고 복잡하지 않으며 선호하는 색상일지라도 CVI 학생은 물체가 없는 것처럼 일정 시간 동안 무반응을 보일 수 있다. 교사가 학생을 충분히 기다려 주면 결국 CVI 학생은 대상(물체)을 향해 자신의 머리나 몸을 돌려 바라보기 시작한다(Roman-Lantzy, 2023 : 45).

㉢ CVI 학생은 움직이는 대상(물체)에 시각적 주의가 일어난다. CVI 학생은 움직이는 '시각적 자극'에 대해 인식하고 있다는 의미로, 미소를 짓거나 갑자기 조용해지거나 물체를 향해 몸을 돌릴 수 있다(Roman-Lantzy, 2023 : 42).

㉣ 확대 독서기를 이용하여 학습자료를 크게 확대하여 보는 것은 투사 확대법에 해당한다.

㉤ 시야 중심부에 손상이 있으면 시력이 저하되고, 목표물을 똑바로 바라보면 물체의 가운데가 보이지 않아 물체를 알아보기 어려울 수 있다. 따라서 황반변성, 시신경 위축, 망막 박리 등으로 시야 중심부의 손상이나 암점이 있는 학생은 시야 중심부에서 비교적 가까운 주변 시야로 보는 중심 외 보기 기술을 익혀야 한다(이태훈, 2024 : 302).

시각 활용 기술의 명칭) 학생 C의 경우 주변시야의 손상으로 터널 시야가 나타나고 있다. 따라서 주변 시야를 활용하기 위한 시기능 훈련이 필요하다. (다)의 그림은 움직이는 목표물을 눈으로 따라가며 보는 추적 기술 향상을 위한 공 주고받기, 움직이는 단어 카드의 글자 확인하기 등과 같은 활동 모습을 보여주고 있다.

Check Point

시각 활용 기술

고시	고시는 한 지점을 눈으로 계속 응시하는 기술
중심 외 보기	중심시력의 결손으로 인해 머리와 몸을 움직여 대상물을 보는 기술
추시	움직이지 않는 목표물을 눈으로 따라가며 목표물 전체를 보는 기술
추적	움직이는 목표물을 눈으로 따라가며 보는 기술
주사	특정 공간이나 장소를 눈이나 머리를 체계적으로 움직이면서 빠트리지 않고 훑어보는 기술
폭주	두 눈을 협응하여 자신에게 가까이 오는 대상물을 보는 기술
개산	두 눈을 협응하여 자신에게서 멀어지는 사물을 보는 기술
위치 찾기	가장 선명한 시야로부터 대상물이 나타나는 부위로 대상물을 찾는 기술

77 2025 중등B-7

모범답안

- ㉠ 지표
- ㉡ 시각장애 학생이 잡은 쪽 팔의 팔꿈치를 구부려 등 뒤에 댄다.
- ㉢ 원예실
  ㉣ 56-1346-1246-1

해설

㉠ 내리막길은 내리막길을 기준으로 4m 직진하면 급식실이라는 지표로서의 역할을 한다.

㉡ 좁은 통로 통과하기 절차는 다음과 같다(한국시각장애인연합회, 2016 : 16).

| 안내인은 기본 안내법 자세에서 시각장애인이 잡은 쪽 팔의 팔꿈치를 등 뒤로 구부린다. |
| ⇩ |
| 시각장애인은 안내인이 구부린 팔의 상박부가 아닌 팔목을 잡는다. |
| ⇩ |
| 안내인과 시각장애인은 일렬을 유지하며 조금 작은 보폭으로 걷는다. |
| ⇩ |
| 좁은 통로를 통과한 후 안내인은 자신의 안내하던 팔을 앞으로 당겨서 몸과 나란하게 하고 시각장애인은 기본 안내법 자세를 취한다. |

㉢ 각 점자에 해당하는 묵자는 다음과 같다.

거	ㄴ	례	ㅅ	ㅣ	ㄹ

㉣ 촉각을 점자로 표기하면 다음과 같다.

ㅊ	옥	가	ㄱ

Check Point

📝 방향정위 요소

요소	내용
지표	• 보행자에게 환경 내의 특정 위치를 알려 주는 지각적 특징이다. • 일정 기간 고정되어 있고, 특정 환경의 고유한 특징을 드러내며, 쉽게 인지되어야 한다.
단서	• 보행하는 도중의 어느 특정한 순간에, 그 공간에 대한 정보를 알려주는 감각자극을 말한다. • 변화가 심하여 항상 활용할 수는 없다.
정보점	다른 사물의 특징과 결합하여 보행자의 정확한 위치를 알려주는 특징이다.
기준 위치	**자기 중심 기준 위치**: 환경과 사물에 대한 정보를 자신의 현재 위치를 기준으로 지각하고 기억하며 활용하는 것이다. **사물 중심 기준 위치**: 자신의 현재 위치와는 관계없이 환경 내 사물 또는 장소들 간의 거리, 방향, 위치 등을 지각하고 활용하는 것이다.
인지 지도	• 환경의 공간구조나 사물의 위치와 공간관계에 대한 정신적 이미지다. • 경로 인지지도와 총체 인지지도로 구분할 수 있다. **경로 인지 지도**: 출발지점과 목표지점 두 지점을 연결하는 경로에 대한 방향과 거리 및 경로 중 지표 등에 대한 정신적 표상을 가리킨다. **총체 인지 지도**: 특정 환경의 전체 및 환경 내 사물들 간의 위치 관계 등에 대한 인지적인 표상이다.
공간 갱신	보행자가 보행경로를 따라 이동하면서 자신과 사물 간의 거리와 방향 변화를 지속적으로 파악하는 과정이다.
번호 체계	건물 내의 방 호수, 아파트의 단지 번호 등과 같이 특정 숫자체계에 따라 구성되어 환경이 구성된 순서를 알려 주는 것이다.
측정	단위를 사용하여 사물이나 공간의 치수를 정확히 또는 대략적으로 파악하는 것이다.
나침반 방위	동서남북과 같은 방위를 의미한다.

김남진
KORSET 특수교육
기출분석 ❹

PART 13

청각장애아교육

01
2009 중등1-19

[정답] ④

[해설]

① 마비말장애는 말 메커니즘의 근육에 대한 통제가 상실되거나 약화됨으로써 조음점을 찾거나 연속적으로 조음기관을 움직이는 기능이 떨어지는 것이다(고은, 2021 : 203).
- 마비말장애는 최소한 7가지 유형으로 분류되는데, 이완형, 경직형, 실조형, 운동과잉형(동 운동과다형), 운동저하형(동 운동감소형), 편측 상부운동신경세포형, 혼합형 등을 포함한다(심현섭 외, 2024 : 189).

② 정신지체 아동이 가장 흔하게 나타내는 음운변동은 영어의 경우, 자음군의 축약과 종성자음의 생략이다. 그 외의 음운 변동은 더 어린 일반아동에게서 나타나는 오류 형태와 유사하다(김영태, 2019: 139).
- 지적장애 학생들의 조음 및 음운 발달은 상대적으로 더 어린 일반 아동에게서 나타나는 지체된 형태를 보인다. 또래아동보다 오조음이 많고 그것의 사용도 불규칙적이다. 자음 생략은 대표적인 조음문제이고 음운 변동을 또래보다 더 오래, 많이 사용한다(송준만, 2022 : 129).
- 다운증후군 아동의 음운론적 특징은 다음과 같다(고은, 2021 : 316).

- 조음오류가 많다.
- 오류가 일관적이지 않다.
- 자음생략과 종성생략이 잦다.
- 어두음이 먼저 발달한다.
- 음운발달의 순서와 패턴은 일반아동과 유사하다.

③ 일반적으로 자폐성장애 아동의 조음 능력은 다른 언어 능력에 비해서 우수한 편이다. Boucher는 인지 수준이 비슷한 감각성 실어증 아동과 자폐성장애 아동의 조음 능력을 비교해 본 결과 자폐성장애 아동이 월등히 우수하였다고 보고하였으며, Bartolucci와 그의 동료들도 정신연령이 유사한 실어증 아동에 비하여 자폐성장애 아동의 음운발달이 훨씬 나았다고 보고하였다(김영태, 2019 : 128-129).

④ 청각장애 아동은 내용어는 과다하게 사용하는 반면, 문법적 기능어의 사용은 제한된다.

Check Point

(1) 지적장애 아동의 언어적 특성

① 지적장애 아동이 가장 흔하게 나타내는 음운변동은 영어의 경우, 자음군의 축약과 종성 자음의 생략이다. 그 외의 음운변동은 더 어린 일반아동에게서 나타나는 오류 형태와 유사하다. 지적장애 아동의 조음과 음운발달의 특성을 요약하면 다음과 같다(김영태, 2019: 139-140).
  ㉠ 일반아동에 비해 조음오류가 많다.
  ㉡ 가장 빈번한 조음오류는 자음생략이다.
  ㉢ 조음오류가 일관적이지 않다.
  ㉣ 조음오류 형태는 일반아동 또는 기능적 조음장애 아동과 유사하다.
  ㉤ 다운증후군 아동은 지각적 및 음향적으로 독특한 음조를 나타낸다.

② 다운증후군을 포함한 경도 및 중등도 지적장애 아동은 의사소통적 몸짓의 산출이 동일 정신연령의 일반아동과는 유사한 수준으로 나타난다. 그러나 중도 이상의 지적장애 아동은 이보다 훨씬 후기 단계까지 몸짓의 산출이 나타나지 않으며, 몸짓의 유형도 매우 제한적이다(김영태, 2019 : 141).

(2) 자폐성장애 아동의 언어적 특성

일반적으로 자폐성장애 아동의 조음 능력은 다른 언어 능력에 비해서 우수한 편이다. 자폐성장애 아동의 조음 능력과 관련하여 주의하여야 할 사실은 그들의 반향어는 자발어에 비하여 명료도가 훨씬 높다는 사실이다. 또한 일부 자폐성장애 아동의 경우는 지나치게 정확한 조음 때문에 운율적인 구어의 흐름이 방해받기도 한다(김영태, 2014 : 129).

(3) 청각장애 아동의 언어적 특성

일반적으로 청각장애 아동은 구문 및 형태론 영역에서 가장 큰 어려움을 나타낸다고 보고되어 왔다. 청각장애 아동의 구문 및 형태론 측면에서 다음과 같은 일반적인 특성들을 갖는다(김영태, 2014 : 144).

① 청각장애 아동은 낱말군에 대한 지식이 부족하여 명사나 동사와 같은 내용어는 과다하게 사용하는 반면, 문법적 기능어의 사용은 제한된다. 청각장애 아동은 구문구조에 대한 지식의 부족으로 정형화된 구문구조를 과다하게 사용하는 경향이 있다.

② 청각장애 아동은 문법 형태소를 잘못 사용하거나, 문장의 주요 요소를 생략하거나, 또는 잘못된 낱말 순서로 문장을 산출하는 것과 같은 구문오류를 나타낸다.

③ 청각장애 아동의 구분 능력은 어느 정도의 수준에 도달한 이후에는 발달이 진행되지 않는다.

02   2009 중등1-20

정답) ④

해설

ㄱ. 침골과 등골은 추골과 함께 중이의 이소골을 구성한다. 감음신경성 청각장애는 외이와 중이에는 손상이 없다.
ㄴ. 코르티 기관은 내이의 기저막 위에 위치해 있으며 청각수용체인 유모세포, 코르티 막대 및 다양한 지지세포들로 구성되어 있다. 따라서 코르티 기관의 손상은 내이의 손상을 의미하므로 감음신경성 청각장애와 관련된다.
ㄹ. 전음성 청각장애에 대한 설명이다.
ㅁ. 인공와우 이식 수술은 양측 귀가 모두 고도의 감음신경성 청각장애인 경우를 대상으로 한다.
ㅂ. 외이와 중이에 손상이 있고 내이에는 손상이 없는 전음성 청각장애는 소리를 증폭시켜 주는 보청기의 착용 효과가 충분히 예상된다.

03   2009 중등1-26

정답) ③

해설

① 청각장애 학생은 일반적으로 언어석 경험을 청각적으로 표상화하고 내면화하는 청각적 언어 그리고 이와 밀접한 관련이 있는 경험적, 인지적, 언어적 기술의 습득이 지체되어 있다(권순우 외, 2018 : 166).
② 언어 연령이 같은 건청아동에 비해 구체적 대상과 추상적 대상에 대한 은유 이해 능력이 모두 낮으며, 추상적 대상에 대한 은유 이해가 더 많이 지체되어 있다. 읽기 능력이 높은 청각장애 아동도 은유 표현을 문자 그대로 이해하려는 경향이 있다. 이러한 경향은 건청아동이 책 읽기를 통해 비유적 어휘를 습득하고 다양한 경험적 연상에 의해 반응하는 것에 비해 청각장애 아동들은 책 읽기를 통한 비유적 어휘의 습득이 낮으며, 어휘에 대한 의미 접근 역시 사전적 의미에 많이 반응하며 경험에 의한 반응에서도 직접 경험이나 단일 의미로만 반응하기 때문인 것으로 보인다(한국청각언어장애교육학회, 2012 : 145-146).
③ 청각장애 아동은 통사 구조를 정확히 분석하여 이해하지 못하고 주로 유추하여 의존하여 이해하며, 단문보다는 문단 속에서 통사 구조를 잘 이해하는 경향이 있고, 구체적인 단어만을 나열하는 전형적인 문장을 사용하고, 명사와 동사만으로 구성된 단문을 많이 이용(김승국, 1998)하는데 이는 통사적 구조보다 의미 중심으로 이해하려는 경향이 있기 때문이다. 즉, 통사적 구조의 사용은 단문보다는 문단 구조에서 어려워하는 데 반해 통사적 구조의 이해는 문장보다는 문단에서 의미를 바탕으로 하기 때문에 상대적으로 수월하다.
④ 청각장애 학생의 쓰기 능력을 청인학생과 비교하면 발달이 현저히 뒤떨어져 있거나 지체되어 있다. 이는 단순하고 짧은 일관된 단문 형태의 사용, 문장 이해도가 낮고 문맥에 맞지 않는 어색한 문장의 형태, 다양한 어휘의 사용 곤란, 그리고 가장 어려워하는 조사 사용 등의 문법적인 오류로 인하여 문맥을 연결하는 의미를 이해하지 못하기 때문이다(권순우 외, 2018 : 168).

Check Point

(1) 읽기에 영향을 주는 요인

① 읽기에 영향을 주는 요인은 외재적 요인과 내재적 요인으로 나눌 수 있다. 외재적 요인에는 교육 요인, 사회경제적 요인, 초기 문해 경험이 포함되고, 내재적 요인에는 인지적 요인, 시각처리 결함, 신체적 요인, 언어적 요인, 사회정서적 요인이 있다.

외재적 요인	교육 요인	부적절한 교육 자료 및 교수 방법
	사회경제적 요인	사회경제적 지위, 부모의 학력
	가족 요인	가정 문해 환경(부모의 읽기습관, 공동 책 읽기, 읽기 자료, 구어적 상호작용)
	사회문화적 요인	인종, 학급의 다양성
내재적 요인	인지적 요인	지능, 기억력, 주의력, 연합학습
	언어적 요인	조음 문제, 음운론적 능력, 빠른 이름대기, 단어찾기 결함, 어휘, 구문 능력, 듣기이해, 표현언어 능력
	시각처리 결함	반전, 방향성 문제
	신체적 요인	신경학적 문제, 청각, 시각, 건강 상태
	사회정서적 요인	사회정서적 부적응, 자아존중감, 부모의 태도

출처 ▶ 이필상 외(2020 : 210)

② 청각장애 아동이 읽기에 어려움을 보이는 이유는 다음과 같다(고은, 2018 : 284-285).
  ㉠ 낮은 어휘력이다. 어휘력과 읽기 이해력은 매우 밀접한 관계를 갖는다.
  ㉡ 음운론적 능력의 결함이다. 소리를 듣고 음운을 구성하는 음운부호화(음운기억)가 잘 이루어지기 위해서는 음성언어 습득이 전제가 된다. 그러나 청각장애 아동은 음성언어 습득이 제대로 되지 않아 시각적 부호화에 의존하게 된다.
  ㉢ 구문론적 능력의 결함이다. 단어를 알고 있다고 하더라도 문법 지식이 없으면 문장을 이해하는 데 문제를 보인다.
  ㉣ 읽기전략의 실패이다. 글을 읽을 때 그 과정이나 전략을 스스로 조절하는 능력이 숙달되지 못한 경우 읽기 성취 수준은 낮다.

(2) 청각장애 아동의 읽기 특성

① 단어 이해의 어려움이 구문장 수준의 어려움으로 이어져 문단 전체 글의 이해 능력 부족이 나타나며, 대부분 읽기 능력이 10~11세, 4~5학년 수준에 머무른다.
② 단문장의 짧은 문장 사용, 다양한 어휘 수가 또래 청인 학생보다 많이 지체된다.
③ 어휘 활용은 명사와 동사가 가장 많으며, 다의어의 이해에 어려움을 보인다.
④ 조사의 사용은 부사격-목적격-주격 순으로 많이 사용했으며, 조사의 오류는 부사격-주격-목적격 순으로 많이 나타났다.
⑤ 오류 형태는 대치-생략-첨가 순으로 많이 나타났다.
⑥ 통사적 구조보다 의미 중심으로 이해하려는 경향이 있다.
⑦ 수동문을 능동문으로 이해하는 오류, 접속문으로 연결된 인과 관계 문장의 이해에 어려움을 보인다.
⑧ 문맥과 상황의 이해 어려움과 관용적 표현(속담, 비유어, 은유어)을 이해하는 데 많은 어려움이 나타났다.

출처 ▶ 권순우 외(2018 : 261)

(3) 청각장애 아동의 쓰기 특성

청각장애 아동은 쓰기에서 다음과 같은 특성을 자주 보인다(고은, 2017 : 292).
① 영어의 정형화된 구문표현, 즉 '주어+동사+목적어'를 주로 산출한다.
② 부적절한 어순을 사용한다.
③ 문법 형태소(조사)의 생략 및 오류가 많다.
④ 어휘가 한정되어 있으며, 동일한 어휘를 반복하여 사용한다.
⑤ 짧고 단순한 문장을 사용한다.
⑥ 맥락에 맞지 않는 문장들을 사용한다.
⑦ 단문 사용이 많다.
⑧ '그리고'와 '어서'와 같은 특정 접속사를 지나치게 많이 사용한다.
⑨ 문장 표현이 미숙하며 표현이 단조롭다.
⑩ 문장 표현이 구체적이며 추상성이 떨어진다.
⑪ 결속표지 사용률이 낮다. 여기서 결속표지란 문장들 간에 서로 연관성을 갖기 위하여 표지로 엮어 주는 장치를 말한다.

(4) 청각장애 아동의 통사 지식
① 청각장애 학생은 문법 형태소에 의해 의미를 파악하기보다는 의미적으로 해석하므로 의미적인 제약성이 강한 문장을 의미적 제약성이 약한 문장보다 더 잘 이해하였으며, 타동사 구문을 가장 잘 이해하며, 다음으로 수여동사 구문을 잘 이해하고, 사동사 구문을 가장 잘 이해하지 못한다.
② 통사 지식을 습득하기 어려운 청각장애 학생은 문장을 이해할 때 가장 먼저 매칭하는 전략과 의미전략을 사용하고 다음으로 어순전략을 사용하다가 가장 마지막으로 조사전략을 발달시키는데, 학년이 올라가도 문장이해능력은 정체되어 있으며 여전히 어순과 의미적 전략을 사용한다.
③ 청각장애 아동들은 건청아동에 비해 통사적 구조에 대한 이해가 느리기는 하지만 정상 발달 순서를 따라 발달한다.
④ 청각장애 학생의 쓰기에서 나타나는 통사적 특징을 살펴보면 건청학생에 비해 단순 구문을 사용하고 정형적인 구문 표현을 산출하며, 문법 형태소의 발달이 지체되어 있다. 특히 청각장애 학생은 학년이 올라감에 따라 단순문 구조보다는 복합문 구조를 더 많이 쓰는데, 이러한 복합문에서 문법적 오류가 많이 나타나며 대부분의 복합문이 나열 구조의 접속문으로 이루어져 있다.

출처 ▶ 한국청각언어장애교육학회(2012 : 147~148)

04　　　　　　　　　　　　　　　　　2009 중등1-29

정답 ⑤

해설
④ 한국 수화소는 약 128개(지문자 제외), 국어 음소는 40개(자음 19개, 모음 21개)이다.
⑤ 한국 수화소의 수가 국어 독화소의 수보다 많다.
  • 독화소는 학자마다 다르지만 대략 15개 내외, 한국 수화소는 약 128개(지문화 제외)에 이른다.

05　　　　　　　　　　　　　　　　　2010 유아1-6

정답 ①

해설

지문 돋보기
기도 검사 결과만 제시되어 있기 때문에 청각장애의 유형을 명확히 파악하는 것은 어려움. 골도검사 결과가 제시된다면 기도청력과 골도청력의 손상 유무 및 정도 그리고 청력형을 통해 혜주의 청각장애 유형을 명확히 파악할 수 있으나 현재로써는 손상 부위에 따른 청각장애 유형을 단언할 수 없음

ㄱ. 말소리를 지각하기 위한 주파수의 범위는 1,000 Hz 이상에서 약 95%가 해당된다(한국청각언어장애교육학회, 2012 : 133). 혜주의 경우 1,000 Hz 이상에서 고도의 청력 손실이 있으므로 대화할 때 크고 분명한 말소리만 들을 수 있다. 또한 말소리를 듣는 경우에도 잘못 알아듣는 단어가 많다. 따라서 의사소통을 위한 단서가 필요하다.
ㄴ. 청각장애 아동은 의미론적 발달에 있어 구체적인 단어보다 추상적인 어휘를 습득하는 데 어려움을 보인다(고은, 2018 : 270). 청각장애 아동은 언어 연령이 같은 건청아동에 비해 추상적 대상에 대한 은유 이해가 지체되어 있다(한국청각언어장애교육학회, 2012 : 133). 따라서 책 읽기를 활용한 중재 방법(최성규 외, 2015 : 321) 등을 활용하여 의미론적 측면에서 지도할 필요가 있다.
ㄷ. 동시보다 완성된 문장을 보다 쉽게 받아들인다.
  • 청각장애 아동들의 읽기 오류는 통사규칙이 많이 요구되는 문장, 추상적 어휘능력을 요구하는 문장, 다의어가 사용되는 문장, 피동문과 비유어 그리고 지시대명사가 내재된 문장 그리고 단문보다는 복문으로 구성된 문장에서 관찰된다. 특히 실제 생활에서 경험되지 않는 내용 그리고 배경지식이 없는 텍스트를 이해하는 데 어려움을 보인다. 동시는 추상적 어휘능력을 요구하며, 다의어가 많이 사용될 뿐만 아니라 비유어 등이 많이 사용되기 때문에 동시를 활용하여 문장에 대한 이해를 높이는 것은 부적절하다.
ㄹ. 제시된 특성 및 청력도를 통해 알 수 있는 바는 좌·우 기도청력에 이상이 있다는 것이다. 기도청력의 이상은 내이의 이상에 따른 감음성 청각장애의 결과일 수도 있는 만큼 전음성 청각장애라고 단정지을 수 없다.
ㅁ. 완전한 문장으로 자연스럽게 말하는 것이 바람직하다.
  • 교사는 발화 시 완전한 문장을 사용하되, 짧은 문장으로 말하는 것이 바람직하다(고은, 2018 : 440).

06

2010 중등1-25

정답 ④

해설

대화 내용은 의미 중심의 접근법 중 언어경험 접근법에 해당한다.

ㄱ. 언어경험 접근법은 계열성을 갖는 구체적인 읽기 기능에 대한 체계적인 교육을 제공하지 않는다. 언어경험 접근법의 단점으로 계열성을 갖는 구체적 읽기 기능(예 음운분석, 음운결합, 단어형성)에 대한 체계적인 교육을 제공하지 않는다는 것을 들 수 있다(김동일 외, 2016 : 205).

ㄷ. 언어경험 접근법은 구어와 문어는 상호적이며 구어는 문어의 기술을 개발시키는 기초가 된다는 인식하에 수립되었다(백은희, 2020 : 267). 즉, 언어경험 접근법은 문어를 구어로부터 유도된 이차 체제로 본다(김동일 외, 2016 : 205).

ㄹ. 언어경험 접근에서 사용되는 읽기 자료는 학생들이 경험한 이야기를 중심으로 구성된다(김동일 외, 2016 : 204).

ㅁ. 읽기 지도 방법 중 의미 강조법으로서 읽기 능력 향상에 효과가 있다. 언어경험 접근법은 읽기 지도 방법 중 의미 중심의 프로그램이다. 언어경험 접근법은 큰 틀에서는 총체적 언어접근법에 포함된다고 볼 수 있다. 문자의 해독보다는 자연스러운 환경에서 풍부한 생활경험과 학생들의 사고 그리고 상호작용을 중시한다는 점에서는 그러하다(고은, 2021 : 440).

07

2010 중등1-32

정답 ⑤

해설

지문 돋보기

- 6개의 검사음 중 3개를 정확히 들을 수 있는 최저 수준 : 이음절 단어를 들려주었을 때 피검자가 검사어음에 대하여 50%를 정확하게 들을 수 있는 가장 낮은 음의 강도, 즉 어음청취역치

① 유희청력검사 : 놀이청력검사라고도 불리며, 약 2세 이상의 유아나 순음청력검사를 실시하기 전 단계에서 실시되는 검사이다. 일반 순음청력검사와 동일한 방법으로 실시하며, 소리 자극에 대해 재미있는 놀이로서 반응하도록 하여 아동의 흥미를 이끌어 나가는 과정을 말한다(이필상, 2020 : 105).

② 이음향방사검사 : 자발적 또는 음향자극에 대한 반응으로 와우에서 방사되는 낮은 강도의 음향에너지를 외이도에서 마이크로폰으로 측정하는 검사이다(고은, 2018 : 113).

③ 어음탐지역치검사 : 피검자에게 친근한 어음을 들려주고, 어음이 들릴 때만 반응하도록 한다. 순음청력검사와의 차이점은 자극음이 순음이 아니라 어음이라는 것이다. 말의 의미를 이해하는 것과는 상관없이 자극음이 있다고 인식되면 반응하도록 한다. 들려주는 어음에서 50% 탐지할 수 있는 가장 낮은 강도를 역치로 결정한다(고은, 2018 : 159).

④ 어음변별검사(어음명료도검사) : 말소리를 듣고 변별하는 어음변별력검사와 달리 들은 말소리를 따라서 발성하여 그에 대한 명료도 능력을 평가하는 검사이다(특수교육학 용어사전, 2018 : 315).

Check Point

어음청력검사의 요약

구분	어음청취역치검사	어음명료도검사
목적	민감도(역치)	인지도
자극음	강강격 단어	단어/문장
방법	제시된 단어 가운데 50%를 인지하는 어음의 강도 수준	쾌적역치 수준에서 단어/문장을 인지하는 비율
결과	어음청취역치(dB)	어음명료도(%)
참고	어음청취역치 측정이 어려울 경우 어음탐지역치로 대처	

출처 ▶ 이필상 외(2020 : 115)

08   2010 중등1-33

정답 ②

해설

지문 돋보기

〈청력도 해석〉
- 차폐 전
  - 기도청력: 손상
  - 골도청력: 정상
- 차폐 후(차폐: 오른쪽 귀, 검사: 왼쪽 귀)
  - 기도청력: 손상 정도가 더 심해짐
  - 골도청력: 손상
  - 이는 왼쪽 귀 검사 시 오른쪽 귀를 통해 반대청취가 있었음을 의미
  - 기도청력과 골도청력 간 차이: 15 dB(또는 10 dB) 이상
- 검사 결과 정리

구분	기도청력	골도청력	청각장애 유형
우측	손상	정상	전음성 청각장애
좌측	손상	손상	혼합성 청각장애

ㄴ. 인공와우 이식을 하게 되면: 인공와우 이식은 양측 귀에 고도의 감음신경성 난청이 있는 경우 시행한다.

ㄷ. 남자 목소리는 저주파, 여자 목소리는 고주파이다. 따라서 학생의 경우 고주파의 손상이 더 크므로 남자 목소리를 여자 목소리보다 더 잘 들을 수 있다.

ㄹ. 조용한 장소에서 1.8m 떨어져 대화할 때 마찰음 말소리를 들을 수 없다.
- 링의 6개음 검사는 약 1.8m 거리에서 대화할 때 나타나는 대략적인 강도에 따른 주파수 대역을 청력도에 표기한 것으로 마찰음은 4,000 Hz(30~40 dB)를 중심으로 분포한다. 제시된 청력도의 4,000 Hz에서 기도는 손상되어 있기 때문에 학생은 1.8m 떨어져 대화할 때 마찰음 말소리를 들을 수 없다.

ㅁ. 대부분의 모음은 1,000 Hz 이하 주파수 대역에 분포한다. 제시된 결과에 의하면 1.8m의 거리를 두고 시행하는 링의 6개음 검사에 의하면 학생의 경우 1,000 Hz 이하의 주파수 대역서 35~40 dB의 손상을 보이고 있다. 따라서 해당 영역을 제외한 나머지 CLEAR(30~60 dB의 영역)에 존재하는 모음을 듣는 데는 어려움이 없다.

ㅂ. 오른쪽 귀의 기도청력을 4분법으로 계산하면 중등도(41.25 dB) 수준이다. 경도(26~40 dB)의 경우 속삭이는 말소리와 같이 작은 소리 또는 멀리서 들리는 소리는 듣기 어려우며, 중등도(41~55 dB)의 경우 가까운 거리의 소리를 들을 수 있으나 일상적인 대화소리를 듣는 데 문제를 보이기(고은, 2018 : 69) 때문에 학생의 경우는 1.2m 거리에서 속삭이는 소리는 듣는 데 어려움을 겪는다.

Check Point

📝 링의 6개음 검사

① 바나나 스피치 성격
- ㉠ 모든 말소리는 250~8,000 Hz에 놓여 있다.
- ㉡ 250 Hz에는 초분절적 요소(강세, 억양, 속도, 어조)와 /ㅁ/, /ㄴ/과 같은 비음 등이 분포되어 있다.
- ㉢ 대부분의 모음은 1,000 Hz 이하 주파수 대역에 위치하며 강도에 있어서도 자음과 비교하여 비교적 큰 특성을 가지고 있다.
- ㉣ 대부분의 자음은 1,000 Hz 이상의 고주파수 대역에 분포되어 있다.

② 링의 6개음 검사 개요
- ㉠ 바나나 스피치에 근거하여 모든 말소리를 검사하는 대신 6개의 말소리만을 가지고 주파수 대역의 청취 능력을 알 수 있는 검사이다
- ㉡ 5개음에서 사용되는 음은 /a/, /u/, /i/, /ʃ/, /s/이며, 6개음검사를 할 경우에는 /m/이 추가된다.
  - 많은 어음 가운데 6개의 음이 검사 이음인 이유는 250~8,000 Hz에 있는 대표적인 말소리로 분류되기 때문이다.
- ㉢ 약 1.8m 거리에서 대화할 때 나타나는 대략적인 강도에 따른 주파수 대역을 청력도에 표기한 것으로, 30~60 dB의 영역을 CLEAR라고 부른다.
- ㉣ 링의 6개음검사는 저주파수, 중주파수, 고주파수 범위에 대한 정보를 제공하며, 자극음의 제시 거리와 강도 수준을 달리하여 아동의 탐지와 확인 반응을 평가할 수 있다. 말소리를 들려주고 말소리에 대한 해당 그림을 찾거나 혹은 따라 말하도록 함으로써 어음지각능력을 알 수 있다.

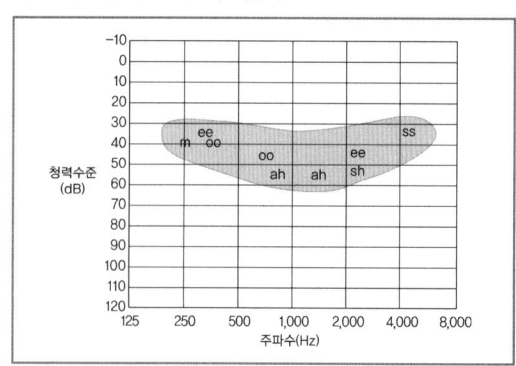

③ 링의 6개음 검사 방법
- ㉠ 6개음이 들어 있는 그림카드를 보여준다.
- ㉡ 입을 가린 상태에서 특정음을 들려주고 해당 카드를 고르도록 한다.
- ㉢ 이때 아동은 그림을 통해 음소를 연상한다.

출처 ▶ 고은(2018 : 311-312)

09   2011 초등1-8

정답 ①

해설

ⓒ 와우 이식은 양측 귀에 고도의 감음신경성 난청이 있고 보청기로 적절한 기간 동안 청력재활을 하여도 효과가 없는 경우를 대상으로 한다(유은정 외, 2013 : 71).

ⓔ 달팽이관 속에 이식한 어음처리기: 인공와우 수술 시 어음처리기를 비롯한 송화기, 송신기는 체외부에 설치한다. 달팽이관 속에 이식하는 것은 전극이다.

ⓜ '5개음 검사'에서 사용하는 5개음은 /i/, /u/, /a/, /ʃ/, /s/ 이다.

Check Point

📝 **인공와우의 구조와 기능**

구성	명칭	기능
외부 장치	송화기 (마이크로폰)	주변의 소리를 감지하여 어음처리기로 보낸다.
	어음처리기	입력된 소리를 프로그램에 따라 전기 신호로 변환시킨다.
	송신기(헤드셋)	측두골에 위치한 송신기(헤드셋)는 자석과의 접촉을 통해 내부장치와 연결되어 있다.
내부 장치	수신기	수신기에 전달된 신호는 달팽이관 내에 삽입된 전극으로 전달된다.
	전극	신호에 알맞은 전극이 청신경을 자극한다.

10   2011 초등1-26

정답 ③

해설

① ㉠ 먼저 낱개로 있는 달걀 4개를 덜어내고, 나머지 2개는 달걀판에 있는 것을 덜어내기와 같은 방법은 뺄셈에서 '감감법'이라고 한다.

② ㉡ 달걀판에서 6개를 덜어내고, 나머지 4개와 낱개 4개를 더하기와 같은 방법은 '가감법'이라고 한다.

④ 수업이 강의식으로 진행될 때는 다른 친구 두 명 정도의 노트를 빌릴 수 있게 한다. 그것은 동시에 독화하면서 필기하기가 불가능하기 때문이다(한국청각언어장애교육학회, 2012 : 119).

⑤ 6을 지숫자로 하면 ✋이다.

Check Point

📝 **숫자 지문자**

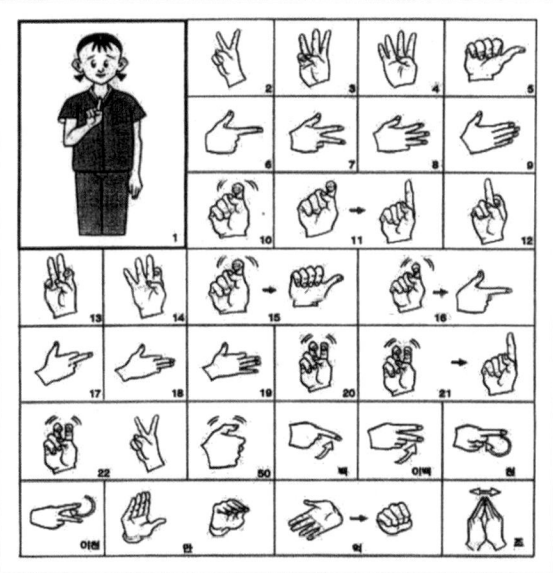

11

정답 ①

해설

(가) 중이는 외이와 내이의 중간에 위치하며 공기로 가득 차 있다. 이러한 중이의 상태를 파악하기 위해 중이검사를 시행한다. 중이검사는 외이도를 통해 들어오는 음압을 중이를 거쳐 내이로 전달되는 수용에너지(admittance)와 고막에 반사되어 다시 나오는 저항에너지(impedance)를 이용하여 측정할 수 있다. 따라서 우리는 중이검사를 임피던스검사라고도 하며, 저항에너지와 수용에너지의 복합어인 이미턴스(immitance)를 사용하여 이미턴스검사라고도 한다(최성규 외, 2015: 182). 임피던스청력검사는 객관적인 검사의 하나로, 기본적인 검사로는 고막운동성검사, 등골근반사검사, 등골근반사피로검사가 있다(대한청각학회, 2018: 143).

- 임피던스청력검사는 중이에 의해 반사되는 에너지(impedance) 또는 중이에 의해 받아들여지는 에너지(admittance)를 이용하여 중이 기능을 측정하는 검사로 일반적으로 고막운동성계측과 등골반사를 측정하게 된다(대한이비인후과학회 외 2009; 대한청학회, 2018: 69 재인용).

Check Point

객관적 검사의 종류

중이검사 (임피던스검사)	고막운동성검사	외이도 입구에서 음향자극을 준 후 고막에서 반사되어 돌아오는 에너지를 분석하는 검사이다.
	등골근반사검사	강한 음자극을 외부에서 입력하여 등골근의 수축 여부를 알아보는 검사이다.
	등골근반사피로검사	순음을 지속적으로 들려주었을 때의 청각피로 정도를 알아보는 검사이다.
이음향방사검사	자발이음향방사검사	외부 자극음이 없는 상황에서 와우에서 생성되고 외이도로 방사되어 감지된다.
	유발이음향방사검사	귀에 가해진 외부 자극음에 대하여 발생하는 이음향방사를 활용하여 검사한다.
청성유발전위검사	전기와우도검사	• 전기와우도는 의식 수준의 변화나 중추의 영향을 거의 받지 않는다. 따라서 수면, 전신 마취 상태에서도 시행이 가능하다. • 전기와우도검사는 신뢰도가 높고 역치 측정이 용이하다.
	뇌간유발반응검사 (ABR)	• 검사 과정이 비침습적이고 마취나 신경안정제 등에 영향을 덜 받는 등의 장점 때문에 청성유발 반응 중에서 가장 널리 사용된다. • 행동검사를 통해 역치 측정이 불가능한 생후 4, 5개월 유아에게도 실시할 수 있다.

12
2011 중등1-27

정답) ④

해설)
ㄴ. 보청기는 모두 비슷한 구조로 이루어져 있다. 외부에서 입력되는 소리에너지는 마이크로폰(송화기)에서 전기에너지로 전환되며, 증폭기에서는 입력된 소리를 적절하게 증폭시켜 주고, 수화기(receiver)에서는 다시 전기에너지를 음향에너지로 전환시켜 소리를 들려준다(고은, 2018: 185).
  • 이어폰은 수화기를 의미한다.
ㄹ. 와우 이식은 양측 귀에 고도의 감음신경성 난청이 있고 보청기로 적절한 기간 동안 청력재활을 하여도 효과가 없는 경우를 대상으로 한다(유은정 외, 2013: 71).
ㅁ. 인공와우의 체내부 기기는 전극과 마이크로폰이며: 인공와우의 체내부 기기는 수신기와 전극이다.

Check Point

📝 보청기의 관리
보청기를 오랫동안 효율적으로 사용하기 위해서는 다음과 같은 지속적인 주의와 점검이 필요하다(고은, 2018: 209).
① 착용하지 않을 때는 보관함에 넣어 둔다.
② 착용하지 않을 때는 건전지를 빼 놓는 것이 좋다.
③ 착용하지 않을 때는 건전지를 넣은 입구를 열어 두어 습기가 차지 않도록 한다.
④ 착용하지 않을 때는 직사광선이 닿지 않는 곳에 둔다.
⑤ 물이 닿지 않도록 한다.
⑥ 샤워, 목욕, 수영할 때는 착용하지 않는다.
⑦ 물에 닿았을 때에는 자연 상태로 건조시키거나 헤어 드라이기를 사용한다.
⑧ 부드러운 헝겊으로 닦아 준다.
⑨ 정전기가 발생하지 않도록 주의한다.

13
2011 중등1-28

정답) ②

해설)
청력도에서 기도와 골도에서의 손상이 관찰되고 손상의 정도 차이가 거의 없으므로 감음신경성 청각장애라고 할 수 있다.
ㄱ. /아/음은 1,000 Hz, 50~60 dB의 음향학적 정보를 가지고 있고, 청력도상으로 학생은 1,000 Hz에서 역치값이 30 dB이므로, /아/음을 들을 수 있다.
ㄴ. 감음신경성 청각장애의 손상 부위는 내이이다.
ㄹ. 좌측의 청력을 3분법으로 계산하면 기도청력 30 dB(HL), 골도청력 30 dB(HL)이다.
  • 청력 손실 정도는 기도 청력 역치를 기준으로 하므로 왼쪽 귀의 평균순음역치는 30 dB(HL)이다.

지문 돋보기

구분	500 Hz	1,000 Hz	2,000 Hz	PTA(3분법)
좌측 기도	10	25	55	(10+25+55)÷3 =30
좌측 골도	10	25	55	(10+25+55)÷3 =30

ㅁ. 감음신경성난청 학생의 역동범위는 건청학생에 비하여 좁다. 감음신경성난청의 경우 와우의 누가현상(또는 보충현상)으로 인해 역동범위가 좁아진다. 따라서 비선형 증폭시스템을 적용하여 작은 소리에는 이득을 많이 주고 큰 소리에는 이득을 조금만 주어서 불편하지 않게 들을 수 있도록 조절해 주어야 한다(고은, 2018: 192-193).
ㅂ. 청능훈련을 할 때는 저주파수의 큰 북과 고주파수의 캐스터네츠 소리를 각각 들려준 후, 어떤 소리에 반응하는지를 살펴본다.

14   2012 초등1-8

정답 ②

해설

ㄴ. 전음성, 감음신경성, 혼합성, 중추성 청각장애의 구분은 청력 손실 부위에 따른 분류이다. 청력 손실 정도에 따른 분류는(ISO 기준) 정상-경도-중등도-중등고도-고도-농으로 구분한다.

ㄷ. 학생의 청력도를 통해 청력 손실의 정도, 유형, 청력형은 알 수 있지만 시기는 알 수 없다. 청력검사 결과를 바탕으로 청력도를 작성하면 청력 손실 정도, 청각장애 유형 및 청력형을 알 수 있다(최성규 외, 2015 : 165).

ㅁ. 인공와우 시술을 받은 학생의 효율적인 청취를 위해 교실의 소음과 반향음을 줄여주는 학급 환경을 조성해야 한다.

Check Point

(1) 청력 손실 시기에 따른 분류

언어습득 전	• 듣고 말하는 언어의 이해를 습득하기 이전에 청각장애로 판명 • 선천적이거나 영·유아기 전후
언어습득 후	• 언어를 습득한 후에 외부 환경의 어떠한 요인으로 인하여 청각장애로 판명 • 후천적으로 유아기 이후

(2) 청력 손실 정도에 따른 분류(ISO 기준)

청력역치(HL)	듣기 특성
0~25 dB (정상)	일상적인 소리를 듣고 생활하는 데에 어려움이 없다.
26~40 dB (경도)	• 속삭이는 말소리와 같이 작은 소리 또는 멀리서 들리는 소리는 듣기 어렵다. • 뒤에서 하는 말소리는 이해하기 어렵다. • 1 : 1이 아닌 토론 상황에서는 이해하기 위한 노력이 요구된다.
41~55 dB (중등도)	• 가까운 거리의 소리는 들을 수 있으나 일상적인 대화소리를 듣는 데에 문제를 보인다. • 집단 토론이나 집단 활동 등에서는 상당한 노력이 요구된다.
56~70 dB (중등고도)	• 수업 시간에 교사의 말을 듣고 이해하기 어렵다. • 아주 큰 소리는 들을 수는 있으나 말소리를 듣고 이해하는 데에 현저한 문제를 보인다. • 말소리 명료도가 두드러지게 낮다.
71~90 dB (고도)	• 큰 소리의 환경음은 감지할 수 있으나 많은 경우 음원을 정확하게 알기 어렵다. • 말소리가 거의 들리지 않아 대부분의 단어가 인지되지 않는다. • 말의 명료도는 거의 알아듣기 어렵다.
91 dB 이상 (농)	비행기 이륙 소리나 대형트럭 경적 소리와 같은 아주 큰 환경음만 들을 수(도) 있다.

(3) 청력 손실 부위에 따른 분류

구분	특징	손실 부위
전음성	일반적으로 청력 손실이 60~70 dB을 넘지 않으며, 보청기로 소리를 증폭시켜 줌으로써 어느 정도 효과를 기대할 수 있다. 골도청력은 거의 정상에 가깝다.	외이 또는 중이의 이상
감음 신경성	청력 손실이 많고 기도청력과 골도청력에 모두 결함을 보이며, 골도청력 역치와 기도청력 역치 사이에 차이가 거의 없다.	내이(유모세포) 또는 청신경 이상
혼합성	전음성 난청과 감음신경성 난청의 혼합, 청력 손실이 많고 기도청력과 골도청력이 모두 손상되어 있다. 골도청력 역치와 기도청력 역치 사이에 차이가 있으며, 이때 기도청력 손실이 더 많다.	중이의 증폭 기능과 내이의 이상
중추청각 처리장애	청각신호의 생모서리과생에서의 활림으로 발으나들 종합하고 분벅하여 이해하는 데 문제를 보인다.	중추신경계의 이상

15 2012 초등1-18

정답 ④

해설

④ 민호의 특성과 쓰기 수준을 고려하여 내용 전달을 우선적으로 평가하는 것이 바람직하다.

⑤ 이 수업에 적용된 과정 중심 접근법 쓰기지도의 단계는 선형적이 아니며: 쓰기 전, 쓰기, 쓰기 후로 나누거나 내용 생성, 조직, 표현, 고쳐쓰기 등으로 나눈 후에 이들을 엄격하게 구분하여 지도하는 것은 바람직하지 않다. 이들 간의 연계성을 강조해야 한다.

- 한 편의 글을 쓸 때는 각각의 과정들이 동시 다발적으로 작동한다. 마찬가지로, 무조건 글쓰기 과정 순서대로 나아가게 하는 것은 바람직하지 않다. 글쓰기 과정의 회귀성을 강조해야 한다. 내용을 조직하는 과정에서 생성을 할 수도 있고, 교정하는 과정에서 아이디어를 생성할 수도 있다. 또한 각 과정에서 주로 하는 활동을 그 과정에서만 해야 한다고 생각하는 것은 잘못이다. 예를 들어 브레인스토밍이나 마인드맵 같은 것은 주로 내용을 생성하고 조직하는 단계에서 많이 활용되지만, 경우에 따라서는 초고를 쓸 때나 교정을 할 때 활용될 수도 있다(신헌재 외, 2021 : 252).

Check Point

과정 중심 쓰기지도

① 쓰기지도의 방법을 구분하는 방식 중 하나는 결과 중심과 과정 중심으로 나누는 것이다.
   ㉠ 결과 중심 접근법은 결과 자체를 강조한다. 쓴 글에 대해 논평해 주는 방식으로 지도하는 것이다.
   ㉡ 과정 중심 접근법(㲯 쓰기 과정적 접근)은 아이디어를 생성, 조직, 표현하는 과정에서 학생이 필요로 하는 기능이나 전략을 직접 가르침으로써 학생들의 쓰기 능력을 기르는 방식이다.

② 과정 중심 접근법은 다음과 같은 절차로 이루어진다.

단계	내용
계획하기	• 글쓰기 주제를 선택한다. • 쓰는 목적(정보제공, 설명, 오락, 설득 등)을 명확히 한다. • 독자를 명확히 한다(또래 학생, 부모, 교사, 외부 심사자). • 목적과 독자에 기초하여 작문의 적절한 유형을 선택한다(이야기, 보고서, 시, 논설문, 편지 등). • 쓰기를 위한 아이디어를 생성하고 조직하기 위한 사전활동을 한다(마인드맵 작성, 이야기하기, 읽기, 인터뷰하기, 브레인스토밍, 주제와 세부항목 묶기 등). • 교사는 학생과 협력하여 글쓰기 활동에 참여한다(내용을 재진술/질문을 한다, 논리적으로 맞지 않는 생각을 지적한다).
초고 작성하기	• 일단 초고를 작성하고, 글을 쓸 때 수정하기 위한 충분한 공간을 남긴다. • 문법, 철자보다 내용을 생성하고 구성하는 데 초점을 맞춘다.
내용 수정하기	• 초고를 다시 읽고, 보충하고, 다른 내용으로 바꾸고, 필요 없는 부분을 삭제하고, 옮기면서 내용을 고친다. • 글의 내용을 향상시키고 다양한 시각을 제안할 수 있도록 또래집단(글쓰기 도우미 집단)을 활용하여 피드백을 제공한다.
편집하기	• 구두점 찍기, 철자법, 문장구조, 철자 등 어문규정에 맞추어 글쓰기를 한다. • 글의 의미가 잘 전달될 수 있도록 문장의 형태를 바꾼다. • 필요하다면 사전을 사용하거나 교사로부터 피드백을 받는다.
게시하기	• 쓰기 결과물을 게시하거나 제출한다(학급신문이나 학교문집에 제출한다). • 적절한 기회를 통하여 학급에서 자기가 쓴 글을 다른 학생들에게 읽어 주거나 학급 게시판에 올려놓는다.

16
2012 중등1-30

정답 ④

해설

㉠ 귀 속에 송신기와 전극을 삽입했기 때문에 : 송신기는 외부장치로 분류된다. 내부장치에는 수신기와 전극이 포함되며, 이 중 귀 속 와우에 삽입하는 것은 전극이다.
㉢ 수술 후에 매핑 그리고 개별화된 청능훈련 등의 재활 프로그램이 뒷받침되어야 한다.
㉣ 알아듣지 못했을 때에도 한두 단어만 말해 주지 말고 전체 문장을 다시 반복하거나 말을 바꾸어서 해 준다. 문장 속에서 내용과 의미를 파악하기가 더 쉽기 때문이다(이소현 외, 2011 : 320).
㉤ 인공와우 아동의 수업 참여를 지원하기 위해 수업활동을 잘 이해할 수 있도록 시각적 지원을 해준다. 활동 전에 교사의 시범을 먼저 보여 주며, 영상 자료는 자막이 있는 것을 선택하다. 중요한 전달사항이나 숙제 등은 칠판에 적어주며, 뒤돌아서서 말하지 않는다(한국청각언어장애교육학회, 2012 : 372).

17
2012 중등1-31

정답 ③

해설

ㄹ. • 어음청취역치검사는 검사음의 50%를 정확히 대답하는 최대 어음 강도인 어음청취역치를 알아보는 검사로 : 어음청취역치검사란 제시된 이음절 단어를 정확히 50% 확인할 수 있는 가장 작은 강도(dB HL)를 측정하는 검사이다(고은, 2018 : 158).
• 어음청취역치는 일반적으로 순음평균청력치와 20 dB 정도 차이가 난다. : 일반적으로 어음청취역치와 순음청력역치는 거의 일치하거나 대개 10 dB 이내의 차이를 보인다.
ㅁ. 약 60 dB에서 100%의 어음명료도를 보이면 전음성 청각장애로 추정한다.
• 40 dB를 들려주었을 때 50%의 정반응을 보이다가 60 dB로 어음 강도를 높여 주면 거의 100%의 명료도를 보이는 형태는 전음성 청각장애에서 나타나는 명료도 곡선으로 말소리의 강도를 조금 높여 주면 어음 이해력이 높아진다고 볼 수 있다(고은, 2018 : 162).

18
2012 중등1-32

정답 ⑤

Check Point

(1) 한글 지문자

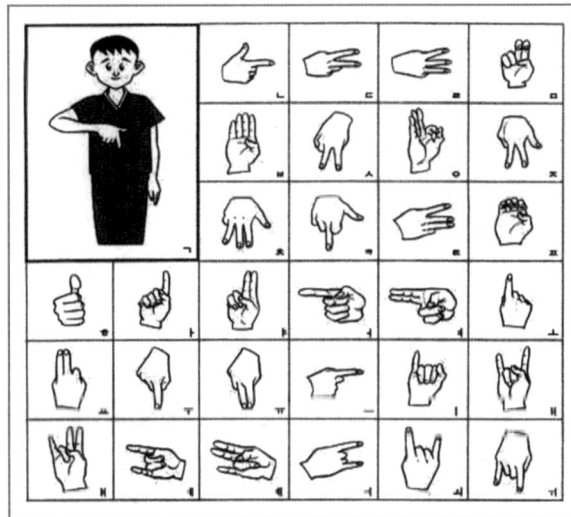

(2) 숫자 지문자

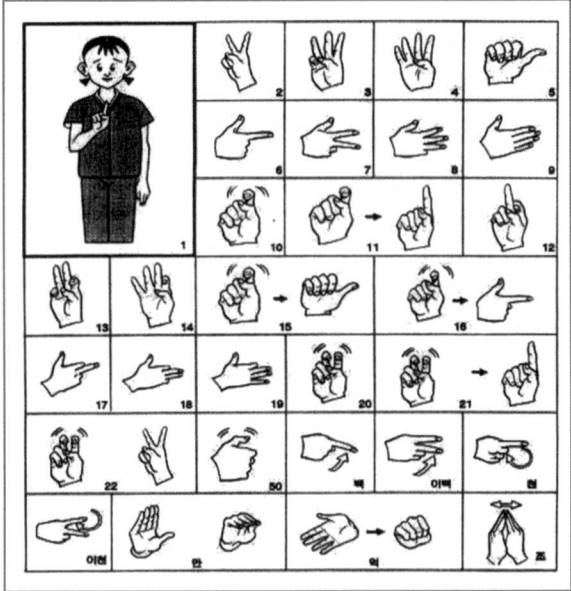

19   2013 유아A-2

모범답안

1)	다음 중 택 1 • 소리의 방향을 인식하기 힘들다. • 말소리를 이해하기 어렵다. • 가청범위가 좁아진다.
2)	ⓒ 불쾌역치
3)	FM 보청기는 화자의 말소리만을 증폭시킴으로써 신호대 잡음비를 높여주기 때문이다.
4)	• 어음처리기를 떨어뜨리거나 충격을 받지 않도록 한다. • 어음처리기, 마이크, 송신기(또는 헤드셋)에 물이 들어가지 않도록 한다.

해설

지문 돋보기

- 수술 전 평균 청력역치가 우측 90 dB, 좌측 90 dB임: 청력 손실 정도는 양이 모두 고도
- 2세 때 우측 귀에 인공와우 이식 수술을 받았음: 청각장애 유형은 감음신경성 청각장애

1) 보청기는 편측 착용과 양측 착용을 할 수 있는데, 의사소통 능력 향상과 사회 심리적 영향을 위하여 양측 착용을 원칙으로 한다. 양이로 들을 경우 한쪽 귀로 들을 때와 비교하여 소리의 방향과 소음이 많은 환경에서 말소리를 더 잘 이해할 수 있으며 가청범위가 더 넓어진다(최성규 외, 2015: 247).

2) 인공와우 수술을 받았다는 것은 양측이 모두 고도의 감음신경성 청각장애임을 의미한다. 감음신경성 청각장애에게는 청력역치는 증가하지만 불쾌 수준은 증가하지 않는 누가현상이 나타난다. 그러나 전음성 난청은 청력역치가 높은 만큼 불쾌역치도 함께 높아지기 때문에 역동범위가 정상청력과 비교하여 큰 차이가 나지 않는다(고은, 2018: 191).

3) 일반 보청기는 조용한 환경에서는 최고의 이득을 주지만 소음이 많은 환경에는 제약이 따른다. 반면에 FM 보청기는 회의석상이나 소음이 많은 교실 상황에서 화자의 말소리만을 증폭해서 들음으로써 신호대잡음비가 높아지는 효과가 있다(고은, 2018: 200).

Check Point

✎ 역동범위

① 역동범위란 작은 소리에서 큰 소리까지 소리가 변화할 수 있는 정도의 범위(자극역치에서 불쾌역치 사이)를 말한다.

자극역치	반응을 일으키는 가장 작은 자극치
쾌적역치 (최적역치)	피검사자가 가장 편안하게 느끼는 자극치
불쾌역치	피검자가 자극음으로부터 불쾌감, 압박감, 통증 등을 느끼는 강도

② 어음을 자극음으로 이용하여 어음청취역치(SRT)와 불쾌역치(UCL)를 측정하였다면 이때의 역동범위는 어음청취역치와 불쾌역치 사이의 범위를 의미한다.

20   2013 중등1-13

정답 ③

해설

(나) • 청각장애 학생에게 말할 때는 분명하고 과장되지 않은 정도에서 천천히 이야기한다(고은, 2018: 440). 혹은 분명하고 과장되지 않은 정도에서 자연스럽게 이야기한다.
  • 독화를 하는 청각장애 아동과 말을 하는 경우라면 화자는 조음기관을 지나치게 과장하지 않도록 유의해야 한다. 입술과 턱은 많이 움직이되, 한 음절씩 말하지 않고 어절 단위로 끊어 주는 것이 좋다(고은, 2018: 324).

(라) 수화통역사의 위치는 다음과 같이 다양한 표현으로 제시되고 있다.
  • 수화통역사를 활용하는 경우 학생이 교사와 통역사를 동시에 볼 수 있는 자리에 배치한다(이필상, 2020: 281; 2016 중등A-12 기출).
  • 청각장애 학생이 교사 혹은 칠판과 수화통역사를 번갈아 볼 수 있도록 유의하여 자리를 배치한다(유은정 외, 2013: 182).
  • 통역사의 위치는 교사의 뒤, 약간 옆쪽이 좋다(한국청각언어장애교육학회, 2012: 118).

(바) 교사나 또래 모두 청각장애 학생에게 질문을 할 때는 학생에게 직접 하고, 수화통역사에게 하지 않는다.

21
2013 중등1-14

정답 ②

해설
㉠ 감음신경성 청각장애는 외이, 중이에는 손상이 없지만 내이의 손상으로 인해 기도검사와 청력검사 결과 모두 청력 손실이 있는 것으로 나타난다.
㉢ 기저막은 와우에 위치해 있으므로 기저막에 손상을 입으면 감음신경성 청각장애이다.
㉣ 유모세포는 와우의 기저막에 위치해 있으므로 유모세포의 손상으로 인한 청각장애 유형은 감음신경성 청각장애이다. 중추성 청각장애는 대뇌에서 발생하는 청각정보처리장애이다.
㉤ 고막과 이소골은 중이에 해당하기 때문에 전음성 청각장애이다.

22
2013 중등1-15

정답 ③

해설
ㄱ. 수화는 체계적이며 일정한 순서와 규칙 그리고 정해진 방법에 의해 결합되는 하나의 언어이다. 음성언어는 자음·모음과 같은 분절음을 사용하여 단어를 만드는 반면, 수화는 수화소를 사용하여 어휘를 구성한다. 수화소는 음성언어에서 소리의 차이를 가져오는 가장 작은 단위인 음소에 해당한다(고은, 2018: 355).
ㄴ. 수화언어는 음운론, 형태론, 구문론, 의미론, 화용론으로 언어학적 특징이 있는 완전한 언어다(유은정 외, 2013: 149).
ㄹ. 공간성과 동시성이라는 특성은 단어 구성은 물론 문장 수준에서도 나타난다.
ㅁ. 언어 생득론자의 입장에서 보면 언어습득에서 중요한 것은 아동이 이해하는 언어 형태로 언어발달의 결정적인 시기에 언어에 노출되기만 하면 언어발달은 자연스럽게 이루어진다는 것이다. 여기서 중요한 것은 아동의 입장에서 왜곡되지 않은 완전한 언어 형태로 노출되는 것이다. 언어발달에서 수화언어습득이 음성언어습득을 방해하는 것은 아니다. 그러므로 되도록 음성언어로 성공적인 의사소통을 하는 것이 농교육의 목표라고 할지라도, 농아동이 불완전한 구어 환경에 놓이게 하기보다는 수화 언어를 접할 기회를 제공하는 것이 필요하다(유은정 외, 2013: 163).

Check Point

(1) 자연수화와 문법수화

① 개념

자연수화	• 청각장애인들의 의사를 전달하기 위하여 자연적으로 만들어져 사용되는 수화이다. • 농인들이 문화와 관습 속에서 자연발생적으로 만들어 낸 수화이다. 자연수화는 '농식수화' 또는 '한국수화(KSL)'라고도 불린다. • 자연수화는 문법이 국어와 다르고 자체의 문법과 규칙을 가지고 있다. • 관용적 표현이 많은 것이 특징이다.
문법수화	• 청각장애인들의 의사소통 지도를 위한 도구로 교육기관에서 문법에 맞게 수화를 재정리한 것이다. • 각국의 언어 문법에 맞게 인위적으로 만들어 낸 수화를 말한다. '표준수화'라고도 불린다. • 자연수화가 관용적 표현 중심인 반면, 문법수화는 문장 형식의 수화가 중심이 되기 때문에 '문장식 수화' 또는 국어문법에 맞도록 개발되었다는 의미에서 '국어대응식 수화'라고도 한다.

② 비교

자연수화	문법수화
• 축약하여 표현함 • 구조와 어순 등이 음성언어와 매우 다름 • 지화를 거의 활용하지 않음 • 국어에 대한 이해가 필요 없음 • 문법 형태소를 생략함	• 말이나 문장을 그대로 표현함 • 구조와 어순이 음성언어와 유사함 • 지화를 적극 활용함 • 국어 문법지식을 필요로 함 • 문법 형태소를 지문자나 수화어휘로 표현함

(2) 수어의 특성

도상성	도상성이란 실제로 지시하는 대상이 언어에 투영되어 있는 것을 말한다. 자의성과 반대되는 개념으로 음성언어와 비교하였을 때는 도상성이 높다고 할 수 있으나, 실제로 수어의 대부분은 자의적이다.
자의성	자의성이란 낱말과 대상 간에 직접적인 관계가 없는 것을 말한다. 음성언어와 마찬가지로 수어는 임의적인 약속기호이다.
동시성	수어의 동시성은 음성언어의 분절성과 반대되는 개념이다. 음성언어는 분절음의 선형 연속체라 할 수 있다. 즉, 문장은 단어로, 단어는 형태소로, 형태소는 다시 각각의 분절음으로 쪼개진다. 예를 들면, 음성언어에서의 단어 '친구'는 '친'+'구'로 결합되며, 다시 /ㅊ/+/ㅣ/+/ㄴ/+/ㄱ/+/ㅜ/라고 하는 음소 배열을 갖는다. 음성언어에서는 2개의 말소리가 동시에 발성되지 않는다. 그러나 수어는 공간에서 표현되기 때문에 여러 가지 요소가 동시에 산출되는 '동시성'을 갖는다.
가역성	가역성이란 물질이 어떤 상태로 변했다가 본 상태로 되돌아가는 성질을 말한다. 이슬은 옅은 안개가 되기도 하고, 구름으로 만들어지기도 한다. 구름은 비가 되기도 하고 눈이 되기도 하며, 땅에 떨어진 비와 눈은 흙에 스며들어 강이 되기도 하고, 다시 아침 이슬이 되기도 한다. 이렇듯 가역성을 어떤 변화의 과정을 역으로 밟아 가면 다시 원상으로 복귀될 수 있다는 의미로 해석한다면, 수어는 음성언어와 달리 가역성을 가지고 있는 언어이다.
축약성	언어에서 축약은 일상적인 의사소통 상황에서 흔히 발견되는 현상이다. 전달하려는 메시지의 손상을 주지 않으면서 화자와 청자 간에 시간을 절약하거나 의미를 간결하게 하기 위해 사용되는데, 예를 들면, 구화에서는 디지털 카메라를 디카로 줄여서 표현하거나, '아침밥 먹었어?'라는 질문을 '아침 먹었어?'라고 축약하기도 한다. 이렇듯 음성언어에서도 간혹 축약성이 발견되기도 하는데, 주로 형태·음운론적 측면에서 나타난다.
공간성	수어의 중요한 특성 중 하나는 바로 공간성이다. 메시지가 공간에서 이루어질 뿐만 아니라 어떤 특정 공간에서 수어가 만들어지느냐에 따라 의미와 문법이 달라지기 때문이다. 예를 들면, 대화에서 'A와 B가 경기를 했는데 A는 이기고 B는 졌다.'를 수어로 표현할 때는 공간을 둘로 나누어 의미를 전달한다.

23

2013 중등1-16

정답 ③

해설

지문 돋보기

청각장애학교의 교육적 접근법은 다음과 같음
• A학교 : 이중언어-이중문화 접근법
• B학교 : 총체적 의사소통법
• C학교 : 구화법

① 로체스터는 지문자를 사용하여 구화를 시각적으로 보충하는 방법으로, 이중언어-이중문화 접근법 이전의 방법이다.
② 이중언어-이중문화 접근법은 청각장애 학생을 대상으로 하여 기본적으로 수어를 가르치고, 모국어를 2차 언어로 가르치는 교수법이다. 이중언어 접근에서는 청각장애 아동이 언어를 배울 수 있는 최선의 경로를 시각이라고 본다. 따라서 시각적이고 완전한 언어인 자연수화를 1차 언어로 습득하게 하고, 그를 통해 2차 언어인 문어를 획득하게 할 것을 주장한다.
③ 동시적 의사소통법이란 총체적 의사소통법 또는 토탈 커뮤니케이션(TC)을 의미한다.
④ 총체적 의사소통 혹은 토탈 커뮤니케이션은 청각장애인끼리든 청각장애인과 일반인 간이든 의사소통의 모든 수단을 활용하는 것을 의미한다. 동시법 또는 결합법이라고도 하는 것으로 의사소통에 사용할 수 있는 모든 수단, 즉 말읽기, 발화, 수어, 지문자, 몸짓, 기타 등을 동시에 사용하거나 그러한 것들 중에서 의사소통에 적절한 어떤 한 수단을 사용하는 것이다(이필상 외, 2020 : 246).
⑤ 구화법은 수화를 사용하지 않고 구화를 사용한다.

Check Point

(1) 농아인의 의사소통 방법

농아인의 의사소통 방법에는 이탈리아 밀라노 선언에 근거한 순구화법, 수화법, 신구화법 그리고 토털 커뮤니케이션(TC)으로 구분할 수 있다. 신구화법에는 대표적으로 로체스터법을 들 수 있으며, 지화법과 구화법을 결합하여 읽기와 쓰기가 강조되는 방법이다. 반면에 TC는 의사소통의 양식을 제한하지 않으며 신구화법의 영향을 받은 언어의 자유로운 접근 방안이다(고은, 2018 : 24).

(2) 언어지도 방법론적 논쟁과 로체스터법
① 18세기 후반 농교육 방법론으로 프랑스와 독일은 각각 수화주의와 구화주의 교육이 확립되면서 언어지도 방법에 대한 논쟁이 시작된다.
　㉠ 초기에는 프랑스의 레뻬와 제자들의 활약에 힘입어 널리 퍼진 수화주의가 우위를 점해왔다. 그러나 19세기 후반까지 농교육현장에서는 수화주의와 구화주의의 갈등이 격렬해지면서 1880년 밀라노에서 '국제농교육자회의'가 개최되기까지 100여 년간 논쟁이 벌어진다.
　㉡ 밀라노 국제농교육자대회 이후에는 구화주의가 파급되기 시작하여 20세기까지 언어지도 방법론에 대한 논쟁은 지속된다. 농교육 방법론은 이후 구화주의와 구화에 수지 모드를 병행하여 사용하는 결합법으로 발전한다.
② 20세기 중반 알렉산더 그라함 벨에 의한 전화기 발명과 전자공학적 원리를 활용한 보청기의 개발은 청각장애 교육에서 구화법이 발전하는 중요한 전기가 된다.
　㉠ 청능학이 새로운 연구 분야로 등장하면서 청능학 지식과 기술의 진보는 보청기가 다양하게 개발되는 계기가 되고 구화주의는 더욱 발전하게 된다.
　㉡ 그러나 농교육 현장에서 구화주의가 농아동의 학업성과를 향상시키지 못하면서 한계를 맞이하게 된다. 이러한 언어방법론으로 구화주의에 대한 회의는 지문자와 수화에 대한 새로운 관심으로 나타난다.
③ 1950년대 소련을 중심으로 한 신구화주의는 농유아에게 일찍 지문자를 익히게 하여 아동의 말하기와 말읽기 기능을 강화시키는 것이다.
　㉠ 신구화주의는 2세의 농유아에게 지문자 지도를 시작하여 6세가 되면 수천 단어의 어휘를 개발할 수 있다고 주장한다.
　㉡ 신구화주의는 미국에서 자신들이 개발한 말하기, 말읽기와 더불어 지문자를 사용하는 로체스터법으로 발전한다. 로체스터법은 지문자를 사용하여 청각장애 아동에게 구화를 시각적으로 보충하는 것으로 효과를 본다.
④ 1970년대 미국을 중심으로 토털 커뮤니케이션의 철학과 개념이 등장한다.

출처 ▶ 이필상 외(2020 : 48-49)

24 2013추시 유아1-8

모범답안

1)	음소 : /i/, /u/, /a/, /ʃ/, /s/
2)	유의 확인
3)	/ㅅ/는 4,000 Hz의 30~40 dB 사이에 분포하는데, 지수는 관련 주파수대의 청력이 손상되어 있으면서 보청기의 이득이 충분하지 못하기 때문에 /ㅅ/를 듣지 못하여 /ㅈ/로 듣고 반응한 것이다.
4)	기도청력과 골도청력이 모두 손상되어 있고, 청력 손실 정도가 유사하기 때문이다.
5)	좌우의 기도역치 차이가 차폐의 기준인 40 dB를 넘지 않기 때문이다.

Check Point

(1) 청능훈련(청능기술)의 단계

음의 인식	• 소리의 존재 유무를 아는 단계이다. • 소리의 존재를 감지하고, 그 소리에 주의를 기울이는 것을 학습한다. • 소리의 유무에 대한 일관적이고 지속적인 반응을 지도하고, 작은 반응이라도 나타나면 즉각적으로 반응(강화)해 준다. • 훈련 초기에는 구조적인 상황에서 주어진 소리에 대해 반응하도록 하고 차츰 자연스러운 일상에서도 소리의 유무에 대해 반응할 수 있도록 유도한다.
음의 변별	• 특정한 소리와 다른 소리가 서로 같은지 다른지를 아는 단계이다. • 소리의 차이점에 주의하여 다른 소리에 대해 다른 방식으로 반응하는 훈련을 한다. 처음에는 환경음으로 훈련하고 점차 말소리를 사용하는 것이 효과적이다. • 훈련 초기에는 아동이 충분히 들을 수 있는 소리 가운데 음향적 변별 특성의 차이가 큰 소리를 이용하고, 활동이 진행될수록 음향적 차이가 작은 것으로 난이도를 높이며 청각적 민감도를 키워준다.
음의 확인	• 청각적 정보를 자신이 이미 알고 있는 정보와 비교하여 인식하고 반응하는 단계이다. • 확인 단계에서는 제시된 청각 정보를 정확하게 인식하여 따라 말하기, 가리키기, 쓰기, 명명하기 등의 방법으로 알아맞히는 훈련을 한다. • 아동에게 친숙한 단어와 사물을 이용하는 것이 효과적이며, 초분절적 지각훈련을 먼저 실시하고, 자음과 모음 등의 분절적 지각 순으로 훈련한다. • 간단한 청각 자극에서 복잡한 자극으로 진행하며, 음소에서 단어, 문장 순으로 전개시킨다.
음의 이해	• 음성언어 자극을 의미 있게 이해할 수 있는 단계이다. • 음성 자극을 다른 구문으로 바꾸어 말하기, 지시 따르기, 소리에 대한 이해를 설명하거나 질문에 답하기 등 말의 의미를 의미 있게 이해할 수 있는 훈련을 한다.

(2) 차폐검사가 필요한 경우
① 검사 귀 기도와 비검사 귀의 기도청력역치의 차이가 40 dB 이상인 경우
② 검사 귀 기도와 비검사 귀의 골도청력역치의 차이가 40 dB 이상인 경우
③ 골도검사를 할 경우(항상 차폐)

25   2013추시 중등1-7

모범답안

1)	• 이름: 수미, 지우
2)	• 장점: 말소리를 지각하는 데 가장 중요한 주파수인 1,000 Hz를 두 번 사용하기 때문에 청력 손실 정도를 더욱 신뢰롭게 파악할 수 있다.
3)	• 이유: 인간이 들을 수 있는 청력의 크기를 나타내기 때문이다.
4)	• 의미: 일반적인 사람들이 들을 수 있는 가장 작은 소리보다 더 작은 소리를 들을 수 있다.
5)	• 기호와 이유: ②, 완전한 문장으로 말해주어야 문장 속에서 내용과 의미를 더 잘 파악할 수 있기 때문이다. • 기호와 이유: ④, 지우의 자리 배치는 독화하기 좋은 자리로 하되, 지우와 상의하여 결정한다.

해설

지문 돋보기

(가) 청각장애 학생들의 청력 특성

구분	좌측		우측	
	유형	손상 부위	유형	손상 부위
병철	감음신경성	내이	감음신경성	내이
수미	전음성	외이, 중이	정상	없음
지우	혼합성	외이, 중이, 내이	혼합성	외이, 중이, 내이

1) 전음성 청각장애는 외이와 중이에 이상이 있으나 내이는 정상이며 감음신경성은 외이와 중이는 정상이지만 내이에 이상이 있는 유형이다. 그리고 혼합성 청각장애는 외이와 중이 그리고 내이에 모두 손상이 있다. 따라서 전음성의 특성을 보이는 수미와 혼합성의 특성을 보이는 지우는 외이와 중이에 손상이 있다고 할 수 있다.
3) dB SPL은 기계가 만들어 내는 압력의 크기를 측정하는 단위이며, dB IL은 소리의 강도를 나타내는 데 반해 dB HL은 인간이 들을 수 있는 청력의 크기를 나타낸다.
4) 0 dB HL이란 소리가 없다는 것이 아니라 20~30대 건청인의 기준에서 들을 수 있는 가장 작은 소리 강도를 말한다. 따라서 청력검사 결과 역치가 0 dB HL이라는 것은 건청인의 귀가 반응하는 가장 작은 소리를 들을 수 있다는 것을 의미한다. -10 dB를 듣고 소리가 있다고 반응하는 것은 평균적인 사람들보다 훨씬 소리를 잘 듣는다는 것을 의미한다(고은, 2018: 143).
5) ② 수미에게는 완전한 문장보다는 한두 단어로 말해 준다.: 한두 단어보다는 완전한 문장으로 말해준다.
④ 교사가 임의로 지정해 준다.: 교수방법상의 고려점 중 하나는 청각장애 아동이 교사의 말하는 내용을 독화하기 가장 좋은 자리가 어딘지 아동과 상의하여 결정하는 것이다(한국청각언어장애교육학회, 2012: 119).

Check Point

소리의 강도를 나타내는 단위

소리의 강도를 나타내는 단위에는 dB SPL(Sound Pressure Level), dB HL(Hearing Level), dB SL(Sensation Level), dB IL(Intensity Level)이 있다.

dB HL	인간이 들을 수 있는 청력의 크기를 표시하는 단위이다. 정상 성인이 듣는 인간이 들을 수 있는 볼륨 단위이다. 따라서 개인의 청력역치를 말해주는 청력검사 단위는 dB HL이 된다.
dB SPL	소리가 발생하지 않은 평형 상태로부터 소리의 발생으로 인하여 변화된 압력의 변동을 말한다. 즉, SPL은 소리를 만들어 내는 물리적인 공기압력을 측정한 값이다. 보청기의 전기음향적인 특성이나 소음 또는 청력검사기 등의 기계정확도를 측정하는 음압측정기는 dB SPL 단위로 나타낸다.
dB SL	개인의 절대역치를 초과한 만큼의 감각레벨이다. dB SL은 감각레벨로서 피험자의 귀에서 듣는 소리의 세기를 말한다. 예를 들어, 가청역치가 50 dB HL인 사람에게 70 dB HL의 소리가 주어진다면 그 사람의 dB SL은 검사음에서 피검자의 가청 수준을 뺀 20 dB SL이 된다.
dB IL	소리의 강도(힘)를 나타내는 단위로, 특정 소리의 dB IL은 기준 강도에 대한 측정 강도의 비율로 계산된다(정해진 면적에 대한 압력으로 dB SPL과 같은 수치이다).

출처 ▶ 고은(2018: 88), 최성규 외(2015: 30), 한국동청각학교수협의회(2020: 69-70)

26   2014 초등A-5

모범답안

1)	혼합성 청각장애
2)	검사의 신뢰도를 확인하기 위해서이다(또는 말소리를 지각하는 데 가장 중심이 되는 주파수이기 때문이다).
3)	1, 6, 8

해설

지문 돋보기

(가) 영희의 특성
- 어렸을 때 고열로 인하여 달팽이관이 손상되었으며, : 내이의 손상
- 만성 중이염으로 중이에도 손상을 입었음 : 중이의 손상
- 현재 기도 청력 손실 정도는 양쪽 귀 모두 85 dB이며, :
  - 외이와 중이, 내이의 손상으로 기도 청력 및 골도 청력 손상
  - 청력 손실 정도는 국제표준기구(ISO) 기준 고도(71~90 dB)에 해당
- 기도 청력 손실 정도가 골도 청력 손실 정도보다 높게 나타남 : 혼합성 청각장애의 경우 기도역치와 골도역치가 모두 비정상적으로 나타나고 10 dB 이상이 기도-골도 역치차가 나타나는 청력도를 보임

1) 감음신경성 청각장애가 있으면서 중이염과 같은 전음기관의 장애가 겹친 상태를 혼합성 청각장애라고 한다(유은정 외, 2013 : 30).

2) 1,000 Hz를 두 번 검사하는 이유에 대한 문헌별 내용은 다음과 같다.
   - 1,000 Hz를 두 번 검사하는 이유는 검사의 신뢰도를 점검하기 위해서이다(고은, 2018 : 146).
   - 검사의 신뢰도를 확인하기 위해 1,000 Hz의 역치를 재평가한다(대한청각학회, 2018 : 97).
   - 1,000 Hz를 2번 실시하는 이유는 검사의 신뢰도를 측정하기 위해서이며 그 결과가 10 dB 이상 차이가 있다면 재검사를 실시해야 한다(최성규 외, 2015 : 160).
   - 1,000 Hz의 주파수를 2번 반복해서 청력검사를 실시하는 이유는 말소리를 지각하는 데 가장 중심이 되는 주파수이기 때문이다(한국청각언어장애교육학회, 2012 : 61).

27   2014 중등A-10

모범답안

㉠	말소리
㉡	2,000 Hz

해설

평균 청력 정도는 말소리를 인지하는 데 매우 중요한 주파수대역인 500 Hz, 1,000 Hz, 2,000 Hz, 4,000 Hz의 청력 정도를 갖고 평균을 낸다. 그 방법은 크게 3분법, 4분법, 6분법으로 나뉜다(한국청각언어장애교육학회, 2012 : 62).

Check Point

☑ 평균 역치값 산출

500 Hz에서의 역치값(a), 1,000 Hz에서의 역치값(b), 2,000 Hz에서의 역치값(c), 4,000 Hz에서의 역치값(d)

3분법	4분법	6분법
a+b+c/3	a+2b+c/4	a+2b+2c+d/6

28   2014 중등A-서5

모범답안 개요

㉠	다음 중 택 2 • 치조음, 경구개음, 연구개음 등의 조음운동은 시각적으로 확인하기 어렵다. • 동구형이음어는 독화만으로 구분하기 어렵다. • 음운 환경에 따른 전이효과로 인해 입모양이 같더라도 앞뒤에 있는 음성에 따라 입모양이 변할 수 있다. • 빠른 구어 속도로 인해 독화가 어렵다. • 조음운동의 개인차로 인해 독화가 어렵다.
큐드 스피치	큐드 스피치는 뺨 근처에서 자·모음의 말소리를 나타내는 수신호를 추가하는 것이다.

해설

큐드 스피치) • 큐드 스피치(또는 발음암시법)는 뺨 근처에서 자·모음의 말소리를 나타내는 수신호를 추가하는 것이다(한국청각언어장애교육학회, 2012: 166).

- 큐드 스피치는 음소 수준에서 구어를 시각적으로 전달하는 의사소통 양식으로, 손의 모양과 손의 위치를 매개 변수로 한다(유은정 외, 2013: 385).
- 큐드 스피치는 구어의 소리를 나타내는 손 모양을 체계적으로 구성한 것이다. 이 방법은 구어를 독화하는 데 도움을 주어 독화를 명확하게 할 수 있게 한다(김영욱, 2007: 287).

Check Point

독화의 한계점

말소리의 낮은 가시도	독화는 자모음의 조음적 특징을 익히는 것이지만 치조음(ㄷ, ㄸ, ㅌ 등), 경구개음(ㅈ, ㅉ, ㅊ 등), 연구개음(ㄱ, ㄲ, ㅋ 등) 등의 조음운동은 시각적으로 확인이 어렵다.
동구형이음	/마, 바, 파/와 같이 소리와 철자는 다르지만 입모양이 비슷하게 보이므로, 독화만으로 의미 파악이 어렵다.
빠른 구어 속도	정상적인 회화어의 속도는 빠르므로 독화자가 자기에게 필요한 정보를 빠짐없이 눈으로 받아들이는 것은 어려운 일이다. 그러므로 독화자와 대화할 때는 정상적인 구형으로 보통 말하기 속도보다 약간 느린 속도로 말하는 것이 좋다.
음운환경에 따른 전이효과	한국어는 선·후행하는 음소에 따라 자음과 모음이 다르게 발음된다. 예 '굳이'로 쓰고 /구지/로 발음하는 것
조음운동의 개인차	동일한 음소를 말하더라도 사람마다 입을 더 크게 벌리기도 하고 더 적게 벌리기도 하며 혀의 위치도 차이가 있을 수 있다.
환경적 제약	독화자가 화자의 얼굴이나 입을 계속 주시하는 것도 어렵고, 화자나 독화자 등을 돌리거나 조명 상태가 좋지 않거나 물체 등에 의해 시야가 방해받으면 독화자는 정보를 부분적으로 놓치게 된다.

29   2015 유아B-5

모범답안

1)	① 기호와 이유: ㉢, 준서는 구어를 주로 사용하고 있으므로 활동목표에 따라 노랫말을 소리내어 표현하게 하는 것이 바람직하기 때문이다. ② 기호와 이유: ㉤, 교사는 입모양을 크게 하기보다는 자연스럽게 하는 것이 좋기 때문이다.
3)	① 청각보조장치: FM 보청기 ② 고려점: 송신기와 수신기 사이에 차폐물이 없도록 좌석을 배치한다.

해설

1) ㉠ 준서는 인공와우 수술 후 중등도 수준의 난청이 있으나 정확한 음정과 박자로 부른 유아의 노래를 녹음하여 준서에게 들려주면 준서도 음정과 박자에 맞춰 노래를 부를 수 있기 때문에 활동목표를 달성할 수 있다.
   ㉡ 그림악보를 사용하여 멜로디를 지도한다.: 시각적 단서를 활용하도록 하는 방법이다.
   ㉢ 코다이 손기호: 음정이나 박자의 정확도를 위해 시각적 단서를 활용하도록 하는 방법이다.
   ㉣ '리듬에 맞춰 노래를 적절히 부른다.', '멜로디에 맞춰 친구 이름을 넣어 부른다.'를 활동목표로 하고 있으며, 준서는 구어를 주로 사용하고 있으므로 구어를 사용하여 활동목표를 달성할 수 있도록 하는 것이 바람직하다.
   ㉤ 청각장애 학생에게 교사는 분명하고 과장되지 않은 정도에서 천천히 이야기한다(고은, 2018: 440).

3) ① 준서는 인공와우 수술 후에도 중등도의 청력 손실이 있으므로 집단 음률활동에 참여하기 위해서는 소음, 거리, 반향효과로부터 영향을 덜 받는 FM 보청기를 사용하는 것이 바람직하다.
   - FM 보청기는 소음환경과 반향 그리고 화자와 청자 간의 거리로 인하여 신호대잡음비가 낮은 환경에서 언어 이해에 어려움이 있을 때 이를 보완할 수 있는 가장 일반적인 청각보조기기이다(고은, 2018: 201).
   - FM 보청기는 배경소음이나 거리에 상관없이 선생님의 말소리를 무선으로 청각보조기기(보청기 및 인공와우)를 착용한 아동에게 바로 전송해 주기 때문에 청각장애 아동의 수업 참여도와 집중도를 높일 수 있다(최성규 외, 2015: 235).
   ② FM 신호체계는 차폐물에 매우 약하다. 따라서 교사와 학생 사이에 신호를 방해하는 물체가 있으면 소리 전달이 원활하지 않을 수 있다.

Check Point

📝 **FM 보청기**
① 개념
　일반적인 보청기의 소음과 거리 그리고 반향효과의 부작용을 최대한 줄여서 청취하기 위한 목적으로 주파수 변조 방식 라디오 송수신 원리를 이용하여 제작된 기기이다.
② 장점

소음 측면	FM 보청기는 발화자와 청취자가 심하게 움직이고 있더라도 항상 최적의 거리를 유지하는 듯한 효과를 가지므로 일정한 음압을 유지할 수 있기 때문에 소음의 문제를 최소화시킬 수 있다.
거리 측면	FM 보청기는 음을 전달하는 데 있어 거리와는 관계없이 최상의 상태를 유지시키는 역할을 한다.
반향효과 측면	FM 보청기는 소음에서나 방음에서 다른 보청기에 비해 탁월하게 음성언어를 인지할 수 있다.

③ 단점
　㉠ 청능훈련의 궁극적인 목적은 일상적인 소음 속에서도 듣고자 하는 음성을 잘 듣고, 그 의미를 파악할 수 있도록 하는 데 있다. 그러나 FM 전파를 통한 양질의 소리만을 듣는 훈련은 일반화에 문제를 초래할 수 있다.
　㉡ FM 신호체계는 차폐물에 매우 약하다. 따라서 교사와 학생 사이에 신호를 방해하는 물체가 있으면 소리 전달이 원활하지 않을 수 있다.
　㉢ 다른 주파수와의 혼선이 발생할 수 있다.

30　　　　　　　　　　　　　2015 초등B-7

모범답안

1)	음의 이해
2)	이 사람은 다음에 뭐라고 말했니?
3)	다른 음소로 바꾸어 만들어지는 소리를 안다.
4)	교사는 판서를 하면서 동시에 말을 하지 않는다.

해설
3) 청지각 훈련의 내용은 다음과 같다.

지문 돋보기
- 자음과 모음 카드를 가지고 글자를 구성한다. : 음소 수준
- 같은 음절로 시작되는 단어를 찾는다. : 음절 수준/두운 인식
- 첫 소리가 같은 단어를 찾는다. : 음소 수준

Check Point

(1) 말추적법
① 말추적법은 De Filippo와 Scott가 대화의 맥락에서 사용하는 의사소통 담화에 대한 인지노트를 측정하고 훈련하기 위해 독창적으로 사용한 기술이다.
② 기본적인 절차는 전달자인 화자가 미리 준비된 내용을 짤막짤막하게 읽어 주고 수신자인 독화자는 전달자가 말한 그대로를 되풀이해서 말하는 것이다. 즉, 말따라하기 방법으로 독화자인 학생에게 의미 있고 동기를 부여할 수 있는 흥미로운 주제를 제시하여 대화 유지가 지속되도록 하는 것이다.

출처 ▶ 권순우 외(2018 : 208)

(2) 청지각의 하위 개념

청각적 수용력	소리를 듣고 의미를 알고, 말을 듣고 이해하는 능력
청각적 식별력	같은 소리/음절/자음인지 등을 구별하는 능력
청각적 기억력	들은 말을 그대로 재현하거나, 청각적 정보를 순서대로 기억하는 능력
청각적 종결력	청각적인 자극에서 소리가 빠졌을 때 그것을 찾아내고 구별해 내는 능력
청각적 혼성력	하나하나의 소리를 단어로 연결하고 종합하는 능력

(3) 청지각 훈련을 바탕으로 한 음운인식 프로그램의 단계

단계	활동

I	• 주변에서 나는 소리를 집중해서 듣는다.
	• 말소리가 무엇인가를 일차적으로 안다.
	  - 종이 부스럭거리는 소리, 열쇠 소리 등을 듣고 맞춘다.
	  - 아동이 직접 만든 소리를 교사가 맞춘다.

II	• 운율 게임을 통해 음운구조에서 말소리의 원칙을 발견하고 사용한다.
	  - 운율 단어를 포함한 노래나 동시를 듣고 운율을 찾는다.
	  - 동일한 첫소리(두운)나 끝소리(각운)를 가진 그림을 찾는다.

III (단어 수준)	• 문장에서 단어를 쪼갤 줄 안다. - 나는 간다 = 나는 + 간다(처음에는 두 개의 단어로 시작하며 각 단어마다 박수를 친다.)
IV (음절 수준)	• 단어를 듣고 음절의 수를 센다. • 같은 음절로 시작되는 단어를 찾는다(두운인식). • 같은 음절로 끝나는 단어를 찾는다(각운인식).
V (음소 수준)	• 자음과 모음 카드를 가지고 글자를 구성한다. • 같은 음소가 포함된 단어를 찾는다. • 두 개의 단어(예 가방/나방)의 공통점과 차이점을 찾는다. • 다른 음소를 대치시켜 발음해 본다.

31 2015 중등A-2

모범답안

㉠	이간감쇠(또는 이간감약)
㉡	골도전도는 이간감쇠가 거의 발생하지 않기 때문이다.

해설

㉠ 이간감쇠는 한쪽에서 준 자극음이 반대쪽 귀로 전달될 때 발생하는 소리에너지의 소실현상을 말한다(고은, 2018 : 164).

㉡ 소리가 반대쪽 귀로 전달되는 과정에서 음의 강도가 줄어드는 이간감쇠 현상으로 인해 반대쪽에서는 일정 부분 소리가 소실된다. 여기서 일정 부분이란, 기도전도의 경우 약 40 dB, 골도전도의 경우 0 dB이다. 즉, 골도에서는 이간감쇠가 거의 발생하지 않는다. 따라서 골도청력검사의 경우는 항상 차폐를 실시하여야 한다(고은, 2018 : 164).

32 2015 중등B-2

모범답안

㉠	아니요, 먹지 못했어요. 배고파요(또는 아니요, 못 먹어서 배고파요).
설명	• 도상성이란 '배고프다'(또는 우유, 빵, 먹다, 주다)와 같이 실제로 지시하는 대상이 언어에 투영되어 있는 것을 의미한다. • 자의성이란 '안녕'(또는 아니요, 감사합니다)과 같이 낱말과 내용 간에 직접적인 관계가 없는 것을 의미한다.

해설

지문 돋보기

청각장애 학생과 교사가 대화한 내용을 순서대로 정리하면 다음과 같음

교사	안녕, 점심 먹었니?
학생	아니요. 먹지 못했어요. 배고파요.
교사	빵, 우유줄까?
학생	감사합니다. 잘 먹겠습니다.

Check Point

📝 수어의 특성

도상성	도상성이란 실제로 지시하는 대상이 언어에 투영되어 있는 것을 말한다. 자의성과 반대되는 개념으로 음성언어와 비교하였을 때는 도상성이 높다고 할 수 있으나, 실제로 수어의 대부분은 자의적이다.
자의성	자의성이란 낱말과 대상 간에 직접적인 관계가 없는 것을 말한다. 음성언어와 마찬가지로 수어는 임의적인 약속기호이다.
동시성	수어의 동시성은 음성언어의 분절성과 반대되는 개념이다. 음성언어는 분절음의 선형 연속체라 할 수 있다. 즉, 문장은 단어로, 단어는 형태소로, 형태소는 다시 각각의 분절음으로 쪼개진다. 예를 들면, 음성언어에서의 단어 '친구'는 '친'+'구'로 결합되며, 다시 /ㅊ/+/ㅣ/+/ㄴ/+/ㄱ/+/ㅜ/라고 하는 음소 배열을 갖는다. 음성언어에서는 2개의 말소리가 동시에 발성되지 않는다. 그러나 수어는 공간에서 표현되기 때문에 여러 가지 요소가 동시에 산출되는 '동시성'을 갖는다.
가역성	가역성이란 물질이 어떤 상태로 변했다가 본 상태로 되돌아가는 성질을 말한다. 이슬은 옅은 안개가 되기도 하고, 구름으로 만들어지기도 한다. 구름은 비가 되기도 하고 눈이 되기도 하며, 땅에 떨어진 비와 눈은 흙에 스며들어 강이 되기도 하고, 다시 아침 이슬이 되기도 한다. 이렇듯 가역성을 어떤 변화의 과정을 역으로 밟아 가면 다시 원상으로 복귀될 수 있다는 의미로 해석한다면, 수어는 음성언어와 달리 가역성을 가지고 있는 언어이다.
축약성	언어에서 축약은 일상적인 의사소통 상황에서 흔히 발견되는 현상이다. 전달하려는 메시지의 손상을 주지 않으면서 화자와 청자 간에 시간을 절약하거나 의미를 간결하게 하기 위해 사용되는데, 예를 들면, 구화에서는 디지털 카메라를 디카로 줄여서 표현하거나, '아침밥 먹었어?'라는 질문을 '아침 먹었어?'라고 축약하기도 한다. 이렇듯 음성언어에서도 간혹 축약성이 발견되기도 하는데, 주로 형태·음운론적 측면에서 나타난다.
공간성	수어의 중요한 특성 중 하나는 바로 공간성이다. 메시지가 공간에서 이루어질 뿐만 아니라 어떤 특정 공간에서 수어가 만들어지느냐에 따라 의미와 문법이 달라지기 때문이다. 예를 들면, 대화에서 'A와 B가 경기를 했는데 A는 이기고 B는 졌다.'를 수어로 표현할 때는 공간을 둘로 나누어 의미를 전달한다.

---

33 2016 유아A-7

모범답안

1) 승규, 민지
2) 농문화
3) 말소리와 철자는 다르지만 입술 모양은 매우 유사하기 때문이다.
4) ① 기호와 수정 내용: ⓒ, 영희가 항상 동일한 위치와 방향에서 화자를 보지 않도록 함(또는 영희가 다양한 위치와 방향에서 화자를 보도록 함)
   ② 기호와 수정 내용: ㉢, 수화통역사를 진수가 교사와 수화통역사를 동시에 볼 수 있는 자리에 배치함

해설

1) 골도청력검사 결과가 정상 범주에 속하기 위해서는 내이에 손상이 없어야 한다. 각 유아별 청각장애 유형과 손상 부위를 정리하면 다음과 같다.

지문 돋보기

유아	청각장애 유형	손상 부위
영희	혼합성 청각장애	외이, 중이, 내이
승규	전음성 청각장애	외이, 중이
진수	감음신경성 청각장애	내이 / 청신경
민지	중추청각처리장애	중추신경계

3) 독화가 갖고 있는 제한점에는 말소리의 낮은 가시도, 동구형이음, 빠른 구어속도, 음운환경에 따른 전이효과, 조음운동의 개인차, 환경적 제약 등이 있다. 독화에서는 /마/, /바/, /파/와 같이 입모양은 같지만 다른 의미를 가지고 있는 음을 동구형이음어(또는 동형이음어)라고 하며(고은, 2018: 326) 독화만으로는 의미 파악이 어렵다.

4) ⓒ 항상 동일한 위치와 방향에서 독화하지 않도록 한다(한국청각언어장애교육학회, 2012: 165).
   ⓒ 아동이 이해했다고 추측하지 말고 교사의 지시를 이해했는지 질문하거나 아동에게 말해 보게 한다(이필상, 2020: 282). 즉, 청각장애 아동이 수업 내용을 이해했는지 물어봄으로써 확인한다. 항상 잘 이해하는 것이 아니며 교사에게 질문하는 것을 어렵게 생각하는 경우가 많기 때문에 질문에 답하도록 하거나 다시 말해 보도록 해야 한다(한국청각언어장애교육학회, 2012: 119).
   ㉢ 수화통역사를 활용하는 경우, 학생이 교사와 통역사를 동시에 볼 수 있는 자리에 배치한다(이필상 외, 2020: 281).

Check Point

(1) 독화소
① 독화소란 시각적으로 유사한 음소들을 하나로 묶어 동일한 시각적 변별자질로 보는 음성의 가장 작은 시각적 단위이다.
② 한국어의 기본 단위가 음소인 것처럼 독화의 기본 단위는 '독화소'이다.
③ 독화소의 분류는 연구자마다 약간의 차이가 있다.

연구자	자음·모음	최소 독화 단위
김영욱 (2007)	자음	/ㅂ, ㅁ, ㅍ, ㅃ/, /ㄷ, ㅌ, ㄸ, ㄴ/, /ㅅ, ㅆ/, /ㄱ, ㅋ, ㄲ, ㄹ, ㅎ/, /ㅈ, ㅊ, ㅉ/, /ㅇ/
	모음	/아, 야/, /오, 요/, /우, 유/, /어, 여/, /위/, /워/, /이, 으, 의/, /예, 얘, 애, 에/, /외, 웨, 왜, 와/
이규식 (1993)	자음	/ㅂ, ㅁ, ㅍ/, /ㄷ, ㅌ, ㄴ, ㄹ/, /ㅅ, ㅈ, ㅊ/, /ㄱ, ㅋ, ㅇ/
	모음	/오, 우/, /으, 이/, /아, 어/, /에, 애/

(2) 독화 시 고려사항
① 가능한 독화 단서를 모두 활용하도록 한다.
② 말은 과장하지 않고 자연스럽게 한다.
③ 차폐물이 없는 밝은 곳에서 한다.
④ 소음이 통제된 곳에서 한다.
⑤ 약 2~3m 이내의 거리를 유지하되 거리를 너무 좁히지 않는다.
⑥ 항상 동일한 위치와 방향에서 독화하지 않도록 한다.
  • 1개월에 1회 정도는 좌석을 이동하여 아동이 여러 각도에서 구형을 익히도록 한다.
⑦ 독화하려는 태도를 갖게 한다.
⑧ 화자는 말할 때 가만히 서서 하되 가능하면 아동과 비슷한 높이를 유지한다.

34 · 2016 초등B-3

모범답안

1) ㅂ
3) 기도청력은 손상되어 있으나 골도청력은 정상이기 때문이다.
4) ① 오른쪽 귀의 기도청력검사와 어음청취역치검사의 결과가 15dB 이상의 차이를 보이고 있기 때문이다.
② 어음명료도검사는 검사어음을 얼마나 정확히 이해하는가를 측정하는 데 목적이 있다(또는 어음명료도검사는 말소리 이해의 정확도를 측정하는 데 목적이 있다).

해설

3) 현우의 청력도를 보면 전음성 청각장애 유형에 해당하고: 청력도에 의하면 현우의 골도청력은 정상범주에 해당하고 기도청력은 손상되어 있으며 기도청력과 골도청력은 10dB 이상의 차이를 보이고 있다. 청력형은 수평형에 해당한다. 우측과 좌측의 기도청력과 골도청력을 구체적으로 살펴보면 다음과 같다.

구분	기도청력				골도청력			
	500 Hz	1,000 Hz	2,000 Hz	PTA (4분법)	500 Hz	1,000 Hz	2,000 Hz	PTA (4분법)
오른쪽	40	40	40	40	10	10	5	8
왼쪽	45	45	45	45	10	10	5	8

4) ① 보통 어음청취역치와 평균순음역치(PTA)가 10dB 이내일 경우 순음청력검사의 신뢰성이 좋다고 판단한다. 그 이상의 차이를 보일 경우 순음청력역치의 신뢰도를 의심하여 순음청력역치를 재측정한다(한국청각학교수협의회, 2020: 112).

Check Point

(1) 어음청취역치검사
① 어음청취역치검사란 제시된 이음절어를 50%가량 인지할 수 있는 최소강도레벨을 측정하는 것이다.
② 검사의 목적은 어음인지 시 필요한 민감성, 즉 SRT를 측정하여 순음청력검사 결과의 신뢰도를 확인하고 단어 및 문장 인지도 검사의 기초 자료로 사용하는 것이다.

(2) 어음명료도검사
① 어음명료도검사(동 단어인지도검사, WRS)란 피검자가 듣기 편안한 레벨에서 단음절어를 듣고 얼마나 정확히 인지하는지를 백분율로 점수화한 것이다.
② 어음청취역치검사와 어음명료도검사의 차이점은 어음청취역치검사에서는 이음절어를 50% 인지할 수 있는 최소 강도, 즉 민감성을 측정하는 것이고, 어음명료도검사에서는 피검자가 편안하게 듣는 쾌적레벨에서 단음절어를 들었을 때 얼마나 잘 이해하는지 그 정확도를 평가하는 것이다.

출처 ▶ 한국청각학교수협의회(2020: 110-112)

35   2016 중등A-8

모범답안

청능훈련 4단계	음의 인식, 음의 변별, 음의 확인, 음의 이해
㉠	음의 이해
㉡	초분절적 요소란 말의 억양, 강세, 속도, 일시적인 침묵 등과 같이 말에 첨가하여 메시지를 전달하는 것을 의미한다.

해설

청능훈련 (4단계) 청능훈련이란 청각장애를 가지고 있는 농·난청 아동 또는 성인에게 남아 있는 잔존청력을 최대한 활용해 음향이나 말소리를 듣는 청각적인 수용력을 발달시키는 것을 말한다. 청능훈련의 궁극적인 목적은 지속적인 훈련을 통해 잔존청력을 극대화하여 구어를 통한 의사소통을 하는 데 있다(고은, 2018: 301-302).

㉠ 음의 이해 단계는 들은 소리를 다른 구문으로 바꾸어 말하기, 지시 따르기, 소리에 대한 이해를 설명하거나 질문에 답함으로써 말의 의미를 이해할 수 있는 단계이므로 청각기능의 최종적이고 가장 복잡한 단계이다. 청능훈련은 소리를 인지하고 변별하고 확인하는 청능훈련의 첫 세 수준이 중요하지만 아동들의 잔존청력을 개발하기에는 불충분하다고 말한다. 청능훈련은 청취기술의 네 번째로 가장 높은 수준인 의미 있는 음의 이해를 강조한다(한국청각언어장애교육학회, 2012: 156).

㉡ 초분절적 특성에는 강세, 억양, 소리크기, 음도 수준, 말 속도 등이 있다(최성규 외, 2015: 79).

• 청각장애 아동의 말소리 명료도가 낮은 중요한 요인 중 하나는 초분절 자질의 오류다. 초분절 자질은 개인의 감정적인 의도나 정보의 긴박함을 전달할 수 있게 하고, 단어의 의미를 맥락에 맞게 이해할 수 있게 한다. 청각장애 아동은 이러한 초분절 자질의 습득이 어렵다. 초분절 자질의 불완전한 사용은 말소리 명료도를 낮게 하여 말의 이해를 어렵게 한다. 특히 비전형적인 억양은 전체적인 말소리 명료도를 저하시킨다(김영욱, 2007: 195).

36   2016 중등A-12

모범답안

잘못된 것 수정	• ㉠, 검사방법은 주로 (자동)뇌간유발반응검사나 (자동)이음향방사검사이다. • ㉢, 청각장애 등급을 판정할 때는 6분법으로 평균청력역치를 산출한다.
적절하지 못한 것 기호와 이유	• ㉺, 학생이 수업 내용을 이해했는지에 대한 책임은 교사 자신에게 있으므로 교사가 직접 학생에게 물어봐야 하기 때문이다. • ㉥, 의사소통을 촉진하고 청각장애 학생에 대한 이해를 증진시켜 긍정적인 태도를 갖게 하기 위해서는 일반학급 교사와 급우들에게 보청기 혹은 인공와우 착용 사실을 알려야 하기 때문이다.

해설

㉠ 신생아 청각선별검사는 난청 조기 발견과 이에 따른 조기 중재를 가능하게 함으로써 난청으로 인한 손실을 최소화하고 영구적인 장애를 예방할 수 있다는 점에서 매우 중요하다. 신생아 청각선별검사에는 자동청성뇌간반응(ABR)과 자동이음향방사(AOAE)가 가장 많이 사용되고 있다(고은, 2018: 123-124).

• '자동'이란 자동화 검사기기를 사용하는 것으로 기존 ABR 또는 OAE의 원리에 준한다(고은, 2018: 124).

㉡ 청력검사의 청력도를 바탕으로 청력 손실 정도, 청각장애 유형 및 청력형을 알 수 있다.

㉣ 객관적 청력검사란 피검자의 판단에 의존하지 않고 피검자의 생리학적 반응만을 통해 청력의 이상 유무와 정도를 파악하는 검사이다. 객관적 청력검사는 의사소통에 어려움이 있는 영유아 및 노인, 위난청, 메니에르병 등의 진단 그리고 기능성 난청을 판별하는 데에 효과적으로 사용된다(고은, 2018: 102).

㉤ 일반학급 교사가 청각장애 아동을 위해 특수교육적 중재들을 반드시 익힐 필요는 없지만 다양한 방법으로 교수적 수정이 필요하다. 교수방법상의 고려점 중 하나는 청각장애 아동이 교사의 말하는 내용을 독화하기 가장 좋은 자리가 어딘지 아동과 상의하여 결정하는 것이다(한국청각언어장애교육학회, 2012: 119).

㉺ 수화통역사를 활용하는 경우, 학생이 수업 내용을 이해했는지 교사가 통역사에게 물어보고 확인한다.: 교사나 또래 모두 질문을 할 때는 학생에게 직접 하고 수화통역사에게 하지 않는다.

㉥ 일반학급 교사와 급우들에게 보청기 혹은 인공와우 착용 사실을 알리지 않는다.: 통합교육을 성공적으로 실시하기 위해 일반학급 교사와 일반학생에게 청각장애에 대한 정보를 제공한다. 이러한 정보는 일반학급 교사에게 효과적인 의사소통을 촉진할 수 있도록 도움을 주며, 아동에 대한 이해를 증진시켜 긍정적인 태도를 갖게 할 수 있다(이필상 외, 2020: 282).

Check Point

📝 **수화통역사 활용 시 유의점**

상황	수화통역사 활용 시 유의할 점
수업 전	• 청각장애 학생이 교사, 수화통역사, 다른 시각적 교수 자료를 번갈아 가며 보기가 쉽도록 자리 배치에 유의한다. 소집단 토의 때는 반원형이 좋다. • 칠판, 지도, OHP 등의 시각적 자료를 다양하게 활용하여 수화통역사의 설명을 이해하기 쉽게 해 준다. 불을 꺼야 할 때도 부분 조명을 이용하여 수화통역사를 볼 수 있도록 한다. • 수화통역사는 수업 내용에 대해 익숙하지 않으므로 사전에 교안, 주요 단어, 교재 등을 제공하여 학습내용 중 어려운 수어나 개념 등을 미리 준비할 수 있게 하고, 토론을 하거나 기자재를 이용하게 될 때에는 자리 배치에 대해 미리 생각하도록 한다. • 수화통역사의 역할을 확실히 한다. • 수화통역사와 교사 간의 정기적인 회의시간을 정해 놓는다.
수업 중	• 가능한 한 고정된 위치에서 청각장애 학생을 마주 보고 수업한다. 수화통역사가 있어도 교사의 말을 독화하거나 제스처 등을 보아야 하기 때문이다. • 학생의 행동 지도 및 학급 관리는 교사가 담당하고 수화통역사에게 맡기지 않는다. • 학생이 이해하는지에 대한 책임은 수화통역사가 아니라 교사 자신에게 있음을 인식한다. • 수화통역사가 용어나 개념을 설명할 때 충분한 시간을 준다(특히 난이도가 높은 문장으로 된 교재나 시험문제 등). • 교사나 또래 모두 질문을 할 때는 학생에게 직접 하고(예 길동이는 어떻게 생각하니?), 수화통역사에게 하지 않는다(예 길동이에게 어떻게 생각하는지 물어보세요). • 수화통역사가 학급 전체를 대상으로 수어를 소개하고 가르칠 수 있도록 기회를 마련한다.

37   2017 유아A-5

모범답안

4) ① 음의 이해
② 어음처리기는 개인의 특성에 맞춰 매핑이 이루어지기 때문이다.

해설

4) ① '심부름도 잘하고', '대답도 잘해요'를 단서로 청각 기술의 단계 중 음의 이해에 해당한다고 판단할 수 있다.
② 어음처리기는 개인의 특성에 맞춰 말소리가 왜곡되지 않고 편안하게 들리도록 매핑된다. 따라서 언니의 특성에 맞춰진 어음처리기를 선희가 착용하게 되면 ㉭과 같은 행동이 나타날 수 있다.

Check Point

📝 **청각 기술(청능 기술)**

음의 인식	• 소리의 존재 유무를 아는 단계이다. • 소리의 존재를 탐지하고, 그 소리에 주의를 기울이는 것을 학습한다. • 소리의 유무에 대해 일관적이고 지속적인 반응을 지도하고, 작은 반응이라도 나타나면 즉각적으로 반응(강화)해 준다. • 훈련 초기에는 구조적인 상황에서 주어진 소리에 대해 반응하도록 하고 차츰 자연스러운 일상에서도 소리의 유무에 대해 반응할 수 있도록 유도한다.
음의 변별	• 특정한 소리와 다른 소리가 서로 같은지 다른지를 아는 단계이다. • 소리의 차이점에 주의하여 다른 소리에 대해 다른 방식으로 반응하는 훈련을 한다. 처음에는 환경음으로 훈련하고 점차 말소리를 사용하는 것이 효과적이다. • 훈련 초기에는 아동이 충분히 들을 수 있는 소리 가운데 음향적 변별 특성의 차이가 큰 소리를 이용하고, 활동이 진행될수록 음향적 차이가 작은 것으로 난이도를 높이며 청각적 민감도를 키워준다.
음의 확인	• 청각적 정보를 자신이 이미 알고 있는 정보와 비교하여 인식하고 반응하는 단계이다. • 확인 단계에서는 제시된 청각 정보를 정확하게 인식하여 따라 말하기, 가리키기, 쓰기, 명명하기 등의 방법으로 알아맞히는 훈련을 한다. • 아동에게 친숙한 단어와 사물을 이용하는 것이 효과적이며, 초분절적 지각훈련을 먼저 실시한 다음 자음과 모음 등의 분절적 지각을 훈련한다. • 간단한 청각 자극에서 복잡한 자극으로 진행하며, 음소에서 단어, 문장 순으로 전개시킨다.
음의 이해	• 음성언어 자극을 의미 있게 이해할 수 있는 단계이다. • 음성 자극을 다른 구문으로 바꾸어 말하기, 지시 따르기, 소리에 대한 이해를 설명하거나 질문에 답하기 등 말의 의미를 의미 있게 이해할 수 있는 훈련을 한다.

38   2017 초등B-5

모범답안

2)	head
3)	250~8,000 Hz의 범위 안에 있는 대표적인 말소리로 분류되기 때문이다.
4)	① ⓒ, 반향 시간을 줄이려고 동호를 제 가까이에 앉혔습니다. ② ⓒ, 신호대잡음비를 높이기 위해서 FM 시스템을 사용하고 있어요.

해설

3) 많은 어음 가운데 6개음이 검사 어음인 이유는 250~8,000 Hz에 있는 대표적인 말소리로 분류되기 때문이다(고은, 2018: 311).

4) ⓒ 디지털 소음처리 기술을 이용하여 불필요한 주파수 대역의 소음 제거 및 어음주파수대역의 신호 증가를 통한 신호대소음비율(신호대잡음비, signal-to-noise ratio: SNR)을 증가시킬 수 있다. 양수의 SNR은 교사의 음성이 소음보다 크다는 것을 그리고 음수의 SNR은 소음이 교사의 음성보다 크다는 것을 나타낸다. 따라서 신호대잡음비를 높이기 위해서라고 표현을 바꾸는 것이 적절하다.

ⓜ 인공와우 수술 후 음성 언어를 접한 지 오래되지 않아서 소리구조를 이해하는 것이 쉽지 않기 때문에 조용한 환경에서도 말소리를 잘 이해하지 못할 수 있다(2018 초등B-3 기출).

Check Point

📝 반향

반향은 소리가 교실 안의 단단한 벽에 반사되어 되울리는 것인데, 이것은 소음과 서로 상호작용하여 청각장애 학생의 말 인식을 어렵게 하는 요소다. 교실 안에서의 반향은 0.3초 이하가 되도록 방음 처리를 하는 것이 좋다(이필상 외, 2020: 279).

---

39   2017 중등A-서11

모범답안

㉠	말소리가 분포되어 있는 주파수 대역이기 때문이다.
㉡	다음 중 택 1 • 청력 손실 유무 • 청력 손실 정도 • 청각장애의 유형 및 병변 부위 • 청력형 • 청능재활 정보
㉢	전음성 청각장애는 음의 강도를 60 dB로 높여주면 거의 100%의 명료도를 보이지만, 감음신경성 청각장애는 음의 강도를 높여주어도 최대명료도가 80%를 넘지 못하며 말림현상이 나타나는 경우도 있다.

해설

㉠ 순음청력검사에서 250~8,000 Hz를 검사하는 이유는 바로 말소리가 분포되어 있는 주파수 대역이기 때문이다(고은, 2018: 300).
• 검사에 사용되는 주파수 대역은 문헌에 따라 125~8,000 또는 250~8,000 Hz로 다르기 때문에 문제에 제시된 내용을 인용하여 제시한다.

㉢ 어음명료도는 쾌적역치 수준의 어음강도에서 단음절어를 얼마나 정확하게 인지하는가를 나타낸 것이다. 어음명료도 곡선이란 어음청취역치에서부터 일정한 간격(일반적으로 10 dB)의 어음강도에서 명료도(%)를 측정하여 각각의 결과를 연결한 것을 말한다. 어음명료도 곡선은 청각장애의 유형에 따라 차이가 나타나 예전에는 이를 토대로 청각장애의 유형을 구분하기도 하였다(이필상, 2020: 116).

Check Point

(1) 순음청력검사 결과의 임상적 적용

① 청력 손실의 유무: 순음청력검사 결과를 통해 청력 손실의 유무를 알 수 있다. 일반적으로 청력역치가 20~25 dB HL은 정상범위로 간주하는데, 그 이유는 의사소통을 하는 데 큰 영향을 받지 않기 때문이다.

② 편측성과 양측성: 순음청력검사는 원칙적으로 좌우 귀를 따로 검사하기 때문에 양쪽 귀의 청력을 알 수 있다.

③ 청력 손실의 정도: 순음청력검사가 가지고 있는 가장 큰 장점은 평균순음역치(PTA)를 통해 청력 손실 정도를 정확하게 알 수 있다는 것이다.

④ 청력 손실의 종류 및 병변 부위: 순음청력검사는 난청의 유형을 알 수 있다. 기도검사와 골도검사 결과를 통해 피검자가 전음성 난청인지, 감음신경성인지 혹은 혼합성 난청인지를 판별할 수 있다.

⑤ 청력형: 동일한 평균청력역치를 가지고 있다고 하더라도 어떤 주파수대에서 어느 정도의 손실을 갖느냐는 개인의 청력 특성을 결정하는 중요한 요소이다. 특히 청력형은 보청기를 제작하는 데 매우 중요한 단서를 제공해 준다.
⑥ 청능재활 정보: 청력검사 결과를 바탕으로 수준에 맞는 보청기를 선택할 수 있으며, 착용 후 의사소통의 예후를 알려 준다.

출처 ▶ 고은(2018: 143-145)

(2) 어음명료도 곡선

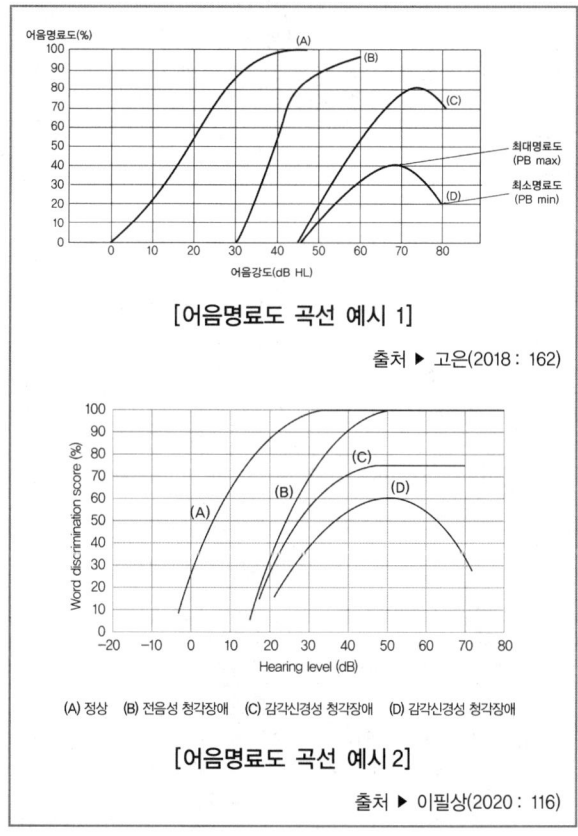

[어음명료도 곡선 예시 1]

출처 ▶ 고은(2018: 162)

[어음명료도 곡선 예시 2]

출처 ▶ 이필상(2020: 116)

① 그래프의 횡축은 검사 어음의 강도를, 종축은 검사 어음의 백분율을 표시한다.
② (A)는 어음 강도를 20 dB로 하였을 때 전체 검사 어음의 50%를 정확히 이해하고 40 dB로 올려 주면 100%에 도달한다는 것을 알 수 있다. (A)는 정상청력을 가진 경우에 해당한다.
③ (B)는 40 dB을 들려주었을 때 50%의 정반응을 보이다가 60 dB로 어음 강도를 높여 주면 거의 100%의 명료도를 보이고 있다. 이는 전음성 청각장애에서 나타나는 명료도 곡선으로 말소리의 강도를 조금 높여 주면 어음 이해력이 높아진다고 볼 수 있다.

④ (C)와 (D)는 감음신경성 청각장애에서 나타난다. 그 가운데 (C)는 와우에 이상이 있는 미로성 난청의 전형적인 곡선으로 소리 강도를 높이더라도 최대명료도가 80%를 넘지 못한다. (D)는 후미로성 난청의 전형적인 명료도 곡선으로 말림현상이 매우 뚜렷하게 나타난다. 후미로성 난청은 최대명료도가 매우 낮을 뿐만 아니라 말림현상이 뚜렷하게 관찰된다.

40   2018 초등B-3

모범답안

1)	/사과/의 첫소리 /ㅅ/를 /ㄷ/로 바꾸면 어떤 단어가 될까요?
2)	수형만 바뀌었음에도 의미가 달라지기 때문이다.
4)	① 다음 중 택 1 • 편측성 • 비대칭형 ② 청력이 나쁜 쪽 귀로 들어오는 신호를 (유선 또는 무선, 골전도를 통해) 좋은 쪽 귀로 전달한다.
5)	ⓑ, 자연수화를 1차 언어로 습득하게 하고, 이를 통해 2차 언어인 국어를 습득하게 한다.

해설

2) 음성언어에서 최소대립쌍은 분절적 자질(자음, 모음) 하나를 교체할 때 의미의 변별이 생기는 음절이나 단어의 쌍을 말한다. 수어에서도 마찬가지로 수어소(수형, 수위, 수동, 수향) 하나를 교체할 때 의미가 달라지는 수어 짝을 '최소대립쌍'이라고 한다.

4) ① 양쪽 귀의 청력 손실 정도 및 크로스 보청기의 하위 유형에 대한 설명은 제시되어 있지 않기 때문에 구체적인 난청의 유형을 판단하는 것은 어렵다.
  • 크로스 보청기는 주로 편측성 혹은 비대칭형의 청력손실에 사용하며, 신호가 청력이 나쁜 쪽 귀에서 들어오는 경우에도 청취가 가능하다(이정학, 2020: 379).
  ② 크로스 보청기는 청력이 나쁜 쪽 귀로 들어오는 신호를 좋은 쪽 귀로 유선 또는 무선을 통하여 전달하는 외부 크로스 보청기와 골전도를 통하여 신호를 전달하는 내부 크로스 보청기로 구분한다. 이 중에서 외부 크로스 보청기는 좋은 쪽 귀의 청력이 건청 혹은 미도난청일 때 사용하는 단일크로스 보청기와 좋은 쪽의 청력이 중도 또는 고도 난청일 때 사용하는 바이크로스 보청기 등이 있다(한국청각학교수협의회, 2020: 187).

5) ⓑ 이중언어 접근은 수어를 농아동의 모국어로 인정하고 음성언어와 문자언어를 이차언어로 이해하는 것이다(이필상 외, 2020: 60).

Check Point

(1) 크로스 보청기

① 크로스형(CROS) 보청기는 주로 편측 난청 혹은 비대칭형 청력 손실이 있는 경우에 사용하며, 청력이 나쁜 쪽 귀로 들어오는 신호를 청력이 좋은 쪽 귀에서 청취할 수 있도록 해 주는 보청기이다. 따라서 소리가 발생한 방향에 관계없이 좋은 귀로 소리를 들을 수 있으며, 나쁜 쪽에서 입력되는 소리에 대해 두영 효과(head shadow effect)의 영향을 크게 받지 않는다는 장점을 갖는다. 그러나 귀걸이형의 크로스형 보청기는 양쪽 귀에 수화기와 보청기를 동시에 착용해야 하므로 미용 효과가 떨어지고 번거로울 수 있는 단점도 있다(이필상 외, 2015: 131).

② 좌우 청력 차가 커서 한쪽만 보청기를 착용할 경우 한쪽이 양호하더라도 잡음이 있을 경우 어음이해력이 크게 떨어지고 방향 분별이 어렵기 때문에 크로스 보청기 착용이 필요하다(고은, 2018: 202).

③ 크로스 보청기는 다음과 같이 분류할 수 있다.

외부 크로스 보청기	단일 크로스 보청기	한쪽 청력은 정상 또는 경도이고, 다른 한쪽은 심도나 농 상태의 감각신경성 난청이어서 일반보청기로 도움을 받을 수 없는 편측성 혹은 비대칭적 난청일 때 고려할 수 있는 보청기
	바이 크로스 보청기	좋은 쪽 귀는 중도에서 고도로 일반보청기의 도움을 받을 수 있지만, 청력이 나쁜 쪽 귀는 심도나 농 상태의 난청이어서 일반보청기의 도움을 빌릴 수 없는 비대칭적 난청인 경우에 적용 가능
	스테레오 크로스 보청기	양쪽 귀 모두 저주파수영역은 거의 정상이지만, 고주파수영역이 고도난청인 경우에 사용 가능
내부 크로스 보청기		편측성 고·심도의 감각신경성 난청일 때(한쪽은 정상 청력, 다른 한쪽은 고·심도 혹은 농), 청력이 나쁜 쪽 귀를 직접 자극함으로써 두개골을 울리고, 반대측 와우를 통해서 듣게 하는 방식

출처 ▶ 이정학(2020: 379-382), 내용 요약정리

(2) 이중언어-이중문화 접근 프로그램 구성 내용

구성 내용	구성 요소	특징	제한점
농문화	• 농문화 이해 • 농인과의 교류	• 농문화 이해 프로그램 개발 • 농문화 지원 단체와의 교류	농문화에 대한 학부모의 거부감
일차언어	• 자연수어 정착 • 가청인과의 대화	• 일차언어 확립 및 전이 • 수어를 통한 의사소통	가청인이 자연수어 체계를 지도하기 힘듦
학습방법	• 수어를 통한 수업 • 수어통역	• 이차언어 이해 • 수화통역사 지원	수어통역사 배치 문제만으로 학습 효과가 극대화되는 것은 아님
사회통합	• 농문화 수용 • 의사소통 향상	• 2Bi 접근 프로그램 • 농문화 축제 참여 유도	• 교류를 위한공간 필요 • 비행과 탈선 예방을 위한 자체 윤리 필요

출처 ▶ 이필상 외(2020: 62), 한국청각언어장애교육학회(2012: 278)

41   2018 중등B-7

모범답안

- ㉠ 다음 중 택 1
  - 청력 손실 정도를 알 수 있기 때문이다.
  - 청각장애의 유형을 알 수 있기 때문이다.
  - 청력형을 알 수 있기 때문이다.
- ㅅ(또는 ㅆ)
- ㉡ 다음 중 택 2
  - 화자에게 다시 말해줄 것을 요구하는 반복 요구하기 전략을 사용한다.
  - 다른 단어를 사용해서 유사한 의미를 가진 문장으로 재구조화하여 말해줄 것을 요구하는 바꾸어 말하기 전략을 사용한다.
  - 쉬운 단어나 단어의 수를 적게 하여 말해줄 것을 요구하는 간략화 요구하기 전략을 사용한다.
- ㉢ ㅅ, ㅗ, ㅁ, ㅅ, ㅏ, ㅌ, ㅏ, ㅇ

해설

㉠ 청력도를 해석하는 이유는 다음과 같다.
- 청력검사 결과를 바탕으로 청력 손실 정도, 청각장애 유형 및 청력형을 알 수 있다(최성규 외, 2015 : 165).
- 순음청력검사 결과인 기도역치 및 골도역치를 바탕으로 청력 손실의 유무, 청력 손실 정도 및 청각장애 유형을 진단한다(이필상 외, 2020 : 109).

(가) 학생 K가 듣기 곤란한 한국어 음소) 청력도에 의하면 학생 K는 4,000 Hz 대역에서 청력의 손상이 심한 것으로 나타났다. 이를 링의 6개음 검사와 비교하면 4,000 Hz를 중심으로 분포되어 있는 /s/, 즉 /ㅅ/음은 듣기 어려움을 의미한다.
- 평균청력역치는 정상에 가까우나 4,000 Hz~8,000 Hz 에서 40 dB 이상의 청력 손실을 가지고 있을 경우에는 /s/와 같은 마찰음을 잘 들을 수 없다. 반면에 500 Hz 이하의 저주파수 대역에서 50 dB 이상의 청력 손실을 가지고 있다고 가정하면, /ㅂ/, /ㄷ/, /ㅁ/, /ㄴ/ 등의 음소를 듣지 못한다(고은, 2018 : 310).

㉢ '솜사탕'으로 기술하지 않고 문제에서 요구하고 있는 바와 같이 자모 단위로 풀어 써야 함에 유의한다.

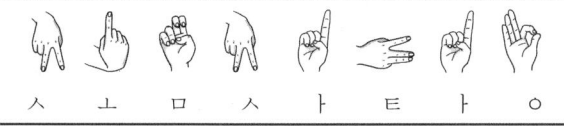

ㅅ　ㅗ　ㅁ　ㅅ　ㅏ　ㅌ　ㅏ　ㅇ

Check Point

(1) 한글 지문자

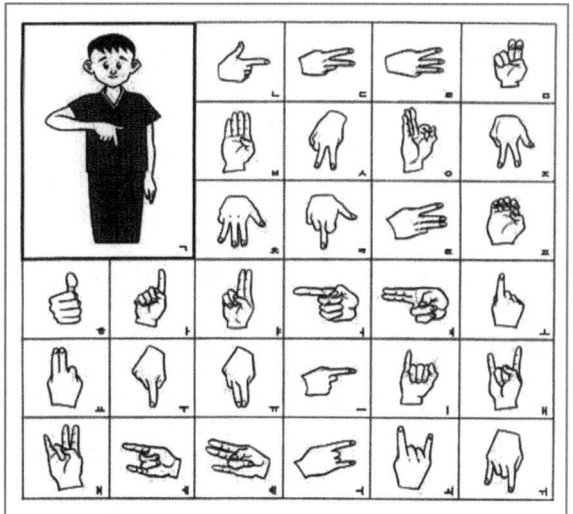

(2) 링의 6개음 검사

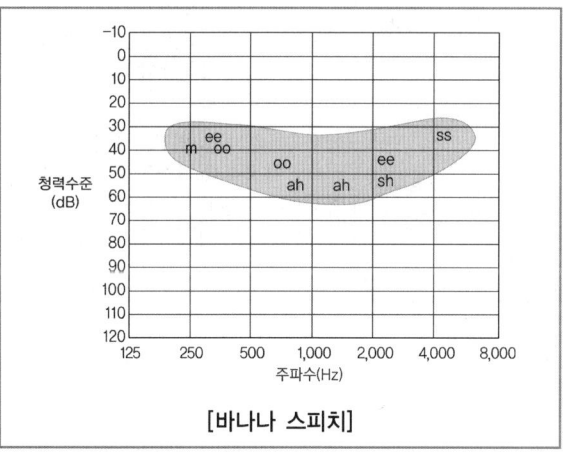

[바나나 스피치]

(3) 의사소통 전략

전략	내용
예기 전략	• 청각장애 아동이 다가올 의사소통 상황에서 필요한 내용이나 상호작용을 미리 준비하는 것을 말한다. • 사용 가능한 어휘, 질문, 의사소통 상황, 의사소통 상황에서 예측되는 어려움 등을 미리 검토하고 연습하여 실제 의사소통 환경을 쉽게 느끼게 한다. **예** 병원에 가서 의사의 진료를 받아야 하는 경우라면 의사 혹은 병원의 진료 과정에서 사용 가능한 어휘 목록을 미리 준비하거나 의사가 자신에게 물어볼 가능성이 큰 질문을 미리 목록화하여 연습해 볼 수 있다.
수정 전략	화자의 부적절한 행동이나 바람직하지 못한 환경이 구어 인식을 방해할 때 이를 수정하도록 요구하는 것을 말한다. **예** 화자의 지나치게 빠른 말, 화자의 입 가리기, 주변의 큰 소음, 너무 어두운 조명 등이 구어 인식을 방해할 때 이를 수정하려고 노력하는 것이다.

회복 전략		• 대화의 메시지를 놓쳤거나 낮은 언어이해력으로 인하여 상대방의 말을 알아듣지 못하였을 때 메시지의 내용과 구조 혹은 화자의 의사소통 행동 모두를 수정하도록 요구하는 것을 말한다. • 수정전략과 회복전략을 명확히 구분하는 것이 쉽지 않다. • 회복전략에는 반복 요구하기, 바꾸어 말하기, 간략화 요구하기 등이 있다. − 반복 요구하기는 화자에게 다시 말해줄 것을 요구하는 전략이다. − 바꾸어 말하기는 다른 단어를 사용해서 유사한 의미를 가진 문장으로 재구조화하여 말해줄 것을 요구하는 전략이다. − 간략화 요구하기는 쉬운 단어나 단어의 수를 적게 하여 말해줄 것을 요구하는 전략이다.
	유형	예시
	반복 요구하기	화자: 주말에 연습 열심히 하고 오세요. 청자: 다시 한번 이야기해 주시겠어요? 화자: 주말에 연습 열심히 하고 오세요.
	바꾸어 말하기	화자: 내가 생각했던 것과는 너무 상이한 결과였어. 청자: 다른 단어로 말해 주시겠어요? 화자: 내가 생각했던 것과 결과가 많이 달랐어.
	간략화 요구하기	화자: 차라리 그 인간이 황홀한 지경이 되도록 칭찬을 해 주는 거야. 청자: 쉬운 말로 해 줄래? 화자: 그 인간에게 칭찬을 많이 해주라고.

42   2019 유아A-1

모범답안

1)	㉢, 인공와우 수술 후 기계의 점검, 매핑, 청능훈련 등의 재활 프로그램이 필요하다.
2)	신호대잡음비를 높여주기 위해 FM 보청기를 착용하도록 한다.

해설

1) ㉡ 매핑은 어음처리기를 프로그래밍(programming)하는 것: 매핑이란 인공와우 시술을 한 뒤 개인의 음성음향적 특성에 맞게 음성 신호 처리 방식 등을 조절하는 것이다(특수교육학 용어사전, 2018: 160). 각각의 전극이 담당하는 주파수의 범위에서 역치(T-level: 소리자극을 감지하는 가장 작은 소리, 크기의 정도)와 최대치(C-level: 너무 커서 고통스럽지 않은 정도이면서 가장 큰 정도의 소리 수준)를 찾아서 조절해 주는 과정이다(유은정 외, 2013: 76).

㉢ 별다른 청능훈련이 필요하지 않다: 인공와우 수술 후 기계의 점검, 매핑, 청능훈련 등의 재활 프로그램이 필요하다(2011 중등1-27 기출). 인공와우를 이식했다고 해서 바로 소리를 들을 수 있는 것은 아니다. 수술 후에 효과적인 피팅(fitting) 혹은 매핑, 그리고 개별화된 청능훈련이 뒷받침되지 않으면 만족도가 떨어질 수밖에 없다.

㉣ 모두 정상적인 청력을 갖게 되지는 않는다: 와우이식 후 청력 개선 효과는 환자의 수술 전 상태에 좌우된다. 수술 후 결과는 난청의 기간이나 원인 등에 따라 개인적인 차이가 크며, 수술 전의 부적절한 기대감은 수술 후 재활교육을 어렵게 하는 요인이 될 수 있으므로 수술 전 의사와의 상담과 언어치료과정을 통해 와우이식의 실제에 해한 충분한 이해가 필요하다(유은정 외, 2013: 77).

43
2019 유아B-5

모범답안

1)	① 4,000 Hz를 포함하여 산출함으로써 의사소통에서 말소리의 이해와 청력 손실의 관계를 정확하게 반영해 준다. ② 보청기의 주파수별 이득 조절 정도에 따라 링의 6개음 검사 결과가 달라질 수 있기 때문이다.
2)	협대역잡음
3)	① 발생기원 측면: 한국수어는 농문화 속에서 자연발생적으로 생겨났고, 문법수화는 각국의 언어 문법에 맞게 인위적으로 만들어 낸 것이다. ② 문법 측면: 한국수어는 국어와 다른 자체의 문법과 규칙을 가지고 있는 반면 문법수화는 한국어의 문법 체계와 유사하다.

해설

1) ① 사람이 발성하는 음성주파수는 500 Hz에서 4,000 Hz에 대부분이 분포한다(최성규 외, 2015: 33). 따라서 6분법을 이용하면 4,000 Hz에서의 역치를 포함시킬 수 있는 이점이 있다.
   - 이와 관련하여 최성규 등(2015: 33, 166)의 저서에는 다음과 같은 관련 내용이 제시되어 있다. "ASHA에서 제시한 4분법(500 Hz + 1,000 Hz + 2,000 Hz + 4,000 Hz / 4)에서는 4,000 Hz를 포함하여 평균청력을 산출하도록 한다. 이는 의사소통에서 말소리의 이해와 청력 손실의 관계를 정확하게 반영해 주기 때문이다."
   ② 만약 순음청력검사 결과 특정 주파수의 청력역치가 스피치 바나나 영역 바깥에 있을 경우에는 그에 해당하는 음소를 듣는 데 문제를 보인다. 마찬가지로 보청기나 인공와우를 착용한 후에도 특정 말소리를 듣지 못한다면 해당 주파수 대역에서의 이득이 충분하지 못하다는 것을 말한다(고은, 2018: 310).
   - (가)에 의하면 평균순음역치(PTA)가 30~60 dB의 범위를 벗어나 있으며 (나)의 청력도를 통해 세부적인 사항을 확인한 결과 아동의 양측 귀의 청력이 250~8,000 Hz의 주파수대에서 바나나 스피치의 범위를 벗어나 있음을 확인할 수 있다. 따라서 보청기를 착용하지 않은 상태에서는 링의 6개음을 전혀 들을 수 없는 상태이다. 그러나 영수는 보청기를 착용하고 있음에 주의할 필요가 있다. 즉, 영수는 보청기를 착용하고 있으므로 이와 같은 검사 결과를 토대로 보청기의 주파수별 이득을 어떻게 조절하는가에 따라 들을 수 있는 어음이 있을 수도 있고 들을 수 없는 어음도 있을 수 있기 때문에 검사 결과를 예측하기 어렵다(보청기 및 인공와우를 착용하는 학생의 상태를 점검하기 위해 교사는 5개음 검사를 실시할 수 있다).

Check Point

(1) 차폐와 차폐음의 종류

① 차폐
   ㉠ 차폐란 청력검사 시 한쪽 귀에 들려준 신호음을 두개골의 진동을 통하여 반대쪽 귀가 듣고 반응하는 것을 막기 위하여 소음을 들려주는 것을 의미한다.
   ㉡ 이때의 소음을 '차폐음'이라 하며 검사하는 귀의 반대 측 귀에 들려준다.
   ㉢ 차폐음을 주는 목적은 반대쪽 귀에 충분한 크기의 소음을 들려줌으로써 자극음을 듣지 못하도록 하는 것이다.

② 차폐음의 종류
음향기기나 실내 공간의 특성을 조사하거나 분석할 때 유용하게 사용되는 일종의 소음을 잡음이라고 한다. 순음청력검사나 어음청력검사에서는 차폐 용도로도 사용된다(고은, 2017: 93-94, 166-167).

백색잡음	백색잡음이란 TV 방송 시작 전 또는 종료 시 영상과 음성이 사라지고 '치~' 하는 잡음과 함께 만들어지는 잡음을 말한다. 10~1,000 Hz의 전 주파수에 걸쳐 거의 동일한 강도의 에너지를 가진 신호음이다. 따라서 어음청력검사에서는 차폐음으로 넓은 주파수 대역을 갖는 백색잡음이 많이 사용된다.
협대역잡음	협대역잡음은 순음청력검사 시 사용되는데, 검사음의 주파수를 중심으로 위아래의 좁은 범위의 주파수만을 밴드 형태로 포함하는 잡음이다. 즉, 특정 주파수에서만 에너지가 높은 것이 특징이다. 검사 상황에서 다양한 주파수별로 소리를 제공할 수 있다는 장점이 있다. 차폐하는 소리와 검사음이 서로 비슷한 주파수일 때 쉽게 차폐가 발생된다는 점에서 순음청력검사에는 순음의 주파수와 영역대가 일치하는 협대역잡음이 효과적이다.
핑크잡음	소리의 세기와 주파수가 서로 반비례하는 소음이다. 주파수가 2배로 증가하면 음압레벨은 3 dB 감소한다. 예를 들면, 500 Hz에서 18 dB이라면 1,000 Hz에서는 15 dB이 된다. 이처럼 주파수가 증가할 때 음압레벨은 일정한 폭으로 감소하는 성격을 갖는다.
광대역소음	거의 모든 영역의 주파수를 포함한 소음을 말한다.

(2) 보청기의 이득 조정

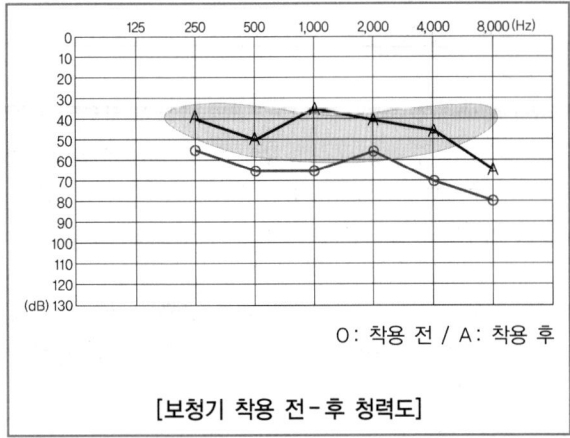

[보청기 착용 전-후 청력도]

보청기 착용 전은 주파수 대역의 역치가 대부분 바나나 스피치 밖에 위치하고 있기 때문에 대부분의 자음은 식별할 수 없다. 따라서 보청기에서 각 주파수별 이득을 다음과 같이 조정했다는 것을 알 수 있다. 250 Hz와 500 Hz에서는 15 dB을, 1,000 Hz에서는 30 dB을, 2,000 Hz에서는 15 dB을, 4,000 Hz에서는 25 dB을, 8,000 Hz에서는 15 dB이 이득을 주었다. 그 결과 /ㅅ/음을 제외한 모든 말소리는 식별할 수 있다는 것을 예측할 수 있다(고은, 2018: 310-311).

44   2019 초등B-4

모범답안

1) ① ⓐ, 우측 귀는 미로성 난청에 해당한다.
② ⓔ, 좌측 귀에 차폐음을 들려주고 우측 귀를 재검사한 것이다.

2) 내이에 이상이 있기 때문이다.

해설

1) ⓐ 우측 귀는 기도청력과 골도청력이 모두 손상되어 있으면서 두 검사 결과의 차이가 거의 없기 때문에 청각장애의 유형은 감음신경 청각장애로 분류되며 세분화하면 미로성 난청에 해당한다. 우측 귀가 미로성 난청임은 어음명료도검사 결과를 통해 파악할 수 있다. 즉, 우측 귀의 어음명료도가 100%에 미치지 못하는 동시에 말림현상이 나타나지 않는다는 점을 단서로 활용한다.

ⓑ 평균순음역치(PTA)와 어음청취역치(PTA)가 10 dB 이내일 경우 순음청력검사의 신뢰성이 좋다고 판단한다(한국청각학교수협의회, 2020: 112).
  • ABR 결과 순음역치와의 차이가 10~20 dB 정도일 경우에는 정상이라고 간주한다(고은, 2018: 120).
  • Drift 등은 청성뇌간반응역치는 2~4k Hz의 순음역치평균과 높은 상관을 나타내어 두 역치가 10~15 dB 이내임을 제시하였다(한국청각학교수협의회, 2020: 160).
    − 청성뇌간반응의 역치는 순음청력검사에서 수평형의 청력도를 보이는 경우 청력역치보다 성인에게서 5~10 dB, 소아에게서 10~20 dB 정도 높게 나타난다(대한청각학회, 2018: 193).

ⓒ 국제표준기구(ISO)가 규정한 난청의 분류에 의하면 청력이 0~25 dB 수준은 정상으로 분류된다.

ⓓ 편측성 청력 손실(한쪽 귀는 정상 청력이며 다른 쪽 귀는 최소한 경도의 영구적 청력 손실이 나타남)의 경우에는 약하거나 거리가 조금 떨어진 말소리를 듣는 데 어려움이 있는데, 대개 소리가 나는 방향을 알아차리기가 어렵고 배경 소음이 있는 경우 말소리를 이해하기가 아주 힘들다(이필상 외, 2020: 74).

ⓔ 좌측 귀(19 dB)는 정상으로 오른쪽에 들려준 소리(73 dB)가 이간감쇠(−40 dB)되어 전달(33 dB)되더라도 반대청취가 가능하다. 따라서 좌측 귀에 차폐음을 들려주고 우측 귀를 재검사한 것이다.

2) 장애등급판정기준에 의하면 평형기능장애란 공간 내에서 자세 및 방향감각을 유지하는 능력을 말하며 시각, 고유 수용감각 및 전정기관에 의해 유지된다. 그리고 모든 평형기능 이상의 등급 결정에 있어 전정기관 이상의 객관적 징후가 반드시 확인되어야 하는 것으로 규정되어 있다(고은, 2018 : 32).
   - 문항에는 전정기관의 검사 결과는 제시되어 있지 않으나 우측 귀의 경우 내이에 이상이 있는 미로성 난청임은 알 수 있다. 전정기관은 내이에 포함되는 만큼 추후 정밀검사를 통해 내이의 전정기관 이상 유무를 파악하는 것이 필요하다.

Check Point

(1) 어음청취역치 검사의 신뢰도
① 일반적으로 어음청취역치와 순음청력역치는 거의 일치하거나 대개 10 dB 이내의 차이를 보인다. 따라서 어음청취역치와 순음평균역치의 차이가 10 dB 미만일 경우에 순음청력검사의 신뢰성이 좋다고 판단한다.
② 만약 어음청취역치와 순음청력역치가 15 dB 이상의 차이를 보인다면 검사 자체의 신뢰도에 문제가 있거나 위난청(기능성 난청, malingering)일 가능성이 높다. 이러한 기준을 토대로 순음청력역치 검사가 정상적으로 실시되었는지 확인할 수 있다.

(2) 뇌간유발반응검사와 순음청력검사
① 청성뇌간반응에 주로 사용하는 자극음은 지속시간이 짧은 광대역 잡음의 클릭음이다. 자극음 강도의 단위로 dB nHL(normalized hearing level)이 흔히 사용된다.
   - 클릭음은 짧은 자극음이며, 순음과 같은 긴 자극음(>100msec)에서 사용하는 dB HL단위와는 구별된다.
② 0 dB nHL은 10~15명의 정상 청력을 가진 성인에게 초당 10~20회의 클릭음을 주고 구한 ABR의 최소반응역치 dB HL이다.
③ 클릭음을 이용한 청성뇌간반응의 역치와 순음청력역치는 높은 상관관계가 있어 청성뇌간반응의 역치를 통해서 순음청력역치를 추정할 수 있다.
   ㉠ 일반적으로 클릭음을 이용한 청성뇌간반응 역치는 순음청력검사를 통해 얻은 2 kHz와 4 kHz의 역치의 평균, 또는 1~4 kHz 역치의 평균과 상관관계가 높으며, 1 kHz 이하의 주파수대의 청력과는 관련이 없다.
   ㉡ 청성뇌간반응의 역치는 순음청력검사에서 수평형의 청력도를 보이는 경우 청력역치보다 성인에게서 5~10 dB, 소아에게서 10~20 dB 정도 높게 나타난다.

출처 ▶ 대한청각학회(2018 : 185-186, 193), 한국청각학교수협의회(2020 : 159)

45　2019 중등B-3

모범답안
- ㉠ 농학생의 자아실현과 학업성취도 및 언어발달 촉진
- ㉡ 비수지 신호
  문법적 기능을 담당한다.
- ㉢ 선생님

해설
㉠ 최근 농교육은 패러다임의 변화에 따라 언어적 주관론과 문화론으로 바뀌면서 농인의 내어는 가청인이 사용하는 국어가 아니라 수어라는 이론이 제기되며 청각장애교육 방법론에 이중언어 교수법이 등장하였다. 이때 농아동에게 자연수어 접근은 매우 중요한 과업이다. 특히 수어의 사용은 농아동의 자아실현과 학업성취도 및 언어 발달을 촉진할 수 있을 뿐만 아니라 수요자 중심의 교육을 지향하는 현행 특수학교 교육과정의 취지에도 부합하고 있다(이필상 외, 2020 : 60).
   - 이중언어-이중문화 교육의 목적은 농아동의 사고에 필요한 도구를 발달시키고, 다른 농인과의 관계를 통해 건강한 자아의식을 발달시키도록 강력한 시각적 1차 언어를 갖게 하는 것이다(김영욱, 2007 : 282).
㉡ 비수지 신호는 음성언어에서 초분절음과 같은 역할을 한다. 초분절음은 강세, 고저 또는 장단에 의해 만들어지는 소리로서 뜻이 구별되는 기능을 하는데, 수화에서 비수지 신호는 문장을 이해하는 데 중요한 역할을 하며, 문법적 기능을 담당한다(고은, 2018 : 361).

Check Point

(1) 농정체성과 이중언어-이중문화 접근법
① 농정체성이란 농인으로서 가지는 자기 동일성을 농정체성이라고 한다. 농정체성은 농인이 청인과 다르다는 것을 지각하며, 청인처럼 되려고 노력하는 것이 가치가 없다고 생각하여 스스로 삶의 우선순위를 청각적인 것이 아닌 시각적인 것에 두는 것이다. 아울러 농인들 간에 농인 문화의 가치를 공유한다(특수교육학 용어사전, 2018 : 104).
② 이중문화는 농인 문화와 가청인 문화를 동등하게 보고 농인 문화를 또 하나의 문화로 인정하는 것이다. 또한 이중언어는 농인의 언어인 자연수화와 가청인의 음성언어를 각각 독립적인 언어로 인정하고 농인에게 있어서 수어는 그들의 모국어가 되며 가청인이 사용하는 국어(음성언어와 문자언어)는 청각장애인에게 제2언어의 개념으로 보는 것이다(이필상 외, 2020 : 269).

③ 이중언어·이중문화 접근 프로그램에 중요한 구성 요소는 농아동이 농문화를 받아들여 자아 정체감을 형성하는 것과 모국어로서 자연수화에 접근하도록 하여 학습방법을 개선시키는 것이다. 이는 궁극적으로 교과지도를 할 때 농아동이 지니고 있는 소수의 농문화와 수화를 배경으로 하여 건청아동 중심의 교과지도 환경으로 접근하는 것이다(한국청각언어장애교육학회, 2012 : 277-278).

(2) 수어소의 종류

수형 (손의 형상)	수어를 할 때 손의 모양을 말한다.
수위 (손의 위치)	수어를 하는 손의 위치를 말한다.
수동 (손의 운동)	수형의 움직임에 따라 분류하는 것이다.
수향 (손바닥의 방향)	손바닥과 손가락의 방향이 어디를 향하는지에 따라 분류한다.
비수지 신호	비수지 신호란 수지 신호의 반대 개념으로, 얼굴 표정이나 입 모양, 머리와 상체의 움직임 등과 같이 손동작 외의 몸짓이 주는 신호를 말한다. 비수지 신호는 음성언어에서 초분절음과 같은 역할을 한다. 초분절음은 강세, 고저 또는 장단에 의해 만들어지는 소리로서 뜻이 구별되는 기능을 하는데, 수어에서 비수지 신호는 문장을 이해하는 데 중요한 역할을 하며, 문법적 기능을 담당한다.

46 2020 유아A-3

모범답안

1) 보청기의 이어몰드가 외이도에 맞지 않거나 찢어진 경우 또는 건전지의 교체시기를 놓친 경우 음향 피드백이 발생할 수 있기 때문이다.

2) ① 잡음에 대한 신호음의 비율을 의미한다.
② 다음 중 택 1
• 교사가 주변 소음보다 크게 말한다.
• 주변 소음을 줄인다.
• 소음원을 멀리한다.
• FM 보청기를 사용한다.

3) ⓒ 다음 중 택 1
• 언어적 상호작용 시 다른 유아들을 모두 바라볼 수 있는 위치이기 때문이다.
• 학급 전체의 분위기를 쉽게 파악할 수 있고 언어적 상호작용을 통한 사회적 교류가 활발히 일어날 수 있기 때문이다.
ⓔ 다른 유아들의 얼굴을 심광의 영향 없이 잘 인식될 수 있는 위치이기 때문이다.

해설

1) 음향되울림이란 보청기에서 증폭된 소리가 수화기를 통해 출력되어 다시 송화기로 돌아가 불필요한 진동을 생산하여 재증폭되는 현상을 말한다. 귀걸이형 보청기는 수화기와 송화기의 위치가 가깝기 때문에 기본적으로 다른 형태의 보청기에 비해 음향되울림이 쉽게 발생하며, 귀꽂이나 튜브 혹은 이어후크 등이 찢어지거나 균열되어도 발생한다. 귓속형 보청기는 보청기의 외피가 착용 아동의 외이도에 밀착되지 않거나 환기구(vent) 때문에 발생한다(한국청각언어장애교육학회, 2012 : 340).

• 건전지 교체 시기를 놓치면 소리가 약해지거나 정상적으로 들리지 않는다. 또한 소리에 왜곡, 잡음 또는 음향되울림 현상이 발생하며 자꾸 소리가 끊기는 현상이 나타나기도 한다(고은, 2018 : 208).

2) ① 신호대 잡음비는 잡음 속에서 말소리 같은 신호음을 인지하는 비율이라고 생각하면 이해하기 쉽다. 신호대 잡음비가 1보다 클 경우 말소리인지력이 상승하게 되고, 1보다 적을 경우 말소리인지력이 감소한다(최성규 외, 2015 : 208-209).

3) ⓒ 그룹 토의를 할 때에는 청각장애 학생이 다른 학생들을 모두 바라볼 수 있도록 자리를 배치한다(이필상 외, 2020: 281).
- 청각장애 아동의 자리 배치에 있어서 무조건 앞자리에 배치할 것이 아니라 학급 전체의 분위기를 쉽게 파악할 수 있고 상호작용을 통한 사회적 교류가 활발히 일어날 수 있도록 U자형 배치를 고려하여 수업의 내용과 흐름을 놓치지 않기 위해 도우미를 배치하는 것 역시 필요하다(한국청각언어장애교육학회, 2012: 116-117).
- 청각장애 아동의 시각적 정보 수용을 위해 광선 및 조명과 밝기 조절을 하여야 하며, 말을 할 때 교사나 다른 아동들은 얼굴을 청각장애 아동 쪽을 향하게 하거나 조금 더 다가가서 말을 하도록 한다(한국청각언어장애교육학회, 2012: 117).

ⓔ 청각장애 학생에게 좋은 자리배치란 잘 볼 수 있는 조건을 말한다. 눈부심을 방지하기 위하여 조명은 학생의 등 뒤에 있는 것이 좋다. 창문은 가급적 학생을 등지고 있는 것이 좋다(고은, 2018: 434-434).

Check Point

📝 보청기 문제 유형 및 해결 방안

문제 유형	해결 방안
소리가 약해짐	• 배터리의 소모 여부를 체크한다. • 정력의 수가 손실 여부를 점검한다.
소리가 나지 않음	• 보청기의 전원을 확인한다. • 배터리를 교체한다. • 마이크, 스피커의 먼지 확인 후 보청기전문센터를 방문한다.
'삐-' 소리가 남	• 보청기를 귀에 재착용한다. • 이어몰드의 크기를 확인한다. • 보청기전문센터를 방문하여 확인한다.

출처 ▶ 최성규 외(2015: 251)

47   2020 초등A-6

모범답안

1)	• 감음신경성 청각장애 • 기도역치와 골도역치 모두 정상범위를 벗어나 있으면서 두 검사의 역치 차이가 10 dB 미만인 수준에서 비슷하기 때문이다.
2)	골도전도의 경우 이간감쇠가 거의 발생하지 않아 반대청취가 가능하기 때문이다.
3)	• ⓒ • 윤서는 미로성 난청이므로 소리 강도를 높이더라도 최대명료도가 80%를 넘지 못한다.
4)	① 음의 변별 ② 들리는 소리에 해당하는 글자카드 가리키기

해설

지문 돋보기

(가)

구분		평균순음역치(4분법)
좌	골도	65 + (2×65) + 75 = 67.5 dB HL
	기도	65 + (2×65) + 75 = 67.5 dB HL
우	골도	50 + (2×60) + 70 = 60 dB HL
	기도	50 + (2×65) + 70 = 62.5 dB HL

(나)
- 선천적으로 코르티 기관에 손상이 있음: 내이의 손상(미로성 난청)
- 청신경에 이상이 없음: 후미로 이상 없음
- 중추청각처리에 이상이 없음: 중추신경계 이상 없음
- 마찰음, 파찰음을 정확히 듣는 데 어려움: 우리말 어음분포도에 따르면 대략 4,000 Hz, 30 dB에 분포함

3) ⓐ 정상
ⓑ 전음성 청각장애
ⓒ 감음신경성 청각장애(미로성)
ⓓ 감음신경성 청각장애(후미로성)

4) 음의 변별: 특정한 소리와 다른 소리가 서로 같은지 다른지를 아는 단계이다.
- 음의 확인: 청각적 정보를 자신이 이미 알고 있는 정보와 비교하여 인식하고 반응하는 단계이다. 확인 단계에서는 제시된 청각 정보를 정확하게 인식하여 따라 말하기, 가리키기, 쓰기, 명명하기 등의 방법으로 알아맞히는 훈련을 한다.

Check Point

(1) 이간감쇠

① 이간감쇠란 한쪽에서 준 자극음이 반대쪽 귀로 전달될 때 발생하는 소리에너지의 소실현상을 의미한다.
② 기도 전도의 경우 약 40 dB의 이간감쇠가 발생하며, 골도 전도의 경우는 이간감쇠가 거의 발생하지 않는다.

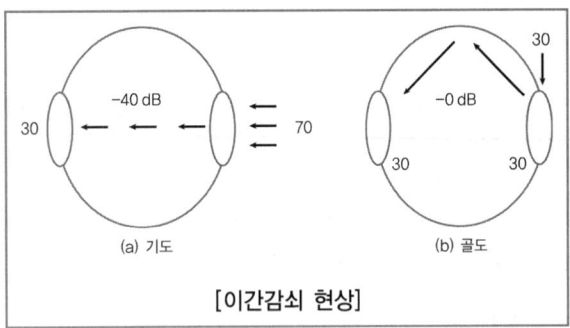

[이간감쇠 현상]

(2) 차폐검사가 필요한 경우

① 검사 귀 기도와 비검사 귀의 기도청력역치의 차이가 40 dB 이상인 경우
② 검사 귀 기도와 비검사 귀의 골도청력역치의 차이가 40 dB 이상인 경우
③ 골도검사를 할 경우(항상 차폐)

(3) 우리말 어음분포도

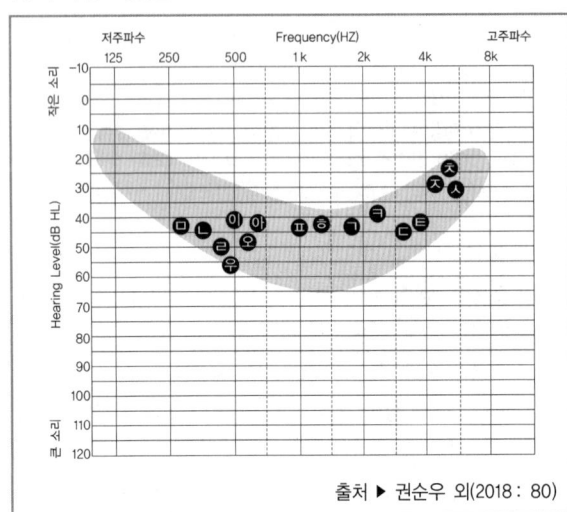

출처 ▶ 권순우 외(2018 : 80)

48   2020 중등A-8

모범답안

- ㉠ 동구형이음어(또는 동형이음어)
  입모양은 같지만 다른 의미를 가지고 있는 음을 의미한다(또는 소리와 철자는 다르지만 입 모양이 비슷하게 보이는 음을 의미한다).
- ㉡ 모음의 중성화
- ㉢ 발화를 새로운 단어나 구문으로 반복한다.

해설

㉠ 독화에서는 /마/, /바/, /파/와 같이 입모양은 같지만 다른 의미를 가지고 있는 음을 동구형이음어(또는 동형이음어)라고 하며(고은, 2018 : 326), 독화만으로는 의미 파악이 어렵다.

㉡ 모음의 중성화란 일종의 모음 변형으로, 예를 들면 전설 모음 /i/를 발음할 때 중성음인 /a/를 섞어서 발음하는 것이다(고은, 2010 : 203).

- 혀를 입안 중앙에 위치하여 발음하는 모음 중성화가 나타나는 것이 특징이다(이필상 외, 2020 : 74).
- 청각장애 아동은 구강 내 혀의 움직임이 제한적이기 때문에 모든 모음이 비슷하게 들리는 모음의 중성화가 나타난다. 또한 모음의 지속 시간이 건청아동보다 길어서 장모음화가 되거나 비음화가 되는 경향이 있다(유은정 외, 2013 : 123).

Check Point

(1) 청각장애 아동의 말 · 언어영역별 특성

영역		특성
말	초분절적 요소	• 말의 속도가 느린 편이다. 자음과 모음의 지속 시간이 길고, 쉼(pause)이 잦고 조음운동이 느리다. • 호흡 조절이 어렵다. 숨쉬기와 말하기의 조화가 안 되어 부적절한 곳에서 숨을 쉬므로 음절과 낱말이 부적절하게 묶이고 의미 전달이 어렵다. • 말의 리듬이 부적절하다. 단어나 문장 내 부적절한 음절에 강세를 둔다. • 음도 : 음도가 너무 높거나 낮고, 음도 변화가 과하거나 부족하다. • 공명 : 과대 비음과 과소 비음이 모두 나타난다. • 음성의 질 : 쉰 목소리, 거친 소리, 쥐어짜는 소리
	모음	• 모음의 중성화 : 구강 내 혀의 전후, 상하 움직임이 제한적이다. • 모음의 지속 시간이 길다. • 이중모음이 왜곡된다. • 모음이 비음화된다.

유형		내용
언어	자음	• 생략 오류가 많다. 특히 종성 자음과 입의 중간과 뒤쪽에서 산출되는 자음이 빈번히 생략된다. • 대치 오류가 많다. 유성 자음과 무성 자음의 대치, 조음 방법에 따른 대치, 조음 위치에 따른 대치, 비음성 유무에 따른 대치오류가 나타난다. • 과소 비음화와 과대 비음화가 나타난다. • 모음이 자음 사이에 덧붙여진다.
	어휘	• 새로운 어휘를 습득하는 데 오랜 시간이 걸린다. • 또래 건청아동보다 어휘 수가 부족하며, 나이가 들수록 격차가 더욱 커진다. • 낱말의 의미에 대한 지식이 일반적이지 못하다. • 다의어를 이해하는 데 어려움을 겪는다.
	문법	• 복문의 이해와 사용이 어렵고, 단순하고 짧은 문장 구조를 사용한다. • 내용어를 나열한 전보식 문장을 사용한다. • 문법 규칙 습득의 어려움이 구어와 문어 모두에서 나타난다. • 언어의 하위 요소 중 문법 지식의 습득과 사용에서 가장 큰 어려움을 겪는다.
	화용	• 구어 의사소통의 사용 빈도가 낮고, 비구어적인 수단을 자주 사용하는 경향이 있다. • 다양한 의사소통 의도를 사용하지 않는다. • 대화 기술이 부족하다. 주제 유지하기, 차례 지키기, 주제 전환하기에서 어려움을 겪는다. • 명료화 요구 기술이 부족하고, 적극적으로 사용하지 않는다.

(2) 발화 수정 전략

유형	정의	예시
반복	이전 발화의 내용을 똑같이 반복한다.	A(청각장애 아동): 칭찬받았어요. B(건청 아동): 뭐라고? A: 칭찬받았어요.
수정	발화를 새로운 단어나 구문으로 반복한다.	A: 오늘 영화는 다 매진이래. B: 뭐라고? A: 오늘 영화는 자리가 없대.
부연 설명	이전 발화를 자세히 설명한다.	A: 홍준이 봤어? B: 뭐라고? A: 아까 모임에서 홍준이 봤냐고
구어 확인	청자가 요청한 정보만을 구어로 제시한다.	A: 그 집은 짜장면 값 얼마야? B: 짜장면? A: 응, 짜장면.
비구어 반응	몸짓으로 청자의 질문에 대답하는 것이다.	A: 그 중국집 최고야. B: 양이 많아서? A: (고개 끄덕임)
부적절한 반응	반응하지 않거나 이전 발화와 관련 없는 단어나 구문으로 반응한다.	A: 칭찬 받았어요. B: 뭐라고? A: −

49

모범답안

• 73 dB HL
• 순음청력검사는 순음에 대한 주파수 대역별 최소 가청역치를 측정하는 것이고, 어음청취역치검사는 제시된 검사 어음에 대하여 50%를 정확하게 들을 수 있는 가장 낮은 음의 강도를 측정하는 것이다.
• 쾌적역치

해설

• 좌측 귀의 역치는 다음과 같다.

주파수 (Hz)	500(a)	1,000(b)	2,000(c)	4,000(d)
좌측 청력역치 (dB)	50	70	80	90
평균순음역치 (6분법)	[50+(2×70)+(2×80)+90] ÷ 6 = 73.333... = 73 dB HL			

ⓒ 어음청취역치검사의 목적은 어음인지 시 필요한 민감성, 즉 SRT를 측정하여 순음청력검사 결과의 신뢰도를 확인하고 단어 및 문장 인지도 검사의 기초 자료로 사용하는 것이다(한국청각학교수협의회, 2020: 110).

• 어음청취역치검사는 검사음의 50%를 정확히 대답하는 최소 어음 강도인 어음청취역치를 알아보는 검사이다(2012 중등1−31 기출).

Check Point

(1) 순음청력검사

개념	순음을 자극음으로 들려주고, 들을 수 있는 가장 작은 소리의 강도를 다양한 주파수에서 알아보는 검사이다.
임상적 적용	• 청력 손실의 유무를 알 수 있다. • 청력 손실 정도를 알 수 있다. • 청각장애 유형 및 병변 부위를 알 수 있다. • 청력형을 알 수 있다. • 청능재활 정보를 제공해 준다.

(2) 어음청취역치검사

어음청취역치검사란 제시된 이음절 단어를 정확히 50% 확인할 수 있는 가장 작은 강도를 측정하는 검사이다. 임상적 적용 분야는 다음과 같다.

① 어음인지에 필요한 민감성(sensitivity)을 측정
② 어음명료도검사(word recognition score; WRS) 및 문장인지도(sentence recognition scores; SRS) 검사 전 기초 자료 수집
③ 순음의 기도청력역치 결과와 비교하여 검사의 신뢰도 확인

㉠ 일반적으로 어음청취역치와 순음청력역치는 거의 일치하거나 대개 10 dB 이내의 차이를 보인다.
㉡ 만약 어음청취역치와 순음청력역치가 15 dB 이상의 차이를 보인다면 검사 자체의 신뢰도에 문제가 있거나 위난청(기능성 난청, malingering)일 가능성이 높다. 이러한 기준을 토대로 순음청력역치 검사가 정상적으로 실시되었는지 확인할 수 있다.

(3) 어음청취역치검사 실행 절차

친숙화 과정	피검자가 충분히 들을 수 있는 강도에서 어표 내 단어를 제시하여 검사 전에 피검자가 검사에 사용할 목표단어를 모두 아는지 친숙화 과정을 거친다. ① 친숙화 과정이 필요한 이유는 피검자가 단어를 몰라서 따라 할 수 없는 경우를 배제하기 위해서다. ② 친숙화 과정에서 검사 강도는 평균순음역치보다 30~40 dB 큰 소리 또는 쾌적역치에서 제시한다. ③ 친숙화 과정 시 유·소아가 들은 단어를 따라 할 수 없다면 단어에 해당하는 그림 또는 사진에서 고르게 하는 등 피검자의 응답 방법을 변경할 수 있다.
본 검사	피검자가 검사 방법에 대해 충분히 이해했다고 판단되면 본 검사에 들어간다. ① "아주 작은 소리부터 큰 소리까지 다양한 소리 크기에서 단어가 들릴 거예요. 단어가 확실치 않을 때는 유추해서 대답해도 됩니다. 단어가 들릴 때마다 그 단어를 소리 내서 말해 주세요."라고 지시문을 준다. ② 평균순음역치 값보다 일반적으로 20~25 dB 더 큰 강도의 어음을 들려준다. ③ 제시되는 단어 간격은 약 4초로 한다. ④ 자극 강도의 조절은 약 5 dB 간격으로 점점 올리거나(상승법), 내리거나(하강법) 할 수 있다.

(4) 어음명료도검사 실행 절차
① CD플레이어를 사용할 경우 청력검사기의 모드를 전환하고, 검사기의 볼륨 등을 확인한다.
② 피검자에게 검사 방법을 설명한다. 단어가 들릴 때마다 소리 내어 따라 말하거나 소리 나는 대로 종이에 쓰도록 한다.
③ 검사 방법을 숙지했다고 판단되면 본 검사에 들어간다.
④ 청력이 좋은 쪽 귀를 먼저 검사한다.
⑤ 어음청취역치(SRT)보다 30~40 dB 더 큰 강도 또는 쾌적역치(MCL)로 어음을 들려준다.
⑥ 제시되는 단어 간격은 약 4초로 한다.
⑦ 10 dB 또는 20 dB 간격으로 명료도를 구하고 이 점들을 연결하면 어음명료도 곡선이 된다.
⑧ 만약 검사 결과 50 dB HL/Score 100%라면, 50 dB HL에서 들려준 어음의 100%를 정확하게 인지하였다는 것을 의미한다.

50   2021 유아A-4

모범답안

1) 피검사자가 검사자의 입 모양을 보고 음소를 추측할 수 있기 때문이다.

2) ① 주변 소음이나 음원으로부터의 거리에 상관없이 말소리만 증폭시켜 줌으로써 신호대잡음비를 높여주기 때문이다.
② 다음 중 택 1
• 다른 주파수와의 혼선이 발생하지 않도록 한다.
• 교사와 학생 사이에 신호를 방해하는 차폐물이 없도록 한다.
• FM 보청기를 사용하지 않을 때는 반드시 송화기의 전원을 꺼 놓아야 한다.

3) ① 어음명료도검사
② 어음명료도는 전체 검사 어음의 수 중 정확히 들은 검사 어음의 수를 파악하여 백분율로 환산하기 때문이다.

해설

지문 돋보기

〈검사 결과〉
• PTA(기도순음역치)는 다음과 같은 방법에 의해 산출함

500 Hz	1,000 Hz	2,000 Hz	4분법 적용
50	50	55	(50+100+55)/4=51 dB

• SRT(어음청취역치)는 제시된 이음절어 검사음을 50% 이상 바르게 인지할 수 있는 최소 어음 강도를 의미하므로 60 dB HL이 됨. 그리고 주어진 보기를 통해서는 어음명료도 산출이 불가함

1) 링의 6개음 검사는 듣기만을 위한 검사로, 검사자가 입을 가리지 않고 검사를 실시할 경우 피검사자는 듣기와 함께 검사자의 입모양을 토대로 음소를 추측할 수 있다. 따라서 검사 시 입을 가린 상태에서 특정음을 들려주고 해당 카드를 고르도록 하고 있다.

2) ① 일반적으로 청자의 듣기를 방해하는 요인, 즉 신호대 잡음비를 방해하는 요인으로는 배경소음, 반향, 거리 등이 있다. 소음이나 반향이 많거나 거리가 멀어지면 소리를 듣는 것이 어려워진다. FM 보청기는 이러한 방해 요인에 상관없이 청각장애 아동이 신호음을 직접 들을 수 있게 해준다(이필상 외, 2020 : 130).
② FM 보청기는 FM 송화기와 FM 수신기로 구성된다. 무선송화기를 장착한 화자가 말을 할 때면 청자는 수신기에서 신호를 받아 말을 듣게 되는데, 보안성이 없다는 단점이 있다. 주변에 같은 주파수 대역의 FM 보청기를 착용한 사람은 송신기에서 나오는 말소리를 들을 수 있기 때문이다. 때문에 말을 하지 않을 때는 반드시 송화기의 스위치를 꺼 놓아야 한다. 또한 주변 전기 및 전자기기로 인한 잡음을 완전히 차단할 수 없다는 단점을 갖는다(고은 : 2018 : 201).

③ 어음명료도검사에서는 피검자가 정확히 들은 검사어음의 수를 백분율로 환산한다. 예를 들어, 50개의 검사어음 가운데 40개를 맞았을 경우 40/50×100을 한다(고은, 2018: 162).

- 디지털 보청기는 아날로그보청기에서 발생하는 음 증폭에 따른 왜곡현상을 줄일 수 있고, 채널을 이용해 증폭·압축을 정확하게 조절할 수 있다(최성규 외, 2015: 233).

② 음형대(동 포먼트, formant)란 성도의 공명주파수로서 모음 및 다른 공명 소리에서의 음향 에너지를 말한다. 즉, 사람의 조음기관은 조음에 따라 변하는 순간순간의 공명 특성이 있어 주파수로 발성의 차이에 따라 특정의 스펙트럼이 나타나기 때문이다(최성규 외, 2015: 73). 바나나 스피치에 /ee/, /ah/, /oo/가 두 곳에 표시된 이유는 이와 같은 음형대가 2개 존재하기 때문이다.

51   2021 초등A-2

모범답안

1)	① 감음신경성 청각장애, 혼합성 청각장애 ② 어음청력검사의 청취역치는 3분법으로 구하는 것이 아니라 제시된 검사 어음에 대하여 50%를 정확하게 들을 수 있는 가장 낮은 음의 강도를 측정하는 것이기 때문이다.
2)	① 주파수 대역에 따라 이득과 압축 비율 등을 자유롭게 조절할 수 있다. ② 음형대(또는 포먼트)가 2개 존재하기 때문이다.
3)	9

해설

1) ① 기도청력이 손상되어 있으면서 청력형이 경사형인 경우는 감음신경성 혹은 혼합형 청각장애이다. 전음성 청각장애의 경우 청력형은 대부분 역경사형이 나타난다.

지문 돋보기

구분	기도청력	청력형
전음성	손상	역경사형
감음신경성	손상	경사형
혼합성	손상	경사형/수평형

② 어음청취역치(SRT)는 일반적으로 이음절의 강강격 단어를 사용하여 50%를 이해할 수 있는 최소강도 수준이다. 즉, 제시된 어음을 듣고 이해하여 50% 이상 정확하게 반응하는 역치를 의미한다(최성규 외, 2015: 169).

2) ① 보청기의 증폭기는 신호처리 방식(아날로그 증폭기, 디지털 증폭기), 압축 방식(선형증폭기, 비선형증폭기), 채널 방식(단채널, 다채널)에 따라 구분한다.
- 다채널 방식은 채널의 숫자가 많을수록 주파수 영역을 더 세분화하여 기능을 조절할 수 있으며, 개인의 청력 수준에 따른 이득 조절이 가능하다는 장점을 갖는다(고은, 2017: 194).

Check Point

(1) 청력 손실의 형태(청력형)

청력 손실의 형태는 검사 주파수에 따른 청력 손실의 정도를 분석한 후, 분류된 형태에 따라 이름을 달리한다. 보통 여덟 가지 형태로 분류하며, 일반적으로 다음과 같은 형태를 나타낸다(한국청각학교수협의회, 2020: 97).

① 전음성 난청: 대부분 역경사형
② 감음신경성 난청: 경사형
③ 혼합성 난청: 수평형 또는 경사형
④ 소음성 난청: 3,000~6,000 Hz 부분에서 청력이 급격히 나빠지는 톱니형

청력 손실 형태	분류 기준
수평형	옥타브 간 청력 손실 정도가 5 dB 이내로 주파수 간 청력 손실의 정도가 비슷함
경사형	고주파수 대역으로 갈수록 옥타브 간 5~12 dB씩 떨어지는 청력 손실을 보임
급경사형	고주파수 대역으로 갈수록 옥타브 간 15~20 dB씩 떨어지는 청력 손실을 보임
고음급추형	저주파수에서는 수평형 혹은 경사형의 형태를 보이다가 고주파수에서 옥타브 간 25 dB 이상 급격한 청력 손실을 보임
역경사형	저주파수 부근의 손실에 비해 고주파수로 갈수록 옥타브 간 5 dB 미만으로 청력 손실이 줄어듦
산형	중주파수에 비해 저주파수(500 Hz)와 고주파수(4,000 Hz) 대역에서 20 dB 이상 더 떨어지는 청력 손실을 보임
접시형	저주파수와 고주파수에 비해 중주파수 대역(1,000~2,000 Hz)에서 20 dB 이상 더 떨어지는 청력 손실을 보임
톱니형	하나의 특정 주파수에서 20 dB 이상 급격하게 청력이 나빠졌다가 다시 회복되는 형태

출처 ▶ 한국청각학교수협의회(2020: 97)

(2) 채널 방식에 따른 증폭기의 분류
① 단채널(single channel)이 1,000 Hz를 기준으로 저주파수와 고주파수로만 분리된 방식이라면, 다채널(multichannel)은 여러 개의 채널이 모여서 주파수 대역에 따라 이득과 압축 비율 등을 자유롭게 조절하는 방식이다.
② 채널이란 각각의 압축기로 제어되는 모든 주파수 영역을 말한다.
③ 채널의 숫자가 많을수록 주파수 영역을 더 세분화하여 기능을 조절할 수 있으며, 개인의 청력 수준에 따른 이득 조절이 가능하다는 장점을 갖는다. 수평형 전음성 난청은 전 주파수 대역에서 단순히 소리의 크기를 높여 주는 것으로 충분하지만, 주파수 범위에 따라 청력역치 차이가 많은 경우에는 각 채널에 해당하는 주파수 대역 조절이 필요하다.

출처 ▶ 고은(2017 : 194)

(3) 보청기(증폭기)의 종류

종류		내용
채널 방식	단채널	1,000Hz를 기준으로 저주파수와 고주파수로만 분리된 방식이다.
	다채널	여러 개의 채널이 모여서 주파수 대역에 따라 이득과 압축 비율 등을 자유롭게 조절하는 방식이다.
신호처리 방식	아날로그	송화기에서 입력된 음향 신호가 증폭기에서 신호의 변환 과정 없이 그대로 수화기로 소리를 전달한다.
	디지털	송화기로부터 아날로그 신호가 입력되면 내부의 아날로그-디지털 변환기를 거치게 된다.
압축 방식	선형	모든 강도의 입력음압에 대해 출력음압의 증가 비율이 동일하다.
	비선형	입력음압과 출력음압의 증가 비율을 서로 다르게 적용한 방식이다.

(4) 모음의 음형대
① 모음 /l/, /ㅏ/, /ㅜ/는 성대에서 음이 산출하여 성도로 전달되고, 그 음이 입술로 나온다.
② 성도의 역할은 조음적으로는 맨 끝의 위치를 가지고, 특정 배음을 강조하면서 다른 배음은 약화시킨다. 성도는 성문에서 생성되는 모음 음원을 여과한다.
③ 성대진동에 의해 생성되는 음, 성도모양과 길이에 의해 생성된 특정한 공명성(전달기능), 입술에서 음의 방사 효과 등의 음이 결합되어 입술을 통해 산출된다. 음원기능은 전달기능과는 상당히 독립적이다.
④ <그림>의 위쪽은 모음 /l/를 조음할 때의 스펙트럼 결과이다.
⑤ 이 스펙트럼을 살펴보면 /l/에 대하여 성도형태의 전이작용이 겹쳐져 있으며, 조음작용으로 인한 전달기능은 같아서 공명주파수는 변하지 않고 그대로 나타난다.
ⓒ 모음 /l/의 조음패턴대로 최저의 포먼트 F_1 1개와 상대적으로 높은 포먼트 F_2, 포먼트 F_3 2개 동일한 유형일 것이다.
⑤ <그림>의 아래쪽은 모음 /l/의 음성 스펙트로그램(sound spectrogram)을 도식으로 표현하여 성도의 포먼트를 에너지 광역띠로 나타낸 것이다. 포먼트는 원래부터 저주파수에서 고주파수 순으로 매겨진다. 따라서 포먼트 F_1은 300Hz 주변에 있고, 포먼트 F_2는 2,500Hz, 포먼트 F_3은 3,000Hz 주변에 있다.

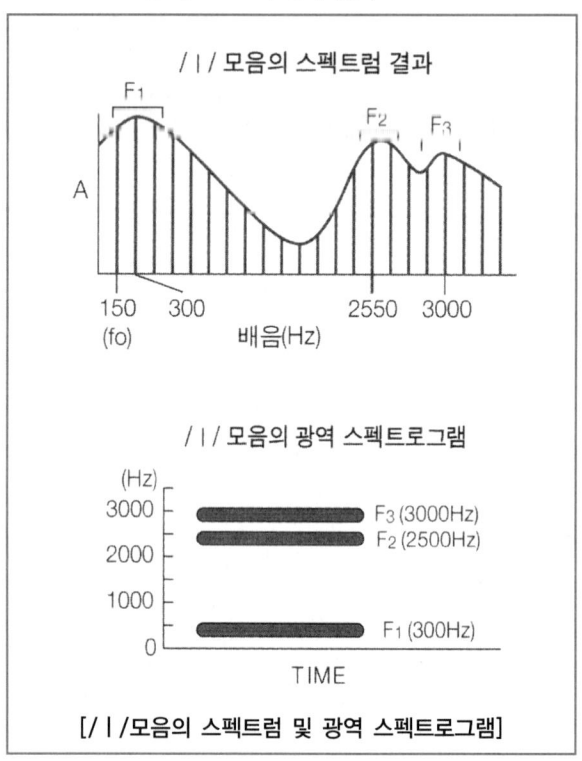

[/l/ 모음의 스펙트럼 및 광역 스펙트로그램]

출처 ▶ 최성규 외(2015 : 74)

52   2021 중등A-11

모범답안

- ⓒ, 교사는 판서를 할 때 동시에 말을 하지 않는다.
  ⓓ, 다양한 시각적 보조 자료를 사용하여 학생의 이해를 돕는다.
- ⓑ (음의) 확인
  ⓐ /마/(또는 /바/)를 듣고, 들리는 소리에 해당하는 글자 카드 가리키기(또는 쓰기, 따라 말하기, 명명하기)

해설

지문 돋보기

(다) 학생 H의 수업 계획 관련 대화
- 학생 H에게 /마/-/바/가 같은지 다른지를 구별하는 활동을 했는데 아주 잘 하더라구요.: '음의 변별' 단계에 해당하는 활동을 잘 수행할 수 있음을 의미
- 그렇다면 다음 단계의 활동으로 들어가는 게 좋겠습니다.: 음의 변별 단계 다음 단계인 '음의 확인'과 '음의 이해' 단계 활동을 제안하고 있음
- 아동의 듣기 능력이 파악되면 자극수준과 과제 난이도를 고려하여 활동을 계획: 청능훈련 시 고려사항

㉠ 수업 시간에 독화를 한다는 특성과 관련된다.
㉡ 수업 시간에 독화를 한다는 특성과 관련된다.
- 학생의 독화를 위해 교사의 동선은 짧은 것이 좋으며 다른 학생들과도 눈맞춤이 잘 이루어질 수 있어야 한다(고은, 2018: 436).
㉢ 독화를 하고 있음이 고려되지 않았다.
- 자료를 제시할 때는 말을 하면서 칠판에 쓴다든지 하는 경우와 같이 동시에 여러 방법을 쓰지 않도록 하여야 한다(한국청각언어장애교육학회, 2012: 117).
㉣ 보청기를 착용하고 있으며 잔존청력에 의존하고 있음을 고려한 것이다.
- 인공와우 시술을 받은 학생의 경우에도 학생의 효율적인 청취를 위해 적절한 학급 환경을 조정해야 한다(2012 초등1-8 기출).
㉤ 청각장애 학생이라는 점 그리고 성취수준이 낮음을 고려하지 않았다.
- 가르치는 개념에 대해 명확하게 설명하고, 시각적 예를 많이 사용한다. 용어를 일관되게 사용한다. 그리고 게시판을 사용하거나 그림, 도표, 컴퓨터그래픽 등 가능한 시각적인 교수방법을 최대한 활용한다(한국청각언어장애교육학회, 2012: 118-119).

Check Point

(1) 독화력 향상을 위한 고려사항
① 가능한 한 독화 단서를 모두 활용하도록 한다.
② 말은 과장하지 않고 자연스럽게 한다.
③ 차폐물이 없는 밝은 곳에서 한다.
④ 소음이 통제된 곳에서 한다.
⑤ 약 2~3m 이내의 거리를 유지하되 거리를 너무 좁히지 않는다.
⑥ 항상 동일한 위치와 방향에서 독화하지 않도록 한다.
⑦ 독화하려는 태도를 갖게 한다.
⑧ 화자는 말할 때 가만히 서서 하되 가능하면 아동과 비슷한 높이를 유지한다.

출처 ▶ 한국청각언어장애교육학회(2012: 165)

(2) 청능 기술의 단계

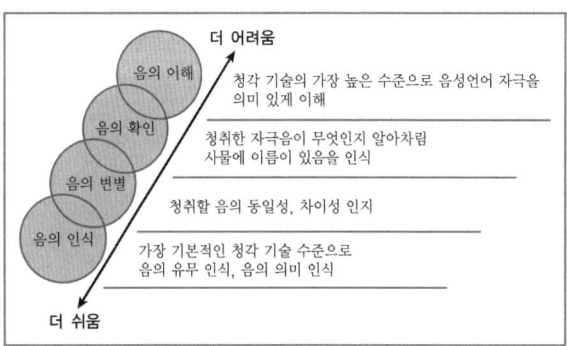

53 | 2021 중등B-11

모범답안

- 의문스러운 표정을 짓는다(또는 궁금해하는 얼굴 표정을 짓는다).
  '왜'라는 입 모양을 한다(또는 눈썹을 위로 치켜 올린다).
- 자연수어는 구조와 어순 등이 음성언어와 다르지만 문법수화는 동일하다.
  자연수어는 축약해서 표현하지만 문법수화는 말이나 문장을 그대로 표현한다.

해설

지문 돋보기

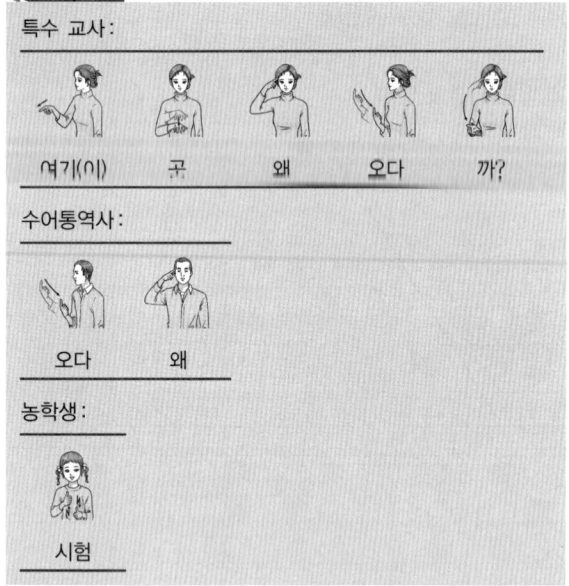

비수지 기호) 비수지 신호란 수지 신호의 반대 개념으로, 얼굴 표정이나 입 모양, 머리와 상체의 움직임 등과 같이 손동작 외의 몸짓이 주는 신호를 말한다. 문제에서는 비수지 신호의 의미를 묻고 있는 것이 아니라 구체적인 방법을 묻고 있다.

- '왜?' 표현 방법: 오른 주먹의 1지를 펴서 끝을 오른쪽 관자놀이에 댄 다음, 의문스러운 표정을 짓는다(국립국어원 한국수어사전).

자연 수어와 문법 수화의 차이점) 자연 수어와 문법 수화의 비교 내용 중 제시된 대화내용을 통해 파악 가능한 차이점에 한하여 제시하는 것이 바람직하다.

Check Point

자연수화와 문법수화 비교

자연수화	문법수화
• 축약하여 표현함 • 구조와 어순 등이 음성언어와 매우 다름 • 지화를 거의 활용하지 않음 • 국어에 대한 이해가 필요 없음 • 문법 형태소를 생략함	• 말이나 문장을 그대로 표현함 • 구조와 어순이 음성언어와 유사함 • 지화를 적극 활용함 • 국어 문법지식을 필요로 함 • 문법 형태소를 지문자나 수화어휘로 표현함

54   2022 초등B-4

모범답안

1)	① 수정전략 ② 음의 이해
2)	ㅅ ㅗ ㄱ ㅗ
3)	북소리는 북을 세게 칠수록 큰 소리가 난다.

해설

1) ① 수정전략은 청자가 환경요인이나 화자의 부주의로 인하여 화자의 말을 알아듣지 못하였을 때 요구하는 방법이다. 청자 입장에서 화자의 행동이나 환경을 수정해 줄 것을 요구할 수 있다(고은, 2018 : 338). 또한 의사소통을 방해할 수 있는 다양한 사건이나 상황, 발화의 내용이나 형태를 수정하여 의사소통을 원활히 유지하기 위하여 청각장애 아동들이 수정하려는 노력을 의미한다(한국청각언어장애교육학회, 2012 : 170).

② 설명을 듣고, 해당하는 물건이나 악기를 가져와 책상 위에 올려 놓기 : 지시 따르기에 해당한다. 음성 자극을 다른 구문으로 바꾸어 말하기, 지시 따르기, 소리에 대한 이해를 설명하거나 질문에 답하기 등 말의 의미를 의미 있게 이해할 수 있는 단계는 음의 이해 단계에 해당한다.

3) 소리의 크기는 진폭으로 설명되며, 진폭은 일반적으로 dB로 표시한다. 소리의 높이는 소리기 1초당 진동하는 횟수로 나타낸다. 일반적으로 Hz 또는 cps(cycle per second)로 나타낸다. 1초에 1,000번을 진동하면 1,000 Hz 또는 1,000 cps라고 한다. 1,000 Hz를 기준으로 이보다 낮으면 저주파수, 높으면 고주파수라고 한다. 주파수와 소리의 크기는 관계가 없다(최성규 외, 2015 : 28-33). 따라서 북을 세게 칠수록 진폭이 큰 소리가 나는 것이지 주파수가 변하여 높은 소리가 나는 것은 아니다.

Check Point

(1) 의사소통 전략

의사소통 전략	전략 내용
예기전략	• 청각장애 아동이 의사소통의 내용 및 상호작용을 사전에 준비 • 사용 가능한 어휘, 질문, 의사소통에서 예측되는 어려움을 미리 검토
수정전략	• 아동이 의사소통하는 데 화자의 부적당한 행동이나 환경에 어려움이 있는 경우 수정하도록 요구하기 • 화자의 말이 지나치게 빠르거나 입을 가리는 행동을 할 때 혹은 주변의 소음이 너무 크거나 조명이 너무 어두워 화자의 얼굴을 제대로 볼 수 없는 경우 등 곤란을 주는 문제를 확인하여 수정하려고 노력
회복전략	• 메시지의 내용가 구조 혹은 화자의 의사소통 행동 모두를 수정 예 더 천천히, 더 분명하게 해 달라고 요구하기 • 부분적으로 반복하기, 바꾸어 말하기, 핵심단어 말하기, 철자 말하기, 허공 혹은 손바닥에 쓰기, 쓰기 등 부가 설명을 요구하기

(2) 소리의 3요소

물리적 특성	지각적 특성	관계
주파수	음고	주파수가 높으면 높은 음으로 들리고, 주파수가 낮으면 낮은 음으로 들린다.
음압	음량	음압이 크면 큰 소리로 들리고, 음압이 작으면 작은 소리로 들린다.
복합성	음색	파형의 규칙성과 스펙트럼에 따라 소리가 다르게 느껴진다.

출처 ▶ 고은(2018 : 94)

55 | 2022 중등A-12

모범답안

- ㉠ 후미로성 난청
  ㉡ 최대명료도에서 소리 강도를 높이면 오히려 명료도가 낮아지는 현상이다.
- ㉣, 변별 단계에서는 소리 자극의 차이가 큰 두 개의 소리부터 시작한다.
  ㉥, 교실의 신호대잡음비를 최소 +10에서 +15 정도로 유지하여 말소리 이해력을 높인다.

해설

지문 돋보기

(가) 특성

H	• 어음명료도검사 결과 최대명료도(PBmax) 40% : 최대명료도가 80%를 넘지 못하므로 감음신경성 청각장애 • 말림현상이 관찰됨 : 후미로성 난청 • 청각보조기기 착용하지 않음 : 감음신경성 청각장애의 경우 청각보조기기의 효과 없음
I	• 뇌말이음향방사가 관찰되지 않음. 내이(와우)의 손상 • 귀걸이형 보청기 착용 : 전음기관의 이상인 경우 보청기 효과 있음

㉠ 어음명료도검사 결과 최대명료도(PBmax)가 40%로 매우 낮을 뿐만 아니라 말림현상이 관찰되므로 감음신경성 청각장애 중 후미로성 난청에 해당한다.

㉡ 말림현상이란 최대명료도에서 소리 강도를 높이면 오히려 명료도가 낮아지는 현상이다. 말림지수(RI)가 0.45 이상이면 후미로성 난청을 의심할 수 있다(고은, 2018 : 163).

㉣ 청능훈련 시 변별 단계에서는 소리 자극의 차이가 적은 두 개의 소리부터 시작한다. : 변별은 2가지 이상의 청각적 자극에 대하여 같고 다름을 지각하고 반응하는 능력이다. 아동은 소리마다 독특한 특징의 차이를 알고 그 차이를 학습한다. 변별훈련은 소리 차이가 많이 나는 청각적 자극에서 시작하여 점차 비슷한 청각적 자극을 구분하는 것으로 진행한다. 성인-아동, 남-여 목소리의 차이, 북과 피리처럼 소리의 길이, 크기, 높이 차이를 변별하는 활동 등이 있다(최성규 외, 2015 : 295-296).

- 음의 변별 단계는 청능훈련의 목적에 따라 환경음과 말소리로 구분되며, 환경음 변별부터 시작한다(한국청각언어장애교육학회, 2012 : 156).

㉥ 교실의 신호 대 잡음비(SNR)를 최소 -10에서 -15 정도로 유지하여 말소리 이해력을 높인다. : 선행연구들에 의하면 청각장애 아동들을 위해서는 교실에서의 SNR은 최소한 +10~15 dB 정도가 되어야 한다(양한석, 2000 : 10).

• 신호대 잡음비는 잡음 속에서 말소리 같은 신호음을 인지하는 비율이라고 생각하면 이해하기 쉽다. 신호대 잡음비가 클 경우 말소리인지력이 상승하게 되고, 적을 경우 말소리인지력이 감소한다(최성규 외, 2015 : 208-209). 따라서 신호 대 잡음비가 -10에서 -15 정도란 말소리보다 잡음이 큰 경우를 의미하므로 말소리 이해력이 떨어진다.

Check Point

◪ 말림지수

$$RI = (PBmax - PBmin) / PBmax$$

56 | 2022 중등B-11

모범답안

- ㉠ 폭우
- ㉡ 뺨 근처에서 자모음의 말소리를 나타내는 수신호를 추가하기 때문이다.
- 수형만 바뀌었음에도 의미가 달라지기 때문이다.
  ㉢ 비수지 신호

해설

㉠ 제시된 지문자에 해당하는 자모는 다음과 같다.

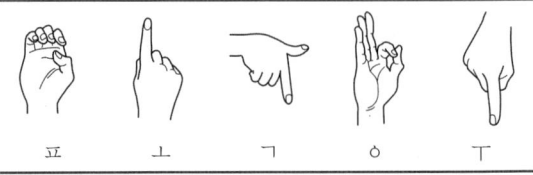

ㅍ ㅗ ㄱ ㅇ ㅜ

㉡ 큐드 스피치는 청각장애 아동들의 청력 손실을 보상하기 위한 구어언어의 보조수단으로 개발되었다. 큐드 스피치는 수신호와 입모양을 동시에 사용함으로써 화자의 메시지를 읽을 수 있는데, 구어언어를 음소 단위로 변화하여 전달하는 것이 가장 큰 특성이다(이필상 외, 2020 : 187).

㉢ 최소대립쌍 : 음성언어에서 최소대립쌍이란 말소리 하나를 교체함으로써 의미의 변별이 생기는 음절이나 단어의 쌍을 말하는데, 수화에서 최소대립쌍이란 수형, 수위, 수동, 수향에 해당하는 수화소 가운데 하나에서만 대조를 보임으로써 의미가 달라지는 것을 말한다(고은, 2018 : 368).

57   2023 초등A-3

모범답안

1)	① 효과적인 의사소통을 위해서이다(또는 청각장애인과 일반인, 그리고 청각장애인끼리의 효과적인 의사소통을 위해서이다). ② 말소리, 몸짓, 상징, 읽기, 쓰기 중 택 1
2)	다음 중 택 2 • 한국 수어는 시각 의존적 언어지만 음성언어는 청각 의존적 언어이다. • 한국 수화는 동시다발적이며 입체적이지만 음성언어는 일차적이고 시간적인 순서에 따라 표현된다. • 한국 수화는 문법 형태소를 생략하지만 음성언어는 문법 형태소를 사용한다. • 한국 수화는 의미 중심의 어휘를 전달하지만 음성언어는 어휘에 의미가 내포되어 있다.
3)	사회문화적 관점(또는 문화적 관점, 이중언어-이중문화 접근법)

해설

3) 1980년대 이르러 청각장애를 보는 관점이 병리적 관점에서 사회문화적 관점으로 그 패러다임이 변하면서 수화를 시각을 통해 정보를 입수하는 사람들의 언어로 인정하고, 농인을 수화를 사용하는 언어공동체로 인정하기 시작하였다(원성옥 외, 2004).

병리적 관점	의학적으로 청력에 문제가 있어 고쳐야 할 대상으로 판단하고, 보청기나 인공와우 등 보조기기를 통해 청능훈련과 언어치료를 받는 '치료'에 목적을 둔다.
사회문화적 관점 (문화적 관점)	스스로 자신을 '농인'이라 표현하고 수화를 모국어로 쓰며, 농인 특유의 문화 및 농인으로서 정체성을 가진다.

출처 ▶ 에이블뉴스 홈페이지

• 많은 농인들은 선천적으로 청각장애를 가지고 태어나거나 생애 초기에 청각장애를 얻게 되면서, 그들 스스로 장애 그 자체에 의해서보다 언어적 장벽에서 오는 차이를 가진 문화적·언어적 소수집단의 일부로 간주하고, 모국어로서 수화를 받아들이고 고유한 농문화와 자신을 일체화시켜 나간다. 이것은 농과 청각의 상실을 사회문화적 관점으로 이해하게 하는 것이다. 농에 대해 사회문화적 관점에 기반할 때, 농인들이 그들의 생산적인 삶에서 주도적으로 사회에 참여하고 직업과 건강에서 보다 효과적인 경험을 하는 총체적인 산물이라고 설명될 수 있다. 사회문화적 관점에서 청각장애는 청각 상실보다는 사회적인 장애로 보며 비병리화하는 것으로 청각상애를 반드시 고쳐야 할 질병으로 보지 않는다는 것이다(장윤영 외, 2010).

Check Point

📝 수어의 특성

일반적 특성	• 음성언어가 음향적 신호의 발신과 수신에 의존하는 청각 의존적 언어라면, 수어는 시각적 신호의 발신과 수신에 의존하는 시각 의존적 언어이다. • 수어는 공간에 대해 언어적으로 이용한 것이고 어휘적·문법적·문장론적 차원에서 공간을 언어적으로 이용한다. • 음성언어가 일차적이고 또 시간적인 순서에 따라 표현되는 것에 비해 수어는 동시다발적이며 입체적이다. • 수어 역시 언어의 체계를 갖고 있을 뿐 아니라 수어만의 독특한 언어성을 가진다.
언어적 특성	• 수어는 시각언어로 시각적 단서가 주요 문법적 자질을 내포하고 있다. • 의미의 차이의 경우 한국어에서는 어휘에 의미가 내포되지만 수어는 의미 중심의 어휘를 전달하는 차이를 보인다. • 수어의 능동문과 수동문은 수동의 방향과 얼굴 표정으로 구분한다. • 한국어 문법 구조에는 조사가 활용되지만 수어에는 조사가 없다.

출처 ▶ 이필상 외(2020 : 232-234). 내용 요약정리

58　2023 중등A-3

모범답안

㉠	단음절어
㉡	30~60

해설

㉠ 어음명료도검사에 사용되는 어음은 일상에서 흔히 사용되는 단음절어로 이루어져 있다. 일반용은 50개의 단음절어, 학령기와 학령전기는 25개의 단음절어로 구성되어 있다(고은, 2018: 161).

㉡ 검사에 사용되는 6개의 말소리는 순음청력검사의 주파수 대역을 대표하는 것이다. 우(/u/), 아(/a/), 이(/i/), 음(/m/), 쉬(/ʃ/), 스(/s/)는 약 200~6,000 Hz에 분포될 수 있는 말소리로 일반적인 강도는 30~60 dB 정도다(이필상 외, 2020: 121).

- 바나나 스피치를 통해 다음과 같은 정보를 알 수 있다(고은, 2018: 309-310).
  - 모든 말소리는 250~8,000 Hz에 놓여 있다.
  - 250 Hz에는 초분절적 요소와 /ㅁ/, /ㄴ/와 같은 비음 등이 분포되어 있다.
  - 대부분의 모음은 1,000 Hz 이하 주파수 대역에 위치하며 강도에 있어서도 자음과 비교하여 큰 특성을 가지고 있다.
  - 대부분의 자음은 1,000 Hz 이상의 고주파수 대역에 분포되어 있다.

59　2023 중등B-8

모범답안

- ㉠ 종합
- ㉡ 변별
  탐지는 소리의 존재 유무를 아는 것이고, 변별은 특정한 소리와 다른 소리가 서로 같은지 다른지를 아는 것이다.
- ㉢ 사막

해설

㉠ 종합능력이란 낱낱의 부분들을 의미 있게 연결하여 전체적으로 의미를 구성하는 능력이다. 종합능력이 성공적인 독화의 전제조건이 되는 이유는 하나하나의 입모양을 단순히 결합시킨다고 말을 완전히 이해할 수 있는 것이 아니기 때문이다. 추측과 사고를 통해 누락된 요소를 보충하고 종결하고 추리해 내야만 말을 이해할 수 있다. 시각적으로 받아들인 요소들은 실제로 상당 부분 지각되지 않는 경우가 많기 때문에 연상을 통해서 추리해 나가야 한다(고은, 2018: 322).

㉡ 전통적인 청능훈련 프로그램이란 음에 대한 탐지와 변별, 확인 그리고 이해 등의 위계적 단계로 이루어지고, 환경음이나 말소리 듣기와 단어 중심의 훈련 프로그램을 말한다(고은, 2018: 312). 변별 단계에서는 소리를 듣고 같은지 다른지를, 즉 차이점을 지각하는 능력을 키워준다. 탐지가 가능한 소리를 대상으로 하며, 아동에게 친숙하고 좋아하는 자극을 제시하는 것이 효과적이다. 처음에는 환경음으로 훈련하고 점차 말소리를 사용하는 것이 좋다. 가급적이면 음원을 직접 보여 주면서 활동하고 소리의 차이가 큰 대상부터 점차 유사한 소리로 난이도를 조절한다(고은, 2018: 313).

Check Point

📝 독화 관련 변인

① 독화자 변인

시각능력	시지각, 지각의 속도, 시각적 주의집중, 주변 시력 포함
종합능력	• 개념: 낱낱의 부분들을 의미 있게 연결하여 전체적으로 의미를 구성하는 능력 • 지각종결과 개념종결로 구성됨
	지각 종결: 받아들인 시각정보에 추측한 내용을 보충하여 이해하는 것
	개념 종결: 지각된 내용을 조직하고 분류하며 빠진 단어를 채워 넣어 가면서 전달된 내용을 전체적으로 받아들이는 것
유연성	• 개념: 처음에 내린 판단으로는 의미가 통하지 않거나 내용이 적절하지 못한 경우에 잠정적인 종결을 수정하는 능력 • 지각종결에 대한 수정 능력과 개념종결에 대한 수정 능력으로 구성됨
언어이해력	화자의 언어능력과 독화수행력은 매우 밀접한 관계를 가짐

② 화자변인
  ㉠ 자연스럽게 말소리를 낸다.
  ㉡ 청각을 최대한 이용할 수 있도록 교사의 목소리 크기를 조금 높이고 말의 속도는 조금 늦추는 것이 좋다.
  ㉢ 말을 할 때 조음기관을 지나치게 과장하지 않는다.
  ㉣ 얼굴표정을 풍부하게 하되, 무관자극이 되지 않도록 주의한다.

③ 환경 변인
  ㉠ 화자의 입이 잘 보이는 밝은 곳이 좋으며, 화자가 해를 등지고 말하면 독화를 할 때 눈이 부시기 때문에 피해야 한다.
  ㉡ 거리는 2~3m 정도가 적당하며, 소음이 통제된 곳에서 말하는 것이 좋다.
  ㉢ 독화 시 적정 조도는 대략 400~700룩스(Lux) 정도이며 화자의 차림새는 너무 화려하지 않은 것이 좋다.
  ㉣ 여러 사람이 말하는 상황에서는 독화가 어려울 수 있으므로 주의하고, 불가피한 경우에는 화자가 누구인지 손을 드는 등의 방법으로 신호해 주는 것이 좋다.

출처 ▶ 고은(2018 : 321-324)

60

2024 초등B-4

모범답안

2) ① 4,000 Hz 이상에 분포하는 특정 자음을 인지하는 데 어려움이 있다.
    ② 상자

해설

지문 돋보기

(가)
• 모음 식별 가능: 대부분의 모음은 1,000 Hz 이하 주파수 대역에 위치하며 강도에 있어서도 자음과 비교하여 비교적 큰 특성을 가지고 있음
• /f/, /th/, /s/ 음을 정확하게 인지하지 못함: 각 주파수 내의 어음정보는 연구자마다 조금씩 다름. Truckenbrodt 등의 자료에 의하면 /f/, /th/, /s/는 4,000~8,000 Hz 대역, 20 dB 범위에 존재
• 대부분의 자음 식별 가능: 대부분의 자음은 1,000 Hz 이상의 고주파수 대역에 분포되어 있음

2) ① Truckenbrodt 등의 자료에 의하면 /f/, /th/, /s/는 4,000~8,000 Hz 대역에 존재(고은, 2021 : 309)한다.

Check Point

📝 바나나 스피치

① 음소의 분포 정도

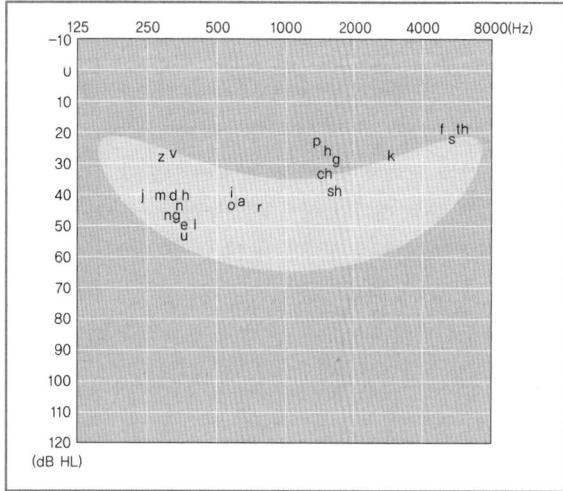

② 바나나 스피치를 통해 알 수 있는 정보
  ㉠ 모든 말소리는 250~8,000 Hz에 놓여 있다.
  ㉡ 대부분의 모음은 1,000 Hz 이하 주파수 대역에 분포하고, 강도에 있어서도 자음과 비교하여 비교적 큰 특성을 가지고 있다.
  ㉢ 대부분의 자음은 1,000 Hz 이상의 고주파수 대역에 분포되어 있다.
  ㉣ 250 Hz에는 초분절적 요소(강세, 억양, 속도, 어조)와 /ㅁ/, /ㄴ/와 같은 비음 등이 분포되어 있다.

61   2024 중등A-10

모범답안

- ㉠ 바이-크로스 보청기
  양쪽에서 입력되는 소리가 증폭되기 때문에 방향감각이 좋아진다.
- ㉡ 학예사의 활동과 관련한 어휘목록을 미리 준비하여 연습한다.
- ㉢ 다음 중 택 1
  - 전체를 다시 말해 줄 것을 요구한다.
  - 전체를 쉬운 말로 해 줄 것을 요구한다.
  - 전체를 유사한 의미를 갖는 문장으로 재구조화여 들려 줄 것을 요구한다.

해설

㉠ 학생 A는 왼쪽 귀 60 dB HL, 오른쪽 귀 90 dB HL과 같이 양쪽 귀에 청각 손실(비대칭형 청력 손실)이 있음에도 불구하고 오른쪽 귀에만 보청기를 착용하고 있기 때문에 음원의 위치를 파악하는 데 어려움을 겪고 있다. 이와 같이 비대칭형 청력 손실의 경우에는 바이-크로스 보청기를 착용하는 것이 효과적일 수 있다.
- 바이-크로스 보청기를 착용하면 양쪽에서 입력되는 소리가 증폭되기 때문에 방향감각이 좋다는 장점을 갖는다(고은, 2021 : 203).

㉡ 예기전략은 다가올 상황을 예상하여 준비하는 것이다(고은, 2021 : 338).

㉢ 학예사 역할 체험 활동에 적용하는 예이면서 '언어 정보 전체를 이해하지 못한 경우'가 충족되도록 제시된 문제의 조건을 고려하여 답안을 작성해야 한다.
- 회복전략은 대화의 메시지를 놓쳤거나 낮은 언어이해력으로 인하여 상대방의 말을 알아듣지 못하였을 때 사용된다. 회복전략에는 반복 요구하기, 바꾸어 말하기, 간략화 요구하기 등이 있다(고은, 2021 : 338-339).

Check Point

(1) 의사소통 전략

전략	전략 내용
예기전략	• 의사소통의 내용 및 상호작용을 사전에 준비 • 사용 가능한 어휘, 질문, 의사소통에서 예측되는 어려움을 미리 검토
수정전략	• 아동이 의사소통하는 데 화자의 부적당한 행동이나 환경에 어려움이 있는 경우 수정하도록 요구 • 화자의 말이 지나치게 빠르거나 입을 가리는 행동을 할 때 혹은 주변의 소음이 너무 크거나 조명이 너무 어두워 화자의 얼굴을 제대로 볼 수 없는 경우 등 곤란을 주는 문제를 확인하여 수정하도록 요구
회복전략	• 메시지의 내용과 구조 혹은 화자의 의사소통 행동 모두를 수정 • 부분적으로 반복하기, 바꾸어 말하기, 핵심단어 말하기, 철자 말하기, 허공 혹은 손바닥에 쓰기, 쓰기 등 부가 설명 요구

출처 ▶ 고은(2021 : 338)

(2) 회복전략

유형	설명
반복 요구하기	화자에게 다시 말해 줄 것을 요구하는 전략 • 화자에게 문장을 그대로 다시 반복해서 이야기해 줄 것을 요구하는 전략을 의미 예 할머니는 사과를 안 자르고 수박을 자른다. → 할머니는 사과를 안 자르고 수박을 자른다.
바꾸어 말하기	화자에게 다른 단어를 사용해서 유사한 의미를 가진 문장으로 재구조화하여 말해 줄 것을 요구하는 전략 예 남자는 과일을 먹지도 밥을 먹지도 않았다. → 남자는 과일이랑 밥을 다 안 먹었다.
간략화 요구하기	• 쉬운 단어나 단어의 수를 적게 하여 말해 줄 것을 요구하는 전략 • 어휘 수나 난이도를 조정하여 복잡성이 감소된 문장으로 말해 줄 것을 요구하는 전략 예 두 사람을 빼고는 모두 반 밖에 안 먹었다. → 두 사람만 다 먹었다.

62   2025 유아A-4

모범답안

1)	① 주관적 검사는 영아가 검사자의 지시에 적절한 반응을 보이기 어렵지만 객관적 검사는 영아의 생리학적 반응만을 통해 청력의 이상 유무와 정도를 파악할 수 있기 때문이다. ② 뇌간유발반응검사(ABR)
2)	① 전음성 청각장애 ② 심리적인 안정감을 가질 수 있다.
3)	다음 중 택 1 • 미리 약속한 카드를 받는 사람만 발언권을 갖는다. • 은수는 상대방의 말을 이해하지 못했거나 본인이 발언해야 할 때 카드를 제시할 수 있다. • 말할 때는 은수를 쳐다보고 말한다. • 말할 때는 자연스럽게 말하고, 너무 빠르게, 너무 과장되게 말하지 않는다.

해설

1) ① • 객관적 청력검사란 피검자의 판단에 의존하지 않고 피검자의 생리학적 반응만을 통해 청력 이상 유무와 정도를 파악하는 검사이다. 객관적 청력검사는 의사소통에 어려움이 있는 영유아 및 노인, 위난청, 메니에르병 등의 진단 그리고 기능성 난청을 판별하는 데에 효과적으로 사용된다. 특히 객관적 청력검사는 영유아의 청각선별검사에 많이 이용된다(고은, 2021 : 102).

• 주관적 청력검사란 피검자가 소리를 듣고 그에 대한 주관적인 반응을 보임으로써 이루어지는 검사이다. 주어지는 자극음이 무엇인가에 따라 주관적 청력검사는 주관적 청력검사는 음차검사, 순음청력검사 그리고 어음청력검사로 구분된다. 순음청력검사는 다시 기도검사와 골도검사로 구분되며, 2개의 검사결과를 토대로 전음성 청각장애, 감음신경성 청각장애 또는 혼합성 청각장애를 판별할 수 있다(고은, 2021 : 136).

② 신생아 청각 선별검사로 주로 사용되는 검사 방법은 청성뇌간반응검사 또는 이음향방사검사이다(이필상 외, 2020 : 263).

• 신생아 청각선별검사에는 자동뇌간유발반응검사(ABR)과 자동이음향방사(AOAE)가 가장 많이 사용되고 있다. 여기서 '자동'이란 자동화 검사기기를 사용하는 것으로 기존 뇌간유발반응검사 또는 이음향방사검사의 원리에 준한다(고은, 2018 : 124).

• 이음향방사검사는 내이에서 발생한 소리가 다시 외이도로 방사되는 소리를 측정하는 검사이다(고은, 2018 : 113).

• 뇌간유발반응검사는 두개골의 두정부, 유양돌기 및 이마에 전극을 부착하여 검사를 실시한다(이필상 외, 2020 : 120). ABR은 청신경 및 뇌간 및 청각전도로에서 일어나는 일련의 전기적 변화를 표면전극을 이용하여 기록하는 검사로(대한청각학회, 2018 : 181), 청각피질에서의 병변은 발견할 수 없다는 단점을 갖는다(고은, 2018 : 121).

지문 돋보기

• 달팽이관, 청신경 그리고 중추청각 전달 경로로 전달되는 전기적 신호를 확인하는 검사 : 청성유발반응(AEP)검사에 대한 설명임. 그러나 영·유아 청력선별과 진단을 위해 많이 사용하는 검사에 대해 설명하고 있음을 고려하여 구체적인 하위 검사의 종류를 제시해야 함
 - 청성유발반응검사란 소리자극에 의해 와우, 청신경 그리고 중추청각전달로로 전파되는 일련의 전기적 신호를 기록하는 검사를 말함(고은, 2018 : 117)
 - 청성유발반응은 잠복기, 즉 소리자극을 준 후 전기적 신호가 발생할 때까지 소요되는 시간에 따라 초기반응, 중기반응, 후기반응으로 분류함. 초기반응검사의 하나인 ABR은 마취나 수면 등의 영향을 받지 않아서 중간반응이나 후기반응에 비하여 유용하게 사용됨(고은, 2018 : 117)

2) ① 중이염으로 인한 중이의 손상, 기도청력은 손상되었으나 골도청력은 정상임을 고려할 때 청력손실 부위에 따른 청각장애 유형은 청각장애 유형은 전음성 청각장애임을 알 수 있다.

② 동반입학은 정서적으로 의지·의존할 수 있는 친구가 있다는 것에 심리적인 안정감을 가질 수 있다.

• 동반입학은 몇 명의 청각장애학생을 일반학급에 같이 배치하고, 일반교사와 수화에 익숙한 특수교사, 농교사 등이 협력하여 가르치는 교육 형태를 의미한다(이한나 외, 2015 : 286-287).

지문 돋보기

• 중이염 : 주로 중이강의 염증으로 인해 중이 안에 액체를 동반하고 이로 인해 평균 20~30dB HL의 청력손실을 주로 보임. 이 정도의 청력손실만으로도 아동은 의사소통의 어려움을 겪으며 장기간의 치료가 요구될 경우 구어 능력을 심각하게 악화시킴(이필상 외, 2020 : 23)
 - 전음성 난청으로 분류되는 가장 흔한 질병은 중이염이며, 외이나 중이의 기형 등에서도 나타남(한국청각학교수협의회, 2020 : 95)
• 기도의 평균 청력은 60dB : 기도청력 손상
• 골도 청력은 이상이 없고요. : 골도청력 정상
• 청력형은 수평형 : 옥타브 간 청력손실 정도가 5dB 이내로 주파수 간 청력손실의 정도가 비슷함
 - 전음성 난청의 대부분은 역경사형을 보이지만(한국청각학교수협의회, 2020 : 97) 수평형이 나타나지 않는 것은 아님

Check Point

청각장애학생을 위한 통합수업 지원

독화를 위해 다음과 같이 환경을 개선할 수 있다.
① 교사가 얼굴 방향을 일정하게 유지하기 위해서는 칠판보다는 프로젝터를 사용하는 것이 보다 효율적이다.
② 교사의 동선은 짧은 것이 좋으며 다른 학생들과도 눈맞춤이 잘 이루어질 수 있어야 한다.
  • 청각장애 학생은 교사뿐만 아니라 발표자의 얼굴도 쉽게 볼 수 있어야 한다.
③ 모든 학급 구성원은 말소리의 크기와 억양, 속도 그리고 발음 등에 주의할 뿐만 아니라 소음이나 여러 사람이 말하는 상황을 피할 수 있는 규칙을 만드는 것이 좋다.
  • 예를 들면 다음과 같은 규칙을 사용할 수 있다.

(올빼미 그림)	어떤 특별한 활동을 할 때 손가락 인형 등을 활용하여 주의를 집중시킨다.
(카드 그림)	청각장애 학생은 상대방의 말을 이해하지 못했거나 본인이 발언을 해야 할 때 카드를 제시할 수 있다.
(카드 든 손)	이 카드를 받은 사람만이 발언권을 갖는다.
(손가락 신호)	조용히 하라는 신호로 사용된다. 입은 다물고 귀는 열자는 신호이다.
(스위치 누르는 손)	주변이 소음으로 시끄러워지거나 분위기를 바꾸기 위한 목적으로 불을 껐다가 다시 켠다.

출처 ▶ 고은(2018 : 436-437)

63 2025 초등B-5

모범답안

1)	① 리듬 ② ㅍ
3)	구체물을 이용하면 추상적 개념을 쉽게 이해할 수 있기 때문이다.

해설

1) ① 지문자에 해당하는 자음과 모음은 다음과 같다.

ㄹ	ㅣ	ㄷ	ㅡ	ㅁ

② 독화소의 분류는 연구자마다 약간의 차이가 있는데 다음과 같다(고은, 2018 : 325).

연구자	자음·모음	최소 독화 단위
김영욱 (2007)	자음	/ㅂ, ㅁ, ㅍ, ㅃ/, /ㄷ, ㅌ, ㄸ, ㄴ/, /ㅅ, ㅆ/, /ㄱ, ㄲ, ㄲ, ㄹ, ㅎ/, /ㅈ, ㅊ, ㅉ/, /ㅇ/
	모음	/아, 야/, /오, 요/, /우, 유/, /어, 여/, /위/, /워/, /이, 으, 의/, /예, 얘, 애, 에/, /외, 웨, 왜, 와/
이규식 (1993)	자음	/ㅂ, ㅁ, ㅍ/, /ㄷ, ㅌ, ㄴ, ㄹ/, /ㅅ, ㅈ, ㅊ/, /ㄱ, ㅋ, ㅇ/
	모음	/오, 우/, /으, 이/, /아, 어/, /에, 애/

64 2025 중등A-4

모범답안

㉠	내이
㉡	말초

해설

㉠ 골도전도는 외이도와 중이를 거치를 않고 소리가 두개골을 진동시켜 바로 내이로 전달된다. 내이로 전달된 소리는 기도전도와 동일한 방법으로 뇌로 전달된다. 이는 청력검사 시 유양돌기부나 전두부에 장착된 골 진동자에서 발생된 소리가 직접 유모세포의 자극을 유발시키는 원리이다(고은, 2018: 67).

㉡ 전음성 청각장애, 감음신경성 청각장애, 혼합성 청각장애, 중추청각처리장애는 다시 말초청각장애와 중추청각장애로 구분된다. 말초청각장애는 외이, 중이, 내이, 청신경의 병변으로 발생하며, 중추청각장애는 청신경을 거쳐 중추에 이르는 과정에서의 문제로 발생한다(고은, 2018: 71).

- 말초청각기관은 외이에서부터 와우 그리고 청신경을 포함하여 칭한다(고은, 2018: 225).

65 2025 중등B-11

모범답안

- ㉠ 다음 중 택 1
  - 커튼이나 카펫을 설치한다.
  - 교실 안에 방음처리를 한다.
  - 학생 A를 교사 가까이에 앉힌다.
- ㉡ 잡음에 대한 감소현상이 커진다(또는 양이진압 현상이 나타난다 / 신호대잡음비가 향상된다).
- ㉢ 다음 중 택 1
  - 자의성
  - 공간성
  - 동시성
- ㉣ 강준

해설

㉠ 반향은 소리가 교실 안의 단단한 벽에 반사되어 되울리는 것인데, 이것은 소음과 서로 상호작용하여 청각장애 학생의 말 인식을 어렵게 하는 요소다. 교실 안에서의 반향은 0.3초 이하가 되도록 방음 처리를 하는 것이 좋다(이필상 외, 2020: 279).

㉡ 양이 효과란 두 귀로 소리를 들음으로써 얻는 효과를 말하며 소음 측면에서는 양이진압 현상으로 잡음에 대한 감소현상이 커진다는 점을 들 수 있다(고은, 2018: 204).

㉢ 목적어에 해당하는 '책'은 낱말과 대상 간에 직접적인 관계가 없기 때문에 자의성의 특성을 가지며 수위, 수형, 수동이 동시에 단어를 형성하는 동시성, 메시지가 공간에서 이루어지는 공간성의 특성을 갖는다.

지문 돋보기

나	책	선생님	받다	읽다	~있다 (~하는 중)

나는 선생님에게 책을 받아서 읽고 있는 중이다.

㉣ 지문자를 한글로 옮기면 다음과 같다.

ㄱ	ㅏ	ㅇ	ㅈ	ㅜ	ㄴ

Check Point

📝 **양이효과**

① 소리의 방향을 감지하기 쉽다.
② 소리의 크기가 건청인의 경우 약 3dB 증가하는 양이합산 현상이 나타난다.
③ 양이진압 현상으로 잡음에 대한 감소현상이 커진다. 신호대잡음비가 향상된다.
④ 같은 소리를 두 번 반복해서 청취하는 것과 같은 양이중복이 발생한다.
⑤ 어음명료도를 향상시킨다.

출처 ▶ 고은(2018: 204)

김남진
KORSET 특수교육
기출분석 ❹

PART 14

전환교육

01
정답 ③

해설
ㄴ. 지원고용은 선배치 후훈련의 과정으로 이루어진다.
ㄷ. 지원고용은 중증장애를 가진 사람들에게 통합된 작업장에서의 경쟁적인 일자리를 제공하는 유형이므로 직업 현장에서의 조정은 적극적으로 이루어져야 한다.

02
정답 ②

해설
ㄴ. 지원고용을 강조하고 있다. : 지원고용에 대한 구체적인 언급은 되어 있지 않다.
ㄷ. 학령 초기에는 학업기술에 집중하고 : 전환교육은 직업교육과 진로교육을 포함하는 개념이므로 다양한 기술들을 학습하고 경험할 수 있도록 학령 초기부터 실시되어야 한다.
ㄹ. 제시된 내용은 직업준비 영역에 대한 설명이다.
- 2008년 특수학교 교육과정 직업과의 내용은 직업생활, 직업준비, 직업기능의 세 영역으로 구성되어 있으며, 직업생활은 개인 생활과 가정 생활 영역을 중심으로, 직업준비는 학교 생활과 지역사회 생활 영역을 중심으로, 그리고 직업기능은 경제 생활과 여가 생활을 중심으로 한다. 직업기능의 구체적인 내용은 '음식 조리하기, 화초 및 채소 가꾸기, 조립 작업하기, 물품 판매와 배달하기, 사무 보조하기, 교내에서 실습하기, 지역사회에서 실습하기'이다.

ㅁ. • 진로를 결정하는 데 가장 효과적인 방법은 개인 중심 계획하기를 실시하는 것이다(McDonnell, 2015 : 98).
- 개인 중심 계획이란 장애학생에게 개별화된 교육과 지원을 제공할 때 그 판단의 근거를 당사자의 꿈과 선호도, 관심에 초점을 두어 계획하는 것이다(특수교육학 용어사전, 2018 : 28).
- 개인 중심 계획의 핵심은 당사자가 자신에게 중요하다고 생각하는 것이 무엇인지를 파악하는 것이고, 그 과정에서 현재 제공되는 서비스나 재정 상태 또는 그 개인의 능력 등에 국한하지 않고 논의한다. 따라서 이러한 계획 과정에 장애 당사자뿐만 아니라 주요 주변인들도 함께 참여해야 하며, 현재의 삶뿐만 아니라 미래의 삶에 대해서도 다루어야 한다(송준만 외, 2019 : 38).

Check Point

(1) 「장애인 등에 대한 특수교육법」

제2조 (진로 및 직업교육)	특수교육대상자의 학교에서 사회 등으로의 원활한 이동을 위해 관련 기관의 협력을 통하여 직업재활훈련·자립생활훈련 등을 실시하는 것을 말한다.
제23조 (진로 및 직업교육의 지원)	① 중학교 과정 이상의 각급학교의 장은 특수교육대상자의 특성 및 요구에 따른 진로 및 직업교육을 지원하기 위하여 직업평가, 직업교육, 고용지원, 사후관리 등의 직업재활훈련 및 일상생활적응훈련, 사회적응훈련 등의 자립생활훈련을 실시하고, 대통령령으로 정하는 자격이 있는 진로 및 직업교육을 담당하는 전문 인력을 두어야 한다. ② 중학교 과정 이상의 각급학교의 장은 대통령령으로 정하는 기준에 따라 진로 및 직업교육의 실시에 필요한 시설·설비를 마련하여야 한다. ③ 특수교육지원센터는 특수교육대상자에게 효과적인 진로 및 직업교육을 지원하기 위하여 대통령령으로 정하는 바에 따라 관련 기관과의 협의체를 구성하여야 한다.
제24조 (전공과의 설치·운영)	① 특수교육기관에는 고등학교 과정을 졸업한 특수교육대상자에게 진로 및 직업교육을 제공하기 위하여 수업연한 1년 이상의 전공과를 설치·운영할 수 있다. ② 교육부장관 및 교육감은 지역별 또는 장애 유형별로 전공과를 설치할 교육기관을 지정할 수 있다. ③ 전공과를 설치한 각급학교는 「학점인정 등에 관한 법률」 제7조에 따라 학점인정을 받을 수 있다. ④ 제1항 및 제2항에 따른 전공과의 시설·설비 기준, 전공과의 운영 및 담당 인력의 배치 기준 등에 관하여 필요한 사항은 대통령령으로 정한다.

(2) 교육과정과 전환교육

① 2008년 개정 특수학교 기본교육과정
  ㉠ 직업교과의 성격과 교수−학습 지도 방법 측면에서 '전환교육'적 관점을 택하고 있음을 구체적으로 명시하고 있다.

> 직업교과의 성격은 사회생활에 필요한 경험을 다양하게 가지도록 하는 기능적 생활 교과, 생산활동에 필요한 기초적 기능의 습득을 중시하는 기술 교과, 여러 분야의 지식과 기능을 서로 연결하고 통합하는 종합 교과, 학교생활을 마치고 지역사회에서의 삶을 순조롭게 시작할 수 있도록 적절히 연결해 주는 전환교육 교과로 설명된다. 이러한 성격 가운데 교수−학습 지도방법 면에서 가장 중요한 것이 전환교육의 관점이다(교육과학기술부, 2009).

ⓒ 2008년 개정 기본교육과정에서는 직업교과를 "학생들의 개인생활, 가정생활, 학교생활, 지역사회생활, 경제생활, 여가생활 등 전반적인 생활의 영역에서 직업인식, 직업탐색, 직업준비를 위한 교육활동"으로 정의하고, 중·고등학교 기간을 통하여 "전환교육의 관점에 기초하여 학생의 필요와 요구에 따라 개별화교육계획을 수립하고 시행할 것"을 규정하였다(교육인적자원부, 2008).

② 2010년 교육과정 일부 개정

특수학교 교육과정은 '특수교육 교육과정'으로 그 명칭이 변경되었다.

③ 2011년 개정 특수교육 교육과정

ⓐ 직업교과의 명칭을 '진로와 직업'으로 변경하여 직업뿐만 아니라 진로에 관한 내용을 교과목에 추가하였다(서울시 교육청, 2014).
- 진로와 직업은 자신의 진로 및 직업에 대하여 인식하고 탐색하며 준비하는 데 필요한 지식, 기술, 태도를 함양하는 교과로서 기본교육과정의 초등학교 교과목인 '실과'와 선택교육과정의 전문 교과 중 '직업' 교과와 관련성을 가진다.
- 내용 영역을 직업생활, 직업탐색, 직업준비, 진로설계로 구성하고 영역 간 횡적 연계성을 갖기 위해 노력하는 한편, 중학교와 고등학교 교육과정 간의 종적 연계와 계열화를 꾀하고 있다(교육부, 2014).

ⓑ 2011년 개정 특수교육 교육과정에서는 2008년 개정 특수학교 교육과정의 직업과가 지향하는 성격을 유지, 발전하여 전환교육의 관점에서 교육이 실시되는 점이 강조되었으며, "기능적 생활 중심 지식, 기술, 태도의 함양에 중점을 두도록" 명시하고 있다.

ⓒ 교과 내용을 적용하고 실천할 수 있도록 교내·외에서의 다양한 활동과 수행 및 실습을 중시함으로써 2008년 개정 특수학교 교육과정 직업과의 실습 중심 교과라는 성격과, 다른 교과에서 다루어지고 학습된 여러 분야의 지식과 기능을 서로 연결하고 통합하는 종합 교과의 성격을 그대로 유지하며 구체화하고자 하였다(송준만 외, 2016: 356-357).

03

2012 중등1-9

정답 ③

해설

(다) 전환교육의 범위에는 고용뿐만 아니라, 주거 환경, 사회·대인관계 기술이 포함된다. : Halpern의 독립생활과 지역사회 적응 모형
(마) 전환 과정을 투입과 기초, 과정, 취업 결과의 3단계로 구분하고, 중등학교 특수교육의 직업교육 프로그램을 강조한다. : Wehman의 지역사회 중심 직업훈련 모형

Check Point

(1) Will의 교량모델

① 가장 광범위하게 알려진 전환모형 중 하나인 교량모형은 미국 교육부의 특수교육 및 재활서비스국 서기관이었던 Will이 개발한 것이다.
② 1983년 P.L.98-199에 따라, 특수교육 및 재활서비스국은 아래 세 가정을 설정하였다.
  ⓐ 전환교육 프로그램에 대해 적절한 지역사회 기회와 서비스 협력이 개인적 환경과 욕구에 부합되도록 개발되어야 한다는 것
  ⓑ 전환교육 프로그램은 장애학생에게 초점을 두어야 한다는 것
  ⓒ 전환교육 프로그램의 목적을 지속적인 것에 두어야 한다는 것
③ Will은 전환교육 프로그램을 일반적인 서비스, 시간 제한적인 서비스, 지속적 서비스로 제시하였다.
④ Will의 교량모형을 통해 고용에 중점을 둔 전환이 특수교육에 포함되어 전국적으로 확산되는 계기가 되었다.

출처 ▶ 김삼섭 외(2013: 132-133)

(2) Clark의 포괄적 전환교육 서비스 모형

① 포괄적 전환교육 서비스 모형은 학생들이 한 교육 단계에서 다음 단계로 이동할 때, 교육 및 서비스 모형이 전환교육과 전환 서비스 수행 시 필요할 때, 나이 및 발달 수준에 따른 학생의 성과와 전환 출발점에 대한 견해를 반영한 것이다. 그리고 진로 발달과 전환교육 모형이 인생에서 한 번만 있는 것이 아니라 많은 전환이 있다는 것을 특징으로 다룬다.
② 전환교육과 전환 서비스의 포괄적인 모형은 한 부분의 성공적인 전환이 차후의 전환 성공 가능성을 증가시킨다는 개념을 고려해야 한다. 교육과 삶을 전환하는 데에서 유지가 되도록 빨리 시작될 필요가 있다고 진술한 진로발달 전환교육 분과의 입장까지 확대되었다(김삼섭 외, 2013: 135-137).

③ 지식과 기능 영역에는 의사소통, 학문적 수행 능력, 자기결정, 상호 관계성, 통합 지역사회 참여, 위생과 건강, 독립/상호 의존 생활 기술, 레저와 레크리에이션, 고용, 장래교육과 훈련이 포함된다.

04 2013 중등1-9

정답 ③

해설

ㄴ. • 학습 및 직업 상황과 유사한 과제와 자료 등을 활용하여 : 작업표본에 대한 설명이다.
　• 실제 생활환경의 통제된 조건하에 실시한다. : 상황평가는 실제 생활환경이 아닌 전체 작업환경과 유사한 모의환경에서 이루어진다.

ㄷ. 직무배치 후 실시한다. : 직무분석은 직무 배치 전에 이루어진다. 직무분석은 장애인이 일을 처음 시작하기 위한 청사진을 제공해 준다. 적합성 분석이라고 하는 이 단계에서 개인 작업자의 특정 직무 관계(좋아하고 싫어하는 일/일정/장점)에서 잘 어울리는 부분과 어울리지 않는 부분들에 대해 분석하게 된다(김형일, 2013 : 191-192).

ㅂ. • 장애학생의 능력과 흥미에 부합하는 직업을 찾아주는 역할이 중요하므로, : 전환평가의 목적은 학교 졸업 이후의 생활을 안내하는 것, 학생 자신이 스스로의 평가와 전환과정을 조정하고 책임을 인식하는 것, 학교 졸업 이후에 요구되는 기술을 이해하도록 지원하는 것이다(김형일, 2013 : 29-30).
　• 모든 성인 생활 영역에 대한 포괄적 평가보다는 교육 및 고용 영역에 국한하는 집중성과 특수성에 초점을 맞추어 평가한다. : 전환평가는 교육 및 고용 영역에 국한하는 집중성과 특수성에 초점을 맞추어 평가하는 것이 아니라 모든 성인 생활 영역에 대해 포괄적으로 평가한다. 전환평가는 연령과 관계없이 장애학생의 성공적이고 만족한 생애 전환을 위해 장애학생 본인과 그 가족을 지원하기 위한 정보수집, 조직, 활용을 돕는 계획적이고 지속적인 과정이라고 할 수 있다. 왜냐하면 전환평가가 대상자의 학령기에서부터 성인기에 이르기까지 생활의 변화와 진행과정을 평가하고, 가정, 학교 지역사회 모두를 평가 과정에 포함하기 때문이다. 이러한 의미에서 전환평가는 현재와 미래의 일과 교육, 생활, 개인적이고 사회적 환경과 관련 있는 개인의 요구, 선호도, 관심 등에 대한 자료 수집 과정이라고 할 수 있다(김형일, 2013 : 28).

Check Point

(1) 작업표본

① 작업표본이란 실제 직무 혹은 직무표본에서 사용되는 과제나 유사한 과제를 수행하기 위한 재료와 도구들을 사용하는 능력을 검사하기 위해 고안된 모의 작업 혹은 작업 활동이다.
　㉠ 미국 직업평가 및 직업적응 협회는 작업표본을 "실제 직업이나 직업군에서 사용되는 것과 유사하거나 동일한 과제, 재료 및 도구를 포함한 한계가 분명한 직업활동"으로 정의하였다.
　㉡ 작업표본은 여성의 화장품 샘플처럼 기능은 같으나 실제보다 크기가 축소되어있는 것으로 생각할 수 있다.
　㉢ 작업표본은 경도장애 학생의 직업적성, 작업자 특성 및 직업흥미를 평가하는 데 사용될 수 있지만, 중도장애 학생에게는 그 사용이 제한적일 수 있다.

② 작업표본을 통한 평가는 보다 구체성이 있기 때문에 직접적인 평가 결과를 얻을 수 있으며, 내담자의 동기 유발을 강하게 촉진시키는 장점이 있다.
　• 실제의 작업에 쓰이고 있는 재료, 도구, 기계 및 공정을 사용하도록 한 작업과제를 표본으로 추출하여 준비하고 그 과제 수행을 평가 도구로 하여 작업 결과의 양적·질적인 면에서 파악하고 관찰한다.

③ 작업표본 평가는 재활시설과 기타 서비스 기관에 있는 내담자에 대해 심리검사의 한계를 보완할 수 있기 때문에 널리 활용되고 있는 것으로 이해된다.

출처 ▶ 김삼섭 외(2013 : 110-111)

(2) 상황평가

① 상황평가란 재활시설의 작업장이나 실제의 작업 현장과 유사한 작업 상황을 만들어 놓고 그 안에서 평가 대상자가 작업하는 행동을 평가하는 방법이다. 즉, 작업활동, 감독, 임금, 근로시간 등이 전체 작업 환경과 유사한 모의 환경에서 이루어지는 것이며, 이를 통해 내담 장애인의 직업 잠재력과 직업 스트레스 등의 문제 상황에 대한 해결 능력을 관찰할 수 있는 것이다.
　㉠ 상황평가는 작업표본 평가와 전통적인 심리검사의 결과를 검증하는 기능을 갖는다.
　㉡ 직무 능력과 직업 적응력을 측정하는 종합적 평가의 기능을 하거나 특정 평가질문에 답하기 위해 정해진 몇 가지 행동 유형에 초점을 맞추기도 한다.

② 상황평가의 장점은 다음과 같다.
　㉠ 작업표본에 비해 평가 환경이 실제 산업 현장과 유사하며 내담자가 인간관계나 과업에 적응해 나가는 방식을 관찰함으로써 직업과 사회성 기술 문제를 발견하고 수정할 수 있다.
　㉡ 내담자가 근로자로서의 역할을 학습할 수 있고 전통적인 심리검사에서 나타나는 검사에 대한 불안감이 일어나지 않는다.
　㉢ 표준화된 심리검사나 작업표본 평가에서 보다 다양한 직업 행동을 평가할 수 있으며, 현장평가에 비해 비용이 적게 들며 많은 장비가 필요하지 않다.
　㉣ 내담자가 직업재활과 가장 밀접한 직업배치에서의 잠재적 경쟁고용 장면과 가장 흡사하다.
③ 상황평가의 단점은 다음과 같다.
　㉠ 표준화된 검사나 객관화된 수치가 아니므로 행동관찰을 중심으로 한 비체계적인 주관적 평가와 신뢰도 문제가 제기될 가능성이 있다.
　㉡ 평가될 특성이 불분명하고 모호할 경우, 특히 주관성의 문제는 심각하다.
　㉢ 평가 내용을 양적으로 제시하는 일과 조작적 정의의 어려움에 따라 불명료성을 지닐 수 있다.
　㉣ 평가자의 관대한 평가에 의해 내담자의 개인차를 나타내기 어려울 때가 많다.
　㉤ 평가자에게 전적으로 의존하기 때문에 고도의 평가자 훈련과 경험이 요구되며, 관찰은 잘 계획된 관찰 요령과 양식이 요구된다.

출처 ▶ 김삼섭 외(2013 : 117-118)

(3) 직무현장평가
① 직무현장평가란 내담자의 직업능력, 적성, 현장 적응능력 등 직업적 제반 특성을 파악하는 것을 목적으로 사업체에서 평가를 실시하는 것이다.
② 직무현장평가의 내용은 작업 의욕·작업에 대한 흥미·작업 지속성·작업 내용의 이해도·작업 방법 및 작업 실시 결과 등의 작업 능력에 관한 사항, 근로시간 및 지시 사항 엄수 등의 근로 습관에 관한 사항, 인사성·대인관계·협조성 등의 사회성에 관한 사항, 건강관리·신변처리 능력 등의 기타 사항이다.
③ 직무현장평가의 장점은 다음과 같다.
　㉠ 해당 직종이 요구하는 능력의 정확한 평가와 관찰이 가능하다.
　㉡ 일의 숙련도·직업의 순서 등 일련의 과정을 일정한 기준을 두고 평가할 수 있게 된다.
　㉢ 일반회의 관련하며 직업적 기능·직업적 수행에서 비슷한 상황에서 이루어지는 표면 교과가 있다.
④ 직무현장평가의 단점은 다음과 같다.
　㉠ 평가할 수 있는 인원이 제한적이며 평가에 많은 시간이 소요된다.
　㉡ 직업제약에 따른 제한된 직종·장소 선정의 어려움이 따를 수 있다.
　㉢ 산업현장·산업체와의 협조가 필수적이다.
　㉣ 작업 상황의 복잡성에 따른 효과적인 요인 구분에서 어려움이 있다.

출처 ▶ 김삼섭(2013 : 118-119)

05   2013추시 중등A-7

모범답안

1)	전환모형: 지역사회 중심 직업훈련 모델
2)	• 유형: 개별배치 모델 • 장점: 다음 중 택 1 　– 한 명의 직무지도원이 한 명의 작업자에게 집중적인 개별 서비스를 제공할 수 있다. 　– 직무지도원이 모든 일을 전담하기 때문에 고용주 입장에서 한 사람과 일을 해결하면 된다.

해설

1) 지역사회 중심 직업훈련 모델은 특수교육과 직업교육 그리고 재활 영역의 연계를 강조한다는 점과 투입-과정-산출이라는 일련의 세 단계를 거친다는 점이 특징적이다(김형일, 2013: 12).

Check Point

(1) Wehman의 지역사회 중심 직업훈련 모형

	직업생활	주거생활	여가생활	사회생활
III. 결과	1. 경쟁고용 2. 지원고용 3. 보호작업장	1. 지역사회 주거 2. 공동생활가정 3. 시설		
II. 과정	개별화된 프로그램 계획 　1. 전환교육의 책임에 대한 공식화 　2. 조기 계획			
	수익자 투입 1. 장애학생의 부모 2. 장애학생	관련 기관 간 협력 1. 학교 2. 직업재활 기관 3. 성인 재활 시설		
I. 투입과 기초	중등과 직업의 특수교육 프로그램 　1. 기능적 교과 　2. 통합된 학교 환경 　3. 지역사회에 기초한 서비스 전달			

(2) 지원고용의 유형
① 개별배치 모델
② 소집단 모델
③ 이동작업대 모델
④ 소기업 모델

06   2015 초등B-5

모범답안

1)	진로와 직업
2)	포괄적 전환교육 서비스 모형(또는 종합적 전환교육 모델)

해설

2) • 개인은 발달 단계에 따라 전환을 여러 번 경험한다: 수직적 전환
　• 9개의 지식과 기술 영역: 의사소통과 학문적 수행 능력(의사소통과 학업 수행 기술), 자기결정, 상호 관계성(대인관계 기술), 통합 지역사회 참여(통합된 지역사회 참여), 위생과 건강(건강과 체력관련 기술), 독립/상호의존 생활기술(독립적/상호의존적 일상생활 기술), 레저와 레크리에이션, 고용(고용 기술), 장래교육과 훈련(고등학교 이후 교육과 훈련 기술)

Check Point

Clark의 포괄적 전환교육 서비스 모형

지식과 기능 영역들	다양한 발달 수준들에 걸쳐 삶의 요구에 성공적으로 대처하는 데 중요하다고 믿는 기능 혹은 수행 영역들 • 의사소통 및 학업 수행 능력 • 상호 관계성　　• 자기결정 • 위생과 건강　　• 통합된 지역사회 참여 • 레저와 레크리에이션　• 고용 • 독립석/상호 의손석 생활 기술 • 장래교육과 훈련
진출 시점과 성과들	유아기부터 성인기까지의 전환교육과 서비스 내의 모든 중요한 진출 시점들이 있으므로 전문가나 가족들은 각 주요 교육적 수준에서 연령에 적절하고 환경특징적인 기대와 함께 전환 과정이 있다는 것을 알아야 한다. • 수직적 전환: 발달적 혹은 생애 단계의 연속제 • 수평적 전환: 교육적 기준 혹은 생애 성과와 연결된 발달적 혹은 생애단계와 관련된 수평적 전환 포함
교육과 서비스 전달 체제	장애인이 평생 동안 직면하게 될 전환 중 하나 혹은 그 이상을 위한 지식과 기술을 개발하는 데 포함되어야 할 일련의 공식적 혹은 비공식적 체계

07 2016 중등B-7

모범답안

| ⓒ과 ⓒ | • 공통점
　- 통합된 환경에 배치된다.
　- 차별 없는 임금과 혜택이 보장된다.
• 차이점: 경쟁고용은 개인이 취업을 하고 나면 지원이 중지되지만, 지원고용은 고용이 된 후에도 지속적이고 생애에 걸친 지원이 이루어진다. |

Check Point

지원고용과 경쟁고용

① 지원고용

지원고용의 조작적·법적·문헌적 정의를 살펴보면 다음과 같다.

조작적 정의	지원고용은 중증장애인을 대상으로 통합된 작업장에서 일반고용이 가능하도록 지원고용 전문가를 활용하여 대상자 선정 및 평가, 실시 사업체 개발 및 직무 분석, 직무 배치, 훈련 및 계속적 지원을 제공하는 고용 서비스다.
법적 정의	「장애인고용촉진 및 직업재활법」 제12조 ①항에서는 노동부장관 및 보건복지부장관은 중증장애인 중 제2조 제4호의 규정에 의한 사업주가 운영하는 사업장에서 직무수행이 어려운 장애인이 직무를 수행할 수 있도록 지원고용을 실시하고 필요한 지원을 하여야 한다고 규정하고 있다.
문헌적 정의	경쟁적 고용이 불가능한 상태에 있거나 혹은 심한 장애에 의해 그 고용이 때때로 중단되거나 방해를 받게 되는 중증장애인을 대상으로 통합된 작업장에서 계속적인 지원 서비스를 제공하면서 이루어지는 경쟁적 고용이다(1986년 미국 재활법).

출처 ▶ 김삼섭 외(2013: 372-373), 내용 요약정리

② 경쟁고용

㉠ 장애인이 비장애인 근로자와 동일한 조건으로 경쟁하여 취업을 하는 형태다.

㉡ 경쟁고용은 다른 취업의 유형에 비해 장애인이 사회에 가장 잘 통합될 수 있으며, 보수도 가장 높은 편이다. 또한 보다 안정적인 직업에 종사할 수 있고, 작업 여건이 좋은 직종에 취업할 가능성도 높다. 그러나 경쟁고용을 위해서는 장애인이 특정한 기능이나 기술을 보유하고 비장애 근로자와 경쟁할 수 있는 능력을 갖추어야하며, 장애인의 취업 가능성과 작업능력에 대한 고용주나 직장동료들의 인식도 보다 적극적으로 전환되어야 할 것이다. 이 고용 형태는 일반적으로 경도장애 학생에게 가장 적당한 것이다(김삼섭 외, 2013: 151).

㉢ 경쟁고용이 지원고용과 중요한 차이점은 경쟁고용은 지원 기간이 일시적으로 제한되고, 개인이 취업을 하고 나면 서비스가 중지된다는 점이다. 그 이후는 개인 스스로 직업을 유지해가야 한다(김형일, 2013: 209).

08 2018 중등A-13

모범답안

• ㉠ 작업표본평가

09 2019 중등A-5

모범답안

㉠ 보호고용

해설

㉠ 보호고용은 일반 직장의 작업조건하에서 일하기 어려운 사람에게 특별한 작업환경을 마련해 주고, 그 환경에서 근무하면서 보수를 받을 수 있도록 한 고용의 형태이다.

Check Point

보호고용

① 통상적인 경쟁노동시장에서 불리하여 고용이 될 수 없는 중증장애인을 위하여 특별히 계획된 조건과 보호적 조건하에서 행해지는 훈련 및 고용이며, 일반적으로 서비스를 제공하는 일 또는 작은 계약의 일을 수행한다.
② 보호고용의 목적은 장애인을 지원고용 사업장에 배치하기 위한 적응훈련과 직업기능훈련의 전환 수단으로 계획된다(김삼섭 외, 2013: 151-152).
③ 우리나라에서는 근로사업장과 보호작업장에서 주로 보호고용이 이루어진다.
  ㉠ 근로사업장은 최저임금의 지급과 종합적인 재활서비스의 제공을 강화하여 장애인들의 경제적 기반을 강화하고 지역사회로의 통합을 촉진하며, 장애의 유형, 연령별 특성과 사업장에서 수행 중인 일의 특성에 따라 재활계획을 수립한다.
    • 근로사업장에서는 보호고용과 함께 적응훈련, 직업 평가, 취업 및 사후 지도, 전환 고용 및 지원 고용 등 재활서비스도 제공한다.
  ㉡ 보호작업장(동 보호작업시설)은 근로사업장에 비하여 장애의 정도가 더 심한 장애인을 대상으로 고용이 이루어진다.
    • 보호작업장은 일반고용이 어려운 중증장애인에게 보호고용의 기회를 제공하면서 개별화된 재활계획에 따라 직업적응훈련, 직업상담, 직업평가 등의 서비스를 제공하는 직업재활시설의 하나이다.

10 2021 중등A-4

모범답안

㉠ 자립생활훈련
㉡ 직업재활훈련

해설

중학교 과정 이상의 각급학교의 장은 특수교육대상자의 특성 및 요구에 따른 진로 및 직업교육을 지원하기 위하여 직업평가·직업교육·고용지원·사후관리 등의 직업재활훈련 및 일상생활적응훈련·사회적응훈련 등의 자립생활훈련을 실시하고, 대통령령으로 정하는 자격이 있는 진로 및 직업교육을 담당하는 전문 인력을 두어야 한다(「장애인 등에 대한 특수교육법」 제23조).

Check Point

(1) 「장애인 등에 대한 특수교육법」 제2조(진로 및 직업교육)
특수교육대상자의 학교에서 사회 등으로의 원활한 이동을 위해 관련 기관의 협력을 통하여 직업재활훈련·자립생활훈련 등을 실시하는 것을 말한다.

(2) 「장애인 등에 대한 특수교육법」 제23조(진로 및 직업교육의 지원)
① 중학교 과정 이상의 각급학교의 장은 특수교육대상자의 특성 및 요구에 따른 진로 및 직업교육을 지원하기 위하여 직업평가·직업교육·고용지원·사후관리 등의 직업재활훈련 및 일상생활적응훈련·사회적응훈련 등의 자립생활훈련을 실시하고, 대통령령으로 정하는 자격이 있는 진로 및 직업교육을 담당하는 전문 인력을 두어야 한다.
② 중학교 과정 이상의 각급학교의 장은 대통령령으로 정하는 기준에 따라 진로 및 직업교육의 실시에 필요한 시설·설비를 마련하여야 한다.
③ 특수교육지원센터는 특수교육대상자에게 효과적인 진로 및 직업교육을 지원하기 위하여 대통령령으로 정하는 바에 따라 관련 기관과의 협의체를 구성하여야 한다.

(3) 「장애인 등에 대한 특수교육법」 제24조(전공과의 설치·운영)
① 특수교육기관에는 고등학교 과정을 졸업한 특수교육대상자에게 진로 및 직업교육을 제공하기 위하여 수업연한 1년 이상의 전공과를 설치·운영할 수 있다.
② 교육부장관 및 교육감은 지역별 또는 장애 유형별로 전공과를 설치할 교육기관을 지정할 수 있다.
③ 전공과를 설치한 각급학교는 「학점인정 등에 관한 법률」 제7조에 따라 학점인정을 받을 수 있다.
④ 제1항 및 제2항에 따른 전공과의 시설·설비기준, 전공과의 운영 및 담당 인력의 배치 기준 등에 관하여 필요한 사항은 대통령령으로 정한다.

11 | 2021 중등A-6

모범답안

- ㉠ 건강과 체력관리 기술
- ㉡ 작업표본평가
  ㉢ 군특성 표본
- 작업표본평가는 평가실에서 이루어지고 직무현장평가는 실제 작업현장에서 이루어진다.

해설

㉡ 작업과제나 재료, 도구도 실제 세탁 직무에서 사용하는 것과 유사한 것을 활용: 직업평가 및 직업적응협회는 작업표본을 '실제 직업이나 직업군에서 사용하는 것과 유사하거나 동일한 과제, 재료, 도구를 통한 한계가 분명한 작업 활동'으로 정의하였다(김형일, 2013: 45).

㉢ 작업표본평가는 실제 직무나 모의된 직무를 평가실에서 실시하여 직업평가의 목적을 달성하고자 하는 것이다. 즉, 평가를 하기 위한 목적으로 실제 작업 활동을 생산 활동으로부터 분리해서 실시하는 것이라고 볼 수 있다. 이에 반해 (직무)현장평가는 실제 직무현장에서 평가 대상 장애인이 직무를 수행하는 동안 고용주나 직무감독자가 수행하는 평가 방법이다(김형일, 2013: 44-46).

Check Point

(1) Clark의 포괄적 전환교육 서비스 모형

지식과 기술 영역	발달적 혹은 생애 단계	진출 시점과 결과
의사소통 학업적 수행 자기결정 대인관계 통합된 지역사회 참여 건강과 체력관리 테크놀로지 및 보조공학 여가 및 레크리에이션 이동성(교통수단) 독립적/상호의존적 생활 직업 준비성 대학 준비성	영아/유아기	학령전 프로그램, 지역사회 참여로
	학령전기	초등학교, 지역사회 참여로
	초등학교	중학교, 지역사회 참여로
	중학교	고등학교 프로그램, 지역사회 참여로 초보 고용, 청소년 서비스로
	고등학교	중등이후 교육, 초보 고용, 성인 및 평생교육, 전업주부, 군대, 지역사회 참여, 성인 서비스 제공자
	성인 초기 및 성인기	초보, 특수한, 기술적, 전문적, 혹은 관리직 고용으로 중등 이후 교육: 학부, 대학원, 혹은 전문적 프로그램; 상급 CTE 프로그램, 성인 및 평생교육으로 전업주부, 지역사회 참여, 군대, 독립생활, 성인 서비스 제공자

[지식과 기술, 생애 단계 및 진출 시점]

출처 ▶ Sitlington et al.(2014)

발달적 혹은 생애 단계	서비스 전달 체계와 지원
영아 및 · 유아기 0~3세	• 가정, 학교중심 조기 중재 서비스(관련서비스) • 보육(daycare) • 가정과 이웃(가족, 친구들) • 기관들 예 사회보장, 발달장애
학령전기 3~5세	• 공립 유치원: 특수 및 일반교육, 관련서비스 • 사립 유치원과 보육 • 가정과 이웃(가족, 친구들) • 기관들 예 사회 서비스
초등학교 시기 5~10세	• 특수 및 일반교육, 관련서비스 • 가정과 이웃(가족, 친구들) • 기관들 예 발달장애, 정신건강
중학교 시기 11~14세	• 지원이 있는 혹은 지원이 없는 일반교육 • 특수교육, 관련서비스 • 가정과 이웃(가족, 친구들) • 기관들 예 발달장애, 정신건강
고등학교 시기 15~21세	• 지원이 있는 혹은 지원이 없는 일반교육 • 특수교육, 관련서비스, 지역사회중심 프로그램들 • 진로 및 기술 프로그램들, 작업학습 프로그램 • 청소년 고용 혹은 중도탈락 예방, 노동력 프로그램 • 가정과 이웃(가족, 친구들) • 기관들 예 직업재활, 사회 서비스
성인 초기 및 성인기 18~25세	• 커뮤니티 칼리지, 대학, 대학교, 기술 학교 • 가정과 이웃(가족, 친구들) • 지역사회 내의 기업체: 고용 • 직업훈련 프로그램들 예 원스톱 센터, 노동력 프로그램 • 성인 서비스 제공자들(지원고용, 주간, 주거) • 기관들 예 사회보장, 사회 서비스, 복지, 정신건강

[생애 단계, 서비스 체계 및 지원]

출처 ▶ Sitlington et al.(2014)

의사소통 기술	표현 기술(예 말하기, 수화하기 및 보완적 의사소통 기술)과 듣기 기술(예 구어적 이해, 수화 읽기 및 말 읽기)을 의미한다.
학업적 수행 기술	학업적 기술들은 자료와 교과서를 이해하기 위해 읽기 기술뿐 아니라 쓰기(문법, 구문론 및 철자), 수학 이해 및 수학 계산 기술을 요구한다. 또한 학업적 수행은 학생들이 교실에서 조정(accommodation)들을 사용하도록 하는 것과 주(state)의 평가, 학습 그리고 쓰기, 공부하기 및 시험 보기를 향상시키기 위한 전략들을 나타내 보이는 것, 그리고 학업 내용 과목들에서 성공을 촉진하는 학습 양식을 판별하는 것에 초점을 두어야 한다.
자기결정 기술	자기결정기술은 성과 목표의 복잡성과 그것이 일어나는 환경과 관련해서 확실히 다양하다. 개인이 희망하는 발달적 기술의 하나로서 생애에 걸쳐서 그 위력이 증가할 때 그것을 교수 가능한 기술로 보는 것이 중요하다. 교육 및 지원 서비스 체계들은 장기간에 걸친 자기결정기술 발달 과정에 관심을 두어야 하고, 그것을 다루려고 학교 경험의 마지막 단계까지 기다리지 말아야 한다.

대인관계 기술	대인관계기술 또는 사회화 기술은 모든 연령수준에 걸쳐서 다양한데, 가정, 학교 및 지역사회 관계들에서 사용되는 기본적 대인관계 기술로 구성된다. 기술들은 공유하기, 협동하기와 협력하기, 다른 사람의 프라이버시와 물건을 존중하기, 다른 사람의 느낌과 선호뿐 아니라 문화적 정체성 및 가치에 민감하기, 그리고 특정 환경에 관련하여 사회적 행동 기대를 나타내기와 같은 긍정적·사회적 행동을 포함한다.
통합된 지역사회 참여 기술	통합된 지역사회 참여 기술들은 지역사회의 흥미있는 환경에 어떻게 접근하는가에 대한 지식부터 그러한 환경들에 참여하는 데 필요한 실제적 지식 혹은 기술에까지 광범위하다. 지역사회 참여의 예들은 쇼핑 대안들, 지역사회의 특별한 행사, 종교적 조직 혹은 지역사회 활동들, 장애권리를 위한 옹호, 자원봉사, 투표하기와 공원에 접근하기, 레크리에이션 센터들 그리고 공공 도서관에 참여하는 것을 포함한다.
건강과 체력관리 기술	신체적 건강과 체력관리는 건강에 대한 문제(예 건강 상태, 영양, 몸무게, 만성 질환 혹은 증상 및 약물 복용)뿐 아니라 체력관리(예 안녕과 강점, 스테미나, 지구력, 운동범위 및 이동성)를 다룬다.
테크놀로지 및 보조공학	장애학생들은 가정, 학교 및 지역사회에서 테크놀로지를 사용할 필요가 있다. 보조공학은 로우테크 혹은 하이테크 장치들과 학생들이 학교, 가정, 지역사회 및 직업에서 더욱 독립적이 되는 것을 도울 서비스를 포함할 수 있다.
여가 및 레크리에이션 기술	장애학생들은 여가 대안들에 대한 그들의 인식과 기술을 개발하고 확장해야만 하고 그들의 여가 기회뿐 아니라 활동들, 사회적 기대 및 자기결정에 관련된 기술들에 대한 요구와 권리를 주장하는 것의 가치를 이해해야만 한다.
이동성(대중교통) 기술	버스를 타는 것, 일하는 곳에 가기 위해 다른 근로자와 함께 팀을 만드는 것, 운전하는 것, 길을 건너는 것, 혹은 어떤 상황에 택시와 같은 개인적 이동수단을 마련하는 것을 포함한다.
독립성/ 상호의존적 생활 기술	옷 입는 기술 및 의복에 대한 결정, 개인적 위생 기술들, 기본 음식 준비, 의복의 관리 및 유지, 운전을 하거나 대중교통 수단의 이용, 자신의 금전 관리, 자신의 약물 복용 요구에 대해 책임지기, 그리고 가정, 학교 및 지역사회에서 권위의 규칙에 순응하는 것을 포함한다.
직업 준비성(고용) 기술		직업 준비성 기술들은 일반적인 고용 기술, 직업 관련 기술, 직업기술을 의미한다.
	일반적 고용 기술	지시 따르기, 과제집중 행동 보이기, 직무의 속도뿐 아니라 직무의 질에 대한 관심 표명하기, 실수 혹은 문제들을 인식하고 수정하기, 출근과 시간엄수에 대한 이해, 교수를 받고 비판을 수용하는 능력과 같은 일반적인 직업기술
	직업 관련 기술	직업을 구하고 얻는 기술, 수학·의사소통 및 대인관계에서 시장성 높은 초기 기술들을 보이기, 할당된 직무과제에서 속도·정확도 및 정밀도를 나타내기, 직무 환경 변화에 적응하기, 직무 수행의 반복과 단조로움에 적응하기, 직업유지에서 기술을 나타내기
	직업 기술	진로 및 기술교육(CTE) 프로그램 혹은 직무에서의 경험을 통하여 학습되는 구체적인 기술들
대학 준비성 기술		중등이후 직업 및 기술 학교들, 커뮤니티 칼리지, 4년제 대학과 대학교들, 대학원 및 전문적 교육, 군사 또는 기업체에서 제공되는 교육과 훈련, 성인교육, 그리고 개인적 혹은 직업적 평생교육을 포함한다.

출처 ▶ Sitlington et al.(2014 : 37-46). 내용 요약 정리

(2) 작업표본의 유형
① 실제 직무표본
② 모의 작업표본 : 실제 직무표본과 모의 작업표본의 차이는 지역사회에서 발견되는 특정 직무와의 관련성에 있고, 실제 반드시 완벽하게 구별되기 어려운 경우가 있다.
③ 단일 특성표본 : 단일 근로자 특성 평가
④ 군특성 표본 : 근로자의 특성군 평가

12

2022 중등A-8

모범답안

- ⓒ 개별배치 모델
  단점) 다음 중 택 1
  - 직무지도원 한 사람의 역량에 의존하고 있어 프로그램의 효율성이 한 사람에 의해 좌우될 수 있다.
  - 한 명의 직무지도원이 한 명의 작업자를 담당하기 때문에 시간과 경비의 비경제적인 측면이 있다.

해설

ⓒ 개별배치 모델의 가장 큰 특징은 작업자를 위한 작업코치가 장애인과 일대일로 배치되어 전반적인 훈련을 실시한다는 점이다. 개별배치 모델의 주요 장점은 한 명의 작업 코치가 한 명의 작업자에게 집중적인 개별 서비스를 제공할 수 있다는 것이다. 그리고 작업 코치가 모든 일을 전담하기 때문에 고용주 입장에서 한 사람과 일을 해결하면 된다. 반면 개별배치 모델의 단점으로는 전적으로 작업 코치 한 사람의 역량에 의존하고 있어 프로그램의 효율성이 한 사람에 의해 좌우될 수 있다. 그리고 한 명의 작업 코치가 한 명의 작업자를 담당하기 때문에 시간과 경비의 비경제적인 측면이 있다(김형일, 2013 : 197-198).

Check Point

ⓒ 지원고용의 유형

개별배치 모델	작업자를 위한 작업코치가 장애인과 일대일로 배치되어 전반적인 훈련을 실시한다.
소집단 모델	지역에 있는 기업 내에서 일하는 특별한 작업 집단으로, 보통 셋 내지 여덟 명으로 구성된 그룹이다.
이동작업대 모델	한두 명의 감독이 3~8명의 작업자들을 담당하도록 하는 집단적인 지원고용 운영 형태이다.
소기업 모델	장애인과 비장애인 함께 고용되어 영리를 목적으로 운영되는 기업이다.

출처 ▶ 김형일(2013 : 197-199)

13

2023 중등B-2

모범답안

- ㉠ 전환 프로그램 분류(또는 혼합형 진로교육)
- ㉡ 기관 간 협력

해설

지문 돋보기

- 실제적 지원을 중심으로 유목화가 되어 있기 때문입니다. : 쾰러는 전환 프로그램의 주요 범주로 증거기반 실제라 할 수 있는 학생 중심 계획, 학생 역량 개발, 기관 간 협력, 가족 참여, 프로그램 구조의 다섯 가지 범주를 제시하고 있음(송준만 외, 2022 : 385)
- ○○지역 장애인협의회 단체장과 장애인부모회 대표 및 교육지원청 특수교육 담당 장학사가 참석하였습니다. : '장애인 고용 비전 선포식'에 장애인 취업과 관련한 ○○지역 장애인협의회, 장애인부모회, 교육지원청과 같은 각 기관의 담당자가 참석하였음을 의미. 전환교육의 모든 측면에서 대상 학생, 부모, 교사, 서비스 제공자, 지역사회 담당자, 졸업 후 기관 담당자, 고용주 등 관련 주체와의 협력 및 연계는 매우 중요한 부분도 협력을 위한 체계와 협력적 서비스 전달이 필요함. 이러한 목적에 도달하기 위해서는 이들을 잘 이끌어야 하며 각 기관의 담당자를 미리 결정해 주는 것이 좋음(송준만 외, 2022 : 385)

㉠ 쾰러는 혼합형 진로교육 모형을 제시하였다. 이 모형은 전환교육에서 제공하여야 할 교육내용을 강조하는데, 그 영역은 학생 중심 계획, 가족 참여, 프로그램의 구조와 속성, 기관 간 협력 그리고 학생 개발이다. 이 모형의 핵심은 전환도 교육의 한 측면으로 강조되어야 한다는 것이다(김형일, 2013 : 13).

Check Point

ⓒ 전환 프로그램 분류 모형(혼합형 진로교육 모형)의 다섯 가지 영역

영역	내용
학생 중심 계획	• 학생의 진단평가 정보를 활용하여 개별화된 중등 이후 목표 및 프로그램을 개발하는 것이다. • 계획 과정에서 학생의 참여를 중시하고 자기결정을 촉진한다.
학생 개발	사회성, 자기결정, 자기옹호, 독립생활기술, 직업 기술을 포함하는 여러 영역에서 학생에 대한 평가와 교수를 실시하여 역량을 개발하는 것을 말한다.
기관 간 협력	지역사회 사업체나 관련 기관들의 참여를 촉진하고 협력을 증진하는 것을 말한다.
가족 참여	전환 서비스를 계획하고 제공하는 데 가족을 참여시키고 다양한 전환 영역에서 가족훈련을 통해 역량을 강화하는 것이다.
프로그램의 구조	프로그램 철학, 계획, 정책, 평가, 인적자원 개발을 포함한 전환 서비스의 효율적이고 효과적인 전달을 위한 체제를 말한다.

14   2024 중등A-11

모범답안

- ㉣, 학생의 자기결정과 자기옹호 기술에 대한 평가는 학생을 중심으로 한다.
- ㉤, 모든 관련 영역에서 학업 기술과 행동 기술 수준을 평가해야 한다.

해설

㉣ 두 번째 단계인 학생의 자기결정/자기옹호 기술에 대한 평가는 미래 계획을 위한 요구 및 목표 평가와 함께 효과적인 전환계획의 토대를 이룬다. 학생의 동기를 존중하고 교육과정의 주도권을 학생과 가족에게 양도하고자 하는 과정이기 때문이다. 즉, 이들 두 영역 평가의 기본 전제는 교육이 효과적이고 의미 있기 위해서 학생 중심적이고 소비자 주도적이어야 함을 의미한다(송준만 외, 2022 : 396).

㉤ 학업 기술의 문제가 고등학교 이후 진로 선택에 반드시 어려움을 유발하는 것은 아니지만, 향후 전환계획을 위해 학업기술 수준에 대한 언급은 꼭 필요하다. 21세기 고용시장에서 고임금을 받기 위해서는 높은 수준의 기술이 필요하며 읽기, 쓰기, 셈하기 기술은 과거 어느 때보다 더 중요한 비중을 차지하기 때문이다. 아울러 행동상의 문제는 모든 학생이 일반교육과정에 성공적으로 참여하는 데 결정적으로 중요한 측면이므로, 고등학교 생활과 졸업 이후 삶이 성공적이기 위해 학생 능력에 영향을 줄 수 있는 사회적·행동적 측면에 관한 정보를 수집하여야 한다(송준만 외, 2022 : 396).

Check Point

ⓜ 전환평가 모델

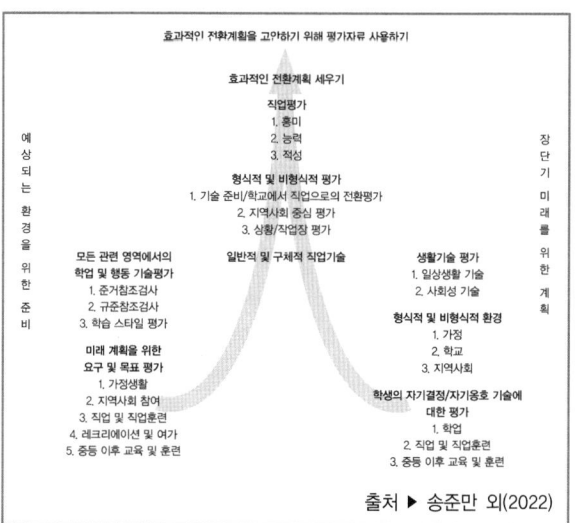

출처 ▶ 송준만 외(2022)

15   2024 중등B-1

모범답안

㉠	특수학교 학교기업
㉡	장애인 보호작업장

해설

㉠ 특수학교 학교기업은 "장애학생 현장실습 확대 및 지역사회 사업체와의 연계를 통한 취업률 증가를 목적으로 특수학교 내에 일반사업장과 유사한 형태의 직업교육 환경을 조성하고 교육과정과 연계하여 직접 물품의 제조·가공·수선·판매, 용역의 제공 등을 하는 부서"라고 할 수 있다(국립특수교육원, 2012; 박희찬 외, 2022 : 403 재인용).

㉡ 직업재활시설의 일종, 사회적응 능력 증진, 분리된 작업환경, 적은 보수 등은 해당 유형이 장애인 보호작업장임을 알게 하는 단서에 해당한다.

Check Point

ⓜ 장애인 직업재활시설의 유형(「장애인복지법 시행규칙」 기준)

장애인 근로사업장	직업능력은 있으나 이동 및 접근성이나 사회적 제약 등으로 취업이 어려운 장애인에게 근로의 기회를 제공하고, 최저임금 이상의 임금을 지급하며, 경쟁적인 고용시장으로 옮겨갈 수 있도록 돕는 역할을 하는 시설
장애인 보호작업장	직업능력이 낮은 장애인에게 직업적응능력 및 직무기능 향상훈련 등 직업재활훈련 프로그램을 제공하고, 보호가 가능한 조건에서 근로의 기회를 제공하며, 이에 상응하는 노동의 대가로 임금을 지급하며, 장애인 근로사업장이나 그 밖의 경쟁적인 고용시장으로 옮겨갈 수 있도록 돕는 역할을 하는 시설
장애인 직업적응훈련 시설	작업능력이 극히 낮은 장애인에게 작업활동, 일상생활훈련 등을 제공하여 기초작업능력을 습득시키고, 작업평가 및 사회적응훈련 등을 실시하여 장애인 보호작업장 또는 장애인근로사업장이나 그 밖의 경쟁적인 고용시장으로 옮겨갈 수 있도록 돕는 역할을 하는 시설

16 2025 중등A-3

모범답안

[A]	직무현장평가(또는 현장평가)
[B]	소집단 모델

해설

지문 돋보기

- 실제 작업장에서 : 직업 평가 장소
- 학생 K는 작업장을 직접 경험할 수 있고, 작업장에서 발생할 수 있는 문제점도 찾아서 미리 개선할 수 있을 거예요. : 직무현장평가의 장점
- 비장애 직장동료와 함께 바로 작업을 시작하는 것은 다소 어려움이 있다 : 소집단 모델의 한계점
- 학생 K와 장애 정도가 비슷한 수준의 취업 준비생 3~8명과 함께 : 소집단 모델의 구성
- 필요한 경우에는 특별한 훈련이나 지원 서비스를 받으면서 일할 수 있다 : 소집단 모델의 장점

[A] 현장평가란 기업이나 공장, 서비스 업체의 실제 작업 현장에서 작업수행도 및 작업행동을 평가하는 것을 말한다. 이는 실제 작업상황에서 평가함으로써 다른 어떤 기법보다 그 타당도가 높을 뿐 아니라 다른 일반 작업자들과의 자연스러운 비교가 가능하며 장애인으로 하여금 작업현장을 직접 경험하게 할 수 있고 이미 마련된 시설을 활용하는 것이기 때문에 따로 시설비가 들지 않는다는 장점이 있다. 그러나 너무 많은 시간이 소요되며 현장의 협조가 그리 용이치 않기 때문에 실제로 현장평가가 가능한 경우가 그리 많지 않다는 것이 단점으로 지적된다(박희찬 외, 2021 : 80-81).

[B]
- 소집단 모델은 특정 사업장 안에 소집단으로 지원고용의 기회를 제공하는 것이다. 이 소집단은 어떤 주어진 사업장 안에서 장애인이 전체 8명을 넘지 않는 규모여야 한다(박희찬 외, 2021 : 50).
- 소집단 모델은 회사의 작업라인에서 바로 작업하기에 어려움이 있어 지원을 더 필요로 하는 중증장애인을 대상으로 실시한다(김형일, 2013 : 198).
- 소집단 모델의 장점 중 하나는 그 사업장 안에서 지원고용전문가를 배정받을 기회가 있다는 것이다. 이러한 사업장 내 직원의 지원은 전형적으로는 계속 제공되는 것이지만, 지원고용대상자가 필요로 하는 지원의 정도에 따라 간헐적으로 제공될 수도 있다. 소집단 모델이 갖는 한계점은 소집단으로 구성하게 되므로 개별배치의 경우보다 통합의 질이 떨어질 수 있다는 것이다(박희찬 외 2021 : 51).

Check Point

(1) 직무현장평가의 장단점

장점	• 실제 작업상황에서 평가함으로써 다른 어떤 기법보다 타당도가 높다.
	• 작업현장을 직접 경험할 수 있다.
	   - 정규 근로시간, 정규 근로자, 자신의 흥미 분야의 직무과업이 제공되는 경쟁고용형태의 작업장에서 직무수행을 통해 자신을 평가할 기회를 가진다.
	   - 작업장에서 발생할 수 있는 문제점을 찾아서 미리 개선할 수 있다.
	• 수행 과정에서 사회성과 작업능력을 동시에 평가할 수 있다.
	• 해당 직종이 요구하는 능력의 정확한 평가와 관찰이 가능하다.
	• 일의 숙련도, 작업의 순서 등 일련의 과정을 일정한 기준을 두고 평가할 수 있다.

단점	• 실제 현장을 사무현장평가의 장소로 이용하기 때문에 장소 신청이 어렵다. - 산업현장·산업체와의 협조가 필수적이다. • 작업상황이 복잡할 경우 능력과 적성에 대한 효과적인 구분이 어렵다. • 평가할 수 있는 인원이 제한적이며 평가에 많은 시간이 소요되어 경제적 측면에서 비효율적이다.

(2) 소집단 모델의 장단점

장점	• 개별배치 모델보다 더 장기적인 지원을 제공할 수 있다. • 지역사회 내의 특정 직업에 적절히 적응하지 못하는 대상에게도 고용의 기회를 제공할 수 있다. • 한 명의 감독자가 여러 명에게 동시에 고용의 기회를 제공할 수 있다. • 소집단 구성원 중에서 정규사원으로 채용되면 다른 장애인이 그 자리에 채워질 수 있다. • 유사한 직업흥미와 목표, 서비스의 욕구를 가진 사람들이 모여 있으므로 지원고용 전문가의 시간 사용이 경제적이다.
단점	소집단으로 구성하게 되므로 개별배치의 경우보다 통합의 질이 떨어질 수 있다.

17   2025 중등A-10

모범답안

- ⓒ 물리적 지원

해설

ⓒ 자연적 지원은 조직적 지원, 물리적 지원, 사회적 지원, 훈련적 지원으로 구분할 수 있다(박희찬 외, 2021 : 241).
- 자연적 지원은 지원고용대상자의 작업동료나 직무환경 내에서의 자연스러운 맥락 속에서 자발적이고 지속적으로 제공되는 특성이 있다. 즉 지원고용대상자와 함께 일하는 비장애 작업동료나 직장상사 등이 직무환경에서 함께 일하면서 지원고용대상자가 점차 독립적인 직무수행이 가능하도록 지원하는 것이다(박희찬 외, 2021 : 241).

Check Point

자연적 지원의 내용

지원	내용

조직적 지원	• 장애인 작업자의 성공적인 고용을 촉진하기 위한 작업 활동 준비/조직하기를 의미한다.
	• 지원 내용
	  - 필요한 재료들을 찾기 쉬운 장소에서 제공하기
	  - 직무순서 조정하기
	  - 이동을 고려하여 직무 배치하기
	  - 필요할 때 적절한 업무 찾아 주기
	  - 필요한 장비 제공하기
	  - 위험 요인에 대해 미리 설명하기
	  - 훈련 일정에 대해 안내하기

물리적 지원	• 물리적 작업환경의 설계와 기능을 의미한다.
	• 지원 내용
	  - 사용하는 도구 수정하기
	  - 일이 없을 때 쉴 수 있는 공간 제공하기
	  - 보조공학도구 사용하기

사회적 지원	• 지원 내용
	  - 쉬는 시간에 이야기 나누기
	  - 간식 함께 먹기
	  - 실수를 했을 때 위로해 주기
	  - 작업장에서 지켜야 할 규칙 설명하기
	  - 같이 일하는 직원 소개해 주기
	  - 의사소통 시작 행동 먼저 하기

훈련적 지원	• 고용주와 동료 작업자가 제공하는 구체적인 직업기술훈련과 설명을 의미한다.
	• 지원 내용
	  - 수행방법에 대한 모델 제공하기
	  - 이해하지 못하는 것에 대하여 설명하기

출처 ▶ 박희찬 외(2021 : 241), Brown et al.(2021 : 518-519)

김남진
KORSET 특수교육 기출분석 ❹ 　모범답안 및 해설

초판인쇄 | 2025. 5. 15. **초판발행** | 2025. 5. 20. **편저자** | 김남진
발행인 | 박 용 **발행처** | (주) 박문각출판 **등록** | 2015년 4월 29일 제2019-000137호
주소 | 06654 서울특별시 서초구 효령로 283 서경 B/D **팩스** | (02) 584-2927
전화 | 교재 주문 (02) 6466-7202, 동영상 문의 (02) 6466-7201

저자와의
협의하에
인지생략

이 책의 무단 전재 또는 복제 행위는 저작권법 제136조에 의거, 5년 이하의 징역 또는 5,000만 원 이하의 벌금에 처하거나 이를 병과할 수 있습니다.

ISBN 979-11-7262-818-5 / ISBN 979-11-7262-816-1(세트)
정가 29,000원(분권 포함)